le Monde des Jeunes

WRITING AND CONSULTING STAFF
CENTER FOR CURRICULUM DEVELOPMENT

RESEARCH AND WRITING

Writers KATIA BRILLIÉ LUTZ, FRANÇOISE PÉRIN LEFFLER

Consulting Editor MARINA LIAPUNOV

Consulting Linguist WILLIAM F. MACKEY, Université Laval
Québec, Canada

Editor GENEROSA GINA PROTANO

CONSULTANTS

General Consultants NELSON BROOKS, New Haven, Conn.
PIERRE J. CAPRETZ, Yale University
New Haven, Conn.

Culture Consultants MARIANNE BROUARD, Lycée Lavoisier
Paris, France
JEAN-PAUL CONSTANTIN, Université de Paris X, France

TEACHER CONSULTANTS RHEBA BURGESS, Norview High School
Norfolk, Va.
ROBERT DIDSBURY, Weston High School
Weston, Conn.
JOHN V. GORMLEY, Mount Miguel High School
Spring Valley, Calif.
JOSEPH F. HERNEY, Briarcliff High School
Briarcliff Manor, N.Y.
FRANCES K. KENNISON, Denham Springs High School
Denham Springs, La.
ROSALIE G. ROGERS, Briarcliff Middle School
Briarcliff Manor, N.Y.

le Monde des Jeunes

french 2

HBJ **HARCOURT BRACE JOVANOVICH, PUBLISHERS**

Orlando   New York   Chicago   Atlanta   Dallas

PICTURE CREDITS

Positions are shown in abbreviated form, as follows: *t*, top; *c*, center; *b*, bottom; *l*, left; *r*, right.

PLATES
All HBJ photos except as noted. Pl. 2: #1, #2, #3 Stephen Colwell; #4 Comité Lorraine, courtesy of French Embassy Press and Information Division; #5 S.E.P.T., Chambre Syndicale de la Sidérurgie, courtesy of French Embassy Press and Information Division. Pl. 3: #1 courtesy of Air France; #2 R. Schoeder/Shostal Associates; #3 © Rhône-Poulenc Courtin, courtesy of French Embassy Press and Information Division; #4 courtesy of Air France; #5 courtesy of Food and Wines from France, Inc. Pl. 4: #1, #2 S. Colwell. #3 Mark Antman; #4 Marie Breton, courtesy of French Embassy Press and Information Division. Pl. 5: #1, #2 M. Antman; #3 courtesy of Air France. Pl. 6: #1 M. Antman; #2 courtesy of French Government Tourist Office; #3 Gea Koenig, courtesy of French Government Tourist Office. Pl. 7: #1 M. Antman; #2 Serrallier, courtesy of French Government Tourist Office; #3 Pierre Capretz. Pl. 8: all S. Colwell. Pl. 10: #1, #2 P. Capretz; #3, #4 courtesy of Air France. Pl. 11: # 5, #7 courtesy of Haiti Government Tourist Bureau; #6, #8 courtesy of Air France; #9 Judy Gurovitz, courtesy of Air France. Pl. 12: #1, #2 courtesy of Tourist Branch, Government of Québec; #3 Air Pixies; #4 Oscar Buitrago. Pl. 13: #5, #7, #8 courtesy of Tourist Branch, Government of Québec; #6 O. Buitrago. Pl. 14: James Edmunds. Pl. 15: #1, #3, #5 J. Edmunds; #2, #4 courtesy of CODOFIL (Council for the Development of French in Louisiana). Pl. 16: #1, #4 Eric Sanford; #2 G. Eric Carle/Shostal Associates; #3, #5 Sherrill Musty. Pl. 17: *t* Granger Collection; *cl, bl, br* Clichés Musées Nationaux; *cc* Musée Carnavalet; *cr* courtesy of French Embassy Press and Information Division; *bc* Photo Bulloz. Pl. 18: #1 Granger Collection; #2, #5 Patrick Courtault; #4 courtesy of Air France. Pl. 19: #3 courtesy of Air France. Pl. 20: #2, #3 P. Courtault; #4 M. Antman; #5 The Bettmann Archive. Pl. 21: #1, #4 courtesy of French Embassy Press and Information Division. Pl. 22: #2 M. Antman. Pl. 23: #1 Musée Carnavalet; #2 courtesy of French Embassy Press and Information Division; #3 New York Public Library Picture Collection. Pl. 24: #1 The Bettmann Archive; #2 Pictorial Parade; #3 courtesy of French Embassy Press and Information Division; #4 Gamma/Liaison. Pl. 25: HBJ Picture Library. Pl. 26: #1 P. Capretz; #2, #3 The Bettmann Archive. Pl. 27: #4 Granger Collection; #5 The Bettmann Archive. Pl. 28: #1, #3 Granger Collection; #2 Culver Pictures; #4 P. Capretz. Pl. 29: #5 T. Nebbia/Woodfin Camp; #6, #7 Granger Collection. Pl. 30: #1, #2 Granger Collection; #3 The Bettmann Archive. Pl. 31: #1, #2 The Bettmann Archive. Pl. 32: Tony Linck/Shostal Associates; Inset, P. Capretz.

TEXT PHOTOS
Page 1: all Stephen Colwell. 2, 5, 6, 7, 13, 15: S. Colwell. 17, 18, 23, 24, 25, 29: Patrick Courtault. 33, 34, 39, 40, 43, 44, 47t: Gerhard Gscheidle. 50: #1, #2 P. Courtault; #3 S. Colwell. 55, 56: P. Courtault. 59: S. Colwell. 66, 67, 70, 72: Mark Antman. 81: *tl, tc, tr, bc, br* M. Antman; *c, bl,* P. Courtault. 82, 83: M. Antman. 86: P. Courtault. 94: M. Antman. 97: *tl* S. Colwell; *c, cl* Renault U.S.A.; *bl* O. Buitrago; *b* Claudine Constantin. 98, 104: P. Courtault. 108: O. Buitrago. 109: P. Courtault. 113, 114, 115, 117, 119, 124, 125: O. Buitrago. 130, 137, 138: M. Antman. 142: #1, #2 O. Buitrago; #3, #4, #5 #6 Seligman & Latz International Beauty Salons. 143: #1, #2 M. Antman; #3, #4 P. Courtault. 145, 146, 148, 149, 151, 152, 155, 156, 159, 161, 162, 163: M. Antman. 166, 167, 172: P. Courtault. 177, 179, 180, 181, 186, 188, 191: M. Antman. 193*l*: SNCF. 194: #1 G. Gscheidle; #2 S. Colwell; #3 M. Antman; #4 P. Courtault. 201, 202, 203, 207, 209, 210, 211, 215, 216: M. Antman. 217: #1, #2, #3 M. Antman; #4 Coqueux/Rapho-Photo Researchers. 220: M. Antman. 227, 229, 230, 233*tr, b*, 234, 235: S. Colwell. 243: SNCF. 244: M. Antman; #4 O. Buitrago. 245: M. Antman. 249, 251, 252*t*: M. Antman.

ART
HBJ: 35, 111, 116, 129, 147, 161, 168, 227, 250. DON CREWS: 49, 65, 79, 99, 100, 102, 105, 111, 178, 185, 190, 191, 225, 233, 234, 235, 238, 241, 243. MANNY HALLER: ZORAN ORLIC: 3, 21, 36, 62, 63, 73, 75, 89, 120, 131, 133, 139, 173. MICHAEL VIVO: 14, 17, 28, 47, 88, 97, 145, 153, 170, 186, 198, 199, 204, 211, 228, 249. Page 253 reproduced from Michelin Guide, courtesy of Michelin et Cⁱᵉ. Page 193: Decals courtesy of Société Nationale de Protection de la Nature, *tr*; and Société pour la Protection de la Nature, *br*.

SONGS
Page 93: "La Ronde Autour du Monde"-Heugel et Cⁱᵉ, and Flammarion et Cⁱᵉ, reproduced with special permission.

COMIC STRIPS
Page 95: "Les Anti-Mémoires de Laurence Torniol" and pp. 171, 226: "Les Pensées de Pascal," reproduced with special permission from BAYARD-PRESSE.

Acknowledgments

We wish to express our gratitude to the young people pictured in this book, to their parents for their cooperation, and to the many people who assisted us in making this project possible.

Our special thanks to the following people: Jean-Pierre, Jeannine, and Katia Burgard, and the management of the store "Le Bon Marchand" (Unit 25); Christine and Frédéric Bérubé, Catherine and Patrick Carette, Jean-Manuel Peiro, and Didier Vaucel (Unit 26); Léonard Chamberland, Anne Lajoie, and the "pionniers" and "guides" of St-Jean-Baptiste-de-la-Salle, Sainte-Foy, Québec, and Jean-Marie Scantland (Unit 27); Dr. Jean Hardy, Dominique Hardy, Laurent Marret, and the administrations, teachers, and students of the "Ecole de Danse de l'Opéra de Paris" and of the Lycée Gustave-Monod, Enghien (Unit 28); Nicole Bataille and the members of the theater company of the Lycée de Courbevoie, and the management and members of the "Maison pour tous de Courbevoie" (Unit 29); Stéphane Debras, Anne Giauque, Yves Lehmann, Roger Oehler, Christine Pierre, Evelyne Richoz, Brigitte Robert, Sylvie Vincent, and Gilles Wust (Unit 30); Gilbert Ferrere and the students of his driving school, Gérard Redonnet, and Francis Sanz (Unit 31); Lucie Giroux, Robert Matifat, and the organizers of the Québec Winter Carnival (Unit 32); Jacquet Boat and his employees, Paul Bocuse and his employees, Georges Sisquella and his employees, and the administration of the "Ecole des Métiers de la Ville de Lausanne" (Unit 33); Kouadio Kouassi, his family, and his friends, and the administration, teachers, and students of the Lycée de Dimbokro (Unit 34); Pierre Bize, Dr. Yves Heurté, Claire Heurté and friend, and Robert Pujol (Unit 35); R.E.M.PART, the administration of the "Chantier du château de Montaigut," and its participants (Unit 37); Valérie Croitoriu and friends, Claire Guedj, Vincent Perrottet, the Vincent family, and the management of the "Chiquito" Restaurant (Unit 38); Dr. Jean-François Soudier, his family, and his friends (Unit 39); Catherine and Martine Demange, Lou Kregel, and Agnès Kirscher (Unit 40).

Contents

● basic material
▲ grammar
■ materials for fun and cultural awareness
▼ review and reference

Contents   ix

Contents   xiii

PHOTO ESSAY **They Helped Shape the New World** Plates 25–32

le Monde des Jeunes

25
Vêtements
Pour La
Rentrée

1 Jeanine et Jean-Pierre n'ont plus rien à se mettre! ⊗

Le mois de septembre en Alsace annonce deux choses: les vendanges et la rentrée des classes. Pendant que tous les petits villages des environs de Colmar organisent leur fête des vignerons, les magasins de Colmar sont en pleine effervescence. Ils présentent leurs nouveautés d'automne.

Comme beaucoup de jeunes de leur âge, Jeanine et Jean-Pierre Burgard ont besoin de nouveaux vêtements pour la rentrée. Leurs parents leur ont donné de l'argent pour s'en acheter. Les voilà devant la vitrine d'une boutique élégante. Un ensemble couleur crème a attiré l'attention de Jeanine.

J.   Il n'est pas mal cet ensemble, tu ne trouves pas?

J.-P.   Oui, ça va.

J.   Evidemment, une couleur claire, ça n'est pas très pratique. Ça se salit trop facilement.

J.-P.   Dis donc, tu as vu le prix! C'est ridicule! Et Maman qui nous a bien dit de ne pas trop dépenser!

J.   Entrons toujours. Ils ont l'air d'avoir des choses bien!

J.-P.   Oui, et les prix aussi, ils sont bien! Tu y entres toute seule, parce que moi, je vais au Bon Marchand. C'est moins cher.

J.   Je parie que tu vas encore t'acheter une chemise à carreaux. Tu en as des milliers, mais tous les ans, tu remets ça.

Jeanine décide finalement d'accompagner son frère au Bon Marchand, un grand magasin de Colmar. Une fois arrivés, ils montent d'abord au rayon des Jeunes, qui se trouve au premier étage, mais ils ne trouvent rien à leur goût. Ils descendent ensuite au sous-sol où une nouvelle boutique, le J-Club, vient d'ouvrir.

Devant la vitrine du Bon Marchand

2 *In France* la rentrée *is more than just students returning to school. Since about half the population takes its vacation in July or August,* la rentrée *means that the French are returning to their homes and their work. After slowing down for two months, the country goes back to its normal pace.*

Stores are especially busy during this time of the year—not only those selling school supplies, but also those selling clothes. French students care a great deal about their appearance. They choose their clothes carefully, making sure that they are the latest style, that they fit well, and that the colors match.

3 **Répondez aux questions.**

1. Qu'est-ce que le mois de septembre annonce?
2. Que font tous les petits villages des environs de Colmar?
3. Pourquoi est-ce que les magasins de Colmar sont en pleine effervescence?
4. De quoi Jeanine et Jean-Pierre ont-ils besoin?
5. Qui leur a donné de l'argent?
6. Qu'est-ce qui a attiré l'attention de Jeanine?
7. Pourquoi est-ce qu'une couleur claire, ça n'est pas pratique?
8. Qu'est-ce que Mme Burgard a dit à ses enfants?
9. Où Jean-Pierre va-t-il aller? Pourquoi?
10. Qu'est-ce que Jean-Pierre s'achète tous les ans?
11. A quel rayon montent-ils d'abord? C'est à quel étage?
12. Où est le J-Club?

4 **Ce que Jeanine et Jean-Pierre aimeraient acheter:** ⊗

une veste sport

un manteau à la mode

un imperméable réversible

un ensemble habillé

un gilet excentrique

un costume pratique

5 **Et vous?**

1. Est-ce que vous avez besoin de nouveaux vêtements? Lesquels?
2. Avec quel argent est-ce que vous allez les acheter? Avec qui?
3. Quel genre de vêtements est-ce que vous aimez? Des vêtements pratiques, excentriques, sport ou habillés? Est-ce que vous suivez toujours la mode?
4. Où est-ce que vous achetez vos vêtements? Quel genre de magasin est-ce?

6 **EXERCICE ORAL** ⊗

TALKING ABOUT THE PRESENT
Review of the Present Tense

1. The following chart shows the present-tense forms of regular verbs, verbs like **jouer, sortir, choisir,** and **attendre.**

	Pronoun	Stem	Ending	Stem	Ending	Stem	Ending	Stem	Ending
		jou	**-er**	**sort**	**-ir**	**chois**	**-ir**	**attend**	**-re**
Singular	je tu il/elle	**jou**	**-e** **-es** **-e**	**sor**	**-s** **-s** **-t**	**chois**	**-is** **-is** **-it**	**attend**	**-s** **-s** **—**
Plural	nous vous ils/elles	**jou**	**-ons** **-ez** **ent**	**sort**	**-ons** **-ez** **-ent**	**choisiss**	**-ons** **-ez** **-ent**	**attend**	**-ons** **-ez** **-ent**

2. You can review the present-tense forms of irregular verbs in the Grammar Summary. The ones you have met so far are: **être, avoir, aller, venir, faire, prendre, mettre, boire, connaître, savoir, suivre, pouvoir, voir,** and **vouloir.**

3. In the present tense, both regular and irregular verbs have the following patterns in common:
    a. All the singular forms sound alike, except for **avoir, être,** and **aller.**

je	joue	j'	attends	je	viens	je	vois
tu	joues	tu	attends	tu	viens	tu	vois
il	joue	il	attend	il	vient	il	voit

   b. The stem of the **nous** and **vous** forms is the same, except for **être, faire,** and **dire.**

nous vous	jou {-ons -ez	nous vous	attend {-ons -ez	nous vous	ven {-ons -ez	nous vous	voy {-ons -ez

8 Dans une boutique. ⊗

De quoi est-ce que Jeanine a besoin? D'un ensemble?
De quoi est-ce que tu as besoin? De gants?
De quoi est-ce que vous avez besoin? D'un pull?
De quoi est-ce que ces filles ont besoin? De chaussures?

Oui, elle cherche un ensemble.

9 Il y a des choses bien dans cette boutique. ⊗

J'ai besoin d'un gilet excentrique.
Nous avons besoin de pantalons à la mode.
Jeanine a besoin d'une robe habillée.
Ils ont besoin de pulls sport.

Je descends au sous-sol.

10 Devant le Bon Marchand. ⊗

Tu entres ou tu sors?
Et Jeanine et Jean-Pierre? / Et vous deux? / Et Mme Burgard?

Je sors.

11   Comment est-ce qu'on choisit ses vêtements? ⊗

Quelqu'un vous aide à choisir vos vête-
ments?
Quelqu'un aide Jean-Pierre ?
Quelqu'un t'aide ?
Quelqu'un aide Jeanine et Jean-Pierre ?

Non, nous les choisissons tout seuls.

12   EXERCICE ECRIT

a. Ecrivez les réponses des exercices No 8, 9, 10 et 11.
b. Faites des phrases en utilisant les mots donnés dans l'ordre donné.
Ex.: nous / décider / aller / faire / courses   Nous décidons d'aller faire des courses.
1. je / avoir / besoin / pantalon / et / chemise
2. Jeanine / vouloir / acheter / ensemble
3. nous / regarder / vitrine / boutique / élégante
4. nous / entrer / boutique
5. nous / ne … rien / trouver / et / nous / sortir
6. nous / aller / grand magasin
7. je / aller / rayon / Jeunes
8. Jeanine / descendre / boutique

13   Décrivons les photos!

Regardez les photos ci-dessous (*below*), et décrivez ce que font Jeanine et Jean-Pierre, ce
qu'ils portent, ce qu'il y a dans la vitrine, combien ça coûte, etc. Essayez de donner le plus
de détails possibles. Commencez par: « Jeanine et Jean-Pierre vont traverser la rue … »

1

2

3

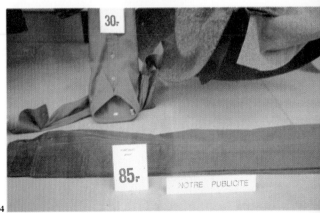

4

14 Jean-Pierre fait son choix. ⊗

VENDEUSE On s'occupe de vous?
JEAN-PIERRE Non. Je voudrais une chemise sport.
VENDEUSE Quelle taille?
JEAN-PIERRE 38, je crois.

JEAN-PIERRE Il me faut aussi un pantalon.
VENDEUSE Quel genre de pantalon?
JEAN-PIERRE Un jean de velours, noir ou marron...
VENDEUSE Qu'est-ce que je vous donne? Un 40?
JEAN-PIERRE Un 40 ou un 42. Je ne sais jamais.

VENDEUSE La cabine d'essayage est au fond à gauche. *(Quelques minutes après.)* Alors, ça va?
JEAN-PIERRE Oui, mais vous ne trouvez pas que le jean est un peu court?
VENDEUSE Ah pas du tout! D'ailleurs, si on le rallonge, vous allez marcher dessus!

VENDEUSE Si ça vous intéresse, nous venons de recevoir de très beaux pull-overs.
JEAN-PIERRE Ah oui? Vous avez quelque chose qui irait avec ce pantalon?
VENDEUSE Eh bien, ce pull vert et blanc, par exemple... 125 F seulement. C'est une affaire, croyez-moi! Essayez-le donc, je crois que c'est votre taille.

VENDEUSE Ah, il vous va vraiment très bien!
JEAN-PIERRE Jeanine! Viens voir! Ça te plaît?
JEANINE Pas possible! Tu n'as pas acheté de chemise à carreaux!

15 Jeanine est occupée de son côté. ⊗

JEANINE   Vous pouvez m'aider? Vous avez cette jupe-culotte en 40?

VENDEUSE   Voilà un 40. Je vous donne aussi un 42, au cas où le 40 serait trop petit.

JEANINE   Cette jupe est vraiment trop longue...

VENDEUSE   On peut vous la raccourcir. Pas de problème.

JEANINE   Combien prenez-vous pour les retouches?

VENDEUSE   Oh, pour raccourcir, 15 F au plus.

JEANINE   Cette robe-chasuble me plaît beaucoup, mais je n'ai rien qui va avec.

VENDEUSE   Voilà un chemisier qui serait parfait.

JEANINE   Ah oui, ça va très bien ensemble!

JEANINE   Tiens, vous vendez aussi des bijoux...

VENDEUSE   Oui, et des produits de beauté. Avez-vous besoin de quelque chose?

JEANINE   Non, merci! Je regarde seulement.

VENDEUSE   Allez, laissez-vous donc tenter par ce collier!

VENDEUSE   Regardez dans la glace comme ça vous va bien!

JEANINE   Oui, j'aime beaucoup... Jean-Pierre! Ça te plaît?

JEAN-PIERRE   Ouais! Ça peut aller.

16 **Répondez aux questions.**

    a. « Jean-Pierre fait son choix. »
        1. Jean-Pierre porte des chemises de quelle taille?
        2. Quel genre de pantalon est-ce qu'il cherche?
        3. Quelle est sa taille?
        4. Où est-ce qu'il va essayer le jean? Comment est-ce qu'il trouve le jean?
        5. Qu'est-ce que la vendeuse lui propose d'essayer aussi?
    b. « Jeanine est occupée de son côté. »
        1. Quel genre de jupe est-ce que Jeanine veut essayer?
        2. Quelle taille est-ce que la vendeuse lui donne? Pourquoi?
        3. Comment est-ce que Jeanine trouve cette jupe?
        4. Combien est-ce qu'ils prennent pour raccourcir une jupe?
        5. Qu'est-ce qui plaît à Jeanine? Avec quoi est-ce qu'on la met?
        6. Qu'est-ce qu'on vend d'autre dans cette boutique?
        7. Qu'est-ce que Jeanine va acheter avec la robe et le chemisier?

17 **EXERCICE ORAL** ⊗

18 # Quelle taille est-ce qu'il vous faut? Quelle est votre pointure[1]? ⊗

	FILLES						GARÇONS							
	Manteaux, robes, pantalons, chemisiers, etc.						Manteaux, blousons, costumes, pantalons, etc.							
USA	3	5	7	9	11	13	26	28	30	32	34	36	38	40
France	34	36	38	40	42	44	36	38	40	42	44	46	48	50
	Chaussettes, chaussures, bottes						Chaussettes, chaussures, bottes							
USA	5-$5\frac{1}{2}$	6-$6\frac{1}{2}$	7-$7\frac{1}{2}$	8	$8\frac{1}{2}$	9	$6\frac{1}{2}$-7	$7\frac{1}{2}$	8	$8\frac{1}{2}$	9-$9\frac{1}{2}$	10-$10\frac{1}{2}$		
France	36	37	38	$38\frac{1}{2}$	39	40	39	40	41	42	43	44		
	Collants						Chemises							
USA	8	$8\frac{1}{2}$	9	$9\frac{1}{2}$	10	$10\frac{1}{2}$	14	$14\frac{1}{2}$	15	$15\frac{1}{2}$	16	$16\frac{1}{2}$	17	
France	0	1	2	3	4	5	36	37	38	39	40	41	42	

19 **Vous achetez ces vêtements en France…**

un chemisier   Il me faut un 36.
une chemise/une robe/un costume/des bottes/un collant/un jean/un imperméable/un blouson

20 **EXERCICE DE CONVERSATION**

Imaginez que vous êtes au J-Club. Si vous êtes un garçon, vous achetez un costume et une chemise habillée. Utilisez les dialogues de la page 6 comme modèles. Si vous êtes une fille, vous achetez un pantalon, une jupe et un bracelet. Utilisez les dialogues de la page 7 comme modèles.

---

[1] The word **pointure** refers to the size of shoes and gloves; the word **taille** is used for all other clothing items and often for gloves as well.

ASKING QUESTIONS
Review

There are two kinds of questions:
- those answered by **oui** or **non,**
- those asking for specific information.

1. **Oui / non** questions may be formed in French:
   a. by giving the sentences a rising intonation: **Vous pouvez me raccourcir cette jupe?**
      This is the most common way of asking a **oui / non** question in French.
   b. by beginning the sentences with **est-ce que: Est-ce que vous pouvez me raccourcir cette jupe?**

2. Information questions may be formed in French:
   a. by using a question word and **est-ce que.**

question word + est-ce que	
Pourquoi	**est-ce que** vous achetez ça?
Combien	**est-ce que** vous prenez?
Comment	**est-ce que** vous y allez?
Quand	**est-ce que** vous sortez?
Où	**est-ce que** vous faites vos courses?

   b. by using an interrogative pronoun and **est-ce que** or **est-ce qui.**

	pronoun + **est-ce que** (object)	pronoun + **est-ce qui** (subject)
Things	**Qu' est-ce que** vous voulez? **Avec quoi est-ce que** vous mettez ça?	**Qu' est-ce qui** va avec ça?
Persons	**Qui est-ce que** vous aidez? **Avec qui est-ce que** vous sortez?	**Qui (est-ce qui)** vient?

   c. by using **est-ce que** with the interrogative adjective **quel** and a noun or with the interrogative pronoun **lequel.**

quel + noun + est-ce que			lequel + est-ce que	
Quel	**pantalon**	**est-ce que** vous voulez?	**Lequel**	**est-ce que** vous voulez?
Quelle	**chemise**	**est-ce que** vous prenez?	**Laquelle**	**est-ce que** vous prenez?
Quels	**colliers**	**est-ce que** vous achetez?	**Lesquels**	**est-ce que** vous achetez?
Quelles	**robes**	**est-ce que** vous aimez?	**Lesquelles**	**est-ce que** vous aimez?

22 La vendeuse n'entend pas. ⊗

Vous pouvez m'aider?   Mademoiselle! Est-ce que vous pouvez m'aider?
Je peux essayer ça?
Vous avez cette jupe en 38?
On peut me raccourcir cette robe?
Vous avez autre chose du même genre?

Chapitre 25   Vêtements pour la rentrée   **9**

23 Il y a beaucoup de clients, et on ne s'entend pas! ⊗

Je cherche un jean noir.
J'attends une vendeuse.
Cette chemise me plaît.
Je vais mettre ce pull avec mon jean noir.

Qu'est-ce que tu cherches?
Qui est-ce que tu attends?
Qu'est-ce qui te plaît?
Avec quoi est-ce que tu vas mettre ce pull?

24 Jeanine ne sait pas quoi prendre. ⊗

Je vais essayer un de ces chemisiers.
Je vais prendre une de ces robes.
Je vais choisir deux de ces colliers.
Je vais acheter deux de ces jupes.

Lequel est-ce que tu vas essayer?

25 La mère de Jeanine lui pose des questions.

Je vais m'acheter cet ensemble.

Pourquoi est-ce que tu vas t'acheter un ensemble?
Quand est-ce que tu vas l'acheter?
Avec quel argent est-ce que tu vas l'acheter?
Lequel?

Je vais faire des achats. / Je vais dans les magasins. / Je vais voir la nouvelle boutique.

26 Le Jeu du grand magasin. ⊗

Vous êtes, à tour de rôle°, le (la) client(e) qui demande des renseignements et l'employé(e) chargé(e) des° renseignements dans un grand magasin. La liste des rayons avec les étages doit vous aider. Par exemple, vous voulez acheter un sac. Vous dites: « Les sacs, s'il vous plaît? » L'employé(e) répond: « Au rayon Maroquinerie°, au rez-de-chaussée. » Autre exemple, vous dites: « Les chaussures, s'il vous plaît? » L'employé(e) répond: « Pour hommes ou pour femmes? » Vous dites: « Pour hommes. » L'employé(e) répond: « C'est au troisième. » Vous voulez acheter des chaussures, un pantalon, une guitare, des disques, un collier, un sac de couchage, un rasoir électrique, un appareil-photo, un anorak, des assiettes, une table.

Audio	5e
Ameublement°	7e
Bijouterie	R-C°
Cadeaux	5e
Camping (articles de)	8e
Chaussures-enfants	1er
Chaussures-femmes	2e
Chaussures-hommes	3e
Electroménager (appareils)°	6e
Maroquinerie	R-C
Miroirs	7e
Musique (instruments de)	5e
Optique	R-C
Parfumerie	R-C
Photo	5e
Restaurant	8e
Ski (vêtements, articles de)	8e
Sport (vêtements, articles de)	8e
Vaisselle	S-S°
Vêtements-enfants	1er
Vêtements-femmes	2e
Vêtements-hommes	3e
Vêtements-jeunes filles	2e
Vêtements-jeunes gens	3e

VOCABULAIRE: **à tour de rôle** *in turn*; **chargé de** *in charge of*; **au rayon Maroquinerie** *at the leather goods department*; **l'ameublement** *furniture*; **R-C = Rez-de-Chaussée**; **Electroménager (appareils)** *electrical appliances*; **S-S = Sous-Sol**

27

ASKING MORE QUESTIONS
Inversion

Répondez aux questions qui suivent les exemples. ⊗

Combien **prend le tailleur?**	Quelle chemise **choisis-tu?**
Que **propose la vendeuse?**	**Voulez-vous** cette robe?

Are these questions or statements? In each sentence, what is the verb? What is the subject? Which comes first? When the subject is a pronoun, what links it to the verb in writing?

28 Lisez la généralisation suivante.

1. Both **oui / non** and information questions may be asked by reversing the order of the subject and the verb. This is called inversion. When the subject is a pronoun, it is linked to the verb by a hyphen in writing. Notice that **est-ce que** is not used in inversion questions.

	Verb + Subject	
Combien	**prend le tailleur?**	
Que	**propose la vendeuse?**	
Quelle chemise	**choisis- tu?**	
	Voulez- vous	cette robe?

2. When the verb is in the passé composé, the subject pronoun comes right after the auxiliary.

	Auxiliary + Subject + Past Participle			
Où	**as-**	**tu**	**trouvé**	cet ensemble?
Pourquoi	**êtes-**	**vous**	**allé**	au Bon Marchand?

When the main verb is followed by an infinitive, the subject pronoun comes right after the main verb.

	Main Verb + Subject + Infinitive			
Quand	**pouvez-**	**vous**	**finir**	ces retouches?
Avec quoi	**veux-**	**tu**	**mettre**	ce chemisier?

3. When **il / elle / on** and **ils / elles** are inverted, there is always a **t**-sound between the verb and the subject pronoun:
   Avec quoi **met-on** ça? Combien **prend-il?** Comment **a-t-il** trouvé ça?
   Notice that the **t**-sound may be represented in writing:
   • by a **t** at the end of the verb: **met-on, vont-ils**
   • by a **d** at the end of the verb: **prend-elle, vend-il**
   • by a **t** that is added between the verb and the pronoun when the verb ends in a vowel: **s'appelle-t-il, a-t-elle pris.**
4. Inversion questions can have both a noun and a pronoun subject at the same time.
   Pourquoi **Jeanine choisit-elle** cette robe bleue?
   This type of inversion question is mostly used in written French. Here, it is introduced for recognition only.
5. Except for a few common expressions, like **Comment t'appelles-tu?** or **Quel âge as-tu?**, inversion questions are usually more formal than **est-ce que** or intonation questions.

29   Au J-Club, Jeanine demande… ⊗

s'ils ont cette jupe en 40.   Avez-vous cette jupe en 40?
s'ils peuvent la rallonger.   Pouvez-vous la rallonger?
combien ils prennent pour les retouches.   Combien prenez-vous pour les retouches?
où on peut essayer.   Où peut-on essayer?

30   La vendeuse n'a pas entendu. ⊗

Mon amie prend cette robe.   Quelle robe prend votre amie?
Je lui dis d'essayer.   Que lui dites-vous?
Mon frère propose de partir.   Que propose votre frère?
J'ai besoin d'un pantalon.   De quoi avez-vous besoin?

31   EXERCICE ECRIT

Ecrivez les questions qui correspondent aux phrases données. Utilisez l'inversion. Les mots soulignés doivent vous aider à formuler ces questions.

Ex. : Je vais <u>dans les magasins</u>.   Où allez-vous?
1. J'ai besoin <u>de nouveaux vêtements</u>.   5. Elle est <u>trop courte</u>.
2. Je cherche <u>une robe</u>.   6. Ils prennent <u>30 F</u> pour la rallonger.
3. Il me faut <u>un 38</u>.   7. <u>C'est trop cher</u>. Je ne prends pas cette robe.
4. Je veux essayer <u>cette robe bleue</u>.

32   EXERCICE DE COMPREHENSION ⊗

	0	1	2	3	4	5	6	7	8	9	10
Statement											
Question	√										

33   EXERCICE DE CONVERSATION

a. Vous décidez d'aller acheter des vêtements avec un(e) camarade. Vous parlez :
    1. de ce que vous allez acheter—quels vêtements, quel genre et pour quelle occasion.
    2. de l'argent que vous pouvez dépenser.
    3. des magasins où vous allez aller.

b. Vous êtes dans un magasin en train d'essayer des vêtements. Vous parlez à la vendeuse (au vendeur), et vous lui dites :
    1. que le pantalon que vous essayez est trop long et que vous n'aimez pas la couleur.
    2. que la veste que vous aimez est trop petite.
    3. que les chaussures que vous essayez sont trop grandes.
    La vendeuse (le vendeur) vous répond qu'ils n'ont plus les mêmes dans votre taille.

34   REDACTION

1. Vous faites une enquête *(a poll)* sur l'importance que vos camarades attachent aux vêtements. Ecrivez une série de questions en utilisant l'exercice No 5 comme modèle. Utilisez l'inversion. Ex. : Achetez-vous souvent de nouveaux vêtements?
2. Ensuite, prenez le questionnaire de votre voisin(e), et remplissez-le *(fill in the answers)*. Comparez vos réponses à celles de votre voisin(e).

35 Dans un petit village, près de Colmar. ⊗

Eguisheim est un petit village à quelques kilomètres de Colmar. Comme tous les ans à l'époque° des vendanges, il y a la fête des vignerons à Eguisheim.

Jean-Pierre et Jeanine ont décidé d'y emmener leur petite nièce Katia.

Le village est décoré de drapeaux° et de lampions°.

Partout on voit le costume alsacien°! Les femmes portent une coiffe° noire en forme de grand papillon°, un chemisier blanc, une jupe rouge et un tablier° noir.

Les hommes portent un chapeau noir, une chemise blanche, un gilet rouge à boutons dorés° et un pantalon noir. Hommes et femmes ont un ruban° noir autour du cou.

VOCABULAIRE: **l'époque** *time;* **un drapeau** *flag;* **un lampion** *Chinese lantern;* **alsacien** *Alsatian;* **une coiffe** *headdress;* **un papillon** *butterfly;* **un tablier** *apron;* **à boutons dorés** *with gold buttons;* **un ruban** *ribbon*

36 Le Jeu des costumes. ⊗

Imaginez que vous êtes dans une province française. L'un de vous dit : « Je vois un homme qui porte un bonnet blanc et rouge, une blouse bleue, une chemise blanche et un ruban noir autour du cou… » Ce costume doit vous aider à identifier la province dans laquelle vous êtes. Vous dites : « Nous sommes en Normandie. » Voici quelques mots qui vous aideront à décrire ces costumes:

apron un tablier	*bow* un nœud	*frock* une blouse	*ribbon* un ruban
bagpipe une cornemuse	*breeches* une culotte	*hat* un chapeau	*shawl* un châle
basket un panier	*cloak* une cape	*headdress* une coiffe	*stockings* des bas
beret un béret	*cross* une croix	*lace* de la dentelle	*wooden shoes* des sabots

7   la Normandie

8   la Champagne

1   l'Alsace

6   la Bretagne

5   le Poitou

2   la Savoie

4   le Béarn

3   la Provence

37 La Fête des vignerons. ⊗

1. Les festivités° commencent avec un discours° de Monsieur le Maire° : « Bienvenue° à tous… »

2. Et puis, on passe aux choses sérieuses : la dégustation° du vin blanc d'Eguisheim servi dans les verres typiquement alsaciens.

3.
K. Oh, comme ils sont drôles… D'où viennent-ils?
J. Ce sont les « Gilles »[1] de la Louvière, en Belgique.
J.-P. Tiens, ils lancent des oranges! Attrape!

4.
K. Ah! ceux-là, je les reconnais… Ils sont alsaciens.
J.-P. Je pense bien! Ils sont de Turkheim, le village de Grand-père.

VOCABULAIRE: **des festivités** *festivities;* **un discours** *speech;* **le Maire** *Mayor;* **bienvenue** *welcome;* **une dégustation** *tasting*

---

[1] **Gilles** is the name that used to be given to jesters in Belgium and northern France. Here, it refers to folk dancers from Belgium. These men are disguised as medieval jesters. They wear fake humps on their backs, big headdresses, and bells on their legs.

WORD LIST

1–13

une boutique *boutique*
un club *club*
un costume *(man's) suit*
un ensemble *outfit*
les environs (m.) *surroundings*
un gilet *vest*
le goût *taste*
un imperméable *raincoat*
un manteau *coat*
un(e) marchand(e) *merchant*
un millier *thousand*
la mode *fashion*
  à la mode *fashionable, in style*
les nouveautés (f.) *new collection*
un rayon *department (of a store)*
la rentrée des classes *start of the
    school year*
les vendanges (f.) *grape harvest*
une veste *jacket*
un vigneron *winegrower*

accompagner *to go along with*
attirer l'attention de *to attract
    the attention of*
avoir besoin de *to need (to)*
entrer *to go in, to come in*
organiser *to organize*
se salir (like **choisir**) *to get
    dirty*

tu remets ça *you do the same
    thing*

bien (f. & pl. : **bien**) *nice*
crème *cream-colored*
élégant, -e *elegant*
excentrique *eccentric*
habillé, -e *dressy*
pas mal (f. & pl. : **pas mal**)
    good-looking
réversible *reversible*
ridicule *ridiculous*
sport (f. & pl. : **sport**) *casual*

bien *do, did*
encore *again*
évidemment *obviously*
facilement *easily*
pendant que *while*
toujours *just the same*

à carreaux *checkered*
Dis donc! *Gee!*
en pleine effervescence *bustling*

14–37

une cabine d'essayage *fitting room*
une chaussette *sock*
un choix *choice*
un collant *(pair of) tights*
une glace *mirror*
une jupe-culotte *culottes*
une pointure *size*
un produit de beauté *cosmetic*
un pull-over *pullover*
une retouche *alteration*
une robe-chasuble *jumper*
le velours *velvet*
un(e) vendeur (-euse) *salesman,
    saleswoman*

intéresser *to interest*
raccourcir (like **choisir**) *to
    shorten*
rallonger (like **manger**) *to
    lengthen*
tenter *to tempt*

ça (te) plaît *(you) like it*
si ça (vous) intéresse *if (you) are
    interested*

court, -e *short*
possible *possible*

au cas où *in case, if*
comme *how*
dessus *on (it)*

au plus *at the most*
c'est une affaire *it's a bargain*
de (son) côté *on (his/her)
    part*
eh bien *well*
il (me) faut *(I) need*
ouais *yeah*
pas du tout *not at all*

26
Jobs d'été

Lycéen, 16 ans, cherche
job de vendeur ou
caissier dans magasin
ou supermarché,
pendant mois de
juillet.
Claude Matifat
13, Bd Voltaire
Sarlat

Pour juillet et août, cherchons,
une camarade et moi, travail
dans un restaurant ou un café.
Avons 17 ans toutes les deux.
Monique Gentil
Tel : 53-20-18

Cherche jeune homme ou jeune
fille avec bonnes connaissances d'histoire, pour travailler comme guide au château
pendant les mois de juillet,
août et septembre.
Contacter: M. Castelnaud
Château de Beynac
Tel.: 29-50-01

1 Jean-Manuel était guide. ⊗

Jean-Manuel Peiro habite à Beynac, un petit village pittoresque du Périgord qui reçoit chaque été beaucoup de touristes.

Cet été, Jean-Manuel a eu de la chance : il a trouvé un job. Il a travaillé comme guide au château de Beynac.

Beaucoup de jeunes Français de l'âge de Jean-Manuel essaient de trouver du travail pour l'été, mais c'est très difficile. Ceux qui, comme Jean-Manuel, habitent dans des régions touristiques, sont très nettement favorisés. Si les jeunes Français veulent travailler, ce n'est pas pour payer leurs études, puisque l'enseignement est pratiquement gratuit. C'est pour s'acheter ce dont ils ont envie : par exemple, un vélomoteur, un flash électronique, une chaîne stéréo, des vêtements. Certains font des économies pour faire un voyage, d'autres mettent simplement leur argent à la banque ou à la Caisse d'Epargne.

Jean-Manuel a gagné pas mal d'argent : en plus de son salaire, il a reçu de bons pourboires. Le travail lui a beaucoup plu. Il a rencontré des tas de gens intéressants, et ça lui a fait plaisir de leur parler de son sujet préféré : l'histoire de sa région.

« Pendant la guerre de Cent Ans, le château était une forteresse redoutable. Les Français et les Anglais se battaient continuellement pour s'en rendre maîtres. Le château est composé de bâtiments de différentes époques. Le bâtiment principal date du XVe siècle, et le donjon est du XIIIe. Si vous voulez bien me suivre… »

2 Répondez aux questions.

1. Où habite Jean-Manuel Peiro?
2. Où se trouve Beynac?
3. Il y a beaucoup de touristes en été?
4. Pourquoi est-ce que Jean-Manuel a eu de la chance cet été?
5. Qu'est-ce qu'il a fait?
6. Quand il s'agit de trouver du travail pour l'été, qui est favorisé?
7. Comment est l'enseignement en France?
8. Pourquoi est-ce que les jeunes Français veulent travailler l'été?
9. Que peuvent-ils faire d'autre avec leur argent?
10. Pourquoi est-ce que Jean-Manuel a gagné pas mal d'argent?
11. Pourquoi est-ce que le travail lui a plu?
12. Dites ce que vous savez du château de Beynac.

3 EXERCICE ORAL ⊗

4 TALKING ABOUT THE PAST
Review of the Passé Composé

As you already know, one way to express past time in French is to use the passé composé.

1. The passé composé is made up of a present-tense form of **avoir** or **être** and a past participle:

	avoir	Past Participle		être	Past Participle
j'	ai		je	suis	monté(e)
tu	as	joué	tu	es	sorti(e)
il / elle	a	attendu	il / elle	est	descendu(e)
nous	avons	dormi	nous	sommes	rentré(e)s
vous	avez	choisi	vous	êtes	arrivé(e)(s)
ils / elles	ont		ils / elles	sont	resté(e)s

For irregular past participles, see the Verb Index.

2. Most verbs form the passé composé with **avoir.** The past participles of these verbs agree in gender and number with a preceding direct object:

> **Quelle forteresse** est-ce que **tu as visitée?**
> **Quels châteaux** est-ce que **tu as visités?**

These agreements are usually not heard in the spoken language unless the past participle of the verb ends in a consonant letter : **pris → prise.**

3. Some verbs form the passé composé with **être. Aller, arriver, partir,** and **rester** are the ones you have seen so far. The past participles of these verbs agree in gender and number with the subject of the verb: **Les touristes sont montés** en haut du donjon.
In this case, too, agreement is usually not heard in the spoken language.

4. Some verbs form the passé composé with either **avoir** or **être.** These verbs are **passer, monter, descendre, sortir,** and **rentrer. Avoir** is used when the verb has a direct object, and **être** when it does not have one: **Elle a sorti de l'argent,** but **Elle est sortie.**

5. Reflexive verbs form the passé composé with **être.** However, the past participles of these verbs agree in gender and number with a preceding direct object: **Ils <u>se</u> sont regardé<u>s</u>.**

6. In negative constructions, tne forms of **avoir** or **être** come between the **ne** and the other negative word (**pas, plus, jamais, rien**).

> Il **n'est pas monté** en haut du donjon.
> Il **n'a pas gagné** beaucoup d'argent.

However, notice the exception: Il **n'a visité ni** le château **ni** le village.

5 Quand on est guide... ⊗

on rencontre des tas de gens.
on parle tout le temps.
on monte beaucoup d'escaliers.
on descend beaucoup d'escaliers.

Jean-Manuel a rencontré des tas de gens!

6 Ils ont eu un bon job cet été. ⊗

Qu'est-ce que tu as fait avec ton argent?
Et toi, qu'est-ce que tu as fait avec tes économies?
Et ton ami, qu'est-ce qu'il a fait avec son argent?
Et vous deux, qu'est-ce que vous avez fait avec vos économies?
Et vos amis, qu'est-ce qu'ils ont fait avec leur argent?

Je l'ai mis à la banque.
Je les ai mises à la banque.

7 Jean-Manuel a gagné pas mal d'argent. ⊗

Qu'est-ce qu'il a fait avec son argent?
Et toi? / Et vous deux? / Et vos amis?

Il s'est acheté une chaîne stéréo.

8 Les touristes ont demandé à Jean-Manuel... ⊗

de parler plus fort,
de répéter, / de leur montrer le chemin, / de les emmener dans le jardin,

et il a parlé plus fort.

9 Jean-Manuel a dit aux touristes... ⊗

de le suivre.
de monter en haut du donjon. / d'entrer. / de faire attention. / de sortir. / de rester avec lui.

Mais ils ne l'ont pas suivi.

10 EXERCICE ECRIT

a. Ecrivez les réponses des exercices No 5, 6, 7, 8 et 9.
b. Complétez les phrases suivantes en utilisant le passé composé des verbes entre parenthèses.
1. (monter) Les touristes _____ en haut du donjon.
2. (sortir) Nous _____ de l'argent pour le guide.
3. (descendre) Ils _____ l'escalier du donjon.
4. (sortir) Par où est-ce que vous _____ du château?
5. (monter) Comment est-ce que vous _____ ça en haut?
6. (descendre) Nous _____ très vite.

11 Autres Jobs d'été. ☉

On peut être serveur ou serveuse dans un restaurant. Mais c'est fatigant de servir à table et de porter des plateaux pleins de vaisselle.

On peut être maître-nageur à la piscine ou à la plage. Il faut avoir 18 ans et un diplôme spécial. Evidemment, il faut aussi être en bonne forme physique.

On peut être moniteur ou monitrice dans une colonie de vacances. Pour ça aussi, il faut avoir 18 ans et un diplôme spécial.

On peut être caissier ou caissière dans un supermarché, mais il faut faire attention de ne pas faire d'erreurs en rendant la monnaie.

On peut travailler comme pompiste dans une station-service. Il ne faut aucune connaissance spéciale.

On peut garder des enfants, mais il faut avoir beaucoup de patience.

On peut travailler à la poste : porter des télégrammes ou trier le courrier. Mais il ne faut pas avoir peur de se lever tôt : la journée commence à 5 h du matin!

On peut être vendeur ou vendeuse dans un magasin, mais il faut s'attendre à être debout toute la journée. Et la journée est longue pendant la saison!

12 Répondez aux questions.

1. Pourquoi est-ce fatigant d'être serveur ou serveuse?
2. Où peut-on être maître-nageur? Que faut-il pour être maître-nageur?
3. Que faut-il pour travailler dans une station-service?
4. Que faut-il pour être moniteur ou monitrice dans une colonie de vacances?
5. Que peut-on faire à la poste? A quelle heure commence la journée?
6. Que faut-il avoir si on veut garder des enfants?
7. Que faut-il faire quand on est caissier ou caissière dans un supermarché?
8. A quoi faut-il s'attendre si on veut être vendeur ou vendeuse dans un magasin?

13 Et vous?

1. Est-ce que vous avez travaillé cet été? Qu'est-ce que vous avez fait?
2. Il faut des connaissances spéciales pour ce travail? Lesquelles?
3. Comment est-ce que vous avez eu votre travail? Par des amis? Par les journaux?
4. Comment est-ce que vous avez trouvé votre travail, intéressant, ennuyeux, fatigant?
5. Vous avez gagné beaucoup d'argent? Qu'est-ce que vous avez fait avec cet argent?

14 EXERCICE ORAL ⊗

15

EXPRESSING NEED
The Verb falloir

1. One way of expressing need in French is to use **il faut** before a verb in the infinitive or before a noun. ⊗

Il faut travailler. *You've got to work.*
Il faut de la patience. *One must be patient.*

2. The form **faut** comes from the verb **falloir.** Its various forms are listed below.

Present	**Il faut**	
Passé Composé	**Il a fallu**	
Imparfait	**Il fallait**	travailler.
Future	**Il faudra**	
Conditional	**Il faudrait**	

16 Que faire comme travail? ⊗

Tu aimes les enfants. Tu peux être monitrice.
Tu es bon en maths. Tu peux être caissier.
Tu es en bonne forme physique. Tu peux
être maître-nageur.
Tu connais l'histoire de la région. Tu peux
être guide.
Tu as beaucoup de patience. Tu peux garder
des enfants.

Il faut aimer les enfants pour être monitrice.

17 D'après vous.

Que faut-il pour être guide?

Il faut connaître l'histoire de la région.
Il faut aimer rencontrer des gens.
Il faut être en bonne forme physique.
Il faut aimer parler.

Et pour être caissier ou caissière?
Et pour être maître-nageur?
Et pour être serveur ou serveuse?
Et pour être vendeur ou vendeuse?
Et pour travailler dans une station-service?
Et pour travailler à la poste?
Et pour garder des enfants?
Et pour être professeur de français?
Et pour être élève?

18 EXERCICE ECRIT

Ecrivez les réponses de l'exercice No 16.

19 Les amis de Jean-Manuel travaillaient aussi. ⊗

1 2

Christine Bérubé et son frère Frédéric travaillaient dans l'hôtel-restaurant de leur oncle. Ils servaient à table et faisaient les chambres.

3 4

Catherine Carette et son frère Patrick travaillaient dans le magasin d'alimentation de leurs parents. Catherine aidait au magasin. Patrick, lui, s'occupait des stocks : dès que la quantité des marchandises baissait trop, il le signalait à son père.

Didier Vaucel a travaillé pour son père qui est boucher. Il faisait toutes les livraisons et nettoyait les appareils qui servent à faire la charcuterie.

20 **Répondez aux questions.**

1. Comment s'appellent les amis de Jean-Manuel?
2. Où est-ce que Christine et Frédéric travaillaient cet été?
3. Qu'est-ce qu'ils faisaient?
4. Où travaillaient Catherine et Patrick?
5. Que faisait Catherine? Que faisait Patrick?
6. Pour qui travaillait Didier?
7. Qu'est-ce qu'il faisait?

21 **EXERCICE ORAL** ⊗

22

TALKING ABOUT THE PAST
Review of the Imparfait

Another way of expressing past time in French is to use the imparfait.

1. The following chart gives you the imparfait forms of all verbs (except **être**). The imparfait stem is that of the present-tense **nous** form.

	Stem	Endings
je	jou	-ais
tu	choisiss	-ais
il / elle	sort	-ait
nous	attend	-ions
vous	all	-iez
ils / elles	av	-aient

Notice that there are only three spoken endings: one for the **nous** form, one for the **vous** form, and one for all the other forms.

2. **Etre** is the only verb with an irregular stem in the imparfait, **ét-: j'étais, tu étais,** etc.

23 Ils font ça tous les étés? ⊗

Jean-Manuel est guide tous les étés?
Christine et Frédéric servent à table tous les étés?
Ils font les chambres tous les étés?
Catherine aide au magasin tous les étés?
Patrick s'occupe des stocks tous les étés?

Il était guide cet été…

24 Deux touristes se parlent.

Quand vous étiez à Beynac, qu'est-ce que vous faisiez?

J'allais à la pêche.

Je faisais de longues promenades.
Je visitais la région.

Et votre femme, qu'est-ce qu'elle faisait?
Et vos enfants, qu'est-ce qu'ils faisaient?

25 EXERCICE ECRIT

Ecrivez les réponses de l'exercice No 23.

26 Et Alain, qu'est-ce qu'il a eu comme job? ⊗

CHRISTINE Hier, j'ai rencontré Alain Barbeau… Vous savez ce qu'il a fait cet été?
DIDIER Non, la dernière fois que je l'ai vu, c'était en juin, et il cherchait un job.
CHRISTINE Il a aidé le maître-nageur à la piscine de Sarlat.
CATHERINE Comment est-ce qu'il a fait pour obtenir ça?
CHRISTINE Il a simplement vu une annonce sur le tableau d'affichage du lycée; le prof de gym l'a recommandé; alors tout a été très facile.
PATRICK Il était bien payé? Il t'a dit combien il a gagné?
CHRISTINE Non, mais ce qui l'intéressait surtout, c'était l'expérience… Il veut devenir prof de gymnastique.
PATRICK Ça, ça veut dire qu'il n'a pas gagné grand-chose.
CHRISTINE Oui, mais ce qu'il faisait n'était pas fatigant. Ce n'est pas comme moi.
DIDIER Ne te plains pas! Je parie que tu as gagné dix fois plus d'argent qu'Alain. Maintenant tu vas pouvoir te payer une mobylette.

27 **Répondez aux questions.**

1. Qui est-ce que Christine a rencontré hier?
2. Qu'est-ce qu'il a fait cet été, Alain?
3. Comment est-ce qu'il a fait pour obtenir son travail?
4. Qu'est-ce qui l'intéressait dans ce travail?
5. Est-ce qu'il a gagné beaucoup d'argent?
6. Est-ce que c'était un travail fatigant?
7. Que dit Didier à Christine?
8. Qu'est-ce que Christine va pouvoir s'acheter?

28 **EXERCICE ORAL** ⊗

29 # THE IMPARFAIT VS. THE PASSE COMPOSE
Review

The imparfait and the passé composé are two ways of expressing past time. However, the choice of the imparfait or the passé composé does not depend on when the action took place, but on how the speaker chooses to describe the action or condition referred to.

1. The imparfait is used when the speaker refers to an action as being in progress at a certain time in the past.
   Didier says that the last time he saw him, Alain *was looking for* a job: Il **cherchait** un job. The action was going on at the time Didier saw Alain.

2. The passé composé is used when the speaker refers to an action as being completed. For example, Patrick says that Alain *did not earn* much money: Il n'**a** pas **gagné** grand-chose.

3. The imparfait is used to indicate that a past action was customary or habitual.

Je **travaillais** pour mon oncle pendant l'été, mais maintenant je suis moniteur dans une colonie de vacances.	*During the summer, I used to work for my uncle, but now I work as a counselor in a summer camp.*
Quand je **travaillais** pour lui, je **me levais** très tôt.	*When I worked for him, I would get up very early.*

   Notice that in this case the English equivalents of the imparfait can include the expressions *used to* or *would*. Quite often, the English equivalents of the imparfait and the passé composé will be the same.

30 **Qu'est-ce qu'ils font exactement?** ⊗

Elle sert à table, Christine?	Oui, quand je l'ai vue, elle servait à table.
Il s'occupe des stocks, Patrick?	
Il fait les chambres, Frédéric?	
Elle aide au magasin, Catherine?	
Il nettoie les machines, Didier?	
Il travaille comme guide, Jean-Manuel?	

31 Où est-ce qu'ils ont travaillé cet été? ⊗

Tu travailles à la piscine?

Non, c'était l'année dernière que je travaillais à la piscine.

Et ton ami, il travaille au garage?
Et tes autres copains, ils travaillent à la poste?
Et vous deux, vous travaillez au magasin d'alimentation?
Et tes cousines, elles travaillent au super-marché?

32 Qu'est-ce qu'ils ont fait hier? ⊗

Frédéric bricolait quand vous êtes arrivés.

Il a bricolé toute la journée.

Christine tricotait quand vous êtes arrivés.
Catherine et Patrick jouaient au monopoly quand vous êtes arrivés.
Didier et moi, nous écoutions des disques quand vous êtes arrivés.

33 EXERCICE ECRIT

a. Ecrivez les réponses des exercices No 30, 31 et 32.
b. Récrivez le paragraphe suivant en mettant les verbes au passé composé ou à l'imparfait.
En général, quand je n'aide pas mon père à servir les clients, je fais les livraisons. Il faut beaucoup de patience pour conduire dans les rues de Beynac, qui sont toujours pleines de voitures et de touristes. Alors, je décide de me servir de ma mobylette. Malheureusement, il faut faire beaucoup de voyages parce qu'on ne peut pas prendre grand-chose sur un vélo-moteur! Finalement, je me dis qu'après tout, servir les clients, ça n'est pas si mal, et je laisse mon frère faire les livraisons!

34 EXERCICE DE CONVERSATION

Vous parlez avec vos camarades de ce que vous avez tous fait cet été. Vous demandez à vos camarades :
1. s'ils ont travaillé cet été et quel genre de job ils avaient.
2. où et pour qui ils travaillaient.
3. comment ils ont obtenu leur job.
4. quelles étaient leurs heures de travail.
5. combien de temps ils avaient pour le déjeuner.
6. comment était leur job : intéressant, fatigant, etc.
7. si c'était bien payé.
8. ce qu'ils vont faire avec l'argent qu'ils ont gagné.

35 REDACTION

Décrivez le travail que vous avez fait cet été. Utilisez l'exercice No 34 comme modèle. Si vous n'avez pas travaillé, décrivez le travail que l'un(e) de vos ami(e)s a fait.

36 Sur le tableau d'affichage du lycée. ⊗

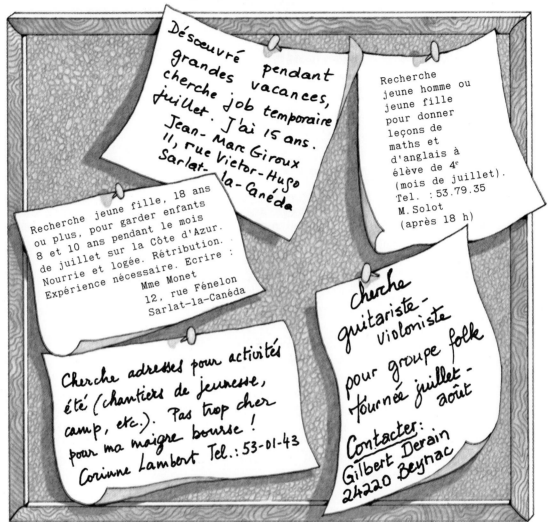

Désœuvré pendant grandes vacances, cherche job temporaire juillet. J'ai 15 ans.
Jean-Marc Giroux
11, rue Victor-Hugo
Sarlat-la-Canéda

Recherche jeune homme ou jeune fille pour donner leçons de maths et d'anglais à élève de 4ᵉ (mois de juillet).
Tel. : 53.79.35
M. Solot
(après 18 h)

Recherche jeune fille, 18 ans ou plus, pour garder enfants 8 et 10 ans pendant le mois de juillet sur la Côte d'Azur. Nourrie et logée. Rétribution. Expérience nécessaire. Ecrire :
Mme Monet
12, rue Fénelon
Sarlat-la-Canéda

Cherche adresses pour activités été (chantiers de jeunesse, camp, etc.). Pas trop cher pour ma maigre bourse !
Corinne Lambert Tel.: 53-01-43

Cherche guitariste-violoniste pour groupe folk -
Tournée juillet-août
Contacter:
Gilbert Derain
24220 Beynac

VOCABULAIRE : **désœuvré** *idle;* **les grandes vacances** *summer vacation;* **rechercher** *to look for;* **nourri et logé** *room and board;* **une rétribution** *salary;* **un chantier de jeunesse** *youth camp;* **une maigre bourse** *skinny wallet;* **une tournée** *tour*

37 REDACTION

a. Vous cherchez un travail pour l'été. Rédigez *(write)* une annonce.
b. Vous cherchez quelqu'un pour vous aider pendant l'été. Rédigez une annonce.

38 EXERCICE DE CONVERSATION

a. De tous les jobs sur le tableau d'affichage du lycée, quel est celui qui vous plairait le plus? Dites pourquoi.
b. Lisez les annonces que vos camarades ont écrites pour l'exercice No 37b. Choisissez un job qui vous plairait, et demandez plus de détails à la personne qui offre ce job.

39 Christine parle de sa journée de travail. ⊗

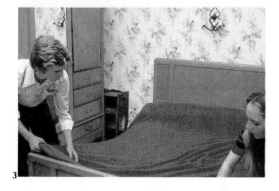

Travailler pour mon oncle n'est pas de tout repos. Lui, il travaille dur (il se lève à 5 h du matin et se couche à minuit sept jours par semaine), alors il trouve que tout le monde devrait travailler autant que lui. J'ai même parfois l'impression qu'il nous fait travailler plus dur que les autres, Frédéric et moi, parce que nous sommes de la famille.

Tout est réglé à la minute. De 7 h 30 à 9 h 30, on sert le petit déjeuner. De 9 h 30 à 10 h 30, on prépare la salle de restaurant et la terrasse pour le déjeuner : d'abord, on débarrasse les tables du petit déjeuner, et puis, on met le couvert pour le déjeuner. De 10 h 30 à 11 h 30, on fait le ménage dans les chambres : on change les draps et les serviettes, et on passe l'aspirateur. Heureusement, on n'a pas à s'occuper des salles de bains et des escaliers : mon oncle les fait nettoyer par une femme de ménage. De 11 h 30 à midi, on déjeune avec mon oncle et ma tante, ainsi que tout le personnel. De midi à 3 h, on sert le déjeuner.

En principe, on est libres de 3 h à 6 h, mais mon oncle nous fait souvent rester plus tard que 3 h s'il y a encore des clients à servir. Quelquefois aussi, il fait faire la vaisselle à Frédéric quand le plongeur n'est pas là. Ce qui explique pourquoi ces jours-là, Frédéric essaie de s'esquiver à 3 h pile, le plus discrètement possible. De 6 h à 7 h, on prépare la salle et la terrasse pour le dîner. On sert le dîner de 7 h à 9 h. On débarrasse les tables, et vers 10 h, on est enfin libres!

40 Répondez aux questions.

1. Est-ce que c'est fatigant de travailler pour l'oncle de Christine? Pourquoi?
2. D'après elle, pourquoi est-ce que son oncle les fait travailler plus dur, elle et son frère?
3. Que font-ils de 7 h 30 à 9 h 30 du matin? Et de 9 h 30 à 10 h 30? Et de 10 h 30 à 11 h 30?
4. Quand est-ce qu'ils déjeunent? Avec qui?
5. En principe, quand sont-ils libres? Pourquoi ne le sont-ils pas toujours?
6. Que font-ils de 6 h à 7 h du soir? Et de 7 h à 9 h?
7. Quand sont-ils enfin libres?

41 EXERCICE ORAL ⊗

42

MAKING SOMEONE DO SOMETHING
faire faire

Répondez aux questions qui suivent les exemples. ⊗

M. Bérubé **fait travailler** Frédéric.
Who is working? Who is making Frédéric work?

M. Bérubé **fait faire** la vaisselle à Frédéric.
Who is washing dishes? Who is making Frédéric wash the dishes?

43 ## Lisez la généralisation suivante.

1. **Faire** + an infinitive is used to express the idea that someone is making someone else do something.
   Christine **fait manger** son petit frère.   *Christine makes her little brother eat.*
   M. Bérubé **fait faire** la salle à Frédéric.   *M. Bérubé has Frédéric do the cleaning.*

2. **Faire** + an infinitive is considered as a unit and is not separated by either a noun or a pronoun. Notice the word order in the following two sentences:
   M. Bérubé **fait travailler Frédéric.**   M. Bérubé **le fait travailler.**
   In the first sentence, **Frédéric** (a noun) follows **fait travailler.** In the second sentence, **le** (a pronoun) precedes it. However, note the exception in the imperative: **Fais-le travailler.**

3. Because **faire** + infinitive is considered as a unit, the past participle of **faire** does not agree with a preceding direct object.
   M. Bérubé a fait travailler **Frédéric.**   M. Bérubé **l'a fait** travailler.
   M. Bérubé a fait travailler **Christine.**   M. Bérubé **l'a fait** travailler.

4. If there is another object in the sentence, the performer becomes the indirect object.
   Il **le** fait ranger.   Il **lui** fait ranger **la chambre.**

44 ## L'oncle de Frédéric lui fait faire beaucoup de choses. ⊗

Mets le couvert!	Il lui fait mettre le couvert.
Débarrasse la table!	Il lui fait débarrasser la table.
Fais la vaisselle!	Il lui fait faire la vaisselle.
Passe l'aspirateur!	Il lui fait passer l'aspirateur.
Sers le petit déjeuner!	Il lui fait servir le petit déjeuner.

45 ## Ce n'est pas la faute de Christine. ⊗

Christine a cassé la vaisselle!   C'est toi qui lui as fait casser la vaisselle!
Christine est tombée! / Christine est rentrée dans une table! / Christine a perdu l'équilibre!

46 ## EXERCICE DE COMPREHENSION ⊗

	0	1	2	3	4	5	6
A	√						
B							

47 Réponse à une annonce. ⊗

```
Geneviève Bon
5, rue Jean-Jaurès
24200 Sarlat-la-Canéda
Tel: 53.29.12                    Sarlat, le 29 mai


                                 Mme Monet¹
                                 12, rue Fénelon
                                 Sarlat-la-Canéda


Madame,

    Comme suite à° votre annonce affichée au
lycée de Sarlat-la-Canéda, je me permets de
poser ma candidature° au travail que vous
proposez. J'ai dix-sept ans. J'ai déjà gardé
des enfants de 9 et 11 ans pour Madame Périn,
36, rue de la République.

    Il s'agissait de les faire goûter° quand
ils revenaient° de l'école, de leur faire
faire leurs devoirs, de les faire dîner, de
leur faire prendre un bain et de les mettre
au lit°.

    Vous pouvez me joindre° au numéro de télé-
phone ci-dessus°, à partir de° 19 h tous les
soirs.

    En attendant votre réponse, je vous prie
d'agréer, Madame, mes salutations distinguées°.²

                        Geneviève Bon
```

VOCABULAIRE : **comme suite à** *with reference to;* **je me permets de poser ma candidature** *I am sending you my application;* **il s'agissait de les faire goûter** *it required preparing their afternoon snack;* **revenir** *to return;* **un bain** *a bath;* **mettre au lit** *to put to bed;* **joindre** *to reach;* **ci-dessus** *above;* **à partir de** *as of;* **je vous prie d'agréer mes salutations distinguées** *very truly yours*

48 Le Jeu des annonces.

1. Vous répondez à la même annonce que ci-dessus. Décrivez ce que vous avez fait quand vous avez gardé des enfants.
2. Répondez aux autres annonces de la page 28.
3. Choisissez une des annonces que vous avez écrites pour l'exercice No 37b., et répondez-y.

¹ Notice that in French correspondence the address of the sender is on the left and that of the addressee is on the right, below the date.
² Although it may seem very formal, this is a standard way of closing a letter in French.

1–10
la Caisse d'Epargne *savings bank*
une chaîne stéréo *a stereo*
un château *castle*
un donjon *dungeon, keep*
l'enseignement (m.) *education*
une époque *period*
les études (f.) *studies*
un flash électronique *electronic flash*
une forteresse *fortress*
une guerre *war*
un job *job*
une région *area, region*
un salaire *salary*
un siècle *century*
un sujet *subject*
un supermarché *supermarket*
un travail *job*

avoir de la chance *to be lucky*
se battre *to fight*
dater de *to date from*
gagner *to earn*
se rendre maître (de) *to take possession (of)*

il reçoit *it is visited by*

certain, -e *some, certain*
certains... d'autres *some . . . others*
chaque *each, every*
difficile *difficult*
favorisé, -e *at an advantage*
gratuit, -e *free*
intéressant, -e *interesting*
principal, -e (m. pl.: **principaux**) *main*
redoutable *formidable*
touristique ` *touristic*
continuellement *continually*
nettement *definitely*
pas mal de *quite a bit of*
pratiquement *practically*
puisque *since*

ce dont ils ont envie *what they feel like having*

11–18
un(e) caissier (-ière) *cashier*
une colonie de vacances *summer camp*
la connaissance *knowledge*
le courrier *mail*
un diplôme *diploma*
un maître nageur *lifeguard*
un(e) moniteur (-trice) *camp counselor*
la monnaie *change*
la patience *patience*
un(e) pompiste *gas pump attendant*

un restaurant *restaurant*
une station-service *service station*
un(e) serveur (-euse) *waiter, waitress*
un télégramme *telegram*

s'attendre (à) *to expect (to)*
être debout *to be on one's feet, to stand (up)*
être en bonne forme *to be in good condition*

falloir *to have to, must*
garder des enfants *to baby-sit*
porter *to carry*
servir (à table) *to wait (on tables)*
trier *to sort*

fatigant, -e *tiring*
physique *physical*
spécial, -e (m. pl.: **spéciaux**) *special*

19–25
un appareil *machine*
un hôtel *hotel*
une livraison *delivery*
un magasin d'alimentation *grocery store*
une marchandise *goods*
une quantité *quantity*
un stock *stock*

baisser *to go down*
faire les chambres *to make up the rooms*
nettoyer *to clean*
  je nettoie, tu nettoies, il nettoie, ils nettoient
  je nettoierai, tu nettoieras, etc.
servir à *to be used for*
signaler *to point out*

dès que *as soon as*

26–38
une annonce *notice, ad(vertisement)*
une expérience *experience*
un lycée *high school*
une mobylette *moped*
un tableau d'affichage *bulletin board*

intéresser *to be of interest*
obtenir *to obtain, to get*
recommander *to recommend*
vouloir dire *to mean*

Ne te plains pas! *Don't complain!*

facile *easy*

pas... grand-chose *not much*
surtout *above all, especially*

39–48
un aspirateur *vacuum cleaner*
un drap *sheet*
une femme de ménage *cleaning lady*
le personnel *staff*
un(e) plongeur (-euse) *dishwasher*
le repos *rest*
une salle de restaurant *dining room*
une serviette *towel*

avoir l'impression *to have the feeling*
débarrasser *to clear*
s'esquiver *to slip away*
être de la famille *to be part of the family*

faire faire quelque chose à quelqu'un *to have someone do something*
faire le ménage *to clean, to do housework*
mettre le couvert *to set the table*
passer l'aspirateur *to vacuum*

il devrait *he should*
les fait nettoyer *has them cleaned*

réglé(e) à la minute *timed to the second*

ainsi que *as well as*
autant que *as much as*
discrètement *discreetly*
dur *hard*
enfin *finally, at last*
en principe *theoretically*
même *even*
parfois *sometimes*
pile *on the dot*
tard *late*

ça n'est pas de tout repos *it's no picnic*
sept jours par semaine *seven days a week*

27
Canot Camping

1   Organisation de l'expédition. ⊗

Lundi 24 septembre, 8 h du soir, au local des pionniers de St-Jean-Baptiste-de-la-Salle, Sainte-Foy, Québec. Trois pionniers (Jean-François, André, Guy), deux guides (Martine, Claire) et l'animatrice et l'animateur du groupe (Anne et Léonard) se sont réunis pour parler de l'expédition canot-camping qu'ils feront dans deux semaines.

ANNE   Vous savez tous pourquoi nous avons cette réunion ce soir. Donnons donc tout de suite la parole au responsable de l'organisation. Jean-François, à toi!

JEAN-FRANÇOIS   Bon, alors l'expédition aura lieu le 8 et le 9 octobre. Nous serons dix: Anne, Léonard, Martine, Claire, André, Guy, Pierre, Denis, Alain et moi. On descendra la rivière Jacques-Cartier en canot. Voilà la carte. On partira de là où il y a marqué « départ possible », et on descendra jusqu'au camping du Malard, ici.

CLAIRE   Où est-ce qu'on va camper?

JEAN-FRANÇOIS   Au camping du Héron, qui est à peu près à mi-chemin. Nous passerons sept rapides par jour, environ.

MARTINE   Ce ne sont pas des rapides trop difficiles, j'espère.

JEAN-FRANÇOIS   On pourra toujours faire du portage... ou suivre dans la voiture de Léonard!

ANNE   Bon, maintenant, au responsable du transport. Guy, tu as la parole.

GUY   Eh bien, la moitié du groupe sera transportée par mon père, qui nous déposera et viendra nous reprendre. L'autre moitié ira avec Léonard. C'est Léonard qui remorquera les canots que nous avons loués. Et il nous suivra par la route qui longe la rivière.

ANNE   Parfait, tu as tout prévu... Bon, maintenant à André.

ANDRÉ   Le matériel est prêt et en bon état. J'ai trois tentes : deux tentes pour quatre et une tente pour deux. Et comme d'habitude, je donnerai à chaque campeur et campeuse une liste de l'équipement individuel à emporter. Et j'ai besoin de volontaires pour acheter les provisions.

JEAN-FRANÇOIS   Quand il est question de manger, moi, je suis toujours prêt!

2

Pionniers and guides are both part of the international movement of Boy Scouts and Girl Scouts, founded in the 1920s and now comprising about twenty million young people throughout the world. Traditionally, Boy Scouts and Girl Scouts operated separately. But in recent years they have been joining more and more in projects and activities, as in this camping expedition down the Jacques-Cartier River.

The pionniers and guides in this unit belong to a small troop of ten. They meet regularly, under the supervision of two leaders, in a large, modern elementary school. The projects they work on stress the principles of service to others, teamwork, self-reliance, knowledge and respect for nature. They work on two or three major projects a year.

3 Répondez aux questions.

1. Pourquoi est-ce que les pionniers et les guides se sont réunis?
2. Quand aura lieu l'expédition?
3. Qu'est-ce qu'ils feront?
4. Où vont-ils camper?
5. Quand un rapide sera trop difficile, qu'est-ce qu'ils pourront faire?
6. Que vont faire Léonard et le père de Guy?
7. Les canots sont aux pionniers?
8. Combien de tentes est-ce qu'ils ont?
9. Qu'est-ce qu'André va donner à chaque campeur?
10. Qui est volontaire pour acheter les provisions? Pourquoi?

4 La Rivière Jacques-Cartier.[1] ⊗

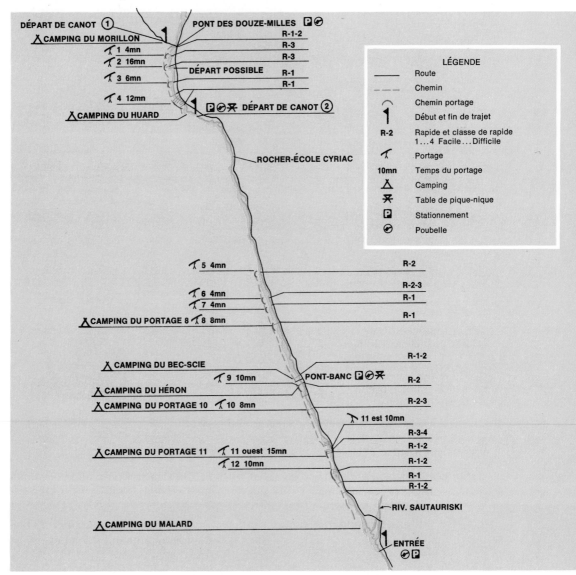

[1] This river is named after the French navigator Jacques Cartier; he discovered the area in 1534 and claimed it for France.

5 Ce qu'on doit emporter pour faire du camping : ⊗

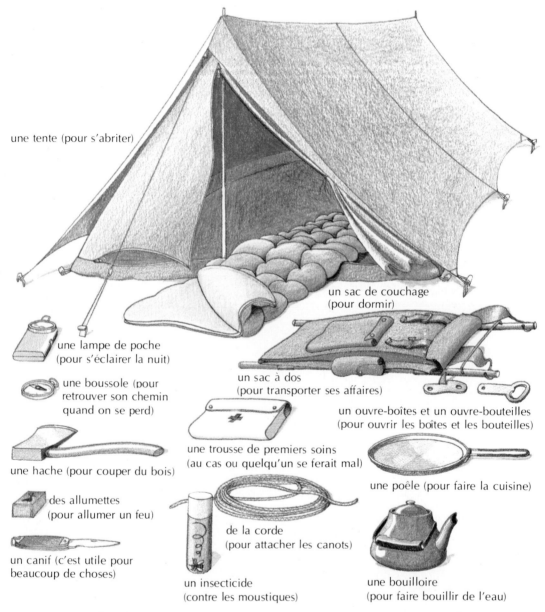

une tente (pour s'abriter)

un sac de couchage
(pour dormir)

une lampe de poche
(pour s'éclairer la nuit)

un sac à dos
(pour transporter ses affaires)

une boussole (pour
retrouver son chemin
quand on se perd)

un ouvre-boîtes et un ouvre-bouteilles
(pour ouvrir les boîtes et les bouteilles)

une hache (pour couper du bois)

une trousse de premiers soins
(au cas ou quelqu'un se ferait mal)

une poêle (pour faire la cuisine)

des allumettes
(pour allumer un feu)

de la corde
(pour attacher les canots)

un canif (c'est utile pour
beaucoup de choses)

un insecticide
(contre les moustiques)

une bouilloire
(pour faire bouillir de l'eau)

6 Qu'est-ce que c'est? ⊗

1. On dort dedans.
2. On s'en sert pour s'éclairer.
3. On y met de l'eau.
4. C'est très utile quand quelqu'un s'est fait mal.
5. On s'en sert pour allumer un feu.
6. C'est très utile quand on ne sait plus où on est.
7. On s'en sert pour couper du bois.
8. Il en faut quand il y a des moustiques.

7 EXERCICE ORAL ⊗

8 Et vous?

1. Est-ce que vous avez déjà fait partie d'une expédition? Quand? Avec qui?
2. Où êtes-vous allé(e)s?
3. Combien de temps a duré l'expédition?
4. De quoi étiez-vous responsable?
5. Qu'avez-vous emporté comme équipement? Et comme vêtements?
6. Qu'avez-vous emporté comme matériel? C'était du matériel loué ou du matériel à vous?

9 TALKING ABOUT THE FUTURE
Review

1. Future time can be expressed:
   a. by a present-tense form + time expression.   Je **sors dans une heure.**
   b. by **aller** in the present tense + infinitive.   Je **vais sortir** avec Claire.
   c. by a future-tense form.   Je **sortirai** avec toi une autre fois.
   In spoken French, **aller** + infinitive is often used, instead of the future tense.

2. The following chart shows how regular verbs form the future tense.

Infinitive	Future		
		Stem	Ending
jouer sortir choisir attendre	je tu il / elle nous vous ils / elles	jouer sortir choisir attendr	-ai -as -a -ons -ez -ont

With the exception of verbs ending in **-re,** the future stems of most verbs are the same as the infinitives. Verbs ending in **-re** drop the final **-e.**

3. A few common verbs have irregular future stems. They differ from the infinitives. Notice, however, that they all end in **-r** like the regular future stems.

Infinitive	Future		
		Stem	Ending
aller avoir être faire pouvoir savoir venir voir vouloir	je tu il / elle nous vous ils / elles	ir aur ser fer pourr saur viendr verr voudr	-ai -as -a -ons -ez -ont

4. **Acheter** forms the future as follows: **achèter-** / **j'achèterai, tu achèteras,** etc. Verbs like it follow the same pattern.
5. When the verb of the main clause is in the future tense, the verb of a clause beginning with **quand** must also be in the future tense.

Main Clause	Quand Clause
On **fera** un portage	**quand** un rapide **sera** trop difficile.
Il **viendra** nous reprendre	**quand** nous **serons** prêts à rentrer.

10 Qui va partir en expédition? ⊗

Léonard va venir aussi?   Oui, il va suivre en voiture.
Et toi? / Et vous deux? / Et Pierre et Denis? / Et moi? / Et Martine et moi?

11 Vous êtes responsable de l'organisation. Vous dites aux autres... ⊗

que l'expédition aura lieu le 8 mai.   L'expédition aura lieu le 8 mai.
que vous serez douze.   Nous serons douze.
que vous descendrez la Jacques-Cartier.   Nous descendrons la Jacques-Cartier.
que vous passerez une dizaine de rapides.   Nous passerons une dizaine de rapides.
que vous ferez un camp à mi-chemin.   Nous ferons un camp à mi-chemin.
que Léonard et Anne viendront avec vous.   Léonard et Anne viendront avec nous.
que vous partirez le 8, à 5 h du matin.   Nous partirons le 8, à 5 h du matin.

12 EXERCICE ECRIT

Mettez le paragraphe suivant au futur. Commencez : Le week-end prochain...
Le week-end dernier, j'ai fait partie d'une expédition canot-camping. J'ai descendu la rivière Jacques-Cartier. J'ai fait ça avec un groupe de pionniers et de guides. Nous étions dix. Nous avons campé à mi-chemin. Nous avons passé sept rapides par jour. C'était formidable! L'animateur est venu avec nous, et il nous suivait en voiture avec le matériel.

13 EXERCICE DE CONVERSATION

Un(e) camarade est en train d'organiser une expédition canot-camping. Il (Elle) vous demande si vous aimeriez y participer. Vous lui demandez :
1. où ça aura lieu.
2. quand ça aura lieu.
3. qui viendra.
4. ce qu'ils feront.
5. où ils camperont.
6. qui les transportera.
7. ce qu'il faudra emporter.

14 PROJET

Imaginez que vos camarades et vous allez faire une expédition canot-camping dans le parc des Laurentides. Préparez votre expédition en vous servant de la carte page 35. Vous commencez votre expédition au camping du Morillon. Utilisez le dialogue de la page 34 comme modèle.

15 Le Jeu des listes.

Vous formez des groupes de dix. Chaque groupe prépare une expédition canot-camping et fait des listes de ce qu'il faudra emporter : une liste de matériel pour le groupe, une liste d'équipement individuel, une liste de vêtements, une liste de provisions à acheter. Vous avez dix minutes pour faire ces listes. Le groupe qui fait les listes les plus complètes gagne.

16 L'aventure commence. ⊗

Samedi 8 octobre, 7 h du matin. Après une heure de route, les deux voitures de l'expédition entrent dans la vallée de la Jacques-Cartier. Le soleil° vient de se lever°. Les cristaux° qui recouvrent° encore les branches scintillent° dans la lumière°. Un cerf°, qui était en train de boire l'eau d'un étang, s'enfuit° dans le bois. La forêt a les couleurs rouge et or de l'automne. Les feuilles d'érable et de bouleau° tombent lentement dans la brise° du matin. Un vol d'oies sauvages° qui partent vers le sud passe très haut dans le ciel.° L'eau de la rivière bondit° de rocher en rocher… Les pionniers regardent de tous leurs yeux.

1 la vallée de la Jacques-Cartier

3 les feuilles d'érable

2 la rivière, les érables et les bouleaux

4 les rochers

VOCABULAIRE : **le soleil** *sun;* **se lever** *to rise;* **un cristal** *crystal;* **recouvrir** *to cover;* **scintiller** *to sparkle;* **la lumière** *light;* **un cerf** *deer;* **s'enfuir** *to escape;* **les feuilles d'érable et de bouleau** *maple and birch leaves;* **la brise** *breeze;* **un vol d'oies sauvages** *flock of wild geese;* **le ciel** *sky;* **bondir** *to bounce*

17 La Descente de la Jacques-Cartier. ⊗

La Mise à l'eau.

Arrivés au point de départ, Martine et Claire partent en voiture avec Léonard. Les autres mettent leurs canots à l'eau et attachent leurs bagages au milieu de chaque canot. Ils portent tous un gilet de sauvetage, et ils ont chacun un aviron en mains.

Voici les équipages au départ :

dans le canot jaune — Guy et Alain,
dans le canot bleu — Denis et Pierre,
dans le canot vert — Anne, André et Jean-François.

Le Passage d'un rapide.

De la rive, les pionniers examinent un rapide.

JEAN-F.   Avec un courant aussi fort, on va aller se jeter contre un rocher.

ALAIN   C'est un petit rapide comme ça qui vous fait peur!

GUY   Je crois qu'il y a une bonne passe là-bas, vers le milieu... Vous voyez?

JEAN-F.   Oui, bon... C'est toi et Alain qui passez les premiers; nous, on suit.

Guy et Alain sont les premiers à entrer dans la passe. Les deux garçons contrôlent bien leur canot et réussissent à franchir le rapide sans difficulté. Denis et Pierre, eux, ont du mal à lutter contre le courant qui les pousse vers les rochers. Finalement, ils arrivent à passer sans chavirer. Ouf! Et maintenant, c'est Jean-François et André qui s'élancent... Les deux équipiers manœuvrent bien ensemble. Hourra! Ils sont tous passés... un peu mouillés, mais très contents d'eux-mêmes.

18 Répondez aux questions.

1. Qu'est-ce que les pionniers portent pour faire du canot? Qu'est-ce qu'ils ont en mains?
2. Quels sont les équipages au départ?
3. Avant de passer un rapide, que font les pionniers?
4. D'après Jean-François, qu'est-ce qui va leur arriver dans ce rapide? Pourquoi?
5. Qu'est-ce qu'il y a au milieu de la rivière?
6. Quels sont les premiers à entrer dans la passe?
7. Pourquoi est-ce qu'ils passent sans difficulté?
8. Et Denis et Pierre? Est-ce qu'ils passent sans difficulté? Pourquoi?
9. Pourquoi est-ce que Jean-François et André passent bien le rapide?

19 EXERCICE ORAL ⊗

20

MAKING TWO SENTENCES INTO ONE
Relative Clauses

Répondez aux questions qui suivent les exemples. ⊗

Je pars avec des amis. **Ils** font du canot.
Je pars avec des amis **qui** font du canot.

How many sentences are there on the first line? And on the second? What word makes one sentence out of the two original ones? **Qui** takes the place of what word? Is **Ils** a subject or an object pronoun?

Je pars avec des amis. Vous **les** connaissez.
Je pars avec des amis **que** vous connaissez.

What word makes one sentence out of the two original ones? **Que** takes the place of what word? Is **les** a subject or an object pronoun?

21 Lisez la généralisation suivante.

1. You can combine two sentences into one by using the relative pronouns **qui** and **que. Qui** takes the place of a subject and is a subject pronoun. **Que** takes the place of a direct object and is a direct-object pronoun.

QUI			QUE		
Je pars avec un ami.	**Il**	fait du canot.	Je pars avec un ami. Vous	**le**	connaissez.
Je pars avec un ami	**qui**	fait du canot.	Je pars avec un ami	**que**	vous connaissez.
Je pars avec une amie.	**Elle**	fait du canot.	Je pars avec une amie. Vous	**la**	connaissez.
Je pars avec une amie	**qui**	fait du canot.	Je pars avec une amie	**que**	vous connaissez.
Je pars avec des amis.	**Ils**	font du canot.	Je pars avec des amis. Vous	**les**	connaissez.
Je pars avec des amis	**qui**	font du canot.	Je pars avec des amis	**que**	vous connaissez.
Je pars avec des amies.	**Elles**	font du canot.	Je pars avec des amies. Vous	**les**	connaissez.
Je pars avec des amies	**qui**	font du canot.	Je pars avec des amies	**que**	vous connaissez.

2. The two sentences that are linked together by a relative pronoun become two clauses: the main clause and the relative clause.

Main Clause	Relative Clause	Main Clause
Ils luttent contre **le courant**	**qui** pousse leur canot.	
Le courant	**qui** pousse leur canot	est très fort.
Nous examinons **le rapide**	**que** nous allons franchir.	
Le rapide	**que** nous allons franchir	n'est pas facile.

Notice that the relative clause immediately follows the noun it refers to.

3. In a construction with an independent pronoun, a relative clause is often used for emphasis.

C'est **moi qui** passerai le premier.   *I am the one who will go first.*
C'est **lui que** vous suivrez.   *He is the one (whom) you will follow.*

4. Unlike its English equivalents *that, which, whom,* **que** is never omitted in French.
Le rapide **que** nous allons franchir n'est pas facile.   *The rapids (that) we are going to pass are not easy.*

5. Elision occurs with **que.**

Ils vont descendre une rivière **qu'**ils connaissent bien.

22 C'est Jean-François qui parle. ⊗

Je cherche les allumettes. Elles étaient près du feu.   Je cherche les allumettes qui étaient près du feu.
Voilà les canots. Nous les avons loués.   Voilà les canots que nous avons loués.
J'ai acheté un sac de couchage. Il n'était pas cher.   J'ai acheté un sac de couchage qui n'était cher.
Voilà l'ouvre-boîtes. Tu le cherchais.   Voilà l'ouvre-boîtes que tu cherchais.

23 André a tout prévu. ⊗

Il a emprunté trois tentes.   Voilà les trois tentes qu'il a empruntées.
Il a acheté une hache. / Il a loué des canots. / Il a emprunté un sac à dos.

24 Les pionniers examinent un rapide. ⊗

C'est toi qui veux passer ce rapide?   Oui, c'est moi qui veux le passer.
C'est ton équipière qui veut passer ce rapide? / Ce sont tes équipiers qui veulent passer ce rapide? / Ce sont tes équipières qui veulent passer ce rapide?

25 EXERCICE ECRIT

Combinez chaque paire de phrases en une seule, en utilisant **qui** ou **que.**
1. Nous suivons la route. Elle longe la rivière Jacques-Cartier.
2. Nous mettons à l'eau les canots. Nous les remorquons depuis Québec.
3. Nous suivons le rapide. Il passe entre les rochers.
4. Nous avons acheté une tente. Elle n'était pas chère.
5. Nous examinons un rapide. Nous essayons de le passer.

26 L'Installation du camp. ☺

Samedi 8 octobre, 4 h de l'après-midi.
L'expédition débarque au camping du Héron.

CLAIRE   Où est-ce qu'on s'installe? Là-bas, près de ces bouleaux?
ANDRÉ   Mais non, il y a trop de cailloux!
MARTINE   Tiens, ici, près de la rivière, il y a un endroit bien plat.
DENIS   Oui, mais ça doit être humide.
CLAIRE   Et là?
MARTINE   Regarde tous ces trous!
ALAIN   Bon, alors vous vous décidez. Si on continue comme ça, il va faire nuit et on sera toujours en train de discuter.
JEAN-F.   Installons-nous ici. C'est un endroit parfait.
CLAIRE   Bon, montons les tentes!

Le soleil se couche, et il commence à faire frais. Il est temps de s'occuper du feu. Tout le monde se disperse dans la forêt pour aller chercher du bois. Peu de temps après, ils reviennent avec du bois bien sec, et ils se mettent à faire deux grands feux.

27 Répondez aux questions.

1. Pourquoi est-ce que les pionniers ne s'installent pas près des bouleaux?
2. Pourquoi est-ce que Denis ne veut pas s'installer près de la rivière?
3. De quoi s'occupent les pionniers après avoir monté les tentes? Pourquoi?
4. Où vont-ils chercher du bois?

28 La Préparation du dîner. ⊗

1

2

Il est temps de commencer à préparer le dîner. Au menu : soupe de légumes, poulets rôtis à la broche, pommes de terre cuites dans la braise, beignes à la crème, et café.

MARTINE   Excuse… mais tes poulets sont en train de dégoutter dans ma soupe!

JEAN-F.   Ça lui donnera plus de goût!

MARTINE   Ils ont l'air de brûler, tes poulets, surtout celui qui est au milieu.

JEAN-F.   Je crois que la broche est trop basse. Je vais arranger ça.

MARTINE   Tu pleures sur le sort des poulets?

JEAN-F.   J'ai plein de fumée dans les yeux, et ça la fait rire!

DENIS   Moi, si j'étais toi, je mettrais du beurre sur les poulets.

JEAN-F.   Toi, occupe-toi donc de tes patates!

DENIS   Aïe! C'est chaud ça! Je me suis brûlé! Et puis, je n'ai pas mon compte de pommes de terre! Celles que j'avais mises là sous le chaudron ont disparu!

PIERRE   Je sens qu'il y en a un, ou une, qui n'a pas attendu pour se servir!

MARTINE   Hum! Elle est bien bonne cette soupe! Allez, venez! On mange!

29 Répondez aux questions.

1. Que font les pionniers une fois que leurs feux sont allumés?
2. Qu'est-ce qu'il y a au menu du dîner?
3. Sur quoi font-ils cuire les poulets?
4. Dans quoi font-ils cuire les pommes de terre?
5. Pourquoi est-ce que Jean-François pleure?
6. Qu'est-ce qui a disparu?

30 EXERCICE ORAL ⊗

31 Et vous?

1. Dans quel genre d'endroit est-ce que vous aimez camper?
2. Combien de temps est-ce que vous mettez pour monter votre tente?
3. Sur quoi est-ce que vous faites la cuisine?
4. Qu'est-ce que vous mangez en général?

32

REFERRING TO SOMETHING DEFINITE OR INDEFINITE
Ce or Celui

1. In talking about something indefinite, the pronoun **ce** is used in the following way: ⊗

Qu'est-ce qui	brûle?	Ce qui	est sur le feu.
Qu'est-ce que	tu veux?	Ce que	tu viens de prendre.

2. In talking about something or someone specific, **celui, celle, ceux, celles** may be used.

Quel poulet	veux-tu?	Celui qui Celui que	est sur la broche. tu viens de prendre.
Quelle pomme	veux-tu?	Celle qui Celle que	est dans la braise. tu viens de prendre.
Quels poulets	veux-tu?	Ceux qui Ceux que	sont sur la broche. tu viens de prendre.
Quelles pommes	veux-tu?	Celles qui Celles que	sont dans la braise. tu viens de prendre.

33 ## Pierre s'est installé près du gros arbre. ⊗

Où est la tente de Pierre?   C'est celle qui est près du gros arbre.
Où sont ses affaires? / Où est son sac de couchage? / Où sont ses bagages?

34 ## Les campeurs discutent. ⊗

La soupe que vous avez faite n'est pas bonne.   Celle que j'ai faite est bonne!
Le bois que vous avez coupé n'est pas sec.   Celui que j'ai coupé est sec!
Les poulets que vous avez fait cuire ne sont   Ceux que j'ai fait cuire sont cuits!
pas cuits.
Les pommes de terre que vous avez fait cuire   Celles que j'ai fait cuire sont cuites!
ne sont pas cuites.

35 ## Jean-François va montrer à Pierre comment faire un feu. ⊗

Qu'est-ce qu'il faut pour faire un feu?   Attends, je vais te montrer ce qu'il faut.
Qu'est-ce qui brûle bien? / Qu'est-ce qu'on fait pour l'allumer?

36 ## EXERCICE DE COMPREHENSION ⊗

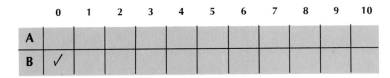

	0	1	2	3	4	5	6	7	8	9	10
A											
B	✓										

THE VERB rire

1. The following are the present-tense forms of the verb **rire**, *to laugh*. ⊗

Je	**ris**	facilement.	Nous	**rions**	facilement.
Tu	**ris**	facilement.	Vous	**riez**	facilement.
Il / Elle	**rit**	facilement.	Ils / Elles	**rient**	facilement.

2. The past participle of **rire** is **ri: Nous avons bien ri.**
3. The verb **sourire**, *to smile*, follows the same pattern as **rire: Il sourit tout le temps.**

38 C'était très amusant, cette expédition. ⊗

Tu t'es bien amusé(e)?   Oui, j'ai bien ri.
Pierre s'est bien amusé?
Vous vous êtes bien amusés, vous deux?
Martine s'est bien amusée?
Les pionniers se sont bien amusés?

39 Vrai ou faux? ⊗

On dort dans un sac à dos.   C'est faux! C'est dans un sac de couchage
                                                                          qu'on dort.

On coupe le bois avec un canif.
On manœuvre un canot avec un aviron.
On fait la cuisine dans une bouilloire.
On fait du feu avec des allumettes.
On descend une rivière dans une voiture.
On ouvre les bouteilles avec un ouvre-boîtes.
On utilise une hache contre les moustiques.
On s'éclaire la nuit avec une boussole.
On fait la soupe dans un chaudron.
On fait cuire les poulets dans la braise.

40 EXERCICE DE CONVERSATION

Vous venez de rentrer d'une expédition canot-camping. Vous dites à un(e) ami(e) :
1. où vous êtes allé(e), avec qui et quand.
2. quel temps il faisait.
3. comment était le paysage.
4. comment étaient les rapides.
5. comment vous les avez passés.
6. si vous avez fait beaucoup de portage.
7. où vous avez campé.
8. ce que vous avez fait pour installer le camp.
9. ce que vous avez mangé.
10. ce que vous avez fait le soir.
11. si vous vous êtes amusé(e).
12. si vous êtes content(e) de votre expédition.

41 REDACTION

Maintenant, écrivez un rapport sur cette expédition. Utilisez l'exercice No 40 comme modèle.

42 La Veillée° autour du feu de camp. ⊗

Il fait nuit maintenant. Les pionniers ont dîné, et ils sont tous assis° autour d'un grand feu qui flambe° joyeusement°. Ils parlent, rient, jouent à des jeux et s'amusent bien. Et puis, Anne se met à jouer de l'harmonica et de la guitare. Martine commence à chanter et tout le monde reprend en chœur°.

1

2

VOCABULAIRE : **la veillée** *evening;* **assis** *sitting;* **flamber** *to burn;* **joyeusement** *cheerfully;* **reprendre en chœur** *to join in*

43 Chanson: C'est l'aviron. ⊗

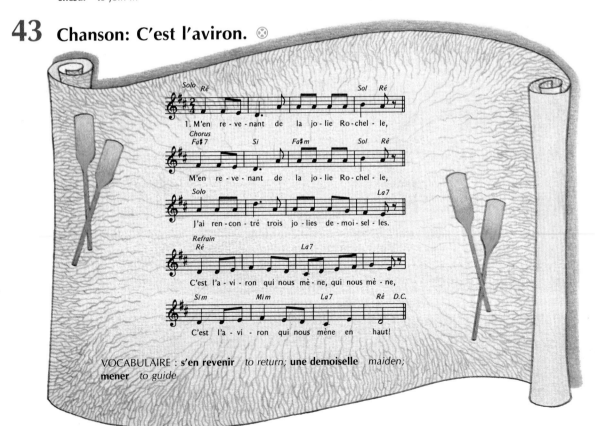

VOCABULAIRE : **s'en revenir** *to return;* **une demoiselle** *maiden;* **mener** *to guide*

WORD LIST

1–15

une allumette *match*
un(e) animateur (-trice) *youth leader*
le bois *wood*
une boîte *can*
une bouilloire *kettle*
une boussole *compass*
un(e) campeur (-euse) *camper*
le camping *camping*
un camping *campground*
un canif *pocketknife*
un canot *canoe*
un départ *departure, start*
une expédition *trip*
une guide *girl scout*
une *hache *axe*
un insecticide *insect repellent*
une lampe de poche *flashlight*
une liste *list*
un local *quarters*
le matériel *equipment*
une moitié *half*
un moustique *mosquito*
une organisation *organization*
un ouvre-boîtes (pl.: ouvre-boîtes) *can opener*
un ouvre-bouteilles (pl.: ouvre-bouteilles) *bottle opener*

un pionnier *boy scout*
une poêle *frying pan*
des provisions (f.) *supplies*
un rapide *rapids*
un(e) responsable(de) *person responsible (for)*
une réunion *meeting*
une rivière *river*
le transport *transportation*
une trousse de premiers soins *first-aid kit*
un(e) volontaire *volunteer*

allumer *to light up*
attacher *to fasten*
avoir la parole *to be one's turn to speak*
bouillir *to boil*
camper *to camp*
couper du bois *to chop wood*
déposer *to drop off*
donner la parole à *to call upon someone to speak*
s'éclairer *to have light*
emporter *to take along*
faire du camping *to go camping*
faire du portage *to carry the boats overland*

faire une expédition *to take a trip*
longer (like manger) *to run along*
remorquer *to tow*
reprendre *to take back*
retrouver *to find again*
transporter *to take, to transport*

il a tout prévu *he thought of everything*

individuel, -elle *individual*
transporté, -e *transported*
utile *useful*

à mi-chemin *halfway*
à peu près *approximately*
d'habitude *usually*
en bon état *in good condition*
il est question (de) *it's a matter (of)*

16–25

un aviron *paddle*
des bagages (m.) *baggage, luggage*
un courant *current*
la descente *going down*
un équipage *team, crew*
un(e) équipier (-ière) *teammates*
un gilet de sauvetage *life jacket*
le milieu *middle*
la mise à l'eau *putting the canoes in the water*
un passage *passing*
une passe *pass*
un point de départ *starting point*
une rive *bank (of a river), shore*

avoir du mal (à) *to have difficulty (in)*
chavirer *to capsize*
contrôler *to direct, to steer*
s'élancer *to shoot forth*
examiner *to look over, to examine*
franchir (like choisir) *to pass through*
lutter *to struggle*
manœuvrer *to maneuver*
pousser *to push*
réussir (à) (like choisir) *to succeed (in)*

même *self*
mouillé,-e *wet*

Hourra! *Hurray!*
Ouf! *Phew!*

26–43

un beigne *doughnut*
un bouleau *birch tree*
la braise *hot coals*
une broche *spit*
un caillou (pl.: cailloux) *pebble, stone*
un chaudron *cauldron*
la crème *cream*
un endroit *place, location*
la fumée *smoke*
une installation *installation*
un menu *menu*
une patate *potato*
le sort *fate, destiny*
un trou *hole*

amener (like acheter) *to bring*
arranger (like manger) *to arrange*
brûler *to burn*
se coucher *to set (sun)*
débarquer *to disembark, to land*
dégoutter *to drip*
se disperser *to scatter*
faire nuit *to get dark*
se mettre à *to start*
monter une tente *to pitch a tent*
pleurer *to cry*
revenir (like venir) *to come back, to return*
rire *to laugh*
sentir *to feel*

humide *humid*
plat, -e *flat*
rôti, -e *roasted*
sec, sèche *dry*

bien *very*
drôlement *really*
plein de *a lot of*

je n'ai pas mon compte de… *don't have all my . . .*

elles ont disparu *they disappeared*

28
Quelle Carrière Choisir?

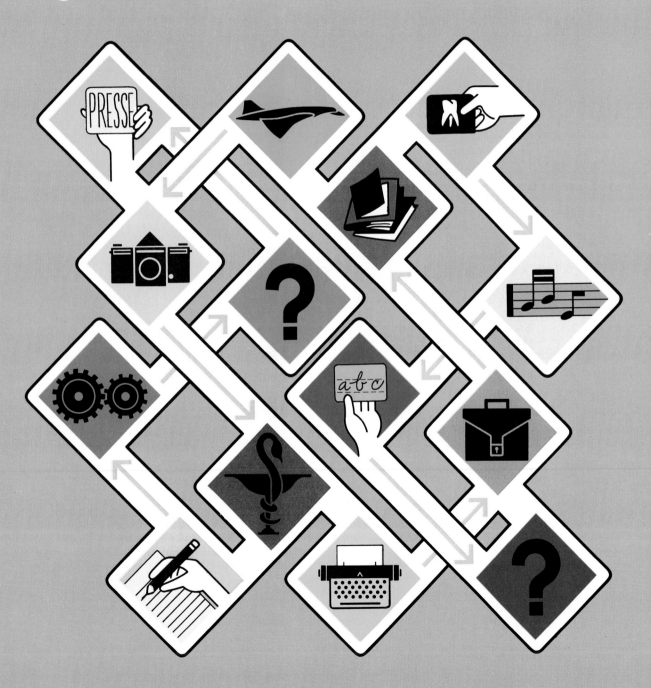

1 Le Choix d'une carrière. ⊗

En dernière année de CES les jeunes Français doivent décider quelle carrière ils vont suivre. Ils peuvent choisir de continuer leurs études dans un lycée et éventuellement à l'université. Ils peuvent aussi décider de ne pas aller au lycée et d'apprendre un métier. S'ils décident d'aller au lycée, ils doivent choisir entre quatre sections : lettres[1], sciences, économie ou sciences naturelles. Ils font évidemment leur choix en fonction de la carrière qu'ils veulent suivre.

2 Que feront nos amis plus tard? ⊗

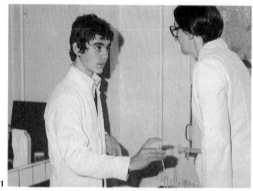

Laurent aimerait devenir pilote de ligne parce qu'il veut voyager.

Alain et Laurence aiment la danse et veulent devenir danseurs étoiles.

Dominique aime beaucoup les animaux et voudrait devenir vétérinaire comme son père.

3

Our four friends are all attending a lycée. Studies at a lycée last three years. At the end of three years, students take a national examination called le baccalauréat, *or* le bac, *for short. This diploma is required for entrance to universities or schools of higher education.*

[1] **Lettres** leads to careers in letters, languages, and the arts.

4 Répondez aux questions.

1. Quand est-ce que les jeunes Français doivent décider quelle carrière ils vont suivre?
2. Quel choix ont-ils?
3. En fonction de quoi font-ils leur choix?
4. Qu'est-ce que Laurent aimerait faire plus tard? Pourquoi?
5. Et Alain et Laurence, qu'est-ce qu'ils veulent faire? Pourquoi?
6. Qu'est-ce que Dominique aimerait faire plus tard? Pourquoi?
7. Qui a cette profession dans sa famille?

5 Et vous, qu'est-ce que vous aimeriez être plus tard? ⊗

professeur[1] de (lettres, etc.)
pharmacien / pharmacienne
interprète

reporter
cinéaste
musicien / musicienne

6 EXERCICE ORAL ⊗

7 Chaîne de mots.

Demandez à votre voisin(e) ce qu'il (elle) aimerait faire plus tard. Votre voisin(e) vous répond et pose ensuite la même question à son autre voisin(e).

8 Laurent chez le conseiller d'orientation. ⊗

LE CONSEILLER   Qu'est-ce que je peux faire pour toi?

LAURENT   Eh bien voilà, j'ai un problème. J'aimerais être pilote de ligne, mais mes parents ne sont pas vraiment pour. Ils ne sont pas carrément contre non plus. Ils disent que ça leur est égal et que je suis libre de faire ce que je veux, mais en fait, ils essaient un peu de me décourager.

LE CONSEILLER   Et pourquoi?

LAURENT   Parce qu'ils trouvent qu'il y a trop de concurrence.

LE CONSEILLER   Dans un sens, tu sais, ils ont raison : pour chaque poste, il y a au moins une vingtaine de candidats, aussi qualifiés les uns que les autres. Qu'est-ce qu'ils te conseillent de faire?

LAURENT   Ils voudraient que je devienne comptable, puisque je suis bon en maths. Vous vous rendez compte! Rester dans un bureau toute la journée! Moi, je veux voyager, voir du pays!

LE CONSEILLER   Il y a comptable et comptable. Je crois que, expert-comptable, ça pourrait t'intéresser. Les experts-comptables se déplacent tout le temps.

LAURENT   Qu'est-ce qu'ils font exactement?

LE CONSEILLER   Ce sont eux que les entreprises appellent pour vérifier leurs comptes ou réorganiser leur comptabilité. C'est très intéressant. On rencontre des tas de gens différents. Et puis, ça a l'avantage d'être une situation stable et bien payée. Je vais te donner des prospectus sur les deux carrières. Etudie-les, et reviens me voir.

---

[1] Some names of professions are always masculine, even when the position is held by a woman. For example, you would say **J'ai un bon médecin** even if your doctor is a woman.

9 Répondez aux questions.

1. Qui est-ce que Laurent va voir?
2. Quel est le problème de Laurent?
3. Que lui disent ses parents?
4. Qu'est-ce qu'ils essaient de faire en fait?
5. Pourquoi est-ce qu'ils essaient de décourager Laurent?
6. Qu'est-ce qu'ils voudraient que Laurent devienne? Pourquoi?
7. Pourquoi est-ce que cette profession ne plaît pas à Laurent?
8. Qu'est-ce qui pourrait l'intéresser, d'après le conseiller d'orientation?
9. Que font les experts-comptables?
10. Pourquoi est-ce que c'est une profession intéressante?
11. Quel est l'autre avantage de cette profession?
12. Qu'est-ce que le conseiller va donner à Laurent?

10 Quelques raisons pour lesquelles on choisit une carrière : ⊗

- devenir riche
- être célèbre
- être utile aux autres
- exploiter ses dons ou ses talents
- faire plaisir à ses parents
- faire un travail que l'on aime
- rencontrer beaucoup de gens
- vivre une vie pleine d'aventures
- voyager

11 EXERCICE ORAL ⊗

12 Et vous?

1. Quelle carrière est-ce que vous aimeriez choisir?
2. Pour quelles raisons?
3. Est-ce que vos parents sont pour ou contre? Pourquoi?
4. Est-ce que vous êtes déjà allé(e) voir le conseiller (la conseillère) d'orientation de votre école?
5. Pour quelles raisons est-ce que vous êtes allé(e) le (la) voir?
6. Qu'est-ce qu'il (elle) vous a dit?

13 Qu'en pensez-vous?

1. D'après vous, qui a raison, Laurent ou ses parents? Donnez vos raisons.
2. Si vous étiez le conseiller d'orientation, qu'est-ce que vous diriez à Laurent?
3. Qu'est-ce que vous aimeriez mieux être, pilote ou comptable? Pourquoi?

EXPRESSING CONDITIONS
Review

1. French verbs form the conditional by adding the imparfait endings to the future stem of the verb:

	Stem	Endings	
Je	choisir	-ais	une carrière.
Tu	aimer	-ais	voyager?
Ça	pourr	-ait	t'intéresser.
Nous	voudr	-ions	travailler.
Vous	ser	-iez	célèbres!
Ils	prendr	-aient	des leçons.

2. Conditions can be of two kinds: those that can be met, and those that are not likely to be met.

CAN BE MET	
Si + Present	Imperative or Future
Si tu peux,	continue tes études.
If you can,	go on with your studies.
Si je peux,	je continuerai mes études.
If I can,	I will go on with my studies.
	(And I may well be able to do so.)

NOT LIKELY TO BE MET	
Si + Imparfait	Conditional
Si je pouvais,	je continuerais mes études.
If I could,	I would go on with my studies.
	(But I am not able to do so.)

15 Qu'est-ce que tu veux faire plus tard? ⊗

Tu veux devenir pilote?   Oui, je deviendrai pilote si je peux.
voyager / gagner beaucoup d'argent / être utile aux autres / rencontrer beaucoup de gens

16 Mes parents sont contre. ⊗

Tu aimerais devenir pilote?   Oui, si je pouvais, je deviendrais pilote.
Tu aimerais travailler en Angleterre?
Tu aimerais être comptable?
Tu aimerais faire le tour du monde?
Tu aimerais apprendre des langues
étrangères?

17 Chaîne de mots.

ELÈVE 1: Si j'étais en bonne forme physique, je serais reporter.
ELÈVE 2: Si j'étais reporter, je voyagerais beaucoup.
ELÈVE 3: Si je voyageais beaucoup, je saurais parler des langues étrangères.
ELÈVE 4: Si je savais parler des langues étrangères...

18 Le Choix d'Alain et de Laurence. ⊗

Alain et Laurence ont choisi de faire de la danse classique. Ils sont en dernière année de l'Ecole de Danse de l'Opéra de Paris. Ils y ont été admis il y a six ans, après avoir passé un concours. Laurence, qui vient de province, a une bourse qui l'aide à payer sa nourriture et son logement.

La journée des élèves de l'Ecole de Danse est très chargée : la matinée est consacrée aux cours de danse, et l'après-midi aux études, les mêmes que celles suivies par les lycéens de leur âge. Ils passent aussi les mêmes examens. C'est ainsi que dans un mois ils passeront le baccalauréat. Ils espèrent, bien entendu, qu'ils seront reçus : s'ils sont recalés, ils seront obligés de redoubler leur classe terminale. En plus du bac, ils préparent aussi un spectacle de fin d'année qui leur permettra de montrer leurs talents et d'être peut-être remarqué par un maître de ballet!

19

The Ecole de Danse de l'Opéra de Paris *is in the* Palais Garnier, *the same building that houses the* Théâtre National de l'Opéra. *It is a public school that trains young boys and girls to become dancers. It offers a five-year program. At the end of each year, however, students have to take an examination, and those who fail it have to leave the school. Competition to enter the school is fierce, not only because the instruction is excellent, but also because tuition is completely free. Not all the students who successfully complete the five years are assured of being asked to join the ballet company of the* Théâtre National de l'Opéra. *As a matter of fact, most of them have to try to find employment with other ballet companies.*

20 Répondez aux questions.

1. Quelle carrière ont choisi Alain et Laurence?
2. A quelle école vont-ils?
3. En quelle année sont-ils?
4. Quand ont-ils été admis à l'école? Comment?
5. D'où vient Laurence?
6. Comment est-ce qu'elle paie sa nourriture et son logement?
7. Que font les élèves de l'Ecole de Danse le matin?
8. Que font-ils l'après-midi?
9. Qu'est-ce qu'ils passeront dans un mois?
10. Qu'est-ce qu'ils espèrent?
11. Qu'est-ce qu'ils seront obligés de faire s'ils sont recalés?
12. Qu'est-ce qu'ils préparent en même temps que le bac?

21 EXERCICE ORAL ⊗

22 Au cours de danse.

Les élèves de dernière année sont en train de répéter une des danses au programme du spectacle de fin d'année. Leur professeur n'est pas satisfait de leur travail et leur fait le discours suivant : « Non, non, non! Ça ne va pas du tout! Vous êtes mous; vous ne vous concentrez pas. Ce spectacle est une occasion en or de montrer ce que vous pouvez faire, et vous ne faites aucun effort.

Il faut que vous vous fatiguiez plus que ça, vous savez! Personne ne va faire le travail pour vous! Dans un mois, vous aurez quitté l'école, et il va falloir que vous vous débrouilliez seuls. Ça ne va pas être facile. Il vaut mieux que vous vous en rendiez compte dès maintenant. C'est pour votre bien que je vous dis ça. Il est très important que vous vous montriez sûrs de vous. Quand le maître de ballet distribue les rôles, il ne faut pas que vous ayez peur de vous placer bien en vue, au premier rang. Il faut que vous lui donniez l'impression que vous voulez un bon rôle et que vous le danserez à la perfection. Bon. Assez pour aujourd'hui. Reprenons le travail. »

23 Répondez aux questions.

1. Que font les élèves de dernière année?
2. Pourquoi est-ce que leur professeur leur fait un discours?
3. Qu'est-ce que le spectacle de fin d'année représente pour les élèves?
4. Qu'est-ce qu'il faut faire quand le maître de ballet distribue les rôles?
5. Quelle impression est-ce qu'il faut lui donner?

24 Qu'est-ce que vous allez faire comme études? ⊗

J'aimerais être...	Je vais faire...	J'aimerais être...	Je vais faire...
professeur de lettres.	des lettres.	dessinateur (-trice).	beaux-arts.
médecin.	médecine.	reporter.	du journalisme.
dentiste.	dentaire.	cinéaste.	des études de cinéma.
avocat(e).	du droit.	acteur (-trice).	de l'art dramatique.
ingénieur.	des études d'ingénieur.	interprète.	des langues.

25 EXERCICE ORAL ⊗

26 Et vous?

1. Dans quel genre d'école est-ce que vous aimeriez aller? Laquelle (Lesquelles)?
2. Est-ce qu'il est difficile d'y entrer? Pourquoi? Qu'est-ce que vous aimeriez y étudier?
3. Combien de temps durent les études? Ce sont des études faciles ou difficiles?
4. Quel diplôme est-ce que vous obtiendriez à la fin de vos études?
5. Où est-ce que vous habiteriez, à l'école ou chez vous?
6. Est-ce que vous demanderiez une bourse?
7. Est-ce qu'il vous serait facile de trouver du travail une fois sorti(e) de l'école?

27 Spectacle de l'Ecole de Danse. ⊗

Le spectacle de fin d'année n'est ni un concours ni même un examen. Il est néanmoins° très important pour les élèves de dernière année qui sont au début° de leur carrière. En effet, les meilleurs de la classe seront choisis pour faire partie du corps de ballet du Théâtre National de l'Opéra. Les autres, eux, devront essayer de se faire engager° ailleurs°. Le spectacle de fin d'année, qui est ouvert au public, leur permet de° montrer ce qu'ils peuvent faire et éventuellement de se faire remarquer° par un impresario° ou le maître de ballet d'une autre troupe.

VOCABULAIRE : **néanmoins** *nevertheless;* **au début** *at the beginning;* **se faire engager** *to get hired;* **ailleurs** *elsewhere;* **permettre de** *to give the opportunity to;* **se faire remarquer** *to be noticed;* **un impresario** *agent*

FACTS AND NON-FACTS
The Subjunctive

1. In English, the dance teacher would say, "It is important that you *be* sure of yourselves!" The verb used is not *are* but *be*. Why? Because the teacher is speaking about something that is not a fact. This same distinction also exists in French. It is one of the most important distinctions in the French language. In talking about things that are not facts, you cannot use the same verb forms as in talking about things that are facts. You must use special forms. Compare the following sentences: ⊗

<table>
<tr><td align="center">FACT</td><td align="center">NON-FACT</td></tr>
<tr><td>Vous travaillez mal.</td><td>Il faut que vous travailliez plus.</td></tr>
<tr><td></td><td>Il vaut mieux que vous travailliez plus.</td></tr>
<tr><td></td><td>Il est important que vous travailliez plus.</td></tr>
</table>

These special forms are called the subjunctive forms. They are used after expressions such as **il faut que, il vaut mieux que, il est important que.** Other uses of the subjunctive will be introduced in later units.

2. The present subjunctive of all regular and most irregular verbs is formed as follows:

Present Indicative	*Present Subjunctive*		
	il faut que **je**	choisiss	-e
ils choisiss -ent	il faut que **tu**		-es
	il faut qu' **il**		-e
	il faut qu' **ils**		-ent
Imparfait			
nous choisiss -ions	il faut que **nous choisiss**		-ions
vous choisiss -iez	il faut que **vous choisiss**		-iez

There are only three spoken forms of the present subjunctive:
- one for the singular forms and the **ils** form, usually identical in sound to the **ils** form of the present indicative
- one for the **nous** form, and one for the **vous** form, both usually identical in sound and spelling to the **nous** and **vous** forms of the imparfait.

3. The irregular present subjunctives of **aller, avoir, être, faire, pouvoir, savoir,** and **vouloir** will be introduced later on in this unit.

Le professeur dit à ses élèves: ⊗

Travaillez!   Il est important que vous travailliez.
Montrez vos talents! / Passez vos examens! / Corrigez vos compositions! / Concentrez-vous!

Le professeur prépare ses élèves pour le spectacle. ⊗

Avant, vous vous entraîniez bien.   Maintenant, il est important que vous vous entraîniez encore mieux.
vous vous fatiguiez plus / vous vous concentriez bien / vous travailliez plus

31 Le professeur fait un discours à ses élèves. ⊗

Vous n'écoutez pas ce que je dis!

—Il faut que vous écoutiez ce que je dis.
—C'est vrai, il faut que nous écoutions ce qu'il dit.

Vous ne suivez pas mes conseils!
Vous n'arrivez jamais à l'heure!
Vous ne regardez pas ce que je fais!
Vous ne travaillez pas!
Vous ne vous concentrez pas!

32 On ne peut pas travailler tout le temps. ⊗

Alain et Laurence sortent plus que toi.
Nous sortons plus que lui.
Vous sortez plus que nous.
Les autres élèves sortent plus qu'eux.
Nous sortons plus que vous.
Les autres élèves sortent plus que moi.

Il faut que tu sortes plus souvent.
Il faut qu'il sorte plus souvent.
Il faut que nous sortions plus souvent.
Il faut qu'ils sortent plus souvent.
Il faut que vous sortiez plus souvent.
Il faut que je sorte plus souvent.

33 Au cours de danse. ⊗

Laurence recommence?

Oui, et il vaut mieux que tu recommences aussi.

Tout le monde part? / Tu rentres? / Les autres viennent? / Tout le monde s'entraîne?

34 Il faut le faire tout de suite. ⊗

Tu n'as pas téléphoné à Alain?

Il faut que tu téléphones tout de suite à Alain!

fini tes devoirs / parlé au professeur / vu le conseiller / écrit à l'école / appris ta leçon

35 EXERCICE ECRIT

a. Ecrivez les réponses des exercices No 33 et 34.
b. Ecrivez une réponse à chaque question.
Ex : Vous partez, vous deux?   Oui, il vaut mieux que nous partions.
1. Je recommence?
2. Tu mets un pull-over?
3. Elle se dépêche?
4. Vous attendez, vous deux?
5. Je finis ma danse?
6. Nous répétons?
7. Elle part?
8. Je sors?
9. Tu essaies?
10. Je reviens?

36 EXERCICE DE COMPREHENSION ⊗

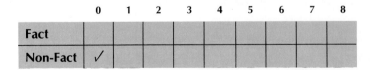

	0	1	2	3	4	5	6	7	8
Fact									
Non-Fact	✓								

37 Dominique veut être vétérinaire comme son père. ⊗

Comme Alain et Laurence, Dominique Hardy va passer le bac cette année. Ensuite, si elle est reçue, elle se présentera au concours de Maisons-Alfort[1]. Le concours est très difficile; sur 2 000 candidats, 300 seulement sont reçus. C'est pourquoi Dominique aide son père le plus souvent possible pour mettre toutes les chances de son côté.

Le téléphone sonne. Dominique et sa famille sont en train de déjeuner. Dominique va répondre. « Papa, il faut que tu ailles à Yvetot, chez le père Bienaimé; une de ses vaches a du mal à respirer°. » « Bon, j'y vais. » « Je peux t'accompagner? Je n'ai pas cours cet après-midi. » « Bonne idée. Allons-y. » Le père et la fille mettent chacun une blouse° et de grandes bottes de caoutchouc°, puis ils montent en voiture° et se dirigent° vers Yvetot.

Le père Bienaimé les attend dans la cour de sa ferme et les conduit° vers le pré où se trouve la vache malade. Avec l'aide du père Bienaimé qui maintient° sa vache, le docteur Hardy ausculte° la malade°. Puis il donne son diagnostic : une angine. Le docteur dit au père Bienaimé : « Je vais vous donner des antibiotiques. Il faudra que vous lui fassiez prendre ça matin et soir pendant trois jours. Il faudrait aussi qu'elle soit au chaud°; alors gardez-la plutôt à l'étable jusqu'à ce qu'elle soit guérie°. »

Pendant ce temps, Dominique répond au radio-téléphone° installé dans la voiture. « Papa, on a une urgence° chez Madame Lévesque à Tamerville. » Et les voilà repartis°. Après, c'est une vaccination de quatre petits veaux°. Puis, c'est un poulain° qui refuse de manger et à qui il faut faire prendre des vitamines. Et la journée n'est pas finie : « Papa, n'oublie pas qu'il faut que nous soyons de retour à 6 h. Tu as une opération sur un berger allemand°. »

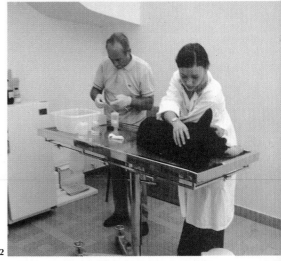

Dominique aime aider son père pendant les opérations, car elle se sent° alors tout à fait indispensable. Il faut qu'elle fasse les radios° et l'anesthésie. Il faut qu'elle sache passer les bons° instruments au bon moment. Il faut qu'elle puisse faire les pansements° vite et bien. Et surtout, il faut qu'elle rassure l'animal malade. Enfin, Dominique aimerait bien pouvoir opérer elle-même, mais pour cela il faudra qu'elle attende d'avoir fait ses années d'école vétérinaire et d'avoir obtenu son diplôme!

VOCABULAIRE : **respirer** *to breathe;* **une blouse** *smock;* **le caoutchouc** *rubber;* **monter en voiture** *to get into the car;* **se diriger** *to go toward;* **conduit** *leads;* **maintenir** *to hold;* **ausculter** *to listen with a stethoscope;* **un malade** *patient;* **être au chaud** *to be kept warm;* **guéri** *cured;* **un radio-téléphone** *C.B. radio;* **une urgence** *emergency;* **repartir** *to take off again;* **un veau** *calf;* **un poulain** *colt;* **un berger allemand** *German shepherd;* **se sentir** *to feel;* **une radio** *X-ray;* **bon** *right;* **un pansement** *dressing*

[1] There are three schools of veterinary medicine in France, one in Maisons-Alfort near Paris, another in Lyons, and a third in Toulouse.

38 **Répondez aux questions.**

1. Que veut faire Dominique?
2. Qu'est-ce qu'elle va passer cette année?
3. Qu'est-ce qu'elle fera si elle est reçue?
4. Pourquoi est-ce qu'elle aide son père?
5. Pourquoi le père Bienaimé a-t-il appelé le docteur Hardy?
6. Qu'est-ce qu'elle a, la vache du père Bienaimé?
7. Comment le docteur la soigne-t-il?
8. Que font Dominique et son père après leur visite au père Bienaimé?
9. Qu'est-ce que Dominique aime faire pour aider son père? Pourquoi? Que fait-elle?

39 **EXERCICE ORAL** ⊗

40 # SUBJUNCTIVE FORMS OF SOME IRREGULAR VERBS

1. **Aller, avoir, être, faire, pouvoir, savoir,** and **vouloir** have irregular stems in the present subjunctive. The following charts include all the subjunctive forms of these verbs. ⊗

aller	avoir	être	faire
il faut…	il faut….	il faut…	il faut…
que j' **aille**	que j' **aie**	que je **sois**	que je **fasse**
que tu **ailles**	que tu **aies**	que tu **sois**	que tu **fasses**
qu'il / elle **aille**	qu'il / elle **ait**	qu'il / elle **soit**	qu'il / elle **fasse**
que nous **allions**	que nous **ayons**	que nous **soyons**	que nous **fassions**
que vous **alliez**	que vous **ayez**	que vous **soyez**	que vous **fassiez**
qu'ils / elles **aillent**	qu'ils / elles **aient**	qu'ils / elles **soient**	qu'ils / elles **fassent**

pouvoir	savoir	vouloir
il faut…	il faut…	il faut…
que je **puisse**	que je **sache**	que je **veuille**
que tu **puisses**	que tu **saches**	que tu **veuilles**
qu'il / elle **puisse**	qu'il / elle **sache**	qu'il / elle **veuille**
que nous **puissions**	que nous **sachions**	que nous **voulions**
que vous **puissiez**	que vous **sachiez**	que vous **vouliez**
qu'ils / elles **puissent**	qu'ils / elles **sachent**	qu'ils / elles **veuillent**

2. The subjunctive of **pleuvoir** is **pleuve : Il vaudrait mieux qu'il ne pleuve pas!**
3. For **être** and **avoir,** the subjunctive forms are also the forms used in commands. **Soyez** à l'heure! *Be on time.* Note that in the case of **avoir,** the singular form is spelled without a final **-s.** The imperative forms of **savoir** are: **sache, sachons, sachez.**

41 **Le docteur Hardy n'est pas content!** ⊗

Tu n'as pas encore fait les radios!   Il faut que tu les fasses immédiatement!
Dominique / vous… , vous deux / les infirmiers

42   **C'est le père Bienaimé qui parle.** ⊗

Dites-moi à quelle heure vous venez.   Il vaut mieux que je sois là.
dites à Dominique / dites-nous / dites aux filles

43   **Pour pouvoir être vétérinaire à la campagne.** ⊗

Si tu veux être vétérinaire à la campagne,   il faut que tu saches parler aux fermiers.
si je veux / si elle veut / si vous voulez / s'ils veulent / si nous voulons

44   **Le chien est malade.** ⊗

Tu sors?   Oui, il faut que j'aille chez le vétérinaire.
Il sort? / Vous sortez, vous deux? / Elles sortent?

45   **Vous avez choisi une carrière?** ⊗

Je veux être ingénieur.   Il faut d'abord que tu aies ton bac.
Elle veut être vétérinaire. / Ils veulent être pharmaciens. / Nous voulons être dentistes.

46   **Dominique veut aider son père.** ⊗

Je peux faire les pansements?   Oui, mais il faut que tu puisses les faire vite
                                    et bien!

nous / le père Bienaimé et Dominique / Dominique

47   **Que faire plus tard?** ⊗

J'aimerais devenir musicien.   Il est important que tu le veuilles vraiment.
Laurence aimerait devenir danseuse.
Nous aimerions devenir médecins.
Elles aimeraient devenir assistantes sociales.

48   **EXERCICE DE COMPREHENSION** ⊗

aller	1		être			pouvoir			savoir		
avoir			faire			pleuvoir			vouloir		

49   **EXERCICE ECRIT**

Ecrivez chaque deuxième phrase en utilisant le subjonctif présent du verbe utilisé dans la première phrase.
1. Vous n'avez pas le bac! Il faut que vous l'_____ pour pouvoir vous présenter au concours.
2. Tu n'as pas encore fait les pansements? Il faut que tu les _____ immédiatement.
3. Vous ne savez pas quand il arrive? Moi, il faut que je le _____.
4. Je serai à la maison à 7 h. Il vaut mieux que Papa _____ là aussi.
5. Nous n'avons pas encore les radios! Il faut que nous les _____ avant 6 h.
6. Il pourra finir demain. Il faut tout de même qu'il _____ commencer aujourd'hui.

50 EXERCICE DE CONVERSATION

Imaginez que vous êtes conseiller (conseillère) d'orientation. Un(e) élève vient vous demander des conseils. Vous lui demandez quelle carrière il (elle) veut suivre et pour quelles raisons; si ses parents sont pour ou contre et pour quelles raisons. Puis, vous lui dites à quelle école il (elle) devrait aller, combien d'années durent les études, quel diplôme il (elle) aura à la fin. Vous lui conseillez ensuite d'autres carrières qui pourraient l'intéresser.

51 REDACTION

Préparez le discours que votre professeur de français vous ferait s' il (si elle) n'était pas content(e) de votre travail. Utilisez le monologue de la page 55 comme modèle. Lisez ensuite votre discours à vos camarades.

52 QUE FAIRE PLUS TARD? ⊗

POUR CEUX QUI AIMERAIENT VOYAGER

hôtesse de L'air

interprète

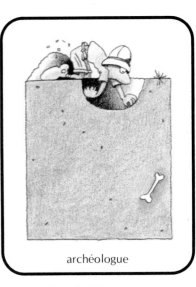

archéologue

POUR CEUX QUI AIMERAIENT UNE PROFESSION ARTISTIQUE

architecte

conservateur de musée

acteur ou actrice

POUR CEUX QUI AIMERAIENT RENCONTRER DES GENS

acheteur

représentant de commerce

animatrice

POUR CEUX QUI AIMERAIENT SE DEPENSER PHYSIQUEMENT

joueur professionnel

guide de montagne

homme-grenouille

VOCABULAIRE : **une hôtesse de l'air / un steward**   *stewardess / steward;* **un conservateur / une conservatrice**
curator; **un acheteur / une acheteuse**   *buyer;* **un représentant / une représentante de commerce**   *sales representative;*
un homme-grenouille   *frogman*

53 Le Jeu de professions.

L'un(e) de vous choisit une profession et dit à la classe ce qu'il faut qu'il (elle) fasse, soit, etc.,
pour exercer cette profession. Vous devez deviner la profession choisie. Par exemple, disons
que c'est votre tour et que vous choisissez « infirmier (infirmière) ». Vous pouvez dire : « Il
faut que je sois en parfaite santé… Il faut que j'aie beaucoup de patience… Il faut que je sache
faire des pansements… »

WORD LIST

1–17

un avantage *advantage*	
un(e) candidat(e) *candidate*	
une carrière *career*	
un cinéaste *filmmaker*	
la comptabilité *bookkeeping*	
un comptable *accountant*	
un expert-comptable *certified public accountant*	
les comptes (m.) *books*	
la concurrence *competition*	
un(e) conseiller (-ère) *counselor*	
un(e) danseur (-euse) *dancer*	
un don *gift, talent*	
l'économie (f.) *economy*	
une entreprise *firm*	
un(e) interprète *interpreter*	
l'orientation (f.) *orientation*	
un(e) pharmacien (-ienne) *druggist, pharmacist*	
un pilote de ligne *airline pilot*	
un poste *position*	
un prospectus *brochure*	

une raison *reason*
un(e) reporter *reporter*
une section *section*
une situation *job*
un talent *talent*
une université *university, college*
un(e) vétérinaire *veterinarian*
une vingtaine *about twenty*

conseiller *to advise*
décourager (like **manger**) *to discourage*
se déplacer (like **commencer**) *to move about*
exploiter *to make use of*
se rendre compte *to realize*
réorganiser *to reorganize*
vivre *to live*
voyager (like **manger**) *to travel*

payé, -e *paid*
qualifié, -e *qualified*
stable *stable*
tranquille *quiet, calm*

carrément *downright*
éventuellement *eventually*

dans un sens *in a way*
en fonction de *in terms of*

ça (leur) est égal *it's all the same to (them)*

18–36

un(e) acteur (-trice) *actor, actress*
l'art (m.) **dramatique** *acting*
le bac(calauréat) *baccalaureate*
les beaux-arts (m.) *fine arts*
une bourse *scholarship*
une classe terminale *senior year, final year*
un concours *competition*
la danse classique *ballet*
dentaire *dentistry*
un discours *speech*
le droit *law*
la durée *duration*
un examen *exam*
le journalisme *journalism*
les lettres (f.) *liberal arts*
un logement *room, lodging*
un(e) lycéen (-éenne) *high-school student*
un maître de ballet *ballet director*

la médecine *medicine*
la perfection *perfection*
un rang *row*
un rôle *role*
un spectacle *show*

se concentrer *to concentrate*
se débrouiller *to manage*
distribuer *to assign, to distribute*
donner l'impression *to give the impression*
être recalé à *to fail, to flunk*
être reçu(e) à *to pass*
se fatiguer *to work*
passer (un examen) *to take (an exam)*
se placer *to put oneself*
quitter *to leave*
redoubler *to repeat*
reprendre *to get back to*

admis, -e *accepted*
chargé, -e *full*
classique *classical*
consacré, -e *devoted*
important, -e *important*
obligé, -e *obliged*
remarqué, -e *noticed*
satisfait, -e *satisfied*

ainsi *thus, and therefore*
bien entendu *of course, naturally*
dès *since, as of*
en or *golden*

c'est pour (votre) bien... *it's for (your) own good . . .*
il vaudrait mieux *it would be better*
il vaut mieux *it's better*

37–53

l'anesthésie (f.) *anesthesia*
une angine *angina*
un antibiotique *antibiotic*
un berger allemand *German shepherd*
une blouse *smock*
un cabinet *office*
le caoutchouc *rubber*
une chance *chance*
un diagnostic *diagnosis*
un docteur (une doctoresse) *doctor*
un(e) malade *patient*
une opération *operation*
un pansement *dressing*
un poulain *colt*

une radio *X-ray*
un radio-téléphone *C.B. radio*
une urgence *emergency*
une vaccination *vaccination*
un veau *calf*
des veaux *calves*
une vitamine *vitamin*

ausculter *to listen with a stethoscope*
se diriger (like **manger**) *to go toward*
être au chaud *to be kept warm*
maintenir *to hold down*

monter en voiture *to get into a car*
opérer (like **préférer**) *to operate*
rassurer *to reassure, to calm down*
repartir *to take off again*
respirer *to breathe*
se sentir *to feel*
il conduit *he leads*

bon, bonne *right*
guéri, -e *cured*
indispensable *indispensable*

Regions
of
France

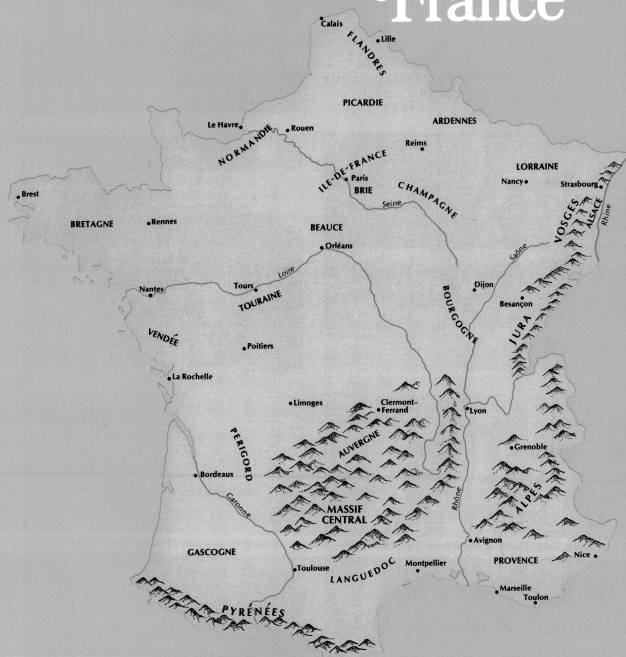

Calais •   FLANDRES   • Lille

PICARDIE

Le Havre •   • Rouen   ARDENNES

NORMANDIE   • Reims

ILE-DE-FRANCE   LORRAINE

Brest •   • Paris   Nancy •   Strasbourg •

BRIE   CHAMPAGNE

Seine

BRETAGNE   • Rennes   BEAUCE

VOSGES   ALSACE   Rhine

• Orléans

Saône

Loire   Dijon •

Nantes •   Tours •   Besançon •

TOURAINE   BOURGOGNE   JURA

VENDÉE   • Poitiers

• La Rochelle

• Limoges   Clermont-Ferrand •

Lyon •

PERIGORD   AUVERGNE   Grenoble •

• Bordeaux

Garonne   Rhône   ALPES

MASSIF CENTRAL

GASCOGNE   • Avignon   Nice •

• Toulouse   • Montpellier   PROVENCE

LANGUEDOC

• Marseille   Toulon •

PYRÉNÉES

Although France is smaller than Texas, the landscape varies from rocky coasts to flat plains to rugged mountains. Just as the landscape varies from region to region, so do the customs and resources.

The north and north eastern part of France is a heavily industrialized region, with coal and iron mines, steel and textile mills, oil refineries, and chemical plants. This region is also famous for its wines: the "vin blanc d'Alsace" and the "champagne." Most of the people live in large cities (Calais, Lille, Reims, Nancy, Strasbourg) which were founded centuries ago, and have been commercial and cultural centers ever since.

1

2

3

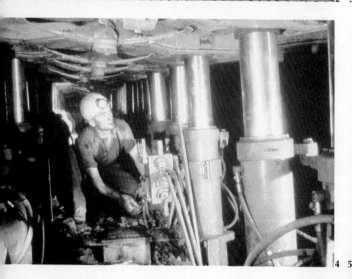
4 5

Plate 2

Paris and its industrial belt are set in the middle of large agricultural plains (Ile-de-France, Brie, and Beauce) devoted mostly to the cultivation of grains. Beauce, called "the granary of France," specializes in wheat. To the southeast, in Burgundy, the landscape changes to rolling hills covered with pastures and vineyards, and criss-crossed by rivers and canals. Burgundy is one of the major gastronomic centers of France, and is famous for its cuisine and superb wines. The villages and towns of Burgundy have not changed much since the Middle Ages, when Burgundy was a powerful independent state. Many of the great castles and churches have remained intact through the centuries.

The life of Normandy and Brittany is tied to the sea which borders them. Shipyards, sea-side resorts, harbors, and ports are found all along the coast. The most important ports are Le Havre, Brest, and Nantes. Both provinces are highly developed agriculturally with Normandy producing most of France's dairy products and Brittany producing vegetables such as artichokes. Both provinces have a rich historical heritage, and Brittany, even more than Normandy, has retained a cultural life of its own, with its own folklore and even its own language which is similar to Gaelic.

Plate 4

The Loire region from Touraine to Vendée is famous for its gentle climate and landscape. The region grows fruits, vegetables, grapes, and flowers which are sold all over France. Because of the gentleness of the climate and landscape, the kings of the Renaissance (16th century) chose to build their magnificent "châteaux" along the Loire Valley.

1 2

3

At the center of France, and occupying about a sixth of its land area, is a series of high plateaus, inactive volcanoes, and low, heavy mountains called "le Massif Central." Sheep and cattle are raised in the plateaus and the valleys. The industrial activities of the region are centered around two cities: Clermont-Ferrand, important for steel and tire-making, and Limoges, famous for its fine china. West of the Massif Central is the Périgord, an arid plateau with deep gorges cut by rivers. Further west is the very active port of Bordeaux. The region around Bordeaux is planted with vineyards producing many fine wines.

1

2 3

Plate 6

The Alps are the tallest mountains in Europe, with some peaks rising as high as 15,000 feet. The mountain chain extends for nearly 700 miles. It is spread across six countries: France, Italy, Switzerland, Germany, Austria, and Yugoslavia. The main resources of the region are the cattle, hydro-electric and tourism industries. In the last two decades many of the ski resorts have grown from small villages into full-fledged towns, and attract vacationers all year round.

For French people, the names of Provence and Côte d'Azur mean a blue sky, the sea, the sun, the warm hospitality of the "Méridionaux," and the lively marketplaces with fragrant herbs and flowers. With the exception of the area near the Rhône and Marseille, Provence is very mountainous, with picturesque villages perched on nearly inaccessible peaks. Thanks to the warm, dry climate, Provence is a great producer of fruits and vegetables that sell throughout France. It also produces flowers which are used in France's thriving perfume industry. The Côte d'Azur, which is the coastal area from Marseille to the Italian border, is a continuous string of beaches and resorts. It is especially popular during the summer when it welcomes millions of visitors from all over France and Europe.

Plate 8

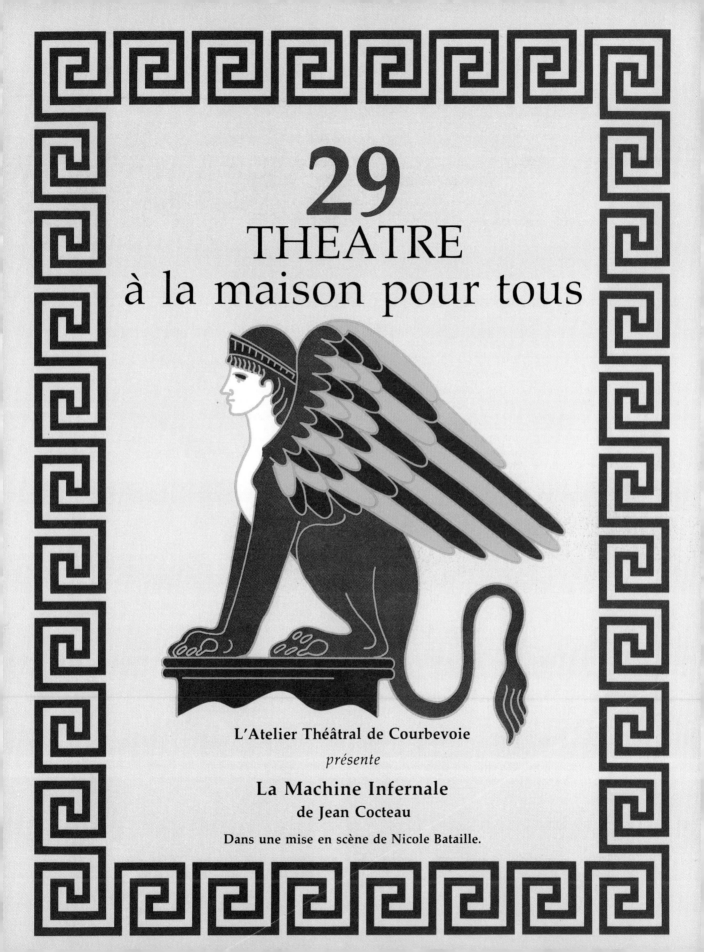

29
THEATRE
à la maison pour tous

L'Atelier Théâtral de Courbevoie

présente

La Machine Infernale
de Jean Cocteau

Dans une mise en scène de Nicole Bataille.

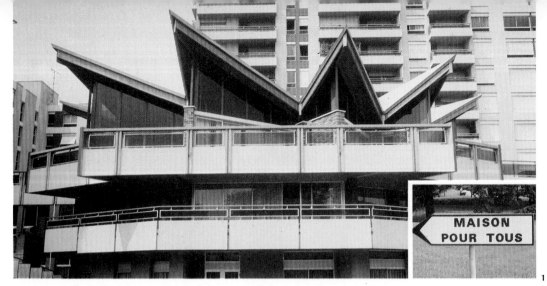

1 A la Maison pour Tous de Courbevoie. ⊗

C'est M. Doumas, l'animateur de la Maison pour Tous, qui parle : « Notre Maison pour Tous est ouverte à tous. Pour devenir membre, il vous faut 10 F et deux photos d'identité. Et nous vous donnerons une carte valable pour un an. Nous offrons une vingtaine d'activités très variées : judo, art dramatique, photo, poterie. Certaines, comme la photo, par exemple, sont très demandées. Je vous conseille donc de vous inscrire au moins un mois à l'avance. Tous les vendredis soirs, il y a ciné-club. Nous avons aussi une salle de spectacle. Vous pouvez y voir les pièces montées par la troupe de théâtre du lycée de Courbevoie. Notre maison est un lieu de rencontres où vous pouvez discuter dans une ambiance agréable avec des jeunes qui ont les mêmes goûts ou les mêmes idées que vous. »

« Nous avons un cours d'Activités Manuelles pour les enfants. Ils apprennent à fabriquer beaucoup d'objets, comme ces amusantes marionnettes en papier mâché. »

« Il y a trois cours de guitare différents : guitare folk, guitare jazz, guitare classique. »

« Le cours de danse moderne a beaucoup de succès. »

« Nous avons des ateliers de poterie pour enfants et adultes. Je dois dire que, quel que soit leur âge, les élèves aiment travailler l'argile pendant des heures. »

6

7

8

« Nous avons plusieurs cours de dessin et de peinture. Les enfants peuvent, entre autres, faire de la peinture sur tissu. »

9

« Il y a des cours de judo, de karaté et d'aïkido. Les cours sont généralement mixtes. »

10

« La troupe de théâtre du lycée de Courbe-voie monte régulièrement des pièces ici. Les acteurs sont tous des élèves du lycée, et le metteur en scène est un professeur de français, du lycée aussi. Les pièces ont toujours beaucoup de succès. »

2 A Maison pour Tous *is a community center run by a town or a district of a town. People of all ages can attend a variety of classes on subjects like art, dance, or indoor sports.*

A Maison pour Tous *is also a place of recreation as well as entertainment. Here, members can play ping-pong, for example, or meet with friends for a chat and refreshments. Movies, plays, and concerts are scheduled throughout the year.*

3 Répondez aux questions.

1. Qui est M. Doumas?
2. Que faut-il faire pour devenir membre de la Maison pour Tous de Courbevoie?
3. Que peut-on y faire?
4. La carte de membre est valable pour combien de temps?
5. Combien de temps à l'avance faut-il s'inscrire pour certains cours?
6. Qu'est-ce qu'il y a tous les vendredis soirs?
7. Qui monte des pièces à la Maison pour Tous?
8. Comment est l'ambiance à la Maison pour Tous?
9. Qui peut-on rencontrer à la Maison pour Tous?
10. Que font les enfants au cours d'Activités Manuelles?
11. Combien y a-t-il de cours de guitare?
12. Quels autres genres de cours y a-t-il?
13. Qui sont les acteurs et le metteur en scène de la troupe du lycée de Courbevoie?

4 Et vous?

1. Lesquelles de ces activités aimeriez-vous le mieux? Pourquoi?
2. Est-ce qu'il y a un genre de Maison pour Tous là où vous habitez?
3. Est-ce que vous y allez souvent? Pour quoi faire, rencontrer des amis, jouer au ping-pong?
4. Est-ce que vous êtes membre d'un club? C'est un club de quoi? De cheval, de tennis, de photo, etc.?
5. Qu'est-ce qu'il faut faire pour devenir membre?
6. De quel genre de club est-ce que vous aimeriez faire partie?
7. Est-ce qu'il y a un ciné-club dans votre école?
8. Où est-ce que vous retrouvez vos amis après les cours? Qu'est-ce que vous faites?

5 EXERCICE ORAL ⊗

6

ADJECTIVES
Review

1. Adjectives agree in gender and number with the noun or pronoun they refer to.

	Singular		Plural	
	Masculine	Feminine	Masculine	Feminine
	un garçon	une fille	des garçons	des filles
Different Sound } Different Spelling }	**distrait**	**distraite**	**distraits**	**distraites**
Same Sound } Different Spelling }	**doué**	**douée**	**doués**	**douées**
Same Sound } Same Spelling }	**timide**	**timide**	**timides**	**timides**

Note that the plural form of an adjective usually sounds exactly like its singular form.

2. a. For changes from masculine singular forms to feminine singular forms, see "Adjectives: Formation of Feminine" in the Grammar Summary.
   b. For changes from singular forms to plural forms, see "Adjectives and Nouns: Formation of Plural" in the Grammar Summary.

3. Most adjectives follow the noun they refer to: Ce sont des cours **mixtes.**

4. Some adjectives precede the noun they refer to: C'est un **beau** dessin. Liaison is obligatory between an adjective and the noun that follows: C'est un **petit** enfant. The adjectives **grand, petit, bon, mauvais, jeune, vieux, beau, joli, nouveau, haut, autre** precede the noun they refer to. Ordinal numbers behave in the same way.
   a. **Beau, nouveau,** and **vieux** become **bel, nouvel,** and **vieil** before a masculine noun beginning with a vowel sound: C'est un **bel** arbre.
   b. **De,** not **des,** is used before an adjective preceding a plural noun: Ce sont **de beaux** dessins.

5. For reasons of style, some adjectives that normally follow the noun may precede it:
   Ce sont des marionnettes **amusantes.**
   Ce sont d'**amusantes** marionnettes.

7 Décrivons les photos des pages 66 et 67. ⊗

Il y a un bâtiment. Il est moderne.   Il y a un bâtiment moderne.

Il y a un immeuble derrière. Il est nouveau.   Il y a un nouvel immeuble derrière.

Il y a une pelouse. Elle est belle.   Il y a une belle pelouse.

Ce sont des marionnettes. Elles sont jolies.   Ce sont de jolies marionnettes.

Les filles font des mouvements. Ils sont gracieux.   Les filles font des mouvements gracieux.

Il y a une affiche au mur. Elle est orange.   Il y a une affiche orange au mur.

Les hommes portent des pantalons. Les pantalons sont noirs.   Les hommes portent des pantalons noirs.

Le gymnase a un tapis. Il est vert.   Le gymnase a un tapis vert.

La petite fille a fait une fleur. Elle est jolie.   La petite fille a fait une jolie fleur.

Les acteurs portent des robes. Elles sont blanches.   Les acteurs portent des robes blanches.

Les acteurs portent des robes. Elles sont longues.   Les acteurs portent des robes longues.

8 Au cours de judo. ⊗

Il est très bon, ce garçon.   Elle est très bonne, cette fille.

Il est très fort, ce garçon.

Il est très gracieux, ce garçon.

Il est très rapide, ce garçon.

Il est très sportif, ce garçon.

9 EXERCICE ECRIT

Ecrivez les réponses de l'exercice No 8.

10 Répétition. ⊗

« L'Atelier Théâtral » monte en général trois pièces par an. Ils jouent de tout : des pièces classiques et modernes, des comédies, des tragédies. Cette fois-ci, ils ont choisi une pièce de Jean Cocteau, *La Machine infernale*[1]. Les représentations commencent dans une semaine, et il y a encore beaucoup de choses à régler.

LE METTEUR EN SCÈNE	Tu sais maintenant comment régler les jeux de lumière ou tu veux que…
L'ÉLECTRICIEN	Non, ça va. D'abord, c'est tout noir; ensuite, c'est éclairé au fond. Ensuite, il y a les soldats[2] qui arrivent; un seul projecteur sur le fantôme qui apparaît.
LE METTEUR EN SCÈNE	C'est ça. Au fait, il est là, le fantôme, ce soir?
LE RÉGISSEUR	Non, il ne peut pas venir, il est chez le dentiste.
LE METTEUR EN SCÈNE	Alors quelqu'un pour jouer le fantôme, s'il vous plaît. Christian, tu seras le fantôme pour ce soir.
LE RÉGISSEUR	L'Acte I, en scène, s'il vous plaît!

(*C'est le metteur en scène qui parle.*) Attention, les soldats! Ne regardez pas vers la gauche, regardez vers la droite! (*Aux autres acteurs qui font trop de bruit.*) Dites donc, les autres, ce n'est pas fini? Taisez-vous un peu qu'on puisse continuer! Au lieu de chahuter, vous feriez mieux de réviser votre rôle. Allez, les soldats, refaites-moi cette scène.

ALAIN	Zut! J'ai un trou de mémoire. Réplique, s'il vous plaît!
LE SOUFFLEUR	« PARLONS D'AUTRE CHOSE… »
LE METTEUR EN SCÈNE	Attends une minute, Alain. Recule d'au moins un mètre, parce que là où tu es, tu n'as pas la place d'avancer. Ça fait un peu bizarre. Bon. Recommence à partir de « PARLONS D'AUTRE CHOSE… »

[1] Jean Cocteau (1889–1963) was a French writer, dramatist, filmmaker, and painter. *La Machine infernale* is a modern version of Sophocles' *Oedipus Rex*.
[2] In this scene, two soldiers are keeping watch on the ramparts of Thebes. The ghost of King Laius, killed by Oedipus, appears and warns the soldiers about the impending tragedy.

11 Répondez aux questions.

1. Combien de pièces est-ce que l'Atelier Théâtral monte par an? Quel genre de pièces?
2. Quelle pièce ont-ils choisie cette fois-ci?
3. Quand vont commencer les représentations?
4. Quels sont les jeux de lumière?
5. Pourquoi le garçon qui joue le rôle du fantôme n'est-il pas là?
6. Qui va le remplacer pendant la répétition?
7. Que devraient faire les autres acteurs au lieu de chahuter?
8. Pourquoi est-ce qu'Alain a besoin que le souffleur l'aide?
9. Qu'est-ce que le metteur en scène dit à Alain de faire? Pourquoi?

12 Et vous?

1. Est-ce qu'on a déjà monté une pièce dans votre école?
2. Quel genre de pièce était-ce? Une tragédie? Une comédie? Une comédie musicale?
3. Il y avait combien d'acteurs en tout? Qui jouait les rôles principaux?
4. Est-ce que vous avez eu un rôle? C'était un grand rôle ou un petit rôle?
5. Où est-ce que vous répétiez? A quel moment de la journée?
6. Pendant combien de temps est-ce que vous avez répété?
7. Où avez-vous joué cette pièce, dans un théâtre, dans la salle de conférences de votre école?
8. Combien de fois est-ce que vous avez joué cette pièce?
9. Est-ce qu'elle a eu beaucoup de succès?

13 EXERCICE ORAL ⊗

14 THE VERB se taire

1. The following chart shows the present-tense forms of the verb **se taire,** *to be quiet.* ⊗

je	**me tais**	nous	**nous taisons**
tu	**te tais**	vous	**vous taisez**
il / elle	**se tait**	ils / elles	**se taisent**

2. The past participle of **se taire** is **tu: je me suis tu(e), tu t'es tu(e),** etc.

15 Le metteur en scène, c'est le chef! ⊗

Quand elle te dit de te taire,	tu te tais!
Quand elle nous dit de nous taire,	nous nous taisons!
Quand elle vous dit de vous taire,	vous vous taisez!
Quand elle dit à Christian de se taire,	il se tait!
Quand elle dit aux acteurs de se taire,	ils se taisent!
Quand elle me dit de me taire,	je me tais!

16   PAST PARTICIPLES AS ADJECTIVES

In French, as in English, the past participles of many verbs may be used as adjectives. A past participle agrees in gender and number with the noun it refers to, like any other adjective. ⊗

Past Participle	Adjective
Il a **éclairé** le fond.	Le fond est **éclairé.**
Il a **éclairé** la scène.	La scène est **éclairée.**
Il a **réglé** les jeux de lumière.	Les jeux de lumière sont **réglés.**

17   Vérifions que tout est prêt. ⊗

Tu as réglé les jeux de lumière?   Oui, les jeux de lumière sont réglés.
fermé les fenêtres / nettoyé la salle / vendu tous les billets / installé les projecteurs

18   La représentation va être enregistrée. ⊗

Vous avez installé les haut-parleurs?   Oui, ils sont installés.
branché les haut-parleurs / branché le micro / sorti les bandes / tout vérifié

19   Dernière Mise au point. ⊗

Entre deux actes, les acteurs se reposent en peu. Véronique, une des actrices, s'occupe des costumes. Elle revoit une dernière fois avec les acteurs le costume de chacun.

VÉRONIQUE   Commençons par Caroline. Au premier acte, avec la robe blanche, tu ne mets pas de bijoux, mais au troisième acte, avec la noire, tu mets la grosse chaîne dorée et la broche.

CAROLINE   Je peux mettre aussi ces bracelets, non?

VÉRONIQUE   Prends plutôt les dorés, ça ira mieux avec la chaîne. Les soldats, ne vous trompez surtout pas de tunique, comme vous avez fait la dernière fois. La plus grande, c'est celle d'Alain! Pour les ceintures, ça n'a pas d'importance, elles sont toutes de la même taille.

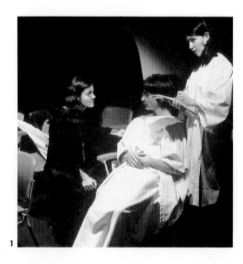

1

20   Répondez aux questions.

1. Que font les acteurs entre deux actes?
2. Que fait Véronique dans la troupe?
3. Qu'est-ce que Caroline va porter comme costume au premier acte?
4. Quels bijoux est-ce qu'elle va porter au troisième acte?
5. Qu'ont fait les soldats la dernière fois?
6. Comment sont les ceintures que portent les soldats?

21 Ce qu'il faut pour se déguiser : ⊗

une cape
noire

des dents de vampire

une chemise blanche
habillée

un drap

en fantôme

en Dracula

un nez crochu

un chapeau pointu

une perruque

une cape

un balai

un pistolet

en sorcière

un bandeau
sur l'œil

un perroquet

une boucle
d'oreille

une fausse barbe

en pirate

beaucoup de
bijoux

un grand
châle

une jupe longue

en bohémienne
gypsy

du fond de teint

du fard à joues

du mascara et des faux cils

du rouge à lèvres

beaucoup de maquillage

22 De quoi avez-vous besoin?

Vous voulez vous déguiser en pirate...

Il me faut un foulard rouge.
Il me faut une jambe de bois.
Il me faut des bottes noires.

en sorcier (-ière) / en bohémien (-ienne) / en Alsacien (-ienne) / en Breton (-onne)

study for bonus!

23 **EXERCICE ORAL** ⊗

24 **EXERCICE DE CONVERSATION**

Demandez à vos camarades…
1. comment ils se déguiseront le 31 octobre prochain.   2. ce qu'ils mettront comme vêtements, perruque, faux nez, etc.   3. comment ils se maquilleront.   4. s'ils feront leur costume
eux-mêmes, ou s'ils l'achèteront.

25

ADJECTIVES AS NOUNS

1. You have learned that adjectives of nationality may be used as nouns. Other French adjectives may also be used as nouns. The English equivalents of these types of French nouns
often include a word such as *one, man, woman, people.* ⊗

Adjective	Noun
C'est un acteur **anglais?**	Oui, **les Anglais** ont de bons acteurs.
Je mets la perruque **blonde?**	Non, ne mets pas **la blonde.**
Ma pièce **favorite,** c'est *Hamlet.*	Moi, **ma favorite,** c'est *Macbeth.*

2. With a form of **être** + an adjective, **il / elle, ils / elles** are used as a subject pronoun: **Il est
grand;** whereas with a form of **être** + a noun, **ce** is used: **C'est le grand.**

3. Note the use of **en** when an adjective used as a noun is preceded by **un, une,** or **des (de** in
a negative construction): Il nous **en** faut **des grands.** Il n'y **en** a pas **de grands.**

26 **Le metteur en scène demande à Véronique:** ⊗

On a une robe blanche?

—Oui, mais une longue seulement.
—Ah! il m'en faut une courte.

On a de grosses chaussettes?

—Oui, mais des longues seulement.
—Ah, il m'en faut des courtes.

On a un manteau noir?

—Oui, mais un long seulement.
—Ah, il m'en faut un court.

27 **Au théâtre.** ⊗

Il est formidable, cet acteur.

—Lequel? Le grand brun?
—Non, le petit blond.

ces danseuses / ces danseurs / cette actrice

28 **Les acteurs se préparent.**

Passe-moi ma robe, s'il te plaît.

La noire ou la blanche?
La longue ou la courte?

ma perruque / mes chaussures / mon chapeau

29 Quelques Conseils Pratiques ⊗

Au metteur en scène

Réfléchissez bien avant de distribuer les rôles. Si votre jeune premier° est petit et maigre°, ne lui donnez pas une partenaire grande et grosse : ça fera rire tout le monde.

Une fois les rôles distribués, organisez les répétitions. Répétez bien les jeux de scène° importants. Il est bizarre d'entendre frapper° à gauche et de voir l'acteur entrer par la droite. Ayez beaucoup de patience avec toute la troupe.

Au régisseur

C'est de vous que dépend la coordination des jeux de lumière. Ils doivent être réglés à la perfection. N'éclairez pas trop la scène° quand les acteurs parlent de nuit sombre.

Le bruitage° et les mouvements des acteurs doivent aussi être coordonnés : par exemple, si vous avez sur scène un acteur qui joue du piano, soyez sûr que la musique et le pianiste s'arrêtent en même temps!

Faites lever et tomber le rideau° au bon moment : il ne faut pas que l'acteur qui fait le mort° sur la scène se soulève° doucement° pour voir pourquoi le rideau ne tombe pas.

Vous avez également la responsabilité des meubles° et des accessoires°. Servez-vous toujours des meubles que vous avez utilisés pendant les répétitions, sinon° vous pouvez avoir une mauvaise surprise. Comme ce régisseur qui le soir de la première représentation a changé le fauteuil dans lequel la jeune première devait s'asseoir°. Malheureusement, il ne savait pas que ce fauteuil avait des roulettes°! La jeune première s'est retrouvée° par terre!

Aux acteurs

Apprenez toujours vos répliques à voix haute°, dans un lieu calme. Ayez une posture qui convient à° votre person-nage° : si vous jouez Juliette et que vous avez les pieds en dedans°, vous n'arriverez pas à convaincre° les spectateurs qu'on puisse être amoureux° de vous. Regardez vos parte-naires bien dans les yeux, même si vous avez peur d'avoir envie de rire.

Mesurez vos distances. Souvenez-vous que vous n'êtes pas seuls sur scène. Vous pouvez mettre votre cape d'un geste noble, mais assurez-vous d'abord que vous ne risquez pas d'emporter la perruque de votre partenaire. De la même façon, n'oubliez pas le décor°. Si vous vous mettez un peu trop dans le rôle et arrivez trop vite, vous risquez d'emporter avec vous la porte par laquelle vous venez d'entrer.

VOCABULAIRE : **un jeune premier** *leading man;* **maigre** *thin;* **un jeu de scène** *actor's movements on the stage;* **frapper** *to knock;* **la scène** *stage;* **le bruitage** *sound effects;* **un rideau** *curtain;* **faire le mort** *to play dead;* **se soulever** *to get up;* **doucement** *slowly;* **un meuble** *piece of furniture;* **un accessoire** *prop;* **sinon** *otherwise;* **devait s'asseoir** *had to sit;* **une roulette** *(small) wheel;* **se retrouver** *to find oneself;* **à voix haute** *aloud;* **convenir à** *to suit;* **un personnage** *character;* **les pieds en dedans** *pigeon-toed;* **convaincre** *to convince;* **amoureux** *in love;* **le décor** *set*

30 Répondez aux questions.

1. Que doit faire le metteur en scène avant de distribuer les rôles?
2. Que doit-il éviter de faire? Pourquoi?
3. Donnez un exemple de jeu de scène qui n'a pas été assez répété.
4. Que doit avoir le metteur en scène?
5. Quelle est la première responsabilité du régisseur?
6. Donnez un exemple de jeu de lumière mal réglé.
7. Quelle est la deuxième responsabilité du régisseur?
8. Donnez un exemple de mauvaise coordination entre le bruitage et les mouvements d'un acteur.
9. Qu'est-ce qui peut arriver si le rideau ne tombe pas au bon moment?
10. Dites ce qui est arrivé quand le fauteuil a été changé au dernier moment.
11. Comment et où les acteurs doivent-ils apprendre leurs répliques?
12. Donnez un exemple de posture à éviter quand on joue Juliette.
13. Qu'est-ce que les acteurs ont quelquefois peur d'avoir s'ils regardent leurs partenaires dans les yeux?
14. Décrivez ce qui peut arriver si les acteurs ne mesurent pas leurs distances.

31 A votre tour!

Reprenez les conseils de la page précédente, mais donnez des exemples différents de ceux du texte. Au metteur en scène, par exemple, vous pourriez donner le conseil suivant : « Vérifiez le maquillage de vos acteurs; il ne faut pas que la mère de votre jeune premier ait l'air d'être sa fille. »

32 EXERCICE ORAL ⊗

33 MORE ON MAKING TWO SENTENCES INTO ONE
Relative Pronouns with Prepositions

Répondez aux questions qui suivent les exemples. ⊗

C'est une pièce. Je n'ai pas aimé cette pièce.
C'est une pièce **que** je n'ai pas aimée.

What is the relative clause? Where does the relative pronoun occur?

C'est un acteur. Je joue avec cet acteur.
C'est un acteur **avec qui** je joue.

What is the relative clause? How is the relative pronoun being used, as subject, as direct object, as object of a preposition? What comes first, **qui** or the preposition?

C'est l'acteur **avec qui** je joue.　　C'est l'actrice **avec qui** je joue.
C'est l'acteur **avec lequel** je joue.　　C'est l'actrice **avec laquelle** je joue.

What are the relative pronouns in these sentences? What two relative pronouns can be used to refer to **acteur**? What two relative pronouns can be used to refer to **actrice**?

C'est la scène **dans laquelle** je joue.　　C'est le théâtre **dans lequel** je joue.

What do **laquelle** and **lequel** refer to, people or things?

34 **Lisez la généralisation suivante.**

1. The relative pronouns used with a preposition are **qui** and **lequel / laquelle, lesquels / lesquelles.** Either **qui** or a form of **lequel** may be used to refer to people. In everyday speech, however, **qui** is more common and will therefore be used in the exercises. To refer to things, only a form of **lequel** may be used.

		Preposition + Relative Pronoun		
People	C'est **l'acteur** C'est **l'actrice**	**avec** **chez**	**qui / lequel** **qui / laquelle**	je joue. je répète.
Things	C'est **le théâtre** C'est **la salle**	**dans** **à côté de**	**lequel** **laquelle**	je joue. je répète.

Notice that in French the preposition always precedes the relative pronoun :
Voilà l'acteur **à qui** j'ai parlé.   *Here is the actor I spoke to (to whom I spoke).*

2. The same contractions occur with the relative pronouns **lequel / laquelle, lesquels / lesquelles** as with the interrogative pronouns **lequel / laquelle, lesquels / lesquelles.**
C'est le cours d'art dramatique **auquel** il est allé.
C'est le théâtre **à côté duquel** je travaille.

35 **Qui est-ce?** ⊗

C'est un acteur?

des actrices / une actrice / des acteurs

Oui, mais ce n'est pas l'acteur avec qui je joue.

36 **C'est le régisseur qui parle.** ⊗

Voilà un fauteuil. Elle doit s'asseoir dedans.

Voilà les portes. Ils doivent sortir par là.

Voilà la table. Il doit poser le verre dessus.

Voilà la fenêtre. Il doit entrer par là.

Voilà le fauteuil dans lequel elle doit s'asseoir.

Voilà les portes par lesquelles ils doivent sortir.

Voilà la table sur laquelle il doit poser le verre.

Voilà la fenêtre par laquelle il doit entrer.

37 **Je vais vous faire visiter les lieux.** ⊗

C'est une salle. Nous répétons à côté.

C'est une école de danse. J'habite au-dessus.

C'est un stade. Nous jouons en face.

C'est une cour. Notre atelier se trouve au fond.

Ah! C'est la salle à côté de laquelle vous répétez!

Ah! C'est l'école de danse au-dessus de laquelle tu habites!

Ah! C'est le stade en face duquel vous jouez!

Ah! C'est la cour au fond de laquelle se trouve votre atelier!

38 Ce n'est pas facile d'être acteur! ⊗

Tu as écrit à des troupes? Elles ne t'ont pas répondu? (Non)

Tu aimerais aller à des cours? Ils coûtent cher? (Oui)

Tu as téléphoné à un théâtre? Il était fermé? (Oui)

Tu as demandé des renseignements à une école? Elle ne t'a rien envoyé? (Non)

Non, les troupes auxquelles j'ai écrit ne m'ont pas répondu.

Oui, les cours auxquels j'aimerais aller coûtent cher.

Oui, le théâtre auquel j'ai téléphoné était fermé.

Non, l'école à laquelle j'ai demandé des renseignements ne m'a rien envoyé.

39 EXERCICE DE COMPREHENSION ⊗

	0	1	2	3	4	5	6	7	8
A									
B	√								

40 EXERCICE ECRIT

Récrivez les phrases suivantes en utilisant un pronom relatif. Utilisez **qui** pour les personnes et une forme de **lequel** pour les choses. N'oubliez pas les contractions.

Exemple : Ils ont répété dans une salle qui était très froide. (La salle…)
La salle dans laquelle ils ont répété était très froide.
1. Son fils va jouer avec des acteurs qu'il ne connaît pas. (Il ne connaît pas les acteurs…)
2. Il jouait souvent avec cette actrice. Elle est devenue célèbre. (Cette actrice…)
3. On garde tous les meubles dans une salle qui est au rez-de-chaussée. (La salle…)
4. Le metteur en scène a donné le rôle principal à un acteur qui a des trous de mémoire. (L'acteur…)
5. Nous devons aller à des répétitions. Elles sont longues. (Les répétitions…)
6. Il est entré par une porte. Il l'a emportée avec lui! (Il a emporté la porte…)
7. Je me trouvais à côté d'une personne célèbre. Devinez qui. (Devinez qui était la personne…)
8. Il joue dans une scène. C'est la plus importante de la pièce. (La scène…)

41 EXERCICE DE CONVERSATION

Parlez d'une pièce de théâtre que vous avez vue. Dites:
1. quel genre de pièce c'était.
2. qui jouait les rôles principaux.
3. s'ils jouaient bien ou mal.
4. qui était votre acteur (actrice) préféré(e) dans cette pièce, et pourquoi.
5. comment étaient les décors.
6. comment étaient les costumes.
7. si cette pièce a eu du succès ou pas.
8. ce que vous changeriez si vous étiez le metteur en scène.

42 REDACTION

Décrivez une pièce de théâtre que vous avez vue. Utilisez l'exercice No 41 comme modèle.

43 Phrases utiles. ⊗

Pour le metteur en scène	Pour le régisseur	Pour l'acteur
• Taisez-vous, s'il vous plaît!	• Acte I, en scène!	• J'ai un trou de mémoire.
• Tais-toi, s'il te plaît!	• Répétition en costumes demain	• Réplique, s'il te plaît!
• Apprenez vos répliques!	à 4 h.	• Comment est-ce que je me mets?
• Recommence à partir du début.	• Musique!	• Quand est-ce qu'on répète?
• C'est parfait.	• Rideau!	• On peut inviter combien d'amis
• Ce n'est pas tout à fait ça!	• N'oubliez pas vos accessoires!	par personne?

44 PROJET

Prenez le chapitre 27, « Canot-camping », et récrivez-le pour en faire une pièce en trois actes. Acte I — Organisation de l'expédition. Acte II — Arrivée au camp, installation et préparation du repas. Acte III — La Veillée. N'oubliez pas les chansons! Choisissez ensuite un metteur en scène et un régisseur, et vous serez prêts à monter un spectacle original en français. Regardez le dessin ci-dessous. Il vous indique comment transformer votre salle de classe en une scène de théâtre.

45 Une idée de décor.

1–9
une activité activity
les activités manuelles (f.) arts and crafts
l'aïkido (m.) aikido
une ambiance atmosphere
l'argile (f.) clay
un atelier workshop
une carte card
un ciné-club film club
un club club
le karaté karate
un lieu de rencontres meeting place
une marionnette puppet
un metteur en scène director
un objet object
le papier mâché papier-mâché
la peinture painting
une photo d'identité passport picture

une pièce play
une place seat
une représentation performance
une salle de spectacle playhouse, auditorium
le succès success
un théâtre theater
un tissu fabric
une troupe company

avoir du succès to be in demand, to be successful
fabriquer to make
s'inscrire (like **écrire**) to register
monter (une pièce) to put on (a play)
nous offrons we offer

agréable pleasant
demandé, –e in demand
mixte coed
valable valid

à l'avance in advance
entre autres among other things
généralement generally
plusieurs several
quel que soit (leur âge) whatever (their age) may be

10–18
un acte act
le bruit noise
une comédie comedy
un fantôme ghost
le fond back
un électricien electrician
un jeu de lumière lighting effect
la place space, room
un projecteur floodlight
un régisseur stage manager
une réplique cue
un rôle part
une scène scene
un soldat soldier
un souffleur prompter
une tragédie tragedy, drama
un trou de mémoire memory lapse

avancer (like **commencer**) to come (go) forward
chahuter to make noise, to disrupt
jouer to act
reculer to back up
refaire to redo
réviser to review
se taire to be quiet

apparaît appears
ça fait bizarre it looks strange

bizarre strange
éclairé, –e lit
théâtral, –e theatrical, theater

à partir de from
au fait incidentally
en scène on stage
Zut! Darn!

19–28
un balai broom
un bandeau eye patch
une barbe beard
un(e) bohémien (–ienne) gypsy
une broche brooch
une cape cloak
une chaîne chain
un châle shawl
un chapeau hat
un cil eyelash
un costume costume
le fard à joues rouge
le fond de teint makeup foundation

le maquillage makeup
le mascara mascara
une mise au point adjustment
un perroquet parrot
une perruque wig
un pirate pirate
un pistolet pistol
le rouge à lèvres lipstick
une sorcière witch
une tunique tunic
un vampire vampire

se déguiser to dress up
revoir (like **voir**) to review
se tromper to be mistaken

crochu, –e hooked
doré, –e golden
faux, fausse false
pointu, –e pointed

29–45
un accessoire prop
le bruitage sound effects
la coordination coordination
un décor set
la distance distance
un geste gesture
un jeu de scène actor's movements on the stage
un(e) jeune premier (–ière) leading man, leading lady
un meuble piece of furniture
un mouvement movement
un(e) partenaire partner
un personnage character
une posture attitude
la responsabilité responsibility

un rideau curtain
une roulette (small) wheel
la scène stage
un(e) spectateur (–trice) spectator

convaincre to convince
convenir (like **venir**) to suit
faire le mort to play dead
frapper to knock
réfléchir (like **choisir**) to think
se retrouver to find oneself, to end up
risquer to risk
se soulever (like **lever**) to get up

il devait s'asseoir he had to sit

amoureux, –euse in love
calme quiet
coordonné, –e coordinated
maigre thin
noble noble

à la perfection to perfection
à voix haute aloud
doucement slowly
en dedans on the inside
les pieds en dedans pigeon-toed
sinon otherwise

30
FILLES*GARÇONS

1 Le Groupe des cinq. ⊗

Gilles, Brigitte, Evelyne, Anne et Roger (photo No 1, de gauche à droite) habitent à Neuchâtel, en Suisse. Les cinq amis sont tout le temps ensemble. Aujourd'hui, ils font une promenade en bateau sur le lac de Neuchâtel.

Les cinq amis s'entendent très bien. Ils sont toujours prêts à s'entraider. Ils sont aussi habitués à se taquiner sans pitié!

ANNE	Dis donc, Gilles, tu as l'air bien rêveur…
EVELYNE	Comment? Tu n'es pas au courant? Gilles a une nouvelle petite amie.
ANNE	Ah, c'est fini avec Claire?
ROGER	Oui, maintenant il est amoureux d'Angélique, la fille du notaire.
GILLES	Moi, amoureux de cette « bêcheuse »? Ça ne va pas, non. Ce n'est pas mon genre!
BRIGITTE	Allez, Gilles! Ne sois pas hypocrite! On t'a vu avec elle au café, l'autre jour…
ROGER	Et tu n'avais pas l'air désolé d'être avec cette « bêcheuse », comme tu dis.
EVELYNE	Tu parles! Il était ravi, oui!
ANNE	Tu devrais être fier de te montrer avec elle… Elle est bien, Angélique.
GILLES	Bon, bon, ça va! J'avoue qu'elle me plaît, là! Mais, ça n'est pas la peine d'en faire toute une histoire!

2 Répondez aux questions.

1. Est-ce que les cinq amis sont souvent ensemble?
2. Qu'est-ce qu'ils font aujourd'hui?
3. Comment Anne trouve-t-elle Gilles?
4. D'après Evelyne, pourquoi Gilles a-t-il l'air rêveur?
5. Comment Gilles appelle-t-il Angélique?
6. Pourquoi Brigitte lui dit-elle qu'il est hypocrite?
7. D'après Roger, est-ce que Gilles avait l'air désolé d'être avec Angélique?
8. D'après Anne, qu'est-ce que Gilles devrait être? Pourquoi?
9. Qu'est-ce que Gilles finit par avouer?

3 *Young people in France, Belgium, and Switzerland start going out around the age of fifteen or older. They often start going out as a group of friends, and couples may form within the group. However, they tend to be reserved about their relationships. They will usually not introduce their boyfriend or girlfriend as ''mon petit ami'' or ''ma petite amie,'' but as ''un ami'' or ''une amie.''*

4 **Comment doivent être leurs amis.** ⊗

EVELYNE

1 Il faut qu'ils soient francs et ouverts. Je ne m'entends pas avec les garçons renfermés.

GILLES

2 Il faut qu'elles soient sensibles. Il faut aussi qu'elles soient tolérantes envers les autres.

ANNE

3 J'aime les garçons modestes. J'ai horreur de ceux qui se vantent de tout et de rien.

BRIGITTE

4 Il faut qu'ils aient le sens de l'humour, qu'ils ne se prennent pas trop au sérieux.

ROGER

5 J'aime les filles indépendantes qui n'ont pas peur de ce que les autres pensent.

5 Répondez aux questions.

1. Comment doivent être les amis d'Evelyne?
2. Pourquoi doivent-ils être ouverts?
3. Comment doivent être les amies de Gilles?
4. Comment doivent être les amis d'Anne?
5. Que doivent avoir les amis de Brigitte?
6. Comment doivent être les amies de Roger?

6 EXERCICE ORAL ⊗

7 EXERCICE DE CONVERSATION

Décrivez l'ami(e) idéal(e). Dites...
1. comment il (elle) doit être (sensible, modeste, etc.).
2. quels passe-temps il (elle) doit avoir.
3. quels sports il (elle) doit aimer.
4. quel genre d'élève il (elle) doit être, et quelles matières doivent l'intéresser.

8 ENQUETE: VOS AMIS ET VOUS ⊗

NOM DE FAMILLE _Robert_   PRENOM _Brigitte_   AGE _16 ans_

Donnez une réponse à chacune des questions suivantes. Ne répondez pas seulement par oui ou non.

1. Est-ce que vous avez beaucoup d'amis?
   De vrais amis, non. Mais j'ai beaucoup de copains.

2. Quelles qualités (ou défauts) appréciez-vous chez vos amis?
   Leur sens de l'humour. Mes amis n'ont pas de défauts!

3. De quoi parlez-vous avec vos amis?
   Un peu de tout : du travail, des films qu'on a vus, de politique.

4. Est-ce que vos amis ont beaucoup d'influence sur vous?
   Oui, parce que j'ai confiance en leur jugement.

5. Quand vous avez des problèmes, à qui en parlez-vous, à vos amis, à vos parents... ?
   Quelquefois à mes amis, quelquefois à mes parents. Ça dépend des problèmes.

6. Qu'est-ce qui compte le plus pour vous, l'amour ou l'amitié? Pourquoi?
   L'amitié, parce que ça dure plus longtemps.

9 DISCUSSION

Donnez vos propres réponses à cette enquête, et discutez-les avec vos camarades.

10

BETWEEN ADJECTIVE AND INFINITIVE
à or de

Répondez aux questions qui suivent les exemples. ⊗

Ils sont prêts à s'entraider.

Which is the adjective in the above sentence? Which is the infinitive? What preposition links the adjective to the infinitive that follows?

Je serais **content de sortir** avec elle.   Elle est **ravie de venir** avec nous.

Which are the adjectives in the above sentences? Which are the infinitives? What preposition links the adjective in each sentence to the infinitive that follows?

11 Lisez la généralisation suivante.

1. As you already know, **à** and **de** occur between certain verbs and an infinitive that follows (see Grammar Summary). Certain adjectives also require **à** or **de** before an infinitive.

   Ils sont **prêts à s'entraider.**   Il est **content de sortir** avec elle.

   As with the verbs and verbal expressions, **à** occurs less often than **de**.

2. The following chart gives the adjectives you know that require **à** or **de** before an infinitive.

	Adjective + **à**			Adjective + **de**	
Ils sont Vous êtes Elle est	**habitués à** **prêts à** **décidée à**	attendre. partir? rester.	Ils sont Il est Elle est Je suis Ils sont Tu es	**désolés d'** **sûr de** **ravie de** **fier de** **contents de** **obligée de**	être en retard. rencontrer Anne. voir Gilles. sortir avec elle. prendre l'air. partir?

12 Gilles n'est pas au courant. ⊗

Tu es prêt?   —Prêt à quoi?
                                               —Prêt à sortir.

Tu es décidé? / Tu es content? / Tu es sûr?

13 Evelyne parle à Anne. ⊗

Tu es vraiment sûre? Tu vas le voir?   Oui, je suis sûre de le voir.

Tu es vraiment décidée? Tu vas partir seule? / Tu es vraiment contente? Tu vas sortir avec lui? / Tu es vraiment obligée? Tu vas y aller?

14 EXERCICE ECRIT

Formulez la même idée en une phrase.
Exemple : Roger et Brigitte sortent avec leurs amis. Ils en sont ravis.
Roger et Brigitte sont ravis de sortir avec leurs amis.
1. Anne fait partie du groupe. Elle en est fière.   2. Ils vont faire une promenade en bateau. Ils en sont contents.   3. Angélique n'est pas avec eux. Elle en est désolée.   4. Gilles aime Angélique. Il en est sûr.   5. Evelyne taquine Gilles. Elle y est toujours prête.   6. Gilles se fait taquiner. Il y est habitué.

15 Premier rendez-vous. ⊗

1

2

Christine Pierre a fait la connaissance de Stéphane Debras. Il l'a invitée à visiter le château de Versailles avec lui. Versailles n'est pas loin de Ville d'Avray, où ils habitent tous les deux.

3

4

Ils ont admiré la statue du roi qui fit cons-truire Versailles : Louis XIV (1638-1715), appelé « le Roi-Soleil ».

Ils ont acheté un guide du château. Ça leur a permis de se renseigner sur toutes les parties du château.

5

6

Ils ont parcouru la Galerie des Glaces.

Ils se sont promenés dans le parc.

16 La Lettre de Christine. ⊗

Christine écrit à sa cousine Angélique Vaillancourt de Neuchâtel, en Suisse.

Ville d'Avray, le 5 mai

Chère Angélique,

Un grand merci pour ta dernière lettre. Je suis ravie que tu aies un nouveau petit ami et qu'il te plaise tant. Moi aussi, j'ai rencontré un garçon qui me plaît énormément. Il s'appelle Stéphane, et il habite comme nous à la Résidence Musset. Nous avons immédiatement sympathisé, et l'autre jour, il m'a invitée à aller visiter Versailles avec lui.

Nous avons passé un après-midi formidable. Stéphane aime beaucoup l'histoire et l'art. Je suis très contente que nous ayons les mêmes goûts. Nous avons d'abord visité le château, puis nous nous sommes promenés dans le parc. C'est moi qui ai eu l'idée d'aller à pied jusqu'au Grand Trianon, qui est très loin du château, et nous sommes revenus épuisés! J'avais peur que Stéphane ne veuille plus jamais sortir avec moi après une sortie aussi fatigante. Mais il m'a téléphoné le soir même pour m'inviter à l'accompagner à une surprise-partie qu'un de ses copains va donner samedi soir!

Après de longues négociations, j'ai réussi à convaincre mes parents de me laisser y aller. En général, ils n'aiment pas que je sorte le soir. Finalement, ils m'ont permis d'aller à cette surprise-partie, mais ils y mettent des tas de conditions. Ils veulent que Stéphane vienne me chercher et qu'il me raccompagne. Ils veulent qu'il leur laisse le nom et l'adresse de son copain. Et ils veulent que je rentre avant minuit. Que d'histoires pour une petite surprise-partie!

Enfin, je te quitte car je dois retrouver Stéphane à la Maison des Jeunes à 3 heures, et il est déjà 2 heures et demie. Bonne chance avec Gilles, et n'oublie pas de me tenir au courant. Je t'embrasse.

Christine

17 Répondez aux questions.

1. Comment s'appelle le garçon qui plaît à Christine?
2. Où sont-ils allés pour leur première sortie ensemble?
3. Est-ce qu'ils ont les mêmes goûts? Lesquels?
4. Qu'est-ce qu'ils ont d'abord visité à Versailles?
5. Où est-ce que Christine a eu l'idée d'aller?
6. Comment sont-ils revenus? Pourquoi?
7. De quoi Christine avait-elle peur après cette sortie?
8. Quand Stéphane lui a-t-il téléphoné? Pour quoi faire?
9. Comment Christine a-t-elle réussi à convaincre ses parents de la laisser aller à la surprise-partie?
10. Est-ce que ses parents aiment qu'elle sorte le soir?
11. Est-ce qu'ils vont lui permettre d'aller à la surprise-partie? Quelles conditions y mettent-ils?
12. Où Christine doit-elle retrouver Stéphane? A quelle heure se sont-ils donné rendez-vous?

18 EXERCICE ORAL ⊗

19 Et vous?

1. Est-ce que vos parents vous permettent de sortir le soir?
2. Est-ce qu'ils y mettent des conditions? Lesquelles?
3. Est-ce que vos parents vous permettent de sortir avec qui vous voulez?
4. Est-ce qu'ils aiment bien vos ami(e)s? Comment les trouvent-ils?

20 Qu'en pensez-vous?

1. D'après vous, est-ce que les parents de Christine ont raison de mettre autant de conditions? Donnez vos raisons.
2. Si vous étiez les parents de Christine, quelles seraient vos conditions?

21 Effeuillons la marguerite! ⊗

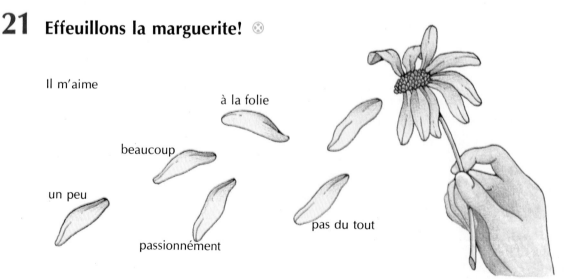

Il m'aime

à la folie

beaucoup

un peu

passionnément

pas du tout

VOCABULAIRE : **effeuiller la marguerite** *to play "he-loves-me, he-loves-me-not";* **pas du tout** *not at all;* **à la folie** *madly;* **passionnément** *passionately*

22 Le Courrier du Cœur°. ⊗

LES PREMIERS PAS°...

J'en ai vraiment assez! Les garçons sont-ils tous comme ça? Ça fait quatre ans que j'aime un garçon et qu'il m'aime (je le sais parce que ça se voit°). Mais, il n'a toujours rien dit. Qu'est-ce qu'il attend? Ce n'est tout de même pas à moi de faire les premiers pas, non?

Céline (16 ans)

ELLE NE M'AIME PAS...

J'ai quinze ans, je suis en seconde°. Depuis plus d'un an, j'aime une fille qui a l'air de me détester. Elle est gentille° avec tout le monde, sauf avec moi. Je lui parle, elle me répond à peine. Elle a toujours l'air de ne pas me voir, de m'éviter°. Qu'est-ce qu'il faudrait que je fasse pour qu'elle m'aime? Est-ce qu'il y a quelque chose à faire?

Mathieu

C'EST NORMAL?...

Je suis amoureux de toutes les filles, mais d'aucune° en particulier°. Je n'ai encore jamais flirté avec une fille. Est-ce que vous croyez que c'est normal? J'ai quatorze ans.

Thiérry

MON CŒUR BALANCE°...

Eric est très intellectuel. J'aime beaucoup lui parler de bouquins°, de films, de la vie en général, mais il est très timide et renfermé. Bruno, lui, c'est le contraire°. Il blague° tout le temps, connaît des tas de gens, mais on ne peut jamais avoir une conversation sérieuse. Lequel devrais-je choisir?

Fabienne (15 ans)

VOCABULAIRE: **le Courrier du Cœur** *advice on love matters;* **un pas** *move;* **ça se voit** *it's noticeable;* **en seconde** *in 11th grade;* **gentil** *nice;* **éviter** *to avoid;* **aucun** *no one;* **en particulier** *in particular;* **mon cœur balance** *·I can't bring myself to choose;* **un bouquin** *book;* **le contraire** *opposite;* **blaguer** *to joke*

23 DISCUSSION

Choisissez une de ces lettres et discutez la façon d'y répondre avec vos camarades.

24

EXPRESSING FEELINGS AND OPINIONS
More on the Subjunctive

Répondez aux questions qui suivent les exemples. ⊗

> **Il faut que** Christine **revienne.**   Ses parents **veulent qu'**elle **revienne.**

You have seen that the subjunctive follows **il faut que.** In the sentence on the right, what does it follow? In that same sentence, what word links **Ses parents veulent** to the clause that follows?

> Ses parents n'**aiment** pas **qu'**elle **sorte** le soir.   Ils **préfèrent qu'**elle **sorte** l'après-midi.

Do the above sentences state when Christine actually goes out, or do they indicate how her parents feel about the time of day she goes out?

> Ils n'**aiment** pas **qu'**elle **sorte.**   Ils n'**aiment** pas **sortir.**
> Ils **veulent qu'**elle **parte.**   Ils **veulent partir.**

In the first sentence on the left, what is the subject of the verb **aimer?** And that of the verb **sortir?** In the first sentence on the right, what is the subject of the verb **aimer?** Is there another subject in this sentence? Is the subjunctive used in this case? What form of the verb is used, instead? Answer the same questions for the second pair of sentences.

25 Lisez la généralisation suivante.

1. As you have seen, the subjunctive is used after **il faut que, il vaut mieux que, il est important que.** These expressions do not state facts; they point to feelings and opinions. Likewise, there are some verbs that indicate feelings or opinions. The subjunctive is also used after such verbs.

2. The verbs and verbal expressions listed below take the subjunctive in the clause that follows when:
   • **que** links them to this clause.
   • the subject of the clause starting with **que** is different from that of the main clause.

Ils	ont peur sont contents sont désolés sont fiers sont heureux sont ravis veulent aiment mieux préfèrent	qu'elle **sorte** avec lui.

The subjunctive is also used after expressions such as **ça (leur) est égal que.**

3. a. If the subject of the main clause is the same as the subject of the **que** clause—that is, if there is only one subject—an infinitive construction is used.

> **Ils sont contents de sortir.**
> **Ils veulent sortir.**

   b. An infinitive construction may also be used after impersonal expressions, such as **il faut, il vaut mieux,** etc., if the context clearly indicates who is to perform the action:

> Il est 11 h 30! Nous allons être en retard! **Il faut partir** tout de suite!

26 Ta sœur sait... ⊗

que tu as un petit ami?
que tu le retrouves au café cet après-midi?
que tu sors avec lui ce soir?
que tu vas avec lui à cette surprise-partie?
que tu ne veux plus sortir avec lui?

Oui. Ça lui est égal que j'aie un petit ami.

27 Comment ça va se passer cette sortie? ⊗

Stéphane va venir te chercher?

Oui, mes parents veulent qu'il vienne me chercher.

Stéphane va passer te prendre?
Stéphane va te raccompagner?
Stéphane va te ramener avant minuit?

28 Qu'est-ce qui ne va pas, Christine? ⊗

Tu as peur d'être trop bien pour lui?
Tu as peur d'être trop belle pour lui?
Tu as peur d'être trop renfermée pour lui?
Tu as peur de ne pas t'amuser avec lui?
Tu as peur d'être trop intelligente pour lui?

Non, j'ai peur qu'il soit trop bien pour moi!

29 Un ami de Stéphane lui demande: ⊗

C'est toi qui veux aller à Versailles?

Non, c'est Christine qui veut que nous allions à Versailles.

visiter le Grand Trianon / sortir l'après-midi / te promener dans le parc / rentrer tôt

30 Stéphane et Christine vont sortir ensemble. ⊗

Je vais sortir. Je suis très contente.
Stéphane va venir. Je suis très contente.
Je ne vais pas sortir. Je ne veux pas.
Nous n'allons pas rentrer tard. Je ne veux pas.
Nous allons y aller à pied. Nous préférons.
Ils ne vont pas venir. Nous préférons.

Je suis très contente de sortir.
Je suis très contente que Stéphane vienne.

31 EXERCICE ECRIT

Formulez la même idée en une phrase.
Exemple: Stéphane fait visiter Versailles à Christine. Elle en est heureuse.
Christine est heureuse que Stéphane lui fasse visiter Versailles.
1. Stéphane visite Versailles avec Christine. Il en est ravi.
2. Christine veut bien sortir avec Stéphane. Il en est fier.
3. Christine ne va pas à la surprise-partie. Ses parents ne veulent pas.
4. Elle ne peut pas aller à la surprise-partie. Elle en est désolée.
5. Christine ne peut pas venir. Stéphane en est désolé.

32 EXERCICE DE COMPREHENSION ⊗

	0	1	2	3	4	5	6	7	8	9	10
A	√										
B											

33 EXERCICE DE CONVERSATION

Vous trouvez qu'un(e) de vos camarades a l'air rêveur. Il (elle) vous dit qu'il (elle) vient de rencontrer une fille (un garçon) qui lui plaît beaucoup. Vous lui demandez:
1. où il (elle) l'a rencontrée (rencontré).
2. comment est cette fille (ce garçon).
3. pourquoi elle (il) lui plaît tant.
4. ce qu'ils ont fait pour leur première sortie ensemble.
5. si ses parents sont au courant.
6. s'ils ont rencontré sa nouvelle amie (son nouvel ami).
7. comment ils la (le) trouvent.
8. s'ils le (la) laissent sortir quand il (elle) veut.

34 REDACTION

Vous venez de rencontrer une fille (un garçon) qui vous plaît énormément. Vous écrivez à votre meilleur(e) ami(e) pour lui raconter votre rencontre et votre première sortie ensemble. Vous lui dites:
1. comment elle (il) est.
2. pourquoi elle (il) vous plaît.
3. comment vos parents trouvent votre nouvelle amie (nouvel ami).
4. s'ils vous laissent sortir avec elle (lui) comme vous voulez.

35 Quelques expressions utiles: ⊗

C'est fini avec André?

Nous avons rendez-vous samedi.

Il a une nouvelle petite amie.

Entre les deux mon cœur balance.

Ce n'est pas mon genre.

Elle lui plaît beaucoup.

J'ai fait la connaissance d'un garçon formidable!

On s'entend très bien.

Ils ont tout de suite sympathisé.

Nous avons les mêmes goûts.

Il est amoureux d'elle.

36 Chanson : La Ronde autour du monde. ⊗

VOCABULAIRE : **se donner la main** *to hold hands;* **faire une ronde** *to dance round in a circle;* **un gars** = **un garçon;**
un marin *sailor;* **une barque** *boat;* **l'onde** *waters*

37 Yves et Sylvie. ⊗

Depuis un an, Yves et Sylvie sont « bons co-pains ». Ils sont tous les deux apprentis° dans un salon de coiffure°, et deux fois par semaine, ils suivent des cours° à l'école professionnelle de Versailles. Une de leurs sorties préférées est d'aller flâner au marché aux puces° le dimanche après-midi. Ils se promènent parmi les brocanteurs°, les antiquaires°, les marchands de vieux vêtements et de surplus américains°. Ils s'arrêtent ici et là pour admirer un bibelot° ancien°, acheter un Ti-shirt ou essayer un vieux chapeau.

YVES   Tu es mignonne° avec ce chapeau. On dirait° ma grand-mère!

SYLVIE   Ce que j'aime chez toi, c'est ta galanterie...

YVES   Ce que c'est susceptible°, les filles!

SYLVIE   Ce que c'est mufle°, les garçons!

YVES   Allez, ne te fâche° pas. Tu sais très bien que tu es toujours bien.

SYLVIE   Ah, je suis contente de te l'entendre dire!

YVES   Et moi, je suis content que tu sois contente!

SYLVIE   Oh, regarde ce vieux phono°! Il est formidable!

YVES   Oui, mais qu'est-ce que tu veux faire d'un vieux phono?

SYLVIE   Ce serait bien comme cadeau de fiançailles° pour Florence et Marc. Eux qui ont une collection de 78 tours°, ils aimeraient ça.

YVES   L'ennui° c'est que ça coûte 500 F. Alors, même à deux, c'est trop cher!

SYLVIE   Mais il faut marchander! Enfin, on a le temps d'y penser°...

YVES   Quand est-ce qu'ils vont se fiancer°?

SYLVIE   Dans deux mois, quand Marc rentrera du service militaire.

YVES   Oh, d'ici là, ils auront peut-être rompu°, et nous, on n'aura pas dépensé notre argent.

SYLVIE   Il n'y a pas à dire, tu es charmant°!

YVES   C'est vrai. Tout le monde me le dit.

VOCABULAIRE: **un apprenti** *apprentice;* **un salon de coiffure** *beauty parlor;* **suivre des cours** *to take courses;* **le marché aux puces** *flea market;* **un brocanteur** *antique dealer;* **un antiquaire** *dealer in fine antiques;* **un surplus américain** *Army-Navy store;* **un bibelot** *trinket;* **ancien** *old;* **mignon** *cute;* **on dirait** *you look just like;* **susceptible** *touchy;* **mufle** *rude;* **se fâcher** *to get angry;* **un phono** *phonograph;* **les fiançailles** *engagement;* **78 tours** *78 r.p.m. records;* **l'ennui** *problem;* **penser** *to think;* **se fiancer** *to get engaged;* **rompre** *to break off;* **charmant** *charming*

38

VOCABULAIRE: **les mémoires** *memoirs;* **salut** *hi;* **un bout** *small piece;* **l'écriture** *handwriting;* **fidèle** *faithful;* **un messager** *messenger;* **un pli d'amour** *love note;* **mon bien-aimé** *my loved one;* **avoir du pot** *to be lucky;* **au lieu de** *instead of;* **ramasser** *to pick up;* **le proviseur** *headmaster;* **convoquer** *to call in;* **les mœurs** *moral standards;* **est-ce que c'est de ma faute** *is it my fault*

39

WORD LIST

1–14   **l'amitié** (f.)   *friendship*
un(e) bêcheur (–euse)   *snob*
un défaut   *fault*
une enquête   *poll*
l'influence (f.)   *influence*
le jugement   *judgment*
un notaire   *notary*
un(e) petit(e) ami(e)   *boyfriend, girlfriend*
la pitié   *pity*
la politique   *politics*
un prénom   *first name*
une qualité   *quality*
le sens de l'humour   *sense of humour*
la Suisse   *Switzerland*

apprécier   *to appreciate*
avoir confiance en   *to trust*
avoir horreur de   *to hate*
avouer   *to admit*
s'entendre   *to get along*
s'entraider   *to help one another*
être au courant de   *to be up to date on, to be informed of*
être habitué(e) à   *to be used to*
faire toute une histoire   *to make a fuss*
se vanter   *to boast*

désolé, –e   *sorry*
fier, –ière   *proud*
franc, franche   *honest*
hypocrite   *hypocritical*
indépendant, –e   *independent*
modeste   *modest*
ravi, –e   *delighted*
renfermé, –e   *withdrawn*
rêveur, –euse   *pensive, dreamy*
sensible   *sensitive*
tolérant, –e   *tolerant*

au sérieux   *seriously*
envers   *towards*
en retard   *late*
tout le temps   *always*
ça n'est pas la peine (de)   *there is no point (in)*
ce n'est pas (mon) genre   *she is not (my) type*

15–38   **une condition**   *condition*
la Galerie des Glaces   *Hall of Mirrors*
un guide   *guidebook*
une négotiation   *negotiation*
un roi   *king*
le soleil   *sun*
   le Roi-Soleil   *Sun King*
une statue   *statue*

construire   *to build*
parcourir (like **courir**)   *to go through*
permettre (like **mettre**)   *to allow*
raccompagner   *to bring back*
se renseigner   *to get information*
retrouver   *to meet (again)*
sympathiser   *to get along well*
tenir au courant   *to keep informed*

heureux, –euse   *happy*
énormément   *enormously*
tous les deux   *both*

31
La Voiture

1 Un futur conducteur. ⊗

Francis Sanz a 18 ans, l'âge à partir duquel on peut passer son permis de conduire en France. Francis a attendu ce moment avec impatience, car il va enfin pouvoir conduire! Il ne se passe rien de très excitant le vendredi et le samedi soir à Ore, le petit village des Pyrénées où il habite. Il est vrai qu'il peut utiliser son vélomoteur pour aller à la ville voisine, mais une voiture, c'est plus confortable.

Depuis trois mois, Francis va régulièrement à l'auto-école de Saint-Béat, un village voisin. Il y suit un cours de code qui le prépare à l'examen écrit du permis de conduire.

Francis prend aussi des leçons de conduite. Il apprend à conduire sur une Peugeot à double commande. C'est une voiture à boîte de vitesses manuelle. En France, on ne peut pas passer son permis sur une voiture à boîte de vitesses automatique. Le moniteur de Francis lui fait répéter les deux manœuvres les plus difficiles : se garer entre deux voitures et démarrer en côte. Il le fait aussi conduire sur des routes à grande circulation.

2   *In France, applicants for a driver's license must pass a two-part examination: a theoretical, written examination and a road test. To prepare for this examination, they usually take a driver's education course of at least ten driving lessons. Consequently, getting a driver's license becomes quite expensive.*

It is the instructor who decides when applicants are ready to take the examination. Applicants must pass the written test before they may take the road test. If they fail the road test twice, they have to start all over again with the written test.

Drivers' licenses are issued for life and do not have to be renewed.

3   ## Répondez aux questions.

1. Quel est l'âge à partir duquel on peut passer son permis en France?
2. Comment Francis se déplace-t-il?
3. Pourquoi préférerait-il se déplacer en voiture?
4. Où va-t-il depuis trois mois?
5. Qu'y fait-il?
6. Sur quelle voiture est-ce qu'il apprend à conduire?
7. Sur quel genre de voiture doit-on passer le permis en France?
8. Quelles sont les manœuvres les plus difficiles?

4   ## Les Avantages d'avoir une voiture. ⊗

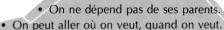

- On ne dépend pas de ses parents.
- On peut aller où on veut, quand on veut.
- Quand il pleut, c'est moins dangereux qu'une moto.
- On peut emmener des amis.
- Ça va plus vite qu'un vélomoteur!
- Ça fait bien de conduire.

5   ## EXERCICE ORAL ⊗

6   ## Et vous?

1. A quel âge peut-on passer son permis de conduire là où vous habitez?
2. Est-ce qu'on est obligé de prendre des leçons de code? Des leçons de conduite?
3. Sur quel genre de voiture est-ce qu'on peut passer son permis?
4. Combien coûte le permis? Il est valable pour combien de temps?
5. Quel âge avez-vous? Est-ce que vous avez déjà votre permis?
6. Si vous ne l'avez pas, avez-vous l'intention de le passer? Quand et pourquoi?

7   ## Il faut savoir conduire.

Quand est-ce que vous passerez votre permis?

Quand j'aurai... ans.

Quand mon père aura le temps de m'apprendre à conduire.

Qui vous emmènera à l'examen?
Pourquoi voulez-vous avoir votre permis?

8 Et vous, pourriez-vous passer votre permis de conduire? ⊗

Trouvez la signification° de chaque panneau° dans la liste donnée.

Interdiction de doubler°
Arrêt° au poste de douane°
Vitesse° limitée à 90 km à l'heure°
Piste° obligatoire° pour cyclistes°
Vitesse minimum
Parc de stationnement°
Camping pour tentes et caravanes° à 3 km
Interdiction de stationner°
Essence° à 500 m, prochain poste° à 25 km

Sens interdit°
Entrée d'autoroute°
Virage° à droite
Arrêt obligatoire, priorité° sur l'autre route
Attention, enfants
Passage pour piétons°
Passage éventuel° d'animaux sauvages
Interdiction de tourner à gauche
Interdiction de faire demi-tour°

VOCABULAIRE: **la signification** *meaning;* **un panneau** *sign;* **interdiction de doubler** *no passing;* **un arrêt** *stop;* **un poste de douane** *customs;* **la vitesse** *speed;* **à l'heure** *per hour;* **une piste** *path;* **obligatoire** *compulsory;* **un cycliste** *cyclist;* **parc de stationnement** *parking lot;* **une caravane** *trailer;* **interdiction de stationner** *no parking;* **l'essence** *gas;* **un poste** *station;* **sens interdit** *one-way;* **une autoroute** *highway;* **un virage** *turn;* **la priorité** *right of way;* **un piéton** *pedestrian;* **éventuel** *possible;* **faire demi-tour** *make a U-turn*

SOLUTION: 1) Arrêt obligatoire, priorité sur l'autre route; 2) virage à droite; 3) interdiction de doubler; 4) passage éventuel d'animaux sauvages; 5) arrêt au poste de douane; 6) entrée d'autoroute; 7) essence à 500 m, prochain poste à 25 km; 8) interdiction de faire demi-tour; 9) vitesse minimum; 10) passage pour piétons; 11) vitesse limitée à 90 km à l'heure; 12) camping pour tentes et caravanes à 3 km; 13) interdiction de tourner à gauche; 14) parc de stationnement; 15) attention, enfants; 16) sens interdit; 17) piste obligatoire pour cyclistes; 18) interdiction de stationner.

9 La Leçon de conduite. ⊗

C'est la dernière leçon de conduite que Francis prend avant l'examen, et il est un peu nerveux. En se garant, il a légèrement éraflé une autre voiture. Il a presque doublé dans un virage. En voulant freiner, il a appuyé sur l'accélérateur, et il a failli écraser un piéton!

Le Moniteur	Calmez-vous; ce n'est pas en vous énervant comme ça que vous allez y arriver! Bon. Maintenant on va faire un démarrage en côte.
Francis	Aïe, aïe, aïe!
Le Moniteur	Hé oui! On va vous demander d'en faire un à l'examen de conduite, vous savez. Allons-y! Alors, vous mettez le frein à main, vous embrayez légèrement tout en accélérant. C'est ça. Parfait. Maintenant, vous desserrez lentement le frein à main… Voilà… Maintenant, accélérez un peu plus. Accélérez, mais accélérez donc!
Francis	Zut! J'ai encore calé!
Le Moniteur	Allez, ça va marcher, ne vous en faites pas! On recommence. Mettez au point mort… Voilà. Débrayez, et passez en première… Le frein à main… Voilà! Vous démarrez! C'est bien.

10 Répondez aux questions.

1. Pourquoi est-ce que Francis est nerveux?
2. Qu'est-ce qu'il a fait en se garant?
3. Qu'est-ce qu'il a fait en voulant freiner?
4. Qui a-t-il failli écraser?
5. Que dit le moniteur à Francis?
6. Comment fait-on un démarrage en côte?

11 EXERCICE ORAL ⊗

12 THE VERB conduire

1. The following chart gives the present-tense forms of the verb **conduire**, *to drive*. ⊗

Je	**conduis**	bien.	Nous	**conduisons**	bien.
Tu	**conduis**	bien.	Vous	**conduisez**	bien.
Il / Elle	**conduit**	bien.	Ils / Elles	**conduisent**	bien.

2. The past participle of **conduire** is **conduit: Il a conduit toute la nuit!**

13 C'est l'avis du moniteur. ⊗

Comment est-ce que Francis conduit?	Il conduit un peu vite.
Comment est-ce que ses parents conduisent?	Ils conduisent un peu vite.
Comment est-ce que je conduis?	Tu conduis un peu vite.
Comment est-ce que nous conduisons?	Vous conduisez un peu vite.

14 Il faut prendre des leçons de conduite. ⊗

Maintenant, Francis conduit bien.	Avant, il conduisait mal.
Maintenant, tu conduis bien.	Avant, tu conduisais mal.
Maintenant, vous conduisez bien.	Avant, vous conduisiez mal.
Maintenant, nous conduisons bien.	Avant, nous conduisions mal.

15 Soyons prudents! ⊗

Lesquels parmi les véhicules suivants ne respectent pas le code de la route?

1. le car
2. le mini-bus
3. la voiture auto-école
4. la voiture bleue
5. la voiture rouge
6. la voiture de sport
7. le camion
8. le cycliste
9. le break
10. la voiture orange
11. le motocycliste
12. la voiture blanche

16   ACTIONS HAPPENING AT THE SAME TIME
The Present Participle

Répondez aux questions qui suivent les exemples. ⊗

    Il écoute la radio **pendant qu'il conduit.**   Il écoute la radio **en conduisant.**
What replaces **pendant qu'il conduit** in the sentence on the right? Do **en conduisant** and **pendant qu'il conduit** mean the same thing? What word precedes **conduisant?**

17   Lisez la généralisation suivante.

1. The present participle of all verbs, except **avoir** and **savoir,** is formed by adding **-ant** to the imparfait stem.

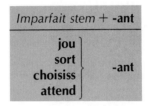

    The present participle of **avoir** is **ayant,** and of **savoir** is **sachant.**

2. The present participle is used mainly to indicate simultaneous action (an action that is going on at the same time as another action):

    Il écoute de la musique en conduisant.   *He listens to music while driving.*
    Il a éraflé une voiture en se garant.   *He scratched a car while he was parking.*
However, it is also used to indicate other shades of meaning:
    Ce n'est pas en vous énervant que vous   *It's not by getting upset that you'll succeed.*
    allez réussir.
    Il a parlé à Francis en rentrant.   *He spoke to Francis when he got home.*
The present participle sometimes occurs alone, but in everyday speech it is used most often after **en.**

3. The word **tout** is sometimes used before **en** to stress the idea of simultaneous action.
    Il embraye tout en accélérant.   *He lets up the clutch and at the same time steps on the gas.*

18   Pauvre voiture! Comment as-tu fait ça? ⊗

J'ai freiné trop vite.	En freinant trop vite.
J'ai démarré trop vite.	En démarrant trop vite.
J'ai accéléré trop vite.	En accélérant trop vite.
Je me suis garé trop vite.	En me garant trop vite.

19   C'est en conduisant qu'on apprend à conduire, dit le moniteur. ⊗

Comment apprend-on à conduire?   En conduisant.
Comment apprend-on à se garer?
Comment apprend-on à passer les vitesses?
Comment apprend-on à conduire en ville?

20 Francis voudrait acheter une voiture. ⊗

1

2

Francis a eu son permis. Maintenant, il va pouvoir réaliser son rêve : acheter une voiture. D'occasion, bien sûr. Son copain Gérard est mécanicien et gagne de l'argent en achetant de vieilles voitures, en les retapant et en les revendant. Francis va le voir.

FRANCIS   Alors, et ma bagnole?
GÉRARD   Je sais, je sais. Il y a un type, un certain Lanier, qui m'avait promis une vieille Fiat 125. Il m'avait dit qu'il me rappellerait, mais rien.
FRANCIS   Tu ne peux pas le rappeler, toi?
GÉRARD   Je l'ai rappelé, mais il était parti en vacances.
FRANCIS   Il t'a donné des détails?
GÉRARD   Oui, il m'a dit qu'il l'avait achetée neuve il y a dix ans et qu'il n'avait jamais eu de pépins avec, qu'il l'avait bien entretenue, qu'il avait toujours fait faire toutes les révisions, etc., etc.
FRANCIS   Il t'a donné un prix?
GÉRARD   Non, il n'avait pas encore décidé.
FRANCIS   Ça ne serait pas mal, une Fiat 125. C'est une bonne marque. C'est nerveux, ça ne consomme pas beaucoup d'essence. Ça consomme combien de litres aux 100[1]?
GÉRARD   Oh, 6, 7. C'est difficile à dire. Il faut voir l'état du moteur. Il paraît qu'il est en très bon état. La carrosserie aussi, d'après ce qu'il dit.
FRANCIS   Bon, eh bien dès qu'il revient, passe-moi un coup de fil. Ça m'intéresse.

21 Répondez aux questions.

1. Quel est le rêve de Francis? Pourquoi peut-il le réaliser maintenant?
2. Comment Gérard gagne-t-il de l'argent?
3. Qu'est-ce que M. Lanier avait promis à Gérard?
4. Quand M. Lanier a acheté sa voiture, elle était neuve ou d'occasion?
5. Comment l'a-t-il entretenue?
6. Pourquoi est-ce qu'il n'a pas donné de prix?
7. Combien d'essence consomme une Fiat 125?
8. Dans quel état se trouve la Fiat en question?

[1] **Ça fait... aux 100** is the equivalent of *it gets . . . miles per gallon;* **aux 100** literally means *per 100 kilometers.*

22 Connaissez-vous les différentes parties d'une voiture? ⊗

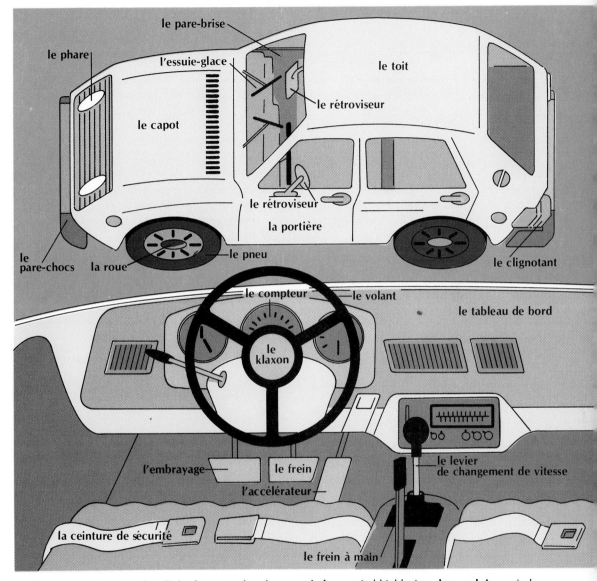

VOCABULAIRE: **le phare** *headlight;* **le capot** *hood;* **un essuie-glace** *windshield wiper;* **le pare-brise** *windshield;* **le rétroviseur** *rearview mirror;* **le toit** *roof;* **le clignotant** *blinker;* **la portière** *door;* **le pneu** *tire;* **la roue** *wheel;* **le pare-chocs** *bumper;* **le volant** *steering wheel;* **le klaxon** *horn;* **le compteur** *speedometer;* **le tableau de bord** *dashboard;* **le levier de changement de vitesse** *gear shift;* **l'embrayage** *clutch;* **la ceinture de sécurité** *seat belt*

23 Devinettes. ⊗

1. On les allume quand on voyage la nuit.
2. On le met quand on veut tourner à droite.
3. On regarde dedans avant de doubler.
4. On le regarde quand on veut savoir à quelle vitesse on va.
5. On les met quand il pleut.
6. On s'en sert pour alerter les autres conducteurs.
7. Il vaut mieux toujours la mettre quand on est en voiture.

ACTIONS NOT HAPPENING AT THE SAME TIME
The Past Perfect

24

Répondez aux questions qui suivent l'exemple. ⊙

Lanier **était** déjà **parti** en vacances quand Gérard lui a téléphoné.

Both actions occurred in the past, but one of them occurred before the other. What happened first, did Lanier leave on vacation, or did Gérard call him? What verb form is used to indicate the action of leaving to go on vacation? What is **était parti** composed of? This form, **était parti,** is a new tense called the past perfect.

25 ### Lisez la généralisation suivante.

1. The past perfect is called a compound tense because it is composed of two verbs: an auxiliary (**avoir** or **être**) and a past participle (**décidé, parti,** etc.). The passé composé, which you already know, is also a compound tense. The same auxiliary (**avoir** or **être**) is always used with the same verb in all its compound tenses.

Passé Composé	il **a** décidé	il **est** parti
Past Perfect	il **avait** décidé	il **était** parti

2. The past perfect is formed with the imparfait of either **avoir** or **être** + the past participle of the verb.

Imparfait of **avoir**	Past Participle	Imparfait of **être**	Past Participle
j' **avais**		j' **étais**	
tu **avais**		tu **étais**	sorti(e)
il / elle **avait**	joué	il / elle **était**	
nous **avions**	servi	nous **étions**	
vous **aviez**	choisi	vous **étiez**	sorti(e)(s)
ils / elles **avaient**	attendu	ils / elles **étaient**	

3. The past perfect is used to express the fact that an action was completed prior to a certain point in the past.

   Quand je lui ai téléphoné, il **était** déjà **parti.**   *When I called him, he had already left.*

   Il m'a dit qu'il **avait acheté** une voiture.   *He told me he had bought a car.*

4. The rules of agreement for the past participle in the past perfect are the same as those for the past participle in the passé composé: **La voiture?** Il **l'avait** déjà **réparée.**

26 ### Francis demande à Gérard: ⊙

Quand j'ai téléphoné, tu étais en train de réparer une voiture?

Non, j'avais déjà fini.

Et ton copain, il réparait aussi une voiture?

Non, il avait déjà fini.

Et vous deux, vous répariez aussi une voiture?

Non, nous avions déjà fini.

Et les autres mécaniciens, ils réparaient aussi une voiture?

Non, ils avaient déjà fini.

27 Francis est passé au garage de Gérard. ⊗

Tu n'étais pas là quand je suis passé.
Ta patronne non plus.
Vous deux non plus.
Les autres mécaniciens non plus.

Non, j'étais déjà rentré.
Non, elle était déjà rentrée.
Non, nous étions déjà rentrés.
Non, ils étaient déjà rentrés.

28 Il a échoué à l'examen de conduite! ⊗

Il ne s'est pas arrêté à temps.
Il n'a pas mis son clignotant. / Il n'a pas freiné. / Il ne s'est pas bien garé.

Si seulement il s'était arrêté à temps…!

29 Où M. Lanier est-il allé en vacances? ⊗

Il est allé sur la Côte d'Azur.
Sa femme et lui ont visité le Musée Océano-
graphique de Monaco.
M. Lanier a fait de l'exploration sous-marine.
Sa femme a joué au tennis.

Il n'y était jamais allé avant.

30 Demandez à vos camarades:

Pourquoi est-ce que tu étais si fatigué(e)
l'autre jour?

Parce que j'avais passé toute la nuit à réviser
mon code de la route.
Parce que je m'étais couché(e) à une heure
du matin.

Pourquoi est-ce que tu n'étais pas content(e)
l'autre jour?
Pourquoi est-ce que vous étiez de si
mauvaise humeur hier soir?

31 EXERCICE DE COMPREHENSION ⊗

	0	1	2	3	4	5	6	7	8
A	√								
B									

32 EXERCICE ECRIT

Combinez chaque paire de phrases selon (*according to*) le modèle.
Exemple : Lanier est parti en vacances; puis Gérard lui a téléphoné.
   Lanier était déjà parti en vacances quand Gérard lui a téléphoné.
1. Il a acheté une voiture; puis il a passé son permis de conduire.
2. J'ai fait dix kilomètres; puis il a commencé à pleuvoir.
3. J'ai sorti la voiture; puis on a décidé de rester à la maison.
4. Nous sommes arrivés en haut de la côte; puis le moteur a calé.
5. Ils sont rentrés; puis Francis est arrivé.
6. Elle a commencé à démarrer; puis Francis l'a appelée.

33 EXERCICE DE CONVERSATION

En utilisant le dialogue de la page 104 comme modèle, ayez une discussion avec un(e) de vos ami(e)s qui veut vous vendre une voiture. Mais c'est une grosse voiture, et vous en voulez une petite. Vous dites à votre ami(e) pourquoi vous ne voulez pas acheter cette voiture.

34 Qu'est-ce que vous trouvez indispensable? ⊗

- une boîte de vitesses automatique ☐
- la direction assistée ☐
- des freins à disques ☐
- la radio ☐
- la modulation de fréquence ☐

- un lecteur de cassettes ☐
- des haut-parleurs stéréo ☐
- des vitres électriques ☐
- des vitres teintées ☐
- un toit ouvrant ☐

35 EXERCICE DE CONVERSATION

Vos parents veulent acheter une voiture et vous demandent votre avis. Vous leur dites ce que vous aimeriez comme voiture. Vous discutez:
1. de la marque. 2. du genre de voiture (break, mini-bus, etc.). 3. de la couleur. 4. de ce que vous trouvez indispensable. 5. des raisons de votre choix.

36 REDACTION

Vos parents viennent d'acheter une voiture. Vous la décrivez dans une lettre à un(e) ami(e). Utilisez l'exercice No 35 comme modèle.

37 Quelques marques de voitures européennes. ⊗

VOITURES FRANÇAISES
Renault   Peugeot   Citroën

VOITURES ANGLAISES
Austin   Rolls-Royce   MG

VOITURES ALLEMANDES
Mercedes   Volkswagen   Porsche

VOITURES ITALIENNES
Fiat   Ferrari   Alfa-Romeo

38 Il faut bien entretenir sa voiture! ⊗

En attendant d'avoir sa propre voiture, Francis utilise celle de son père. Une seule condition : il doit l'entretenir à ses frais° quand il s'en sert.

Il faut qu'il fasse le plein d'essence°, avec du super encore, pas de l'ordinaire!

Il faut qu'il fasse vérifier la pression d'air° dans les pneus.

Il faut qu'il vérifie le niveau° d'huile° et le niveau d'eau dans la batterie.

Enfin, il faut qu'il fasse laver la voiture.

Il est également entendu° que s'il tombe en panne°, il paie pour le dépannage°; s'il a un pneu crevé°, c'est lui qui paie pour la réparation° (ou c'est lui qui le répare lui-même); en un mot, c'est lui qui paie pour tout incident qui arrive lorsqu'il se sert de la voiture.

VOCABULAIRE : **à ses frais** *at his own expense;* **faire le plein d'essence** *to fill up the tank;* **la pression d'air** *air pressure;* **le niveau** *level;* **l'huile** *oil;* **il est entendu** *it is understood;* **tomber en panne** *to break down;* **le dépannage** *towing;* **crevé** *flat;* **une réparation** *repair*

39 A la station-service. ⊗

Imaginez que vous travaillez dans une station-service. Vos camarades jouent le rôle des client(e)s. Vous vous occupez d'eux (d'elles). Par exemple, l'un d'entre eux vous dit :

LE CLIENT   Le plein de super s'il vous plaît!
    VOUS   Je vérifie le niveau d'huile?
LE CLIENT   Oui, s'il vous plaît. Attendez, je vais vous ouvrir le capot…

40 De quels pays viennent ces voitures? ⊙

Si vous regardez les photos de la page 109, vous verrez que la voiture de Francis a une petite plaque ovale avec un F dessus. Cela veut dire que sa voiture est immatriculée en France. Chaque pays a un symbole. On peut donc déterminer facilement d'où vient une certaine voiture en regardant ce symbole. Voici une liste de pays et de leur symbole :

A	l'Autriche (f.)		IRL	l'Irlande (f.)
B	la Belgique		JOR	la Jordanie
BG	la Bulgarie		LY	la Lybie
CH	la Suisse		MA	le Maroc
CN	le Canada		N	la Norvège
CS	la Tchécoslovaquie		NL	les Pays-Bas (m.)
D	l'Allemagne de l'Ouest (f.)		P	le Portugal
DDR	l'Allemagne de l'Est (f.)		PL	la Pologne
DK	le Danemark		R	la Roumanie
DZ	l'Algérie (f.)		S	la Suède
E	l'Espagne (f.)		SF	la Finlande
ET	l'Egypte (f.)		SU	l'U.R.S.S. (f.)
F	la France (f.)		SY·	la Syrie
GB	la Grande-Bretagne		TN	la Tunisie
H	la Hongrie		TR	la Turquie
I	l'Italie (f.)		USA	les Etats-Unis (m.)
IL	Israël (m.)		YU	la Yougoslavie

41 Demandez à vos camarades : ⊙

DDR, qu'est-ce que c'est?   C'est l'Allemagne de l'Est.
Et CS? / Et MA? / Et YU? Etc.

42

NAMES OF COUNTRIES
Review

1. Names of countries are either masculine or feminine. The articles **le, la,** or **les** are usually used with names of countries: Nous avons traversé **la France** en un jour. However, no article is used with **Israël:** Nous avons traversé **Israël** en une matinée.
2. The following chart shows how to express *in, to,* and *from* with names of countries.

	• *Feminine names of countries* • *Masculine names of countries beginning with a vowel sound*	• *Masculine names of countries beginning with a consonant sound* • *Plural names of countries*
IN	Cette voiture est **en France.** Cette voiture est **en Israël.**	Cette voiture est **au Portugal.** Cette voiture est **aux Pays-Bas.**
TO	Cette voiture va **en France.** Cette voiture va **en Israël.**	Cette voiture va **au Portugal.** Cette voiture va **aux Pays-Bas.**
FROM	Cette voiture vient **de France.** Cette voiture vient **d' Israël.**	Cette voiture vient **du Portugal.** Cette voiture vient **des Pays-Bas.**

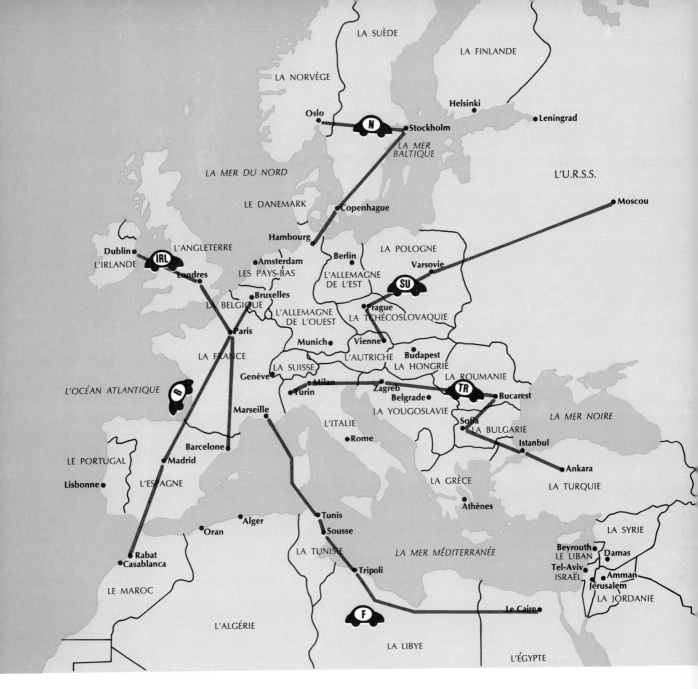

43 Jouons à Interpol. ⊗

Interpol est le nom de la police internationale. Toutes les voitures sur la carte ci-dessus sont recherchées (*wanted*). Vous faites partie d'Interpol, et vous avez la conversation suivante avec un autre membre d'Interpol :

— Nous recherchons la voiture B.
— D'après nos renseignements, elle est en France.
Elle vient de Belgique, et elle va au Maroc en passant par l'Espagne.

Demander maintenant des renseignements sur les autres voitures.

WORD LIST

1–8
une auto-école *driving school*
une boîte de vitesses *transmission*
le code *traffic laws*
un(e) conducteur (–trice) *driver*
une leçon de conduite *driving lesson*
une manœuvre *maneuver*
un moment *moment, time*
un(e) moniteur (–trice) *instructor*
le permis (de conduire) *driver's license*
une route *road*
une vitesse *gear*

démarrer *to start*
dépendre (de) *to depend (on)*
se garer *to park*
se passer *to happen, to take place*
il ne se passe rien de très excitant *nothing very exciting happens*
répéter *to do again*
suivre un cours *to take a course*

ça fait bien *it looks good*

automatique *automatic*
confortable *comfortable*
excitant, –e *exciting*
futur, –e *future*
manuel, –elle *manual*

à *with*

à double commande *with dual controls*
à grande circulation *with a lot of traffic*
en côte *uphill*

9–19
l'accélérateur (m.) *accelerator*
un break *station wagon*
un camion *truck*
un car *coach, bus*
un(e) cycliste *cyclist*
un frein *brake*
le frein à main *hand brake*
un mini-bus *minibus*
un(e) motocycliste *motorcyclist*
un piéton *pedestrian*
le point mort *neutral*
un véhicule *vehicle*
un virage *turn*
une voiture de sport *sports car*

accélérer (like préférer) *to step on the gas*
caler *to stall*
se calmer *to calm down*
débrayer (like essayer) *to put in the clutch*
desserrer *to release*
doubler *to pass*
écraser *to run over*
embrayer (like essayer) *to let up the clutch*
s'énerver *to get excited*
érafler *to scratch*
faire un démarrage *to start (a car)*
freiner *to brake*
passer *to shift*
passer en (première) *to go into (first gear)*
respecter *to respect, to follow*

nerveux, –euse *nervous*
prudent, –e *careful*

légèrement *slightly*

ça va marcher *it will work*
ce n'est pas en vous énervant *it's not by getting excited*
en se garant *while he was parking*
en voulant freiner *while he was trying to brake*
(il a) failli *(he) almost*
tout en accélérant *while you step on the gas*

aïe! *oh dear!*

20–39
une bagnole *car*
une carrosserie *body (of a car)*
un détail *detail*
la direction assistée *power steering*
l'essence (f.) *gasoline*
l'état (m.) *condition*
des freins à disques *disc brakes*
un lecteur de cassettes *cassette player*
une marque *brand, make*
un mécanicien *mechanic*
la modulation de fréquence *FM radio*
un moteur *engine*
une révision *tuneup*
un toit *roof*
un toit ouvrant *sun roof*
une vitre *window, glass*

avoir des pépins *to have trouble*
consommer *to consume, to use*
entretenir (like venir) *to take care of*
partir en vacances *to leave on vacation*
passer un coup de fil *to telephone*
promettre (like mettre) *to promise*
réaliser *to realize*
retaper *to rebuild the inside and outside, to fix completely*
revendre *to sell*

nerveux, –euse *with a good pickup*
neuf, neuve *new*
teinté, –e *tinted*

Ça consomme combien de litres aux 100? *How many miles does it get to a gallon?*
Ça ne consomme pas beaucoup d'essence. *It gets good mileage.*
d'occasion *used, secondhand*

40–43
l'Algérie (f.) *Algeria*
l'Autriche (f.) *Austria*
la Bulgarie *Bulgaria*
le Danemark *Denmark*
l'Egypte (f.) *Egypt*
la Finlande *Finland*
la Grande-Bretagne *Great Britain*
la Hongrie *Hungary*
la Jordanie *Jordan*

la Libye *Libya*
la Norvège *Norway*
les Pays-Bas (m.) *Netherlands*
la Pologne *Poland*
la Roumanie *Romania*
la Suède *Sweden*
la Syrie *Syria*
la Tchécoslovaquie *Czechoslovakia*
la Yougoslavie *Yugoslavia*

une plaque *plaque*
un symbole *symbol*

déterminer *to determine*

immatriculé, –e *registered*

32
CARNAVAL A QUEBEC

Le Saint-Laurent est gelé quatre mois par an.

1 Québec et le Carnaval. ⊗

A la fin du mois de janvier Québec est enfouie sous la neige et la glace. Le Saint-Laurent est presque complètement gelé, et tous les jours, les brise-glace doivent ouvrir un chenal pour permettre aux navires qui viennent de l'Atlantique de remonter jusqu'aux Grands Lacs. Les Québécois sont fatigués de se battre continuellement contre la neige et le froid.Ils rêvent de soleil, de ciel bleu, de chaleur et surtout, d'un peu de « fun ». Ils sont alors prêts à célébrer le Carnaval.

La nuit dernière, il y a eu une tempête : il soufflait un vent glacial, et il est tombé plus d'un mètre de neige.

Les chasse-neige sont passés dans la rue Saint-Louis.

Même la statue de Samuel de Champlain (1567-1635), fondateur de Québec, est couverte de neige.

Mais dans les petites rues, la neige n'a pas encore été déblayée.

Le Carnaval de Québec a lieu chaque année en février. Pendant dix jours, Bonhomme Carnaval est partout. Bonhomme Carnaval a sa rue — la rue du Carnaval; sa place — la place Carnaval; son palais — le Palais de Glace; sa Reine et ses Duchesses — sept jolies filles représentant les sept divisions de la ville de Québec. Tous les gens de Québec, jeunes et vieux, participent joyeusement à la fête, et des milliers de visiteurs, venus de toute la province, se joignent à eux pour célébrer le Carnaval.

6

Bonhomme Carnaval est suspendu dans la rue.

8

La place Carnaval et le Palais de Glace.

7

Bonhomme Carnaval est même sur les ponts.

9

Le palais et les sculptures de glace.

La patinoire du Château Frontenac.

10 11

Le toboggan de la place Carnaval.

2 Répondez aux questions.

1. Comment est Québec à la fin du mois de janvier? Et le Saint-Laurent?
2. Que doivent faire les brise-glace?
3. De quoi les Québécois sont-ils fatigués à la fin du mois de janvier? De quoi rêvent-ils?
4. Qu'est-ce qu'ils sont prêts à célébrer?
5. Quand a lieu le Carnaval? Pendant combien de temps?
6. Qui est partout pendant le Carnaval?
7. Qui participe au Carnaval?

3 Regardons les photos de la page 114.

Photo No 1 : C'est le Vieux Québec et le Château Frontenac, vus du Saint-Laurent. Comment est le Saint-Laurent? Pendant combien de temps par an?

Photo No 2 : C'est la terrasse Dufferin, devant le Château Frontenac. Combien de neige est tombée la nuit dernière?

Photo No 3 : Qui est Samuel de Champlain? En quelle année est-il né? En quelle année est-il mort *(did he die)*?

Photo No 4 : Il n'y a plus beaucoup de neige. Pourquoi?

Photo No 5 : Il y a encore beaucoup de neige. Pourquoi?

4 EXERCICE ORAL ⊙

5 Là où vous habitez.

1. Quel temps fait-il en hiver là où vous habitez?
2. Est-ce qu'il fait très froid? Combien fait-il en général? Quelle est la température la plus basse qu'il ait fait?
3. Combien est-ce qu'il y a de neige, quelques centimètres ou plusieurs mètres?
4. Est-ce qu'il faut des chasse-neige pour déblayer les rues? Combien de temps est-ce qu'ils mettent pour déblayer les rues?

6 Québec et ses environs. ⊙

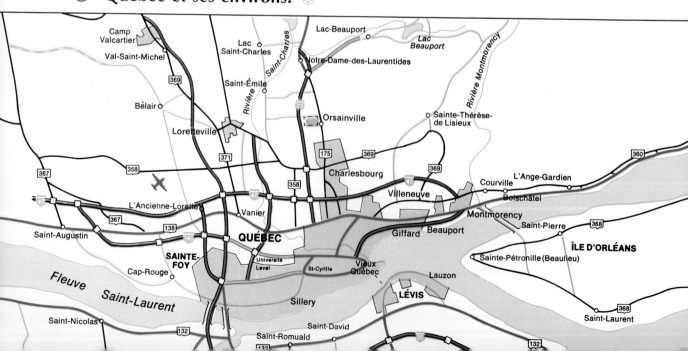

7 Le Programme des réjouissances.

Lucie Giroux est étudiante au CEGEP (Collège d'Enseignement Général et Professionnel) de Sainte-Foy, près de Québec. En même temps, pour se faire un peu d'argent, elle travaille à la Maison du Beigne tous les soirs pendant la semaine. Ce vendredi soir, son ami Robert est venu la retrouver après le travail. Ils mangent un beigne et prennent un café tout en discutant de ce qu'ils veulent faire pendant ce dernier week-end du Carnaval.

LUCIE Tu sais ce que j'aimerais vraiment? C'est aller demain à la glissoire de la Chute Montmorency.

ROBERT Mais c'est pour les enfants, ça!

LUCIE C'est vrai, mais la glissoire sur le Pain de Sucre est certainement pour les adultes.

ROBERT Bon, si tu veux, mais c'est bien pour te faire plaisir! Moi, ce que j'ai envie de faire, c'est d'aller voir la course de canots sur le Saint-Laurent dimanche.

LUCIE J'espère tout de même que tu veux voir le défilé et le feu d'artifice demain soir!

ROBERT Tu es sûre que tu veux y aller? Il va y avoir un monde fou...

LUCIE Mais, c'est précisément ce que j'aime, moi, le monde, les gens qui s'amusent...

ROBERT Et puis, on va geler pendant le défilé!

LUCIE Après, on ira danser place Carnaval... Ça nous réchauffera!

ROBERT Autrement dit, tu as tout prévu... Regardons le programme pour mettre ça au point.

SAMEDI 12 FÉVRIER

8h00: Compétition de ballon-balai, Centre Sportif Marcel Bédard, Beauport. Jour et nuit.

8h00 à minuit: Tournoi nord-américain de hockey olympique du Carnaval, Aréna de Ville Vanier.

8h30 à 21h00: Tournoi international de hockey Pee-Wee, Colisée de Québec.

10h00 à 16h00: Descente sur le Pain de Sucre, Chute Montmorency.

12h30: Championnat de l'Est du Canada de ski style libre (ballet acrobatique), Le Relais, Lac Beauport.

13h00: Défilé des canots.

13h00: Compétition de véhicules 4 × 4 sur la Rivière St-Charles.

13h00: Compétition des coupeurs de bois, Place Carnaval.

20h00: Défilé de nuit, départ de l'Université Laval.

22h00: Feu d'artifice après le défilé, Place Carnaval.

22h30: Danses populaires, Place Carnaval.

DIMANCHE 13 FÉVRIER

Compétition de ballon-balai, Centre Sportif Marcel Bédard, Beauport. Ce tournoi se termine à 22h00.

8h00 à minuit: Tournoi nord-américain de hockey olympique du Carnaval, Aréna de Ville Vanier.

8h30 à 21h00: Tournoi international de hockey Pee-Wee, Colisée de Québec.

10h00 à 16h00: Randonnée du Bonhomme (ski de fond et raquettes), club de golf Lorette.

12h30: Championnat de l'Est du Canada de ski style libre (sauts acrobatiques) Le Relais, Lac, Beauport.

14h00: Spectacle aérien au-dessus du fleuve St-Laurent.

14h30: Course de canots à travers les glaces du fleuve St-Laurent, entre Québec et Lévis.

15h00 à 20h00: Exposition des chars, Place Carnaval.

20h00: Clôture du Carnaval. Tirage des prix de l'effigie du Bonhomme Carnaval. Place Carnaval.

21h00: Feu d'artifice Place Carnaval.

VOCABULAIRE DU PROGRAMME : **le ballon-balai** *broomball (form of ice hockey);* **un tournoi** *tournament;* **un coupeur de bois** *lumberjack;* **départ de** *leaving from;* **se terminer** *to end;* **une randonnée** *excursion;* **ski de fond** *cross-country skiing;* **une raquette** *snowshoe;* **aérien** *aerial;* **un fleuve** *river;* **à travers** *across;* **les glaces** *ice floes;* **une exposition** *exhibit;* **un char** *(carnival) float;* **la clôture** *end;* **le tirage** *drawing;* **un prix** *prize*

8 **Répondez aux questions.**

1. Où est-ce que Lucie est étudiante? Qu'est-ce qu'elle fait pour se faire un peu d'argent?
2. Qui vient la retrouver après le travail ce vendredi soir? De quoi discutent-ils?
3. Qu'est-ce que Lucie voudrait faire samedi?
4. Est-ce que Robert est d'accord? Qu'est-ce qu'il a envie de faire dimanche?
5. Qu'est-ce que Lucie a prévu pour samedi soir? Ça plaît à Robert? Pourquoi?

9 **EXERCICE ORAL** ⊗

10 # FROM ADJECTIVE TO ADVERB

1. You know that words like **joyeusement,** *joyously,* or **vraiment,** *really,* are adverbs and that such adverbs are formed by adding **-ment** to the feminine form of the adjective — **joyeuse / joyeusement** — or to the written masculine singular form of the adjective if it ends in a vowel — **vrai / vraiment.**

Adjectives		+ **-ment**	Adverbs
Masculine	Feminine		
	joyeuse	+ -ment	**joyeusement**
vrai		+ -ment	**vraiment**

Some adverbs, like **énormément** or **précisément,** have an acute accent that is not present in the adjectives they are formed from: **énorme / énormément, précise / précisément.**

2. When the masculine singular form of an adjective ends in **-ent** or **-ant,** the adverb is formed by substituting the endings **-emment** and **-amment** for **-ent** and **-ant** : **intelligent / intelligemment, brillant / brillamment. Lentement,** from **lent,** is an exception to this rule, and it follows the basic pattern : **lente / lentement.**

3. Finally, many other adverbs not only do not follow any of the above patterns, but also do not end in **-ment.** Some you know are : **bien, mal, trop, peu, près, loin, tôt, tard, vite.**

11 ## Il est comment, Bonhomme Carnaval? ⊗

Il est joyeux quand il chante?   Oui, il chante joyeusement.
Il est énergique quand il joue au hockey?
Il est rapide quand il court?
Il est gracieux quand il danse?

12 ## EXERCICE ECRIT

Complétez les phrases suivantes en utilisant les adverbes qui correspondent aux adjectifs donnés entre parenthèses.
Exemple : (continuel) L'hiver à Québec, il neige _____.
           L'hiver à Québec, il neige continuellement.
1. (complet) Le Saint-Laurent gèle _____. 2. (lent) Les brise-glace doivent ouvrir _____ un chenal. 3. (rapide) Les navires remontent _____ le fleuve. 4. (brillant) En février, Québec célèbre _____ le Carnaval. 5. (joyeux) Les Québécois y participent tous _____.
6. (énorme) Pendant dix jours, jeunes et vieux s'amusent _____.

13 A la Chute Montmorency. ⊗

Samedi matin, Lucie et Robert sont arrivés de bonne heure à la Chute Montmorency, et ils se sont d'abord bien amusés à regarder les autres faire des glissades. Puis ils sont montés en haut de la grande glissoire du Pain de Sucre. Les voilà là-haut.

1   2

Lucie s'est lancée en avant la première.

La pente est si raide et Lucie si légère qu'elle semble voler sur son tapis de plastique! Elle est en bas de la pente en quelques secondes!

3

C'est maintenant au tour de Robert, resté en arrière, de se lancer sur la glissoire. Le voilà parti. Il fonce, et glisse à une vitesse folle. « Attention à la bosse! Tu vas te casser la figure! » lui crie Lucie. Trop tard! Robert a sauté sur la bosse, et s'est arrêté brusquement... tout étourdi.

4

14 Qu'est-ce qu'on peut faire en hiver? ⊗

On peut faire
de la motoneige.

On peut faire de
la luge.

On peut faire
du ski de fond.

On peut se battre
à coups de boules de neige.

On peut se promener
en traîneau.

On peut faire du
patin à glace.

On peut faire
un bonhomme
de neige.

On peut faire de la raquette.

15 Répondez aux questions.

1. Quand Lucie et Robert sont-ils arrivés à la chute?
2. Qu'est-ce qu'ils ont fait d'abord?
3. Qu'est-ce qu'ils ont fait ensuite? Qui s'est lancé en premier?
4. Qu'est-ce que Lucie semble faire sur son tapis en plastique? Pourquoi?
5. Et Robert, comment part-il? Qu'est-ce que Lucie lui crie?
6. Comment s'est-il arrêté?

16 EXERCICE ORAL ⊗

17 Et vous?

1. Est-ce que vous aimez l'hiver? Pourquoi?
2. Qu'est-ce que vous aimez faire en hiver?
3. Quéls sports d'hiver peut-on faire là où vous habitez?
4. Quels sports d'hiver avez-vous déjà faits? Où?
5. Est-ce que vous avez déjà vu un championnat? De quel sport d'hiver?
6. Quel sport d'hiver aimeriez-vous faire?

18 POSITION OF ADVERBS

1. When the verb form is in a simple tense—like the present or the imparfait, for example—the adverb usually follows the verb form. ⊗

Ils glissent	**bien.**
Ils glissaient	**lentement.**
Ils glisseront	**prudemment.**

2. When the verb form is in a compound tense, such as the passé composé, most adverbs can occur either before or after the past participle, depending on what the speaker wishes to stress.

Elle a glissé	**rapidement.**	Elle a	**rapidement**	glissé.
Il a freiné	**brusquement.**	Il a	**brusquement**	freiné.

a. However, some adverbs, like adverbs of place and time, occur only after the past participle, never before.

Robert est resté	**ici.**
	là(-bas).
	en avant.
	en arrière.
Lucie est arrivée	**de bonne heure.**
	en avance.
	en retard.
	tôt.

b. Other adverbs, like the ones listed below, occur most often before the past participle.

Lucie a	**bien** **trop** **assez** **beaucoup** **déjà** **encore** **souvent**	glissé.
Robert est	**presque** **peut-être** **sûrement** **probablement** **certainement** **vraiment**	tombé.

Note that in a negative construction the adverbs on the top part of the chart are placed after the second negative word (**pas, plus, jamais, rien**) :

Elle ne skie	**pas**	**bien.**	
Elle n'a	**jamais**	**beaucoup**	aimé ce sport.

And the adverbs on the bottom part of the chart are placed before the second negative word (**pas, plus, jamais, rien**) :

Il n'aime	**probablement**	**pas**	ce sport.
Il n'a	**peut-être**	**jamais**	essayé.

19 Ça dépend des hivers. ⊗

La chute gèle complètement?   L'hiver dernier, elle a gelé complètement.
La rivière gèle brusquement?
Il neige continuellement?
Il pleut énormément?

20 A la glissoire. ⊗

Robert est là-haut?   Oui, il est monté là-haut.
Il est là-bas? / Il est en avant? / Il est derrière? / Il est ici?

21 Regardez le garçon en rouge! ⊗

Il part toujours le premier.   C'est vrai. Il est encore parti le premier!
Il freine toujours trop tôt.
Il rentre toujours dans un arbre.
Il tombe toujours sur la bosse.
Il se casse toujours la figure.

22 Le moniteur de ski m'a dit : ⊗

Lance-toi courageusement!
Pars lentement!
Glisse prudemment!
Freine bien!
Fonce immédiatement!
Tourne plus rapidement!
Démarre vite!
Arrête-toi doucement!

Et je me suis lancé(e) courageusement.

23 Tout le monde n'aime pas faire des glissades. ⊗

Tu aimes certainement faire des glissades.
Tu vas peut-être t'amuser.
Tu vas probablement rencontrer des gens.
Tu vas sûrement te faire des amis.

Certainement pas!

24 En revenant de la glissoire. ⊗

Tu t'es bien amusé(e)?

Tu as beaucoup glissé? / Tu t'es vraiment ennuyé(e)? / Tu es souvent tombé(e)?

Non, je ne me suis pas bien amusé(e).

25 Dites le contraire. ⊗

C'est près.
Il skie bien.
Nous sommes arrivés tôt.
Je vous attends en haut.
Il freine toujours doucement.
Lucie est devant.
Vous êtes toujours en avance.

C'est loin.

26 EXERCICE DE COMPREHENSION ⊗

	0	1	2	3	4	5	6	7	8	9	10
A											
B	√										

27 EXERCICE ECRIT

Récrivez le paragraphe suivant en utilisant les adverbes **courageusement, d'abord, prudemment, doucement, bien, immédiatement, ensuite, finalement.**
Hier, j'ai emmené ma petite sœur Céline faire sa première glissade à la Chute Montmorency. Nous sommes montés jusqu'en haut de la glissoire. Nous nous sommes lancés en avant. Nous avons foncé à une vitesse folle, et j'ai freiné parce que Céline avait peur. Nous sommes passés sur une grosse bosse, et nous sommes arrivés en bas de la pente. Céline s'est amusée, et elle a voulu recommencer!

28 Au défilé. ⊗

Samedi soir, avant d'aller au défilé, Robert et Lucie vont faire du patin sur la patinoire du Château Frontenac. Bien entendu, Bonhomme Carnaval est là aussi. La patinoire est pleine de gens qui s'amusent à le poursuivre.

LUCIE   Dis donc, c'est à quelle heure le défilé?

ROBERT   Je ne sais pas. Je crois que c'est à huit heures.

LUCIE   Alors il faut y aller tout de suite, sinon on ne va pas pouvoir voir quoi que ce soit.

Tout le monde va au défilé. Les jeunes manifestent bruyamment leur joie en soufflant dans des sifflets et dans des trompettes. Ils jettent des confettis et des serpentins en l'air.

Lucie et Robert se joignent à la foule des Québécois qui se pressent le long de l'avenue Saint-Cyrille pour voir passer le défilé. « Ne poussez pas comme ça! Il y a de la place pour tout le monde! » crie une voix. On entend la musique d'une fanfare au loin. « Les voilà! Ils arrivent! » Et le défilé commence avec une fanfare d'écoliers en tête.

Bonhomme Carnaval suit de près. « Bravo pour Bonhomme Carnaval! »

Puis viennent les chars! Une barque nordique pleine de Vikings.

Un grand dragon ailé!

Une troupe de bouffons avec de grosses têtes en carton pâte.

Puis vient le char de la Reine et des Duchesses. « Qu'elles sont belles! Vive la Reine! Vive le Carnaval! » Des feux d'artifice éclatent dans toute la ville.

29 **Répondez aux questions.**

1. Que font Lucie et Robert avant d'aller au défilé?
2. Qui est là aussi?
3. Que font les gens à la patinoire?
4. A quelle heure est le défilé?
5. Que font les jeunes?
6. Qu'est-ce qu'on entend au loin?
7. Qu'est-ce qu'il y a en tête du défilé?
8. Décrivez les chars qui suivent.
9. Que crie la foule quand la Reine et les Duchesses passent?
10. Qu'est-ce qui éclate partout dans la ville?

30 **EXERCICE ORAL** ☺

31 **Vous êtes au défilé du Carnaval.** ☺

Vous trouvez les chars beaux.   Qu'ils sont beaux!
Vous trouvez les bouffons drôles.
Vous trouvez les Vikings grands.
Vous trouvez la Reine élégante.
Vous trouvez les Duchesses jolies.
Vous trouvez Bonhomme Carnaval amusant.

32   **THE VERB croire**

1. The following are the present-tense forms of the verb **croire,** *to think, to believe.* ☺

Je	**crois**	que c'est à 8 h.	Nous	**croyons**	que c'est à 8 h.
Tu	**crois**	que c'est à 8 h.	Vous	**croyez**	que c'est à 8 h.
Il / Elle	**croit**	que c'est à 8 h.	Ils / Elles	**croient**	que c'est à 8 h.

2. The past participle of **croire** is **cru: Ils ne m'ont pas cru.**

33 **A quelle heure est le défilé?** ☺

Je ne sais pas exactement.   Je crois que c'est à 9 h.
Elle ne sait pas exactement.
Nous ne savons pas exactement.
Ils ne savent pas exactement.

34 **Il ne faut pas croire tout ce qu'il dit.** ☺

Il m'a dit que je serais Reine.   Et tu l'as cru?
Il a dit à Robert qu'il serait Roi.
Il nous a dit que nous serions les plus belles.
Il a dit aux filles qu'elles seraient Duchesses.

35 **EXERCICE DE CONVERSATION**

Vous décrivez une fête à laquelle vous êtes allé(e).
1. Vous dites où, quand et avec qui vous êtes allé(e) à cette fête.
2. Vous dites qu'il y a eu un défilé, et vous le décrivez (fanfare, chars, etc.).
3. Vous dites s'il y avait une loterie et des manèges.
4. Vous parlez de ce que vous avez mangé.
5. Vous décrivez ce que vous avez fait d'autre à cette fête.
6. Vous racontez enfin comment vous avez rencontré des gens sympathiques.

36 **REDACTION**

Une grande fête d'hiver vient d'avoir lieu dans votre ville (région). Vous écrivez un article sur cette fête. Si possible, illustrez votre article avec des photos, des cartes postales ou des dessins. N'oubliez pas d'écrire aussi le programme de la fête.

37 **Que d'exclamations!** ⊗

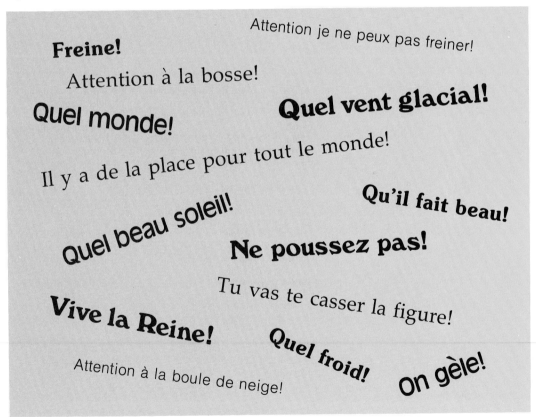

Freine!

Attention je ne peux pas freiner!

Attention à la bosse!

Quel monde!

Quel vent glacial!

Il y a de la place pour tout le monde!

Quel beau soleil!

Qu'il fait beau!

Ne poussez pas!

Tu vas te casser la figure!

Vive la Reine!

Quel froid!

On gèle!

Attention à la boule de neige!

38 **Histoire en chaîne.**

Choisissez une exclamation. L'un de vous commence une histoire. Vous la continuez chacun à votre tour en incorporant l'exclamation que vous avez choisie.

1–12

l'Atlantique (m.) *Atlantic Ocean*
un brise-glace (pl.: brise-glace) *icebreaker*
un carnaval *carnival*
la chaleur *warmth*
un chasse-neige (pl.: **chasse-neige**) *snowplow*
un chenal *passageway*
une chute *fall*
le ciel *sky*
un défilé *parade*
une division *section*
une duchesse *duchess*
un(e) étudiant(e) *(university) student*
une fête *festival*
un feu d'artifice *fireworks*
un fondateur *founder*
le froid *cold*
la glace *ice*
une glissoire *slide*
le monde *crowd*
un navire *ship*
un pain de sucre *sugar loaf*
le programme *program, schedule*
la province *province*

un(e) Québécois(e) *person from Quebec*
les réjouissances *festivities*
le Saint-Laurent *Saint Lawrence River*
un toboggan *toboggan*
un(e) visiteur (–euse) *visitor*

avoir envie de *to feel like*
se battre contre *to struggle with*
célébrer (like **préférer**) *to celebrate*
se faire *to make*
geler (like **acheter**) *to freeze*
mettre au point *to set straight*
remonter *to go up*
représenter *to represent*
souffler *to blow*
suspendre *to hang*

ils se joignent à *they join*

déblayé, –e *removed, cleared away*
enfoui, –e *buried*
gelé, –e *frozen*
glacial, –e *icy*
professionnel, –elle *professional*

complètement *completely*
joyeusement *merrily*
même *even*
précisément *precisely*

autrement dit *in other words*
il est tombé plus d'un mètre de neige *more than a meter of snow fell*
il va y avoir un monde fou *there will be a lot of people*

13–27

une bosse *bump*
une boule (de neige) *(snow)ball*
le plastique *plastic*
un traîneau *sleigh*

se battre à coups de boules de neige *to have a snowball fight*
se casser la figure *to break one's neck*
crier *to shout*
faire de la luge *to go sledding*
faire de la motoneige *to ride a snowmobile*
faire de la raquette *to go snowshoeing*
faire des glissades *to go sliding*
faire du patin à glace *to ice-skate*
faire du ski de fond *to go cross-country skiing*
faire un bonhomme de neige *to build a snowman*
foncer (like **commencer**) *to dash*
glisser *to slide*
se lancer (like **commencer**) *to lunge*

étourdi, –e *stunned, dazed*
raide *steep*

brusquement *suddenly*
de bonne heure *early*
en avant *forward*
en bas *at the bottom*
là-haut *up on top*
si *so*
tout *completely*

attention (à) *look out (for)*
à une vitesse folle *at an incredible speed*
(le, la, les) voilà parti(e)(s) *there (he, she, they) go*
resté(e) en arrière *having stayed behind*

28–38

une barque *ship*
un bouffon *clown*
le carton pâte *pasteboard*
un char *float*
un confetti *confetti*
un dragon *dragon*
un(e) écolier (–ière) *schoolboy, schoolgirl*
une fanfare *brass band*
la foule *crowd*
un serpentin *streamer*
un sifflet *whistle*
un Viking *Viking*

croire *to think, to believe*
éclater *to go off*
manifester *to display*
se presser *to press, to crowd*

ailé, –e *winged*
nordique *Nordic*

bruyamment *noisily*

au loin *far away*
de près *closely*
en l'air *in the air*
en tête *in front, headed by*
le long de *along*
quoi que ce soit *anything*
Vive…! *Long live…!*

French in the Americas

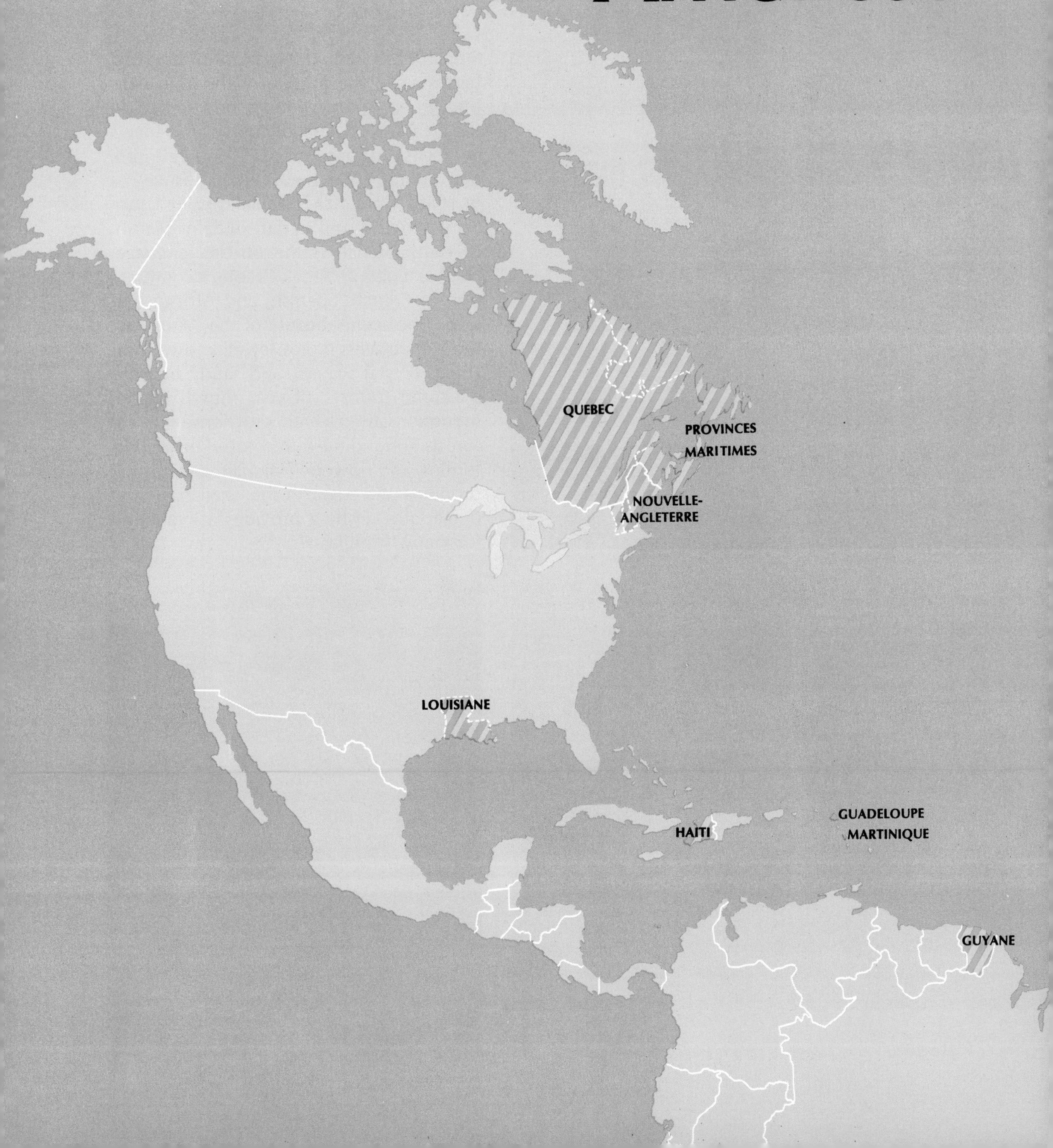

QUEBEC

PROVINCES
MARITIMES

NOUVELLE-
ANGLETERRE

LOUISIANE

HAITI

GUADELOUPE
MARTINIQUE

GUYANE

French has been widely used in the West Indies since the middle of the 17th century when French people first settled in the area. It is spoken, of course, in France's overseas "départements"—Guadeloupe, Martinique, and French Guiana—as well as in Haiti, Dominica, Grenada, Saint Lucia, Saint Vincent, and in part of Saint Martin. In Haiti, French is the official language, but most people speak Creole, a combination of French, Spanish, and African dialects. The scenic beauty of the "Antilles," the French West Indies, is well known: sunshine, crystal waters, and sandy beaches welcome tourists all year round. Inland, mountains are covered with dense tropical forests abounding with colorful birds, butterflies, and flowers. The main agricultural products are sugar cane, bananas, and pineapples. Fishing provides a livelihood for many "Antillais."

Plate 10

5

6

7

8

The "Antillais" are hospitable people who are always happy to talk about their islands' past and future. They are also very proud of their folklore and arts: painting, music, and dance are an important part of everyday life.

9

The greatest concentration of French-speaking people in the Americas is in Canada, in the province of Québec, where most of the six million French Canadians live. The rest live outside of Québec in the Maritime Provinces, in northern Ontario, and in small communities scattered throughout the Canadian plains.

Thanks to their concentrated number and the will to preserve their French identity, the Québecois have been able to keep and enrich their French heritage, which is truly their own within the French-speaking world.

Montréal (pop. 3 million), the largest city in Canada, and, after Paris, the second largest French-speaking city in the world, is an outstanding example of this French culture "à la mode d'Amérique." With its modern skyscrapers and endless linear avenues, Montréal looks like any other city in North America.

Plate 12

5

6

7

But the life style of most "Montréalais" is definitely "French": they speak French, listen to French-speaking radio stations, watch French-speaking TV, eat French food, take the "métro," and so on.

Not all Québecois live in cities like Montréal and Québec, of course. Half of them live in small towns and villages where they have successfully preserved the way of life of their ancestors.

8

Louisiana

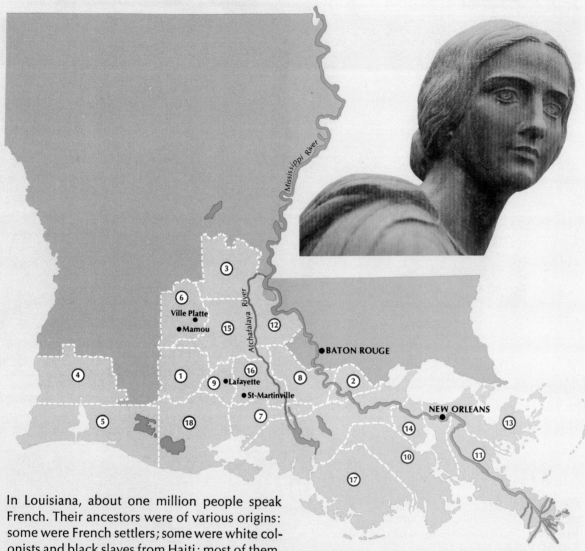

Mississippi River

③

⑥
●Ville Platte
●Mamou ⑮ ⑫

Atchafalaya River

●BATON ROUGE

④ ① ⑯ ⑧ ②
⑨ ●Lafayette
●St-Martinville
NEW ORLEANS●

⑤ ⑦ ⑬

⑱ ⑭

⑩ ⑪

⑰

In Louisiana, about one million people speak French. Their ancestors were of various origins: some were French settlers; some were white colonists and black slaves from Haiti; most of them, however, were from Acadia (now Nova Scotia and New Brunswick), which the British forced them to leave. The plight of the Acadians, known nowadays as "Cajuns," was movingly told by Longfellow in his poem about Evangéline, a young Acadian girl who lost her fiancé in the great move from Acadia to Louisiana. Most of the French-speaking people of Louisiana live in the southern part of the state, called Acadiana. There, many names, such as those of counties, are reminders of the French cultural heritage. The map above shows the counties of Acadiana: 1 Acadia; 2 Ascension; 3 Avoyelles; 4 Calcasieu; 5 Cameron; 6 Evangeline; 7 Iberia; 8 Iberville; 9 Lafayette; 10 Lafourche; 11 Plaquemines; 12 Pointe coupee; 13 St-Bernard; 14 St-Charles; 15 St-Landry; 16 St-Martin; 17 Terrebonne; 18 Vermilion.

Cajuns have traditionally been farmers and fishermen along the bayous of southern Louisiana, but now, many are involved in the development of the state's new oil industry. The new-found prosperity that goes with it, has not, however, induced the Cajuns to abandon their cultural heritage. They cherish it more than ever and are trying to strengthen it by having cultural exchanges with France and Québec.

Plate 15

There are some 400,000 French-speaking people living in New England (la Nouvelle-Angleterre). They are people who have immigrated from Québec, or whose parents have immigrated from Québec. These people are very proud of their French Canadian heritage, and in spite of the fact that they live in an "English-speaking sea," they have been remarkably successful in preserving the language and traditions of their ancestors.

Plate 16

33
LES METIERS

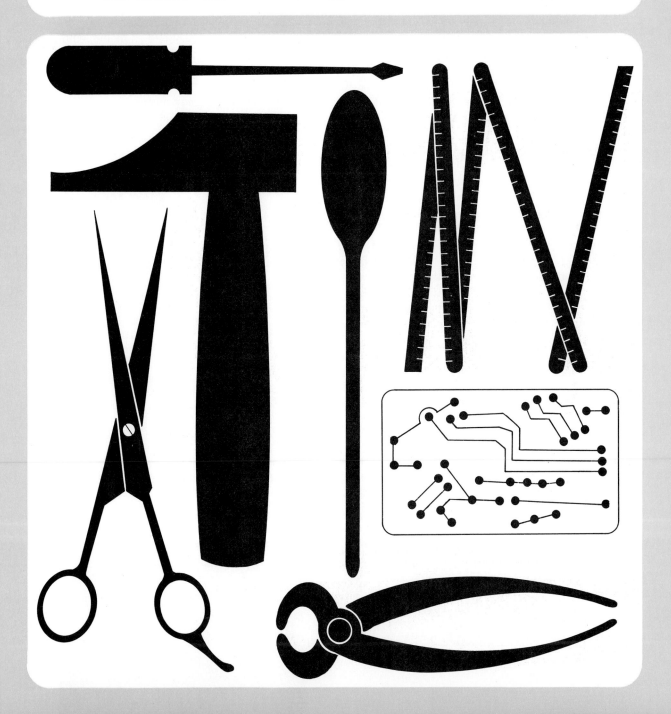

1 Les Apprentis. ⊗

Voici quelques métiers que l'on peut apprendre en commençant comme apprenti:

boulanger	peintre en bâtiment	plombier
charcutier	menuisier	serrurier
cuisinier	mécanicien	cordonnier
maçon	électricien	bijoutier

Beaucoup de jeunes, qu'ils soient français ou suisses, deviennent apprentis pour apprendre un métier. Leur apprentissage dure entre deux et quatre ans. Ils doivent suivre en même temps des cours d'enseignement général et technique. Ils reçoivent un salaire qui au début est inférieur au salaire minimum et augmente progressivement. A la fin de leur apprentissage, ils passent un examen, le CAP en France (Certificat d'Aptitude Professionnelle) ou le CFC en Suisse (Certificat Fédéral de Capacité). Ce certificat leur permet de commencer à exercer le métier qu'ils ont choisi.

2 Patrick apprend un travail manuel. ⊗

Patrick Monney est suisse. Il veut être menuisier. Depuis un an, il va à l'Ecole des Métiers à Lausanne; après trois ans d'école, il va essayer d'obtenir son CFC de menuisier.

C'est à l'atelier qu'il passe une bonne partie de ses journées. Il apprend à travailler le bois, bien sûr, mais aussi les métaux. Il fabrique de nombreux objets en suivant les croquis et les instructions qu'on lui a donnés en cours de théorie. Ces instructions lui indiquent quels outils il doit utiliser, sur quelles machines il doit travailler, quelles opérations il doit faire et dans quel ordre il doit les faire.

Voilà Patrick à l'atelier. Il travaille à l'établi.

Il est en train de fabriquer une boîte pour y ranger un tournevis.

3 Répondez aux questions.

1. Citez quelques métiers.
2. Comment est-ce que beaucoup de jeunes Français apprennent leur métier?
3. Combien de temps dure leur apprentissage?
4. Est-ce qu'ils sont payés?
5. Qu'est-ce qu'ils passent à la fin de leur apprentissage?
6. Que veut faire Patrick?
7. A quelle école va-t-il? Combien de temps va-t-il y rester?
8. Qu'est-ce qu'il apprend à travailler?
9. Qu'est-ce qu'il suit pour fabriquer ces objets?
10. Que lui indiquent ces instructions?

4 Et vous?

1. Est-ce que vous connaissez des apprentis? Quel métier apprennent-ils?
2. Combien de temps dure leur apprentissage?
3. Est-ce qu'ils doivent suivre des cours d'enseignement général pendant qu'ils travaillent?
4. Est-ce que les apprentis reçoivent le salaire minimum?
5. Quel métier vous plairait? Pourquoi?

5 Quelques outils. ⊗

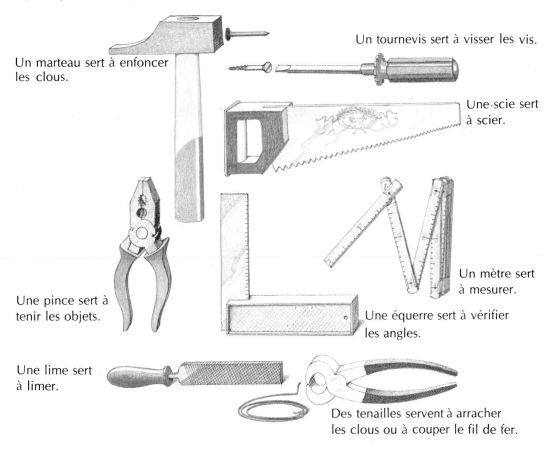

Un marteau sert à enfoncer les clous.

Un tournevis sert à visser les vis.

Une scie sert à scier.

Une pince sert à tenir les objets.

Un mètre sert à mesurer.

Une équerre sert à vérifier les angles.

Une lime sert à limer.

Des tenailles servent à arracher les clous ou à couper le fil de fer.

6   **EXERCICE ORAL** ⊗

7   **Vrai ou faux?** ⊗

On mesure avec un tournevis.   C'est faux! On mesure avec un mètre.
On coupe le fil de fer avec une scie.
On enfonce les clous avec un marteau.
On tient les objets avec des vis.
On vérifie les angles avec une équerre.
On visse les vis avec une pince.
On arrache les clous avec des tenailles.
On scie avec un marteau.
On lime avec une scie.

8   # THE VERB devoir

1. The following chart gives the present-tense forms of the verb **devoir**, *to have to, must.* ⊗

Je	**dois**	travailler.	Nous	**devons**	travailler.
Tu	**dois**	travailler.	Vous	**devez**	travailler.
Il / Elle	**doit**	travailler.	Ils / Elles	**doivent**	travailler.

2. a. The past participle of **devoir** is **dû: J'ai dû travailler tard.**
   b. The future tense of **devoir** is: **je devrai, tu devras,** etc.
3. In the conditional, the English equivalent of **devoir** is *should, ought to.*
        Tu **devrais** suivre les instructions.   *You should follow the instructions.*

9   **Les élèves vont fabriquer un tournevis.** ⊗

Qu'est-ce qu'il faut que je fasse?   Tu dois suivre les instructions.
Qu'est-ce qu'il faut que nous fassions?
Qu'est-ce qu'il faut que Patrick fasse?
Qu'est-ce qu'il faut que ses camarades fassent?

10   **Cette machine ne marche pas!** ⊗

Je ne peux pas faire mon travail.   Tu devrais essayer une autre machine!
Vous ne pouvez pas faire votre travail.
Patrick ne peut pas faire son travail.
Ses camarades ne peuvent pas faire leur travail.

11   **Maintenant la machine marche!** ⊗

Qu'est-ce que tu as fait à cette machine?   J'ai dû la régler.
Qu'est-ce que vous avez fait à cette machine?
Qu'est-ce que Patrick a fait à cette machine?
Qu'est-ce qu'ils ont fait à cette machine?

12 Vous n'êtes pas apprentis menuisiers, mais vous êtes peut-être bricoleurs… ⊗

Dans ce cas, pourquoi ne pas faire ces boîtes avec des camarades? Vous pourrez y ranger un tas de choses. Les grands cubes ont 33 cm de côté, et les petits ont 16,5 cm.

Il vous faut:
- 4 planches de contre-plaqué ayant les dimensions suivantes:
  1 m de longueur
  32 cm de largeur
  1 cm d'épaisseur
- une petite scie fine
- une équerre
- du papier de verre
- de la peinture et un pinceau

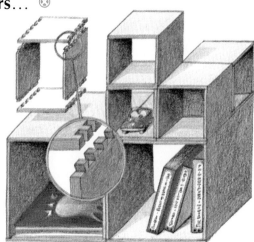

Prenez 3 des planches; dans chacune découpez 3 plaques de 33 cm de hauteur. Vous obtenez 9 plaques. Utilisez 8 plaques pour faire 2 grands cubes. Assemblez-les de la façon suivante : avec une petite scie fine, découpez des queues d'aronde sur 2 bords opposés de chaque plaque, puis emboîtez les plaques les unes dans les autres. Vérifiez avec l'équerre les angles droits que doivent faire ces plaques. Faites le deuxième cube. Maintenant faites 3 petits cubes de 16,5 cm de côté avec la quatrième planche : découpez-la en 2 bandes de 15,5 cm; découpez ensuite celles-ci en six. Si vous voulez faire un quatrième petit cube, utilisez la plaque qui reste. Passez ensuite les boîtes au papier de verre, et recouvrez-les de 2 couches de peinture de la couleur de votre choix.

Si vous voulez vous lancer dans des projets plus difficiles, voici quelques suggestions:

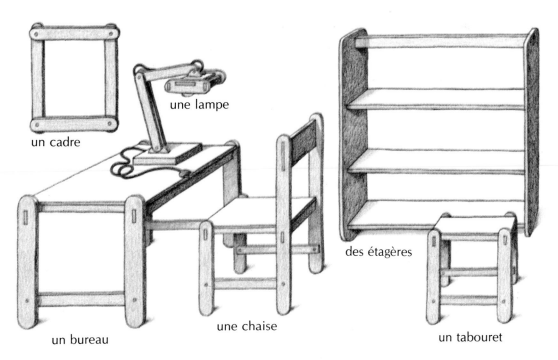

un cadre

une lampe

des étagères

un bureau

une chaise

un tabouret

13 **EXERCICE ORAL** ⊗

14 **Faisons des cubes!**

Il faut couper cette planche.

Tu peux me passer la scie, s'il te plaît?
Je n'ai pas de scie!

Lime les 2 côtés. / Arrache ces clous. / Quelle est la longueur de cette planche?

15 **EXERCICE DE CONVERSATION**

Vous expliquez à un(e) camarade comment construire les boîtes. Utilisez les explications données à la page précédente comme modèle. Vous pouvez commencer de la façon suivante : « Prends une grande planche, et découpe dedans 3 petites planches... »

16 **Et vous?**

1. Qu'est-ce que vous avez fabriqué en classe de travaux manuels?
2. Quels outils est-ce que vous avez utilisés?
3. Quelles opérations est-ce que vous avez faites? Quelqu'un vous a aidé? A quoi faire?
4. Dans votre famille, qui est bricoleur (bricoleuse)? Qu'est-ce qu'il (elle) aime faire?

17 # PRONOUNS
Review

1. The following charts include all pronouns you have seen.

Independent Pronouns	Subject Pronouns	Direct-Object Pronouns	Indirect-Object Pronouns	Reflexive Pronouns	Pronoun replacing **de** + noun phrase
moi	**je** (j')	**me** (m') or **moi**	**me** (m') or **moi**	**me** (m')	**en** (en ^{n})
toi	**tu**	**te** (t')	**te** (t')	**te** (t') or **toi**	
lui	**il**	**le** (l')	**lui**	**se** (s')	
elle	**elle**	**la** (l')	**lui**	**se** (s')	
nous	**nous** (nous ^{z})	**nous** (nous ^{z})	**nous** (nous ^{z})	**nous** (nous ^{z})	Pronoun replacing **à, dans, sur...** + noun phrase
vous	**vous** (vous ^{z})	**vous** (vous ^{z})	**vous** (vous ^{z})	**vous** (vous ^{z})	
eux	**ils** (ils ^{z})	**les** (les ^{z})	**leur**	**se** (s')	
elles	**elles** (elles ^{z})	**les** (les ^{z})	**leur**	**se** (s')	**y**

2. a. Direct-object pronouns stand for direct-object noun phrases referring to people or things.

   Tu connais **son professeur?**   Non, je ne **le** connais pas.
   Où as-tu mis **le marteau?**   Je **l'**ai rangé.

   b. Indirect-object pronouns stand for **à** + a noun phrase referring to people or other living things.

   Qu'est-ce qu'il a dit **à l'apprenti?**   Il **lui** a dit de suivre les instructions.

   c. Reflexive pronouns indicate that the subject and the object of the verb refer to the same person. Reflexive pronouns can be either direct or indirect objects of the verb.

   Patrick **se** lave.   Patrick **se** lave les mains.

d. **En** is an object pronoun that stands for **de** + a noun phrase referring to things:
   Qu'est-ce qu'on fait **de ces boîtes?**   On peut **en** faire une bibliothèque.
   With numbers or with the article **un, en** replaces only the accompanying noun phrase:
   Tu as **un marteau?**   Oui, j'**en** ai un.
   J'ai besoin de **trois clous.**   **En** voilà déjà deux.
   In cases replacing the noun phrase involving numbers or expressions of quantity, **en** may also refer to people:
   Il a **deux professeurs** de dessin.   Il **en** a deux.

e. The pronoun **y** frequently refers to locations. It stands for phrases beginning with **à, en, sur, en haut de, dans,** etc.
   Patrick est **à l'atelier?**   Oui, il **y** est.

3. The direct- and indirect-object pronouns, the reflexive pronouns, and the pronouns **en** and **y** immediately precede the verb to which their meaning is tied, unless that verb is in the affirmative command or in the passé composé.

Je vais	**le**	montrer	au professeur.
On	**lui**	donne	des instructions.
Vous ne	**vous**	dépêchez	pas beaucoup!
Tu	**en**	sortiras	avec un diplôme.
N'	**y**	allez	pas!

4. In the affirmative command, the direct- and indirect-object pronouns, the reflexive pronouns, and the pronouns **en** and **y** immediately follow the verb. In writing, they are linked to the verb by a hyphen.

Donnez-**lui**	des instructions.	Allez **-y**	doucement.
Suivez-**les**	bien.	Montrez **-moi**	comment faire.
Fabriquez-**en**	deux ou trois.	Lave **-toi**	les mains.

Notice that in the affirmative command, the object pronoun **me** becomes **moi,** and the reflexive pronoun **te** becomes **toi.**

5. In the passé composé and other compound tenses, the direct- and indirect-object pronouns, the reflexive pronouns, and the pronouns **en** and **y** precede the auxiliary.

On	**lui**	a	parlé.
Il	**les**	a	suivies.
Je	**me**	suis	dépêché.
Tu	**en**	as	utilisé?
Nous	**y**	sommes	allés.

6. a. In the case of a verb whose compound tenses are formed with **avoir,** the past participle agrees in gender and number with the direct-object pronoun: **Les instructions, il les a suivies?** It does not agree with the indirect-object pronoun or with **en** and y: **Il leur a donné les instructions?**

   b. A reflexive verb behaves in the same way, although its compound tenses are formed with **être.** Its past participle agrees in gender and number with the reflexive pronoun when the reflexive pronoun is a direct object: **Elle s'est lavée.** But it does not agree with the reflexive pronoun when the reflexive pronoun is an indirect object: **Elle s'est lavé les mains.**

18 Le professeur de Patrick lui demande: ⊗

Tu suis les instructions, n'est-ce pas? Oui, je les suis.
le croquis / mes conseils / le plan / les modèles

19 Les apprentis ont besoin d'aide. ⊗

Je ne sais pas régler cette machine. Je vais te montrer.
Nous n'arrivons pas à scier cette planche. / Il ne sait pas limer. / Elle n'arrive pas à couper le fil de fer. / Ils ne savent pas comment fixer les côtés. / Elles ne savent pas travailler sur cette machine.

20 Et Patrick, qu'est-ce qu'il fait à l'Ecole des Métiers? ⊗

Il fait de la mécanique? Oui, je crois qu'il en fait.
Il fait du dessin?
Il a des cours de maths?
Il fait de l'électronique?
Il fabrique des outils?
Il suit des cours de travaux manuels?

21 Ça fait combien de temps… ⊗

qu'il est dans cette école? Il y est depuis un mois.
qu'il travaille sur cette machine?
qu'il est dans cette classe?
qu'il travaille à cet outil?

22 Le professeur dit à Patrick… ⊗

d'aller à l'atelier. Vas-y.
de découper la planche.
de vérifier l'angle.
d'assembler les deux côtés.
de fabriquer des outils.

23 Patrick essaie d'aider un camarade. ⊗

Tu as demandé au professeur? —Non, je ne lui ai pas demandé.
 —Tu devrais lui demander.

Tu as demandé aux copains?
Tu as suivi les instructions?
Tu as utilisé l'équerre?
Tu as mesuré cette planche?
Tu as fabriqué des cubes en bois?
Tu as travaillé dans cet atelier?

24 EXERCICE ECRIT

Ecrivez les réponses des exercices No 18, 19, 21 et 23.

25 Sylvie est apprentie coiffeuse. ⊗

Sylvie Vincent a choisi d'être coiffeuse. Elle fait son apprentissage chez un coiffeur de la région parisienne. Elle travaille sous la direction de son patron qui lui apprend le métier.

COIFFEUR Sylvie! Allons voir maintenant ce que Mme Dubois veut... Madame Dubois! Alors, qu'est-ce que je vous fais aujourd'hui?

MME DUBOIS J'aimerais changer de coiffure. J'en ai assez d'avoir les cheveux longs. Je les voudrais très courts.

COIFFEUR Je vais vous montrer quelques modèles. Vous allez me dire ce que vous voulez comme style.

MME DUBOIS J'aime bien la coupe de votre assistante...

COIFFEUR De Sylvie? Ah, c'est moi qui lui ai coupé les cheveux! Vous voulez exactement la même coupe? Même longueur? Même frange sur le côté?

MME DUBOIS Oui, mais moi, je préfère la raie à droite. Si vous pouviez me les laisser un peu plus longs sur la nuque et derrière les oreilles...

COIFFEUR Bon, maintenant à Mme Lebert. Regarde bien, Sylvie, je vais faire une mise en plis! Va chercher les rouleaux, et passe-les-moi un à un, s'il te plaît... Merci! (*A la cliente*) Vous savez, vous auriez intérêt à vous faire faire une nouvelle permanente.

MME LEBERT Vous croyez? Ça n'abîme pas les cheveux d'en faire aussi souvent?

COIFFEUR Non, les nouveaux produits sont très doux. Et puis, c'est indispensable quand on a, comme vous, les cheveux très raides et qu'on les veut frisés!

MME LEBERT On veut toujours ce qu'on n'a pas... Ma fille qui a les cheveux frisés passe des heures à se les « raidir »!

COIFFEUR Eh oui! Sylvie, va donc faire le shampooing de Mlle Mercier pendant que je termine.

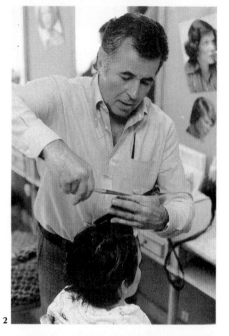

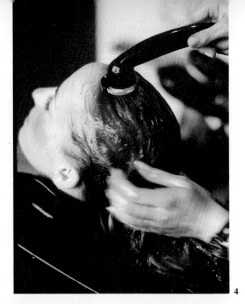

SYLVIE	Bonjour, Mademoiselle. Est-ce que vous voulez un shampooing spécial?
MLLE MERCIER	Oui, j'aimerais un shampooing colorant, « blond cendré », s'il vous plaît.
SYLVIE	Comment sont vos cheveux?
MLLE MERCIER	Oh, normaux, je crois!

COIFFEUR	Sylvie! Tu as fini le shampooing de Mlle Mercier?
SYLVIE	Oui, Monsieur.
COIFFEUR	Alors, viens! On va coiffer Mme Lafleur ensemble... Madame Lafleur, à votre service! Mme Lafleur veut les cheveux bien bouffants. A toi, Sylvie! Montre-moi ce que tu peux faire!
SYLVIE	Bon, d'accord... Ça va comme ça? Les mèches ne sont pas trop grosses?
COIFFEUR	Non, ça va. C'est bien. Tiens le séchoir un peu plus loin des cheveux. Voilà! Continue comme ça, c'est parfait!

26 Répondez aux questions.

1. Chez qui Sylvie fait-elle son apprentissage?
2. Quelle coupe demande Mme Dubois?
3. En quoi est-ce qu'elle la veut un peu différente?
4. Que fait Sylvie pour aider son patron à faire une mise en plis?
5. Quel conseil est-ce que le coiffeur donne à Mme Lebert?
6. Comment sont les cheveux de sa fille? Comment aimerait-elle les avoir?
7. Quel genre de shampooing veut Mlle Mercier? Quelle couleur?
8. Que veut Mme Lafleur?

27 On n'est jamais content de ce qu'on a!

J'ai les cheveux trop raides!

Fais-toi une mise en plis!
Fais-toi faire une permanente!
Mets des rouleaux!

J'ai les cheveux trop frisés!
J'ai les cheveux trop longs!
J'aimerais changer de coiffure!

28 Qu'est-ce que Sylvie utilise comme matériel? ⊗

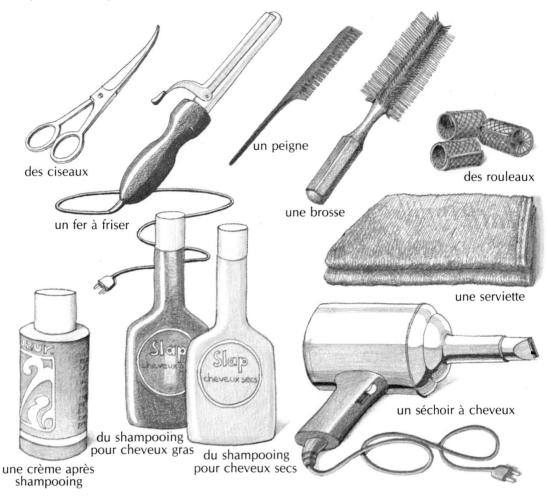

des ciseaux

un fer à friser

un peigne

une brosse

des rouleaux

une serviette

une crème après shampooing

du shampooing pour cheveux gras

du shampooing pour cheveux secs

un séchoir à cheveux

29 EXERCICE ORAL ⊗

30 C'est vous le coiffeur (la coiffeuse)!

Qu'est-ce qu'il vous faut comme matériel, si une cliente vous demande…
une coupe.   Il me faut un peigne et des ciseaux.
un shampooing.
une mise en plis.
un shampooing colorant.

31 Et vous?

1. Est-ce que vous allez souvent chez le coiffeur? Quand?
2. Qu'est-ce que vous vous faites faire quand vous y allez?
3. Qu'est-ce que vous faites quand vous vous coiffez vous-même?
4. De quel matériel est-ce que vous vous servez?

32

PRONOUN PAIRS
Double Objects

Répondez aux questions qui suivent les exemples. ⊗

Tu lui passes du shampooing?	Tu **lui en** passes?
Tu me passes du shampooing?	Tu **m'en** passes?
Passe-moi du shampooing.	Passe-**m'en**.

In the sentences on the right, where does **en** occur in relation to **lui** and **m'**?

Tu me passes le shampooing?	Tu **me le** passes?
Je te passe la crème?	Je **te la** passe?

And where do **le** and **la** occur in relation to **me** and **te**?

Passe-moi le shampooing.	Passe-**le-moi**.
Passe-moi la crème.	Passe-**la-moi**.

In affirmative commands, where are **le** and **la** placed, before or after **moi**?

33 Lisez la généralisation suivante.

In French, as in English, two object pronouns are often used in a single sentence.

1. When **en** is one of the pronouns, it always comes second.

Il va	m'	en	passer.
	t'	en	
	nous	en	
	vous	en	
	lui	en	
	leur	en	

When the pronoun **me** occurs with **en,** the form **m'en** is used, even in affirmative commands: **Passe-m'en.**

2. The pronouns **le, la,** and **les** always follow the pronouns **me, te, nous, vous** except in affirmative commands.

Il va	me	le	passer.
	te	la	
	nous	les	
	vous		
Passe-	le-	moi!	
	la-	nous!	
	les-		

In **Passe-le-moi!, le** and **moi** are linked by a hyphen.

3. The pronouns **lui** and **leur** always follow the pronouns **le, la, les,** even in affirmative commands: **Passe-le-lui!** However, this pronoun combination is not very common in speech.

4. When two object pronouns are used, they are not separated. The pair of pronouns occurs in the following positions.

Affirmative			Negative		
Il	**me le**	passe.	Il ne	**me le**	passe pas.
Il	**me l'**	a passé.	Il ne	**me l'**	a pas passé.
Il va	**me le**	passer.	Il ne va pas	**me le**	passer.
Passe-	**le-moi!**		Ne	**me le**	passe pas!

34 Sylvie n'a plus de rouleaux! ⊗

Michèle en a?   Oui, tu peux lui en prendre.
Nicole et Arlette en ont? / Tu en as? / Vous en avez, vous deux? / Le patron en a?

35 La cliente est pressée! ⊗

Alors, cette mise en plis, vous me la faites?   Je vous la fais dans deux minutes!
ce shampooing / cette coupe / cette permanente

36 Sylvie aide son patron. ⊗

Je vous passe les ciseaux?   Oui, passe-les-moi, s'il te plaît.
le fer à friser / la brosse / des rouleaux / le peigne / le séchoir

37 Le patron demande à la patronne: ⊗

Tu me passes mon séchoir, s'il te plaît?   —Oui, attends, je te le donne.
                                                  —Ça va. Sylvie va me le chercher.

mon peigne / ma brosse / mes ciseaux

38 EXERCICE DE COMPREHENSION ⊗

	0	1	2	3	4	5	6	7	8	9	10
A	√										
B											

39 EXERCICE ECRIT

Récrivez chacune des phrases suivantes en remplaçant les mots soulignés par le pronom qui convient, à la place qui convient.
Exemple: Vous m'avez fait cette coupe il y a trois mois.
         Vous me l'avez faite il y a trois mois.

1. Le patron te laisse faire cette permanente?
2. Sylvie, fais-moi le shampooing de Mlle Mercier maintenant.
3. Va lui chercher du shampooing colorant, s'il te plaît.
4. Passe-moi des rouleaux, je n'en ai plus.
5. Tu me fais ma coupe?
6. Fais-lui aussi son shampooing.
7. Qui m'a pris mes ciseaux?
8. Il a donné les ciseaux à la patronne.
9. Montrez-moi le modèle.
10. Elle a demandé son argent au patron.

40 REDACTION

1. Vous connaissez quelqu'un qui fait un métier manuel. Décrivez ce qu'il (elle) fait, les outils dont il (elle) se sert, les machines qu'il (elle) doit utiliser, les objets qu'il (elle) fabrique. Dites qui le (la) dirige, comment, et ce qu'il faut faire pour apprendre ce métier.
2. Dites si c'est un métier qui vous plairait et pourquoi. Sinon, quel métier manuel vous intéresserait et pourquoi?

41 Chez le coiffeur.

Vous allez chez le coiffeur (la coiffeuse). Il (elle) vous demande quel genre de coiffure vous voulez, et il (elle) vous montre les modèles ci-dessus. En vous basant sur un des modèles que vous avez vus et sur les dialogues des pages 137 et 138, dites quelle coiffure vous voulez.

42 D'autres apprentis. ⊗

De nombreux apprentis travaillent dans l'industrie alimentaire°. Il y a des apprentis boulangers, poissonniers°, crémiers, confiseurs°, fromagers°, cuisiniers, etc. L'industrie alimentaire est très importante en France comme en Suisse et offre de nombreuses places° à ceux qui veulent devenir apprentis.

Hervé, apprenti fromager.

6 heures du matin dans le petit village suisse de Grandvillard : les fermiers arrivent à la laiterie°, chargés de gros bidons° de lait. Après avoir pesé° le lait, Hervé le verse dans de grandes cuves° et le fait chauffer°. C'est la première d'une longue série d'opérations par lesquelles Hervé et son contremaître°, Daniel, transforment le lait en fromage de Gruyère.

Hervé travaille sept jours par semaine, dix heures par jour. Tous les jours, Hervé et son contremaître reçoivent 3 500 l de lait, ils font six ou sept fromages de 40 kg et fabriquent 60 kg de beurre!

Daniel, Jacques et Pascal, apprentis cuisiniers.

Daniel, Jacques et Pascal sont apprentis chez Paul Bocuse, le célèbre chef français, dont° le restaurant se trouve près de Lyon. Les journées des trois apprentis sont longues et fatigantes.

Mais quelle satisfaction quand ils peuvent enfin réussir leur premier plat de haute cuisine° comme ce poisson en croûte°!

VOCABULAIRE: **l'industrie alimentaire** *food industry;* **un poissonnier** *fishmonger;* **un confiseur** *confectioner;* **un fromager** *cheese-maker;* **une place** *job;* **une laiterie** *dairy;* **un bidon** *can;* **peser** *to weigh;* **une cuve** *vat;* **chauffer** *to heat up;* **un contremaître** *foreman;* **dont** *whose;* **la haute cuisine** *gourmet cooking;* **la croûte** *crust*

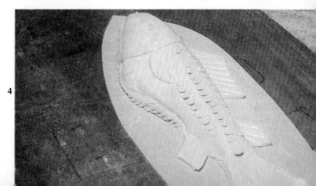

43 WORD LIST

1–11
un **angle** *angle*
un(e) **apprenti(e)** *apprentice*
un **apprentissage** *apprenticeship*
un(e) **bijoutier (-ière)** *jeweler*
un **certificat** *certificate*
un **clou** *nail*
un **croquis** *sketch*
un(e) **cuisinier (-ière)** *cook*
le **début** *beginning*
une **équerre** *square rule*
un **établi** *workbench*
un **fil de fer** *iron wire*
une **lime** *file*
un **maçon** *bricklayer*
un **marteau** (pl.: **-x**) *hammer*
un **menuisier** *carpenter*
un **métal** (pl.: **métaux**) *metal*
un **mètre** *measuring stick*
une **opération** *procedure*
un **outil** *tool*
un **peintre en bâtiment** *house painter*
une **pince** *pair of pliers*

un **plombier** *plumber*
une **scie** *saw*
un **serrurier** *locksmith*
des **tenailles** (f.) *pair of wire cutters*
la **théorie** *theory*
un **tournevis** *screwdriver*
une **vis** *screw*

arracher *to pull*
augmenter *to increase*
couper *to cut*
devoir *to have to, must*
enfoncer (like **commencer**) *to drive in (a nail)*
exercer (like **commencer**) *to practice, to be in*
indiquer *to indicate*
limer *to file*
ranger *to put away*
scier *to saw*
tenir (like **venir**) *to hold*
visser *to screw*

inférieur, -e *less than, lower than*
manuel, -elle *manual*
minimum *minimum*
  le salaire minimum *minimum wage*
nombreux, -euse *many*
suisse *Swiss*
technique *technical*

progressivement *gradually*

12–24
une **bande** *piece*
un **bord** *side*
un(e) **bricoleur (-euse)** *jack-of-all-trades*
un **bureau** *desk*
un **cadre** *frame*
une **chaise** *chair*
le **contre-plaqué** *plywood*
une **couche** *coat (of paint)*
un **cube** *cube*
une **dimension** *measurement*
l'**épaisseur** (f.) *thickness*
des **étagères** *bookshelf*
la **hauteur** *height*

une **lampe** *lamp*
la **largeur** *width*
la **longueur** *length*
le **papier de verre** *sandpaper*
la **peinture** *paint*
un **pinceau** *paintbrush*
une **planche** *board*
une **plaque** *plate*
une **queue d'aronde** *dovetail*
une **suggestion** *suggestion*
un **tabouret** *stool*

assembler *to put together*
découper *to cut*
emboîter *to fit*
se lancer (like commencer) *to take on*

opposé, -e *opposite*

1 m de longueur *1 meter long*

25–42
un(e) **assistant(e)** *assistant*
des **ciseaux** (m.) *pair of scissors*
un(e) **coiffeur (-euse)** *hairdresser*
une **coiffure** *hairdo*
une **coupe** *haircut*
une **crème après shampooing** *conditioner*
la **direction** *supervision, direction*
un **fer à friser** *curling iron*
une **frange** *bangs*
une **mèche** *lock of hair*
une **mise en plis** *hair set*
la **nuque** *nape*
une **permanente** *permanent*
un **produit** *product*
une **raie** *part*
un **rouleau** *roller*
un **séchoir** *hair dryer*
un **style** *style*

abîmer *to damage*
avoir intérêt à *to be in one's best interest to*
coiffer *to comb*
en avoir assez *to be tired of*
faire un shampooing *to shampoo*
raidir (like **choisir**) *to straighten*
terminer *to finish*

qu'est-ce que je vous fais *what shall I do for you*

blond cendré *ash-blond*
bouffant, -e *bouffant*
colorant, -e *coloring*
frisé, -e *curly*
gras, grasse *oily, greasy*
gros, grosse *thick*
raide *straight*

à votre service *at your service*
pas du tout *not at all*
un(e) à un(e) *one by one*

34
En Côte d'Ivoire

PRESSE

1 Un jeune Ivoirien : Kouadio Kouassi. ⊗

Kouadio Kouassi a 16 ans. Il est interne au lycée de Dimbokro, une ville de Côte d'Ivoire. Sa famille vit dans un village à une centaine de kilomètres de Dimbokro. Bien que son village ne soit pas tellement loin de la ville, Kouadio n'y retourne que très rarement : peut-être une ou deux fois par an, à l'occasion d'une fête, par exemple.

Kouadio fait toutes ses études en français et parle français avec ses professeurs et ses camarades. Mais dans son village, avec sa famille, il parle baoulé, la langue de son groupe ethnique : les Baoulés. Les Baoulés vivent au centre de la Côte d'Ivoire, dans la région de Dimbokro et de Bouaké.

2 Répondez aux questions.

1. De quelle nationalité est Kouadio Kouassi?
2. Dans quel pays habite-t-il?
3. Dans quelle ville se trouve son lycée?
4. Est-ce que ses parents vivent dans cette ville? Où vivent-ils?
5. A quelle occasion est-ce que Kouadio retourne dans son village?
6. Combien de fois par an est-ce qu'il y retourne?
7. Quelle langue est-ce que Kouadio parle au lycée?
8. Quelle langue est-ce qu'il parle dans son village?
9. A quelle groupe ethnique appartient Kouadio Kouassi?
10. Dans quelle région de Côte d'Ivoire vivent les Baoulés?

3 EXERCICE ORAL ⊗

4

After acquiring its independence from France in 1960, Ivory Coast kept French as its official language. Mauritania, Senegal, Mali, Guinea, Upper Volta, Niger, Togo, and Benin are other former colonies of France that did the same when they became independent states. French enables the sixty ethnic groups who live in Ivory Coast and who speak different languages to communicate with each other. Kouadio Kouassi belongs to the Baule, an ethnic group that was originally part of the Ashanti of Ghana. The Baule broke away from the Ashanti and settled in central Ivory Coast in the eighteenth century.

5 Les Pays d'Afrique occidentale. ⊗

Vous regardez la carte de la page suivante avec un(e) camarade, et vous dites dans quelle ville d'Afrique vous voudriez aller. Votre camarade doit la placer dans le bon pays. Par exemple :

VOUS	Moi, je voudrais aller à Dakar.
VOTRE CAMARADE	C'est au Sénégal, ça?
VOUS	Oui, c'est ça. Et toi, où est-ce que tu voudrais aller?
VOTRE CAMARADE	A Abidjan.
VOUS	Ah oui?... C'est au Ghana.
VOTRE CAMARADE	Mais non, c'est en Côte d'Ivoire!

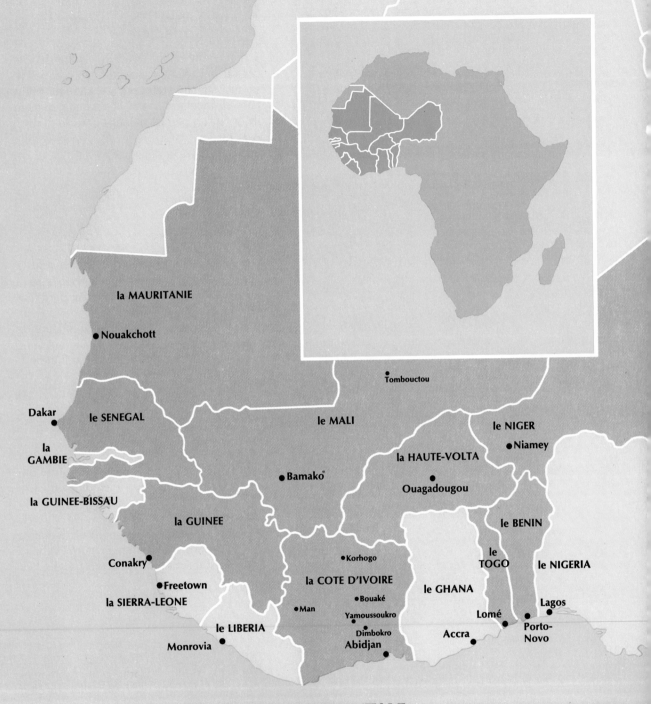

la MAURITANIE

● Nouakchott

Tombouctou

Dakar ●

le SENEGAL

le MALI

le NIGER

la GAMBIE

Niamey ●

la HAUTE-VOLTA

la GUINEE-BISSAU

● Bamako

Ouagadougou

la GUINEE

le BENIN

Conakry ●

● Korhogo

le TOGO

le NIGERIA

● Freetown

la COTE D'IVOIRE

le GHANA

la SIERRA-LEONE

● Bouaké

● Man

Lagos ●

Yamoussoukro

Lomé ●

● Dimbokro

le LIBERIA

Accra ●

Porto-Novo

Monrovia ●

Abidjan

AFRIQUE OCCIDENTALE

Pays où l'on
parle français

6 Une journée dans la vie de Kouadio.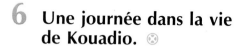

5 heures du matin : le réveil sonne dans le dortoir de Kouadio. Kouadio se lève, relève sa moustiquaire et va à la salle de bains faire sa toilette. Ensuite, il s'habille, fait son lit et fait un peu de ménage dans le dortoir. A 6 heures, il est prêt à aller au réfectoire prendre son petit déjeuner.

Les cours de Kouadio commencent à 7 heures du matin et continuent jusqu'à midi, tous les jours, sauf le dimanche. Aujourd'hui, jeudi, Kouadio, qui est en seconde, a deux heures de sciences naturelles, une heure de géographie, une heure d'anglais et une heure de français, des matières qu'il aime.

A midi, en compagnie de ses amis internes, il déjeune au réfectoire. Puis il retourne à son dortoir pour faire la sieste — obligatoire — jusqu'à 3 heures de l'après-midi. Kouadio chahute d'abord un peu avec ses camarades, mais comme il fait très chaud et qu'il est fatigué, il s'endort très vite.

Après la sieste, Kouadio a le choix entre aller au stade faire du sport, aller au club d'histoire ou aller au club de journalisme. Aujourd'hui, malgré la chaleur, il décide d'aller jouer au football avec des amis. Comme tous les Ivoiriens, Kouadio se passionne pour le football, et il en fait le plus souvent possible.

5

A 5 heures et demie de l'après-midi, Kouadio retrouve son ami Jean au centre de Dimbokro. Jean va aussi au lycée, mais comme sa famille habite la ville, il est externe. Les deux amis passent d'abord par la poste : Kouadio a des lettres à envoyer, et il veut voir aussi s'il a reçu du courrier.[1]

Kouadio reçoit souvent des lettres de son oncle et de sa tante d'Abidjan. Ils n'ont pas d'enfants et considèrent Kouadio un peu comme leur fils. Ce sont des gens aisés, et ils lui envoient régulièrement des mandats. Cela aide beaucoup Kouadio, car s'il ne doit pas payer pour aller au lycée, puisque c'est un lycée d'état, il lui faut tout de même assez d'argent pour s'habiller et sortir de temps en temps.

6

Après leur visite à la poste, Kouadio et Jean vont boire quelque chose à la terrasse d'un café. Puis, sur le chemin du retour, ils passent devant le cinéma pour voir ce qu'on y joue cette semaine. Le film *Que la fête commence...* leur paraît intéressant, et ils décident d'aller le voir dimanche.

Kouadio rentre au lycée pour dîner à 6 heures et demie. Ensuite, de 7 heures et demie à 9 heures et demie, il est à l'étude, où il fait ses devoirs et apprend ses leçons pour le lendemain.

7

A 9 heures et demie, il retourne à son dortoir, range ses affaires, se lave, se déshabille et se couche. A 10 heures du soir, les lumières s'éteignent, et Kouadio s'endort, bercé par les bruits familiers du dortoir : le ronronnement des ventilateurs, le bourdonnement des moustiques et les chuchotements de ses camarades.

[1] There is no mail delivery service in Ivory Coast. To pick up their mail, people have to go to the post office.

7 Répondez aux questions.

1. A quelle heure se lève Kouadio?
2. Qu'est-ce qu'il fait avant d'aller prendre son petit déjeuner?
3. Il a cours de quelle heure à quelle heure? Quels jours?
4. Quels cours est-ce qu'il a le jeudi? En quelle classe est-il?
5. Qu'est-ce qu'il doit faire après le déjeuner? Pourquoi s'endort-il très vite?
6. Qu'est-ce qu'il choisit de faire après la sieste? Pourquoi?
7. Qui est-ce qu'il retrouve à 5 heures et demie de l'après-midi? Où ça?
8. Où vont d'abord les deux amis? Pour quoi faire?
9. De qui est-ce que Kouadio reçoit souvent des lettres? Que reçoit-il d'autre?
10. Que font les deux amis après leur visite à la poste?
11. Que fait Kouadio après le dîner? A quelle heure est-ce qu'il se couche?

8 EXERCICE ORAL ⊗

9 Et vous?

1. Avez-vous déjà été interne? Où?
2. Est-ce que vous aimeriez être interne? Pourquoi?
3. A quelle heure vous levez-vous le matin?
4. Que faites-vous avant d'aller à l'école?
5. Où déjeunez-vous? Avec qui?
6. A quelle heure rentrez-vous chez vous?
7. Qu'est-ce que vous faites après l'école?
8. Quel est votre emploi du temps aujourd'hui?

10 THE VERBS envoyer AND recevoir

1. The following are the present-tense forms of the verbs **envoyer,** *to send,* and **recevoir,** *to receive.* ⊗

J'	**envoie**	une lettre.
Tu	**envoies**	une lettre.
Il / Elle	**envoie**	une lettre.
Nous	**envoyons**	une lettre.
Vous	**envoyez**	une lettre.
Ils / Elles	**envoient**	une lettre.

Je	**reçois**	une lettre.
Tu	**reçois**	une lettre.
Il / Elle	**reçoit**	une lettre.
Nous	**recevons**	une lettre.
Vous	**recevez**	une lettre.
Ils / Elles	**reçoivent**	une lettre.

2. The future tense of **envoyer** is: **j'enverrai, tu enverras,** etc.
3. a. The past participle of **recevoir** is **reçu: J'ai reçu ta lettre la semaine dernière.**
   b. The future tense of **recevoir** is: **je recevrai, tu recevras,** etc.

11 Vous écrivez à vos parents régulièrement? ⊗

Tu écris régulièrement?   Oui, j'envoie une lettre chaque semaine.
ta sœur / ton oncle et ta tante / toi et ta sœur, vous

12 Jean demande à Kouadio: ⊗

Tu as des nouvelles du village?   Oui, j'ai reçu une lettre ce matin.
ta sœur / ton oncle et ta tante / toi et ta sœur, vous

13 Kouadio a écrit à ses parents. ⊗

Malheureusement, il n'a pas de timbres.   Il enverra la lettre demain!
je n'ai pas de timbres / ils n'ont pas de timbres / nous n'avons pas de timbres

14 Qu'est-ce qui se passe? ⊗

Je n'ai pas de nouvelles de mes parents!   Oh, tu en recevras certainement demain!
Il... de ses parents! / Nous... de nos parents! / Ils... de leurs parents!

15 Le Village de Kouadio. ⊗

Kouadio aime bien la vie qu'il mène au lycée, mais sa famille lui manque. Il voudrait la voir plus souvent, mais il n'a ni l'argent ni le temps nécessaire pour faire le voyage. Alors il rêve…

… à sa mère et sa sœur, assises devant leur case, en train de filer le coton qu'elles tisseront ensuite pour en faire de belles étoffes colorées…

2

… à ses frères, en train de jouer à l'awalé[1], tout en se disputant et en riant aux éclats…

… et puis à son père et son frère aîné, en train de fabriquer des outils en fer-les Kouassi sont forgerons de père en fils, depuis des générations.

1

3

[1] **Awalé** is a popular African game of marbles. Played by two persons, it requires forty-eight marbles and a board with two rows of holes, six holes in each row.

Quand Kouadio pense à son village, il se souvient surtout des bons moments, comme les fêtes où on mange bien et on s'amuse bien tous ensemble.

Il voit les femmes en train de piler le manioc avec lequel elles feront le « foutou »[1], le plat typique du pays.

Il voit aussi les danses rituelles qui accompagnent toutes les fêtes. Il voit les anciens assis en demi-cercle sur leurs sièges bas, les plus jeunes debout derrière eux, et au centre du cercle, le danseur masqué et son assistant. Il entend les tam-tams...

D'autre fois, il se revoit enfant, au pied d'un fromager, en train d'écouter bouche bée les tams-tams sacrés avec lesquels les habitants de son village invoquent l'esprit de leurs ancêtres.

Alors, l'envie le prend d'aller courir dans la savane, à la poursuite d'une antilope, réelle ou imaginaire, comme quand il était enfant... Seulement, il y a longtemps qu'il n'est plus enfant! Le village et la savane font partie du passé. Ce qui compte pour Kouadio maintenant, c'est le présent — sa vie à Dimbokro — et l'avenir — la vie qu'il veut avoir plus tard à Abidjan.

[1] The **foutou** is a type of purée prepared with yams, manioc, or bananas. It is normally served with a very spicy sauce made out of hot peppers, okra, peanuts, or different leaves. People eat it with their fingers, and at the end of the meal, they wash their hands by pouring water from their drinking glass.

152   **LE MONDE DES JEUNES**

16 Répondez aux questions.

1. Qu'est-ce qui manque à Kouadio? Pourquoi est-ce qu'il ne voit pas sa famille plus souvent?
2. Qui est-ce qu'il voit dans ses rêves? Que font sa mère et sa sœur? Et son père et son frère aîné? Et ses frères?
3. De quoi est-ce que Kouadio se souvient quand il pense à son village?
4. Comment s'appelle le plat typique de la Côte d'Ivoire?
5. Qu'est-ce qui accompagne toutes les fêtes? Décrivez.
6. Qu'est-ce que Kouadio aimait écouter quand il était enfant?
7. Qu'est-ce qu'il a envie de faire, comme quand il était enfant?
8. Où Kouadio veut-il vivre plus tard?

17 EXERCICE ORAL ⊗

18 Les Animaux de la savane africaine. ⊗

la girafe

l'éléphant

le buffle

le guépard

le lion

le zèbre

le rhinocéros

le singe

l'hippopotame

le crocodile

19 Savez-vous... ⊗

1. Lequel de ces animaux est le plus dangereux pour l'homme?   2. Lequel est le plus rapide?
3. Lequel est le plus intelligent?   4. Lequel est le plus coléreux°?   5. Lequel est le plus malin°?

VOCABULAIRE: **coléreux** *easily angered;* **malin** *clever*

SOLUTION: 1. le lion 2. le guépard 3. l'éléphant 4. le rhinocéros 5. le singe

20 Depuis AND il y a (... que)

1. a. To refer to an action that began in the past and is still going on, French uses the present tense + one of several time phrases. These time phrases consist of a word or group of words such as **depuis, il y a... que,** etc. + an expression of time:

Depuis combien de temps est-ce que Kouadio habite à Dimbokro?	*How long has Kouadio been living in Dimbokro?*
Il habite à Dimbokro **depuis six ans.**	*He has been living in Dimbokro for six years.*
Il y a longtemps qu'il habite à Dimbokro.	*He has been living in Dimbokro for a long time.*

   b. The same construction is used to refer to a state or condition that started in the past and is still going on in the present.

Les Kouassi sont forgerons de père en fils **depuis des générations.**	*The Kouassis have been blacksmiths from father to son for generations.*
Il y a longtemps que Kouadio n'est plus enfant!	*It's a long time since Kouadio was a child!*

2. To refer to an action, a state, or a condition that began and ended in the past, French uses the passé composé + **il y a (... que)** + an expression of time.

Il y a longtemps qu'il a quitté son village.	*He left his village a long time ago.*
Il l'a quitté **il y a six ans.**	*He left it six years ago.*

21 Il y a six ans. ⊗

Quand a-t-il quitté son village?   Il a quitté son village il y a six ans.
est-il arrivé à Dimbokro / a-t-il commencé ses études / est-il retourné au village / a-t-il visité Abidjan

22 Depuis 1974. ⊗

Depuis quand est-ce que Kouadio habite à Dimbokro?   Il habite à Dimbokro depuis 1974.
va au lycée / est interne / étudie l'anglais

23 Depuis des générations. ⊗

Depuis combien de temps est-ce que les Kouassi vivent dans ce village?   Ils vivent dans ce village depuis des générations.
habitent dans cette case / sont forgerons / fabriquent des outils / cultivent le manioc

24 Il y a des années. ⊗

Il y a combien de temps...
que les Kouassi vivent dans ce village?   Il y a des années qu'ils vivent dans ce village.
qu'ils habitent dans cette case?
qu'ils sont forgerons?
qu'ils fabriquent des outils?
qu'ils cultivent le manioc?

25 Et vous?

1. Depuis quand est-ce que vous habitez ici, dans cette ville (ce village)?
2. Depuis combien de temps est-ce que vous vivez dans la région?
3. Il y a combien de temps que vous faites vos études ici, dans cette école?
4. Quand est-ce que vous avez commencé vos études secondaires?

26 EXERCICE DE COMPREHENSION ⊗

	0	1	2	3	4	5	6	7	8
A	√								
B									

27 Etudes et Projets° d'avenir. ⊗

Kouadio et ses camarades, Hassan, Ouali, Boko et Alexis, révisent leurs leçons avant d'aller à leur cours de sciences naturelles.

KOUADIO Vous êtes sûrs qu'on va avoir une interro écrite°?

HASSAN C'est ce que le prof a dit la dernière fois… A moins qu'°il ait envie d'aller se promener ce week-end, au lieu de corriger quarante copies°!

OUALI Moi, pourvu qu'°il soit de bonne humeur et qu'il me laisse finir mon interro sans me l'arracher des mains, c'est tout ce que je demande…

ALEXIS Qu'est-ce qu'on devait réviser exactement? La première partie du bouquin°?

HASSAN Tu es fou! On n'avait que les chapitres 5 à 10 à réviser. Tu fais du zèle°?

ALEXIS Non, j'ai téléphoné à Maurice pour savoir ce qu'il fallait réviser, et il m'a dit ça!

KOUADIO Eh bien, il s'est trompé. De toute façon, ce n'est pas du temps de perdu°, toi qui veux devenir médecin…

ALEXIS Médecin de brousse°, pour plus de précision°!

BOKO Jusqu'à ce que tu fasses ton stage° au fin fond de° la brousse… Après quoi, on te verra revenir à toute vitesse° pour t'installer à Abidjan.

KOUADIO Il n'y a pas de mal à s'installer à Abidjan. Moi, je compte bien° y aller dès que j'aurai mon bac.

ALEXIS Qu'est-ce que tu veux y faire?

KOUADIO Etudier le journalisme. J'aimerais être reporter dans un grand journal!

VOCABULAIRE: **un projet** *plan;* **une interro(gation) écrite** *quiz;* **à moins que** *unless;* **une copie** *(test) paper;* **pourvu que** *provided that;* **un bouquin** *book;* **faire du zèle** *to overdo;* **du temps de perdu** *wasted time;* **la brousse** *jungle;* **pour plus de précision** *to be more exact;* **un stage** *internship;* **au fin fond de** *in the depths of;* **à toute vitesse** *at full speed;* **je compte bien** *I certainly hope to*

28 Répondez aux questions.

1. Que font Kouadio et ses camarades avant d'aller à leur cours de sciences naturelles?
2. Qu'est-ce qu'ils vont avoir? Est-ce que c'est sûr?
3. Qu'est-ce que Ouali aimerait?
4. Qu'est-ce que Kouadio et ses camarades devaient réviser, exactement?
5. Qu'a fait Alexis? Pourquoi? Qu'est-ce qu'il veut devenir?
6. D'après Boko, est-ce qu'Alexis deviendra médecin de brousse?
7. Et Kouadio, qu'est-ce qu'il veut faire dès qu'il aura son bac? Pour quoi faire?

29 EXERCICE ORAL ⊗

30 Qu'en pensez-vous?

1. Qu'est-ce qu'il faut comme qualités pour devenir médecin de brousse?
2. Est-ce que ça vous intéresserait? Pourquoi?
3. Si vous aviez le choix, qu'est-ce que vous aimeriez faire, devenir médecin ou reporter? Pourquoi?
4. D'après vous, où est-ce qu'il est plus facile de vivre, dans la brousse ou dans une ville? Pourquoi?

31 Kouadio et *l'Observateur*.

Kouadio travaille à la rédaction de *l'Observateur*, le journal du lycée. *L'Observateur* vient d'être mis au tableau d'affichage, et les élèves lisent les dernières nouvelles du lycée.

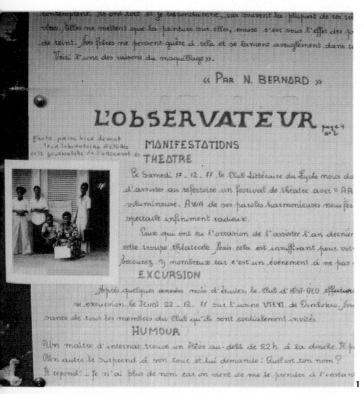

1

2

32

SETTING LIMITS AND PURPOSES
Subjunctive Following Conjunctions

Répondez aux questions qui suivent les exemples. ⊗

> Il restera à Dimbokro **jusqu'à ce qu'**il **ait** le bac.
> Il rentrera dans son village **bien qu'**il **ait** le bac.

In the first sentence, what group of words links the subordinate clause **il ait le bac** to the main clause **Il restera à Dimbokro?** What group of words links **il ait le bac** to **Il rentrera dans son village** in the second sentence? What is **ait,** what form of the verb is it?

Je lui ai téléphoné **pour qu'il sache** ce qu'il fallait réviser.

Je lui ai téléphoné **pour savoir** ce qu'il fallait réviser.

J'aimerais finir mon interrogation **sans que vous m'arrêtiez.**

J'aimerais finir mon interrogation **sans m'arrêter.**

In which sentences does the subject of the main clause differ from that of the subordinate clause? What are **sache** and **arrêtiez?** In which sentences is the subject of the main clause the same as the subject of the subordinate clause? What are **savoir** and **finir?** In which sentences are conjunctions used? In which sentences are prepositions used, instead?

33 Lisez la généralisation suivante.

1. Groups of words like **jusqu'à ce que, bien que, pour que,** etc., are called conjunctions. Conjunctions link a subordinate clause to a main clause. Because they imply a restriction of time (**jusqu'à ce que**) or circumstances (**bien que**), they require that the verb following them be in the subjunctive. The chart that follows gives some of these conjunctions. The word **que** is part of all of them.

	Conjunction + Subjunctive		
Il rentrera dans son village	**bien qu'**	**il ait**	un job à Abidjan.
Il restera à Dimbokro	**jusqu'à ce qu'**	**il finisse**	ses études.
Il sera journaliste	**pourvu qu'**	**il réussisse**	au bac.
Ils l'ont envoyé au lycée	**pour qu'**	**il fasse**	ses études.
Il est allé à Abidjan	**sans qu'**	**on sache**	pourquoi.
Je te présenterai à mon oncle	**avant que**	**tu (n') ailles**	à Abidjan.
J'irai à Abidjan avec lui	**à moins qu'**	**il (ne) soit**	obligé de rester ici.

The verb in the clauses that follow **avant que** and **à moins que** can be preceded by **ne.** This **ne** does not have a negative meaning. In fact, it is used only in writing and in careful speech, but not in everyday conversation.

2. When the subject of the subordinate clause is the same as the subject of the main clause, **pour que, sans que, avant que,** and **à moins que** + subjunctive are normally replaced by the prepositions **pour, sans, avant de,** and **à moins de** + infinitive.

	Preposition + Infinitive		
Il est allé au lycée	**pour**	**faire**	ses études.
Il est allé à Abidjan	**sans**	**dire**	pourquoi.
Je te présenterai à mon oncle	**avant d'**	**aller**	à Abidjan.
J'irai à Abidjan avec lui	**à moins d'**	**être**	obligé de rester ici.

34 Tout ira bien pour Kouadio... ⊗

s'il finit ses études.   Pourvu qu'il finisse ses études!
s'il a son·bac / s'il va à Abidjan / s'il devient reporter

35 Les camarades de Kouadio n'ont pas le choix. ⊗

Jean n'a pas eu son bac?   Non, et il ira au lycée jusqu'à ce qu'il ait
                                             son bac.

Hassan n'a pas fini ses études?
Boko n'a pas trouvé de travail?
Alexis n'a pas fait son stage?

36 Il est complètement fou! ⊗

Il n'étudie pas, et il veut devenir médecin?   Oui, il n'étudie pas, bien qu'il veuille de-
                                                    venir médecin.

Il veut devenir journaliste, et il n'écrit pas
bien?
Il retourne dans son village, et il a un job à
Abidjan?
Il va travailler dans la brousse, et il peut
s'installer à Abidjan?

37 EXERCICE ECRIT

a. Combinez chaque paire de phrases en une seule, en utilisant le subjonctif seulement si nécessaire.
Exemple : Il n'a pas eu une bonne note. Il est fort en sciences naturelles. (bien que)
   Il n'a pas eu une bonne note, bien qu'il soit fort en sciences naturelles.
1. Tout ira bien. Le professeur sera de bonne humeur. (pourvu que)
2. Nous n'avons jamais de bonnes notes. Nous travaillons beaucoup. (bien que)
3. Ils iront à Abidjan. Ils auront leur bac. (quand)
4. Nous t'avons envoyé au lycée. Tu fais tes études. (pour que)
5. Il se promène. Nous travaillons. (pendant que)
6. Le professeur ne nous donne jamais d'interrogation. Nous révisons d'abord. (sans que)
7. Alexis m'a présenté à son oncle. Je vais à Abidjan. (avant que)
8. Boko rentre chez lui. Il veut voir ses parents. (parce que)
9. J'irai à Abidjan. Mes parents veulent que je rentre au village. (à moins que)

b. Faites des phrases en utilisant les mots donnés dans l'ordre donné. Utilisez l'infinitif ou le subjonctif selon le cas.
Exemple : les parents de Kouadio / le / envoyer / lycée / pour que / faire / études
   Les parents de Kouadio l'envoient au lycée pour qu'il fasse ses études.
1. Kouadio / aller / lycée / pour / faire / études
2. Alexis / présenter / Kouadio / son oncle / avant de / aller / Abidjan
3. Alexis / présenter / Kouadio / son oncle / avant que / Kouadio / aller / Abidjan
4. les cinq amis / aller / au cinéma / ce soir / à moins que / Alexis / être obligé / travailler
5. les cinq amis / aller / au cinéma / ce soir / à moins de / être obligé / travailler

38 La Fête de l'Indépendance à Abidjan. ⊗

Tous les ans, la Fête de l'Indépendance de la Côte d'Ivoire a lieu dans une ville différente. La ville choisie pour les célébrations reçoit des fonds° du gouvernement pour améliorer° ses routes et ses services publics, en l'honneur de la fête nationale. Cette année, c'est Abidjan qui a été choisie. Kouadio est sur les lieux° avec un magnétophone. Il fait un reportage° pour le journal du lycée, *l'Observateur*.

1

KOUADIO   Je me trouve boulevard Nangui Abrogoua. Il y a des gens partout : sur les trottoirs°, bien sûr, mais aussi sur les toits, sur les balcons, et même dans les arbres. L'atmosphère est à la fête. Les gens agitent° des petits drapeaux ivoiriens et semblent déjà bien s'amuser, bien que les festivités n'aient pas encore débuté. En attendant qu'elles commencent, parlons un peu avec les spectateurs. Monsieur! Vous êtes d'Abidjan?

SPECTATEUR   Oui, et je suis très fier que ma ville ait été choisie cette année. Tout a l'air parfaitement organisé...

KOUADIO   Qu'est-ce que vous attendez avec le plus d'impatience?

SPECTATEUR   Euh!... Ma fille est dans le défilé... Alors, ça me fera plaisir de la voir. Les danses folkloriques aussi.

KOUADIO   Et vous, Madame?

SPECTATRICE   Moi, je viens voir le Président et les dignitaires de mon pays! Je suis du nord, et mon mari et moi, on a voyagé trois jours, rien que pour ça!

KOUADIO   Et toi, petit?

PETIT GARÇON   Moi, c'est le défilé. Les gens qui marchent au pas° et les fanfares... Et puis aussi, les feux d'artifice!

KOUADIO   Comme vous voyez, tout le monde y trouve son bonheur. Mais voici la voiture du Président qui s'arrête devant la tribune officielle°. Les célébrations commencent.

VOCABULAIRE: **des fonds** *subsidies;* **améliorer** *to improve;* **être sur les lieux** *to be on the spot;* **faire un reportage** *to report;* **le trottoir** *sidewalk;* **agiter** *to wave;* **marcher au pas** *to walk in step;* **la tribune officielle** *reviewing stand*

2   3

39 EXERCICE DE CONVERSATION

Vous êtes à une fête ou à un carnaval.

a. Vous décrivez la foule, l'atmosphère, etc.

b. Vous interviewez des spectateurs — vos camarades. Vous leur demandez:
1. quelles célébrations vont avoir lieu pendant la journée. 2. à quelles célébrations ils vont assister. 3. quel est le meilleur endroit pour regarder le défilé. 4. quelle est la route suivie par le défilé. 5. s'ils ont assisté aux célébrations de cette fête l'année dernière, et ce qui leur a le mieux plu. 6. quelle est leur fête préférée et pourquoi.

40 REDACTION

D'après les réponses que vous avez reçues, rédigez un reportage sur cette fête.

41 WORD LIST

1–14
un bourdonnement *buzzing*
la chaleur *heat*
un chuchotement *whispering*
la Côte d'Ivoire *Ivory Coast*
un dortoir *dormitory*
l'étude *study hall*
un externe *day student*
un fils *son*
un interne *boarding student*
un(e) Ivoirien (-ienne) *person from Ivory Coast*
un lycée d'état *public high school*
un mandat *money order*
une moustiquaire *mosquito net*
un ronronnement *humming*
un ventilateur *fan*

considérer (like préférer) *to look upon as*
envoyer *to send*
faire du sport *to take part in sports*
faire la sieste *to take an afternoon nap*
se passionner *to have a passion*
recevoir *to receive*
relever (like acheter) *to lift up*

les lumières s'éteignent *the lights are turned off*

aisé, -e *well-off, well-to-do*
bercé, -e *lulled*
familier, -ière *familiar*
obligatoire *compulsory*

à l'occasion de *on the occasion of*
bien que *although*
en compagnie de *together with*
en seconde *in the 11th grade*
tout de même *nevertheless*
une centaine de *about a hundred*

15–26
un(e) ancêtre *ancestor*
un(e) ancien (-ienne) *elder*
une antilope *antelope*
un buffle *buffalo*
une case *hut*
un cercle *circle*
un demi-cercle *half-circle*
le coton *cotton*
l'esprit (m.) *spirit*
une étoffe *fabric, material*
le fer *iron*
un forgeron *blacksmith*
un fromager *kapok tree*
une girafe *giraffe*
une génération *generation*
un guépard *cheetah*
le manioc *manioc*
le présent *the present*
un rhinocéros *rhinoceros*
un siège *seat*
un zèbre *zebra*

se disputer *to quarrel*
filer *to spin*
invoquer *to invoke*
manquer *to miss*
sa famille lui manque *he misses his family*
mener (like acheter) *to lead*
penser (à) *to think (of)*
piler *to pound*
se revoir (like voir) *to see (oneself) again*
tisser *to weave*

rire aux éclats *to roar with laughter*

aîné, -e *eldest*
coloré, -e *colored*
imaginaire *imaginary*
masqué, -e *masked*
nécessaire *necessary*
réel, -elle *real*
rituel, -elle *ritual*
sacré, -e *sacred*
typique *typical*

à la poursuite de *chasing*
bouche bée *gaping, flabbergasted*
de père en fils *from father to son*
l'envie le prend *he suddenly feels the urge*

27–40
un bouquin *book*
la brousse *jungle*
une copie *(test) paper*
une interro(gation) écrite *quiz*
la précision *precision*
pour plus de précision *to be more exact*
un projet *plan*
un stage *internship*
la vitesse *speed*
à toute vitesse *at full speed*

compter *to hope to, to expect to*
je compte bien *I certainly hope to*
faire du zèle *to overdo*

complètement *completely*

à moins que *unless*
au fin fond de *in the depths of*
du temps de perdu *wasted time*
pourvu que *provided that*

35
ATTENTION
A LA SANTE!

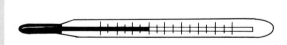

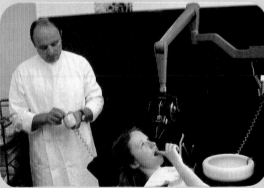

Pour bien se soigner les dents

Lavez-vous les dents après chaque repas.
Brossez-vous les dents verticalement à partir de la gencive.
Ne mangez pas trop de sucreries : le sucre donne des caries.
Allez chez votre dentiste au moins une fois par an.

1 Chez le dentiste.

CHRISTINE Allô! Bonjour, Docteur! Christine Pierre à l'appareil.

DENTISTE Oh, bonjour, Christine! Que puis-je faire pour vous?

CHRISTINE J'ai très mal aux dents. J'aimerais un rendez-vous le plus vite possible, s'il vous plaît.

DENTISTE Jeudi, à 5 heures. Ça vous va?

CHRISTINE Un peu plus tard, ça m'arrangerait mieux.

DENTISTE 5 heures et demie?

CHRISTINE Parfait. A jeudi, Docteur! Au revoir!

DENTISTE Au revoir, Christine! A jeudi!

(Le jeudi suivant.)

DENTISTE Asseyez-vous. Ouvrez bien la bouche, que je vous examine.

CHRISTINE Aïe!!!

DENTISTE Ah, vous avez là une belle carie! Je vais vous faire une radio, pour voir s'il n'y a pas un abcès en dessous.

DENTISTE Bon, ça va. Ce n'est pas trop grave : le nerf n'a pas l'air d'être touché. On va pouvoir soigner ça et faire un plombage.

CHRISTINE Vous allez me passer la roulette?

DENTISTE Oui, mais n'ayez pas peur... Je vais vous faire une petite piqûre d'anesthésie locale avant. Vous n'allez rien sentir du tout!

CHRISTINE Oh! J'ai horreur des piqûres, mais ça vaut mieux que d'avoir mal!

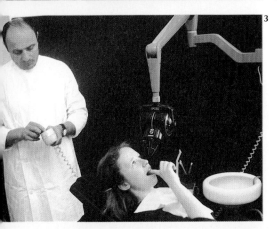

DENTISTE Voilà! Vous pouvez vous rincer la bouche. Je vous ai mis un pansement. Il faudra que vous reveniez la semaine prochaine, pour le plombage.

CHRISTINE Je ne me sens pas très bien : j'ai la tête qui tourne, et j'ai l'impression d'avoir la bouche en bois!

DENTISTE C'est l'effet de l'anesthésique. Rassurez-vous, ça ne va pas durer longtemps. Mais attendez que ça passe pour manger. Vous risqueriez de vous mordre la langue et de vous faire mal! Vous pouvez venir jeudi prochain, à la même heure? Bon!

5

2 Répondez aux questions.

1. Qu'est-ce qu'il faut faire après chaque repas?
2. Comment est-ce qu'il faut se brosser les dents?
3. Pourquoi est-ce qu'il ne faut pas manger trop de sucreries?
4. Combien de fois par an est-ce qu'il faut aller chez le dentiste?
5. D'après le dentiste, pourquoi Christine a-t-elle mal à la dent?
6. C'est grave? Comment est-ce que le dentiste a vu ça?
7. Qu'est-ce que le dentiste va faire pour soigner la dent malade?
8. Quel est l'effet de l'anesthésique sur Christine?
9. Combien de temps est-ce que ça va durer?
10. Qu'est-ce qu'elle ne doit pas faire pendant ce temps? Pourquoi?

3 Et vous?

1. Est-ce que vous allez souvent chez le dentiste? Pourquoi?
2. Est-ce que vous avez peur d'y aller? Pourquoi?
3. Qu'est-ce que vous aimez le moins quand vous allez chez le dentiste?
4. Est-ce que vous vous lavez régulièrement les dents? Quand?

4 Devinettes. ⊗

1. On en met sur une brosse à dents.
2. Il faut le faire après chaque repas.
3. Il faut en voir un au moins une fois par an.
4. On en a quand on mange trop de sucreries.
5. Le dentiste en prend une quand il veut être sûr.
6. Ça ne fait pas mal quand on a eu une piqûre.

5 EXERCICE ORAL ⊗

6 EXERCICE DE CONVERSATION

Imaginez que vous avez mal aux dents.
1. Vous téléphonez à votre dentiste pour prendre rendez-vous:
    VOUS Allô, bonjour, Docteur! C'est (Christine Pierre) à l'appareil.
    DENTISTE Ah, bonjour (Christine). Que puis-je faire pour vous? Etc...
2. Vous êtes chez le dentiste:
    DENTISTE Vous avez une belle carie à cette dent-là!
    VOUS Vous n'allez pas me l'arracher! Etc...
Utilisez les dialogues des pages 162 et 163 comme modèles.

7

THE VERB s'asseoir

1. The following are the present-tense forms of the verb **s'asseoir,** *to sit down.* ⊗

je	**m'assieds**	nous	**nous asseyons**
tu	**t'assieds**	vous	**vous asseyez**
il / elle	**s'assied**	ils / elles	**s'asseyent**

2. a. The past participle of **s'asseoir** is **assis: Christine s'est assise dans le fauteuil.**
   b. The future tense of **s'asseoir** is: **je m'assiérai, tu t'assiéras,** etc.

8

Quand on a la tête qui tourne, il faut s'asseoir. ⊗

Christine ne se sentait pas bien.   Elle s'est assise un peu.
son frère / ses parents / je / nous

9

En attendant le dentiste. ⊗

L'infirmière dit à Christine et à sa mère de   Asseyez-vous!
s'asseoir.
La mère de Christine lui dit de s'asseoir.   Assieds-toi!
La mère de Christine suggère qu'elles s'as-   Asseyons-nous!
seyent toutes les deux.

10

REFLEXIVE CONSTRUCTIONS
Review

1. A reflexive construction is one in which the subject and the object of the verb refer to the
   same person.
   Je me suis fait mal.   *I hurt myself.*
   Il ne **se** soigne pas.   *He does not take care of himself.*
2. The following are the forms of the reflexive pronouns.

Je **me** lave les dents.	Nous **nous** brossons les dents.
Tu **te** rinces la bouche.	Vous **vous** lavez les cheveux.
Il / Elle **se** mord la langue.	Ils / Elles **se** salissent les mains.

Remember that in the dictionary, the infinitive of a reflexive verb is given with the reflexive
pronoun **se: se soigner,** *to take care of oneself.* However, in a sentence with a reflexive
infinitive, the reflexive pronoun corresponds to the subject of the verb: **Tu vas te soigner?**
3. Reflexive pronouns occur in the following positions.

Tu **te** soignes?	Tu ne **te** soignes pas?
Tu vas **te** soigner?	Tu ne vas pas **te** soigner?
Tu **t'** es soigné(e)?	Tu ne **t'** es pas soigné(e)?
Soigne-**toi!**	Ne **te** soignes pas!

Notice that in an affirmative command, **toi** is used instead of **te: Soigne-toi!**
4. Elision occurs with **me, te,** and **se.** Liaison occurs with **nous** and **vous.**

Ne **t'**énerve pas! Je ne **m'**énerve pas! Vous **vous** énervez!

5. The compound tenses of a reflexive verb are always formed with **être.** The past participle of a compound tense agrees in gender and number with the preceding direct object. Therefore, in a reflexive construction, the past participle agrees in gender and number with the reflexive pronoun when the reflexive pronoun is a direct object:

Les filles **se** sont **lavées.**

It does not agree with the reflexive pronoun when the reflexive pronoun is an indirect object:

Les filles **se** sont **lavé** les dents.

6. The English equivalent of a French reflexive construction sometimes includes a reflexive pronoun:

Je **me** suis fait mal.   *I hurt myself.*

It often does not:

Je **me** suis lavé(e).   *I washed.*

7. The plural reflexive pronouns **nous, vous,** and **se** may mean *each other:*

Ils **se** téléphonent souvent.   *They phone each other often.*

This meaning of *each other* is sometimes reinforced by adding **l'un(e) l'autre.**

Ils **se** rassurent **l'un l'autre.**   *They reassure each other.*

11 Il faut se soigner! ⊗

Christine a toujours mal!   Bien sûr, elle ne se soigne pas!
son frère / ses parents / je / nous

12 La mère de Christine lui dit… ⊗

de se soigner.   Soigne-toi!
de se reposer / de se coucher / de ne pas s'énerver

13 Le dentiste dit à Christine… ⊗

de s'asseoir.   Asseyez-vous!
de se détendre / de se rassurer / de se rincer la bouche

14 Qu'est-ce qui ne va pas? ⊗

Christine a l'air d'avoir mal.   Oui, elle vient de se faire mal!
le dentiste / les garçons / toi, tu / vous deux, vous

15 Avant d'aller chez le dentiste. ⊗

Christine! Va te laver les dents!   Mais, je me suis déjà lavé les dents!
te changer / te donner un coup de peigne / te brosser les cheveux

16 Il faut s'aider. ⊗

Qui soigne qui?   Nous nous soignons l'un(e) l'autre.
Qui rassure qui?
Qui conseille qui?
Qui aide qui?

17 EXERCICE ECRIT

Christine parle à une amie. Complétez chaque phrase en utilisant le verbe donné au passé composé.

Exemple: (se passer) Christine! Qu'est-ce qui ___?

Christine! Qu'est-ce qui s'est passé?

1. (se casser) Je _____ une dent!
2. (s'énerver) Je _____ parce que j'étais en retard à un rendez-vous.
3. (se dépêcher) Je _____, et je suis tombée!
4. (se faire) Tu _____ mal?
5. (se mordre) Oui, très mal, car en tombant, je _____ la langue!
6. (se soigner) Tu _____?
7. (se rendre) Bien sûr! Et puis, je _____ chez le dentiste avec lequel j'avais ce rendez-vous!

18 Chez le docteur. ⊗

DOCTEUR	Bonjour, M. Bise! Alors, qu'est-ce qui ne va pas?
PIERRE	J'ai très mal à la gorge, je tousse beaucoup, et j'ai rhume. C'est peut-être la grippe?
DOCTEUR	Bon, eh bien, on va voir ça. Qui est-ce qui vous a dit de venir me voir?
PIERRE	M. Pujol, le pharmacien[1]. Mon médecin est en vacances, alors M. Pujol m'a dit d'aller vous voir.
DOCTEUR	Bon. Avant que je vous examine, quelques petites questions. Vous avez été opéré des amygdales?
PIERRE	Oui, mais je crois qu'elles ont repoussé!
DOCTEUR	Vous avez eu d'autres opérations?
PIERRE	J'ai été opéré de l'appendicite.
DOCTEUR	Quelles maladies est-ce que vous avez eues?
PIERRE	Toutes les maladies de gosses : la rougeole, les oreillons, la coqueluche.
DOCTEUR	Vous êtes allergique à quelque chose?
PIERRE	Je suis allergique à la pénicilline : ça me fait tomber dans les pommes!
DOCTEUR	Autre chose à signaler? Pas d'accident?
PIERRE	Ah si, j'ai eu un accident de mobylette, et je me suis cassé la jambe! Deux mois dans le plâtre, ce n'est pas drôle!

[1] French people often go to their pharmacist for advice on minor physical ailments. And in the countryside, they even ask their pharmacist what to do when one of their animals gets sick.

19 L'Examen. ⊗

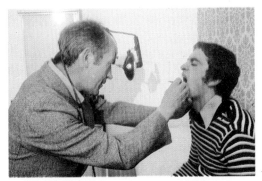

Le docteur examine la gorge de Pierre.

Puis, il lui examine les oreilles.

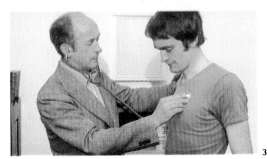

Il l'ausculte.

Et il lui prend sa tension.

20 Le Diagnostic et l'Ordonnance. ⊗

DOCTEUR Bon, ce n'est pas grave… Vous n'avez pas de fièvre. Une petite angine, c'est tout. Je vais vous faire une ordonnance. Prenez ces deux médicaments, matin et soir, pendant une semaine.

PIERRE Il faut que je reste au lit?

DOCTEUR Je ne crois pas que ce soit nécessaire, mais restez chez vous pendant quelques jours.

PIERRE Une semaine?

DOCTEUR Ça m'étonnerait que ça dure si longtemps. Surtout, il faut prendre vos médicaments consciencieusement. Si vous le faites, je doute que vous soyez malade plus de deux ou trois jours.

Le docteur remplit la feuille de Sécurité sociale, et il la donne à Pierre.

DOCTEUR Voilà, suivez bien votre traitement. Si vous pouvez, restez chez vous et reposez-vous. Et si vous ne vous sentez pas mieux à la fin de la semaine, appelez-moi.

21 *France has a national health insurance plan called la Sécurité sociale. All working people pay a monthly premium, which covers part of the insurance cost. The rest is paid by their employers. The employees and their eligible dependents are covered for all medical expenses — doctors' and dentists' fees, hospital expenses, etc. The doctors and dentists who are affiliated with the Sécurité sociale — and most of them are — cannot charge more than a specific amount for each visit.*

A Sécurité sociale form has three sections: one for the doctor or dentist, one for the pharmacist, and one for the insured person. All three parties must fill out and sign their respective section. The insured person will then return this form to the local office of the Sécurité sociale and can expect to be paid back soon afterward.

22 **Répondez aux questions.**

1. Pourquoi est-ce que Pierre va voir le docteur?
2. Qu'est-ce qu'il a eu comme opérations? Et comme maladies?
3. A quoi est-ce qu'il est allergique?
4. Que fait le docteur pendant l'examen de Pierre?
5. Quel est le diagnostic du docteur?
6. Quel traitement est-ce qu'il donne à Pierre? Pour combien de temps?
7. Qu'est-ce qu'il lui donne en plus de l'ordonnance?
8. Qu'est-ce qu'il conseille à Pierre?

23 **Et vous?**

1. Quand avez-vous vu le médecin la dernière fois?
2. Pourquoi est-ce que vous êtes allé(e) le (la) voir?
3. Qu'est-ce qu'il (elle) vous a fait comme examen médical?
4. Quel traitement est-ce qu'il (elle) vous a donné? Et quels conseils?
5. Vous avez été malade pendant combien de temps?
6. Est-ce que vous avez été opéré? De quoi?
7. Quelles maladies est-ce que vous avez eues?
8. Est-ce que vous êtes allergique à quelque chose? A quoi?

24 **EXERCICE ORAL** ⊗

25 **Quelle est votre température?** ⊗

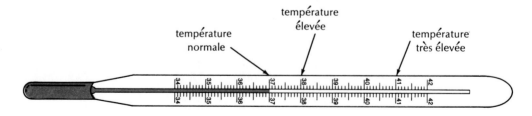

Vous ne vous sentez pas bien : vous avez mal au ventre, mal au cœur, mal à la tête. Vous allez voir le médecin. Il (Elle) vous demande quelle est votre température. Vous dites : « J'ai 38.5. » Il (elle) vous répond : « Oh, mais vous avez de la fièvre! » Etc.

26

EXPRESSING UNCERTAINTY AND DISBELIEF
More on the Subjunctive

1. Expressions indicating doubt, uncertainty, and disbelief are followed by the subjunctive in the subordinate clause. ⊗

Uncertainty → Subjunctive	
Je doute que tu **suives**	bien ton traitement.
Il est possible qu'elle **soit**	vraiment malade.
Je ne pense pas que nous **puissions**	sortir avant deux jours.
Ça m'étonnerait que vous **ayez**	de la fièvre.
Je ne crois pas qu'ils **prennent**	leurs médicaments.

2. In the negative, expressions of certainty and belief become expressions of uncertainty and disbelief. Therefore, they are followed by the subjunctive in the subordinate clause.

	Uncertainty → Subjunctive
Je crois que tu **as** un rhume.	**Je ne crois pas** que tu **aies** un rhume.
Je pense que tu **es** malade.	**Je ne pense pas** que tu **sois** malade.
Je suis sûr que tu **peux** sortir.	**Je ne suis pas sûr** que tu **puisses** sortir.

3. Some expressions, like **il me semble que, il paraît que, il est vrai que,** indicate probability or certainty. They are not followed by the subjunctive in the subordinate clause.
   Il me semble que vous **avez** mal à la gorge.
   Il paraît qu'ils **sont** tous malades.

27

Pierre se croit très malade. Le docteur en doute... ⊗

Je crois que je suis malade.
Je crois que c'est grave.
Je crois que j'ai 40° de fièvre.
Je crois que je ne prends pas assez de médicaments.
Je crois que je ne guérirai jamais.
Je crois que j'ai besoin d'une opération.
Je crois que je ne peux pas sortir.

Ça m'étonnerait que vous soyez malade!

28

Pierre vient de téléphoner. Il dit qu'il est malade. ⊗

Tu crois qu'il est vraiment malade?

Non, je ne crois pas qu'il soit vraiment malade.

Tu penses qu'il est au lit?
Tu es sûr qu'il a la rougeole?
Tu crois qu'il suit un traitement?
Tu penses qu'il prend des médicaments?
Tu es sûr qu'il dit la vérité?

29 **Il paraît que Christine et Pierre sont tous les deux malades.** ⊗

Christine et Pierre sont tous les deux malades, à ce qu'il paraît?

Oui, il paraît qu'ils sont tous les deux malades.

Ils ont tous les deux la grippe. C'est possible?

Oui, c'est possible qu'ils aient tous les deux la grippe.

Ils ont tous les deux 40° de fièvre. C'est vrai?

Oui, c'est vrai qu'ils ont tous les deux 40° de fièvre.

Ils sont tous les deux allergiques aux antibiotiques. C'est possible?

Oui, c'est possible qu'ils soient tous les deux allergiques aux antibiotiques.

Ils n'ont pas de médicaments à prendre, à ce qu'il paraît?

Oui, il paraît qu'ils n'ont pas de médicaments à prendre.

30 **EXERCICE ECRIT**

a. Ecrivez les réponses des exercices No 27 et 28.
b. Récrivez chaque phrase en utilisant l'expression entre parenthèses.
Exemple: Pierre va chez le docteur cet après-midi. (il est possible)
   Il est possible que Pierre aille chez le docteur cet après-midi.

1. Pierre ne se sent pas bien. (je crois)
2. Il a beaucoup de fièvre. (il paraît)
3. Il est très malade. (il est possible)
4. Il lui fera un examen complet. (je ne suis pas sûr)
5. Il lui fera une radio. (je pense)
6. Il prendra sa température. (je doute)
7. Il prendra sa tension. (je suis sûr)
8. C'est nécessaire dans son cas. (je ne crois pas)
9. Le docteur lui donnera des tas de médicaments. (il me semble)
10. Pierre suivra bien son traitement. (ça m'étonnerait)

31 **EXERCICE DE COMPREHENSION** ⊗

	0	1	2	3	4	5	6	7	8	9	10
Certainty											
Uncertainty	√										

32 **Qu'est-ce que vous croyez qu'ils ont?** ⊗

1   2   3

33 La Visite médicale. ⊗

VOCABULAIRE: **se peser** *to step on the scale*; **tirer la langue** *to stick out one's tongue*; **se tenir droit** *to stand up straight*; **ça leur ferait les pieds** *that would teach them*; **prendre un coup de froid** *to catch a cold*; **avoir du bon** *to have its good points*

34 Chez le pharmacien. ⊗

1 2

En sortant de chez le docteur Heurté, Pierre va chez le pharmacien pour acheter les médicaments que le docteur lui a prescrits.

PHARMACIEN   Alors, comment ça s'est passé?

PIERRE   Bien. D'abord, il m'a demandé ce que j'avais eu comme maladies. Après, il m'a ausculté. Il m'a dit que ce n'était pas grave… Une petite angine, c'est tout. Je lui ai demandé s'il fallait que je reste au lit, mais il m'a dit que non.

PHARMACIEN   Il ne vous a pas demandé qui vous avait envoyé chez lui?

PIERRE   Si, et je lui ai dit que c'était vous.

PHARMACIEN   Comment l'avez-vous trouvé? Sympathique, non?

PIERRE   Oui, très. Tenez, voilà l'ordonnance.

Le pharmacien va chercher les deux médicaments. Puis il remplit et tamponne la feuille de Sécurité sociale. Il la rend à Pierre en même temps que l'ordonnance[1]. Pierre paye.

PHARMACIEN   Voilà. Soignez-vous bien.

PIERRE   D'accord. Merci.

35 Répondez aux questions.

1. Où va Pierre en sortant de chez le docteur Heurté?
2. Pour quoi faire?
3. Qu'est-ce que le pharmacien veut savoir?
4. Finalement, qu'est-ce qu'il demande à Pierre?
5. Comment est-ce que Pierre a trouvé le docteur Heurté?
6. Qu'est-ce que Pierre doit donner au pharmacien pour que le pharmacien lui donne ses médicaments?
7. Qu'est-ce que le pharmacien remplit et tamponne? Qu'est-ce qu'il rend à Pierre?

36 EXERCICE ORAL ⊗

[1] In France, it is the patient who keeps the doctor's prescription and not the pharmacist. To get a refill, the patient can go to any drugstore. The pharmacist writes on the prescription the amount of medicine bought, stamps and dates the prescription, and gives it back to the patient.

37 Qu'est-ce qu'il faut? ⊗

des cachets° d'aspirine
  si on a mal à la tête
du bicarbonate de soude°
  si on a mal à l'estomac°
de l'alcool de menthe°
  si on a mal au cœur
du sirop°
  si on tousse
des pastilles°
  si on a mal à la gorge
de la pommade calmante°
  si on s'est brûlé°
des gouttes°
  si on a un rhume, mal aux
  oreilles ou mal aux yeux
de l'alcool à 90°
  pour désinfecter les blessures°
du coton hydrophile°
  pour nettoyer les blessures
des pansements adhésifs°
  pour les petites blessures

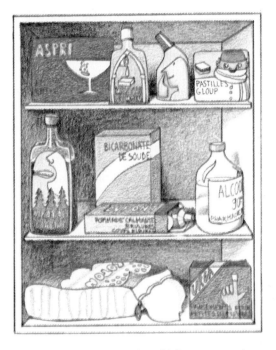

VOCABULAIRE: **un cachet** *tablet;* **du bicarbonate de soude** *bicarbonate of soda;* **avoir mal à l'estomac** *to have a stomachache;* **de l'alcool de menthe** *mint antacid;* **du sirop** *cough syrup;* **une pastille** *cough drop;* **de la pommade calmante** *soothing ointment;* **se brûler** *to get burnt;* **des gouttes** *drops;* **de l'alcool à 90°** *rubbing alcohol;* **une blessure** *wound;* **du coton hydrophile** *absorbent cotton;* **un pansement adhésif** *band-aid*

38 Est-ce que vous auriez ce qu'il faut... ⊗

si vous aviez mal aux oreilles?
si vous aviez mal à l'estomac?
si vous toussiez?
si vous aviez mal au cœur?
si vous aviez mal à la tête?
si vous vous étiez brûlé(e)?
si vous aviez mal à la gorge?
si vous vous étiez blessé(e)?

Oui, j'ai des gouttes.

39   INDIRECT STYLE

Répondez aux questions qui suivent les exemples. ⊗

Chez quel docteur êtes-vous allé?   Il veut savoir **chez quel** docteur vous êtes allé.
Chez qui est-ce que vous êtes allé?   Il veut savoir **chez qui** vous êtes allé.
Comment l'avez-vous trouvé?   Il veut savoir **comment** vous l'avez trouvé.

Which sentences are direct questions? Which sentences ask indirectly what the person wants to know? Is **est-ce que** used in the sentences on the right? Is inversion used? Do the sentences on the right use the same question words as the corresponding sentences on the left?

Qu'est-ce que le docteur vous a dit?   Il veut savoir **ce que** le docteur vous a dit.
    Qu'est-ce qui s'est passé?   Il veut savoir **ce qui** s'est passé.

Are the question words used in the sentences on the left also used in the corresponding sentences on the right? What corresponds to **qu'est-ce que** and **qu'est-ce qui**?

40   Lisez la généralisation suivante.

1. Indirect style expresses what has been asked or said by someone without quoting that person directly.

Le pharmacien veut savoir comment ça s'est passé.   *The pharmacist wants to know how it went.*

Le docteur m'a dit que j'avais une angine.   *The doctor told me I had a sore throat.*

a. In indirect style, interrogative words are used by themselves, without **est-ce que** or inversion.

Direct Style	Indirect Style
Qui est-ce que tu as vu?	Il veut savoir **qui** j'ai vu.
Qui as-tu vu?	Je lui dis **qui** j'ai vu.
Comment est-ce que tu l'as trouvé?	Il veut savoir **comment** je l'ai trouvé.
Comment l'as-tu trouvé?	Je lui dis **comment** je l'ai trouvé.

b. In indirect style, **ce qui** and **ce que** are used, not **qu'est-ce qui** and **qu'est-ce que**.

Direct Style	Indirect Style
Qu'est-ce qui est arrivé?	Il veut savoir **ce qui** est arrivé.
Qu'est-ce que tu as dit?	Il veut savoir **ce que** j'ai dit.

2. Notice how the tenses change when direct or indirect style is used.

Direct Style		Indirect Style	
Qu'est-ce qui	**se passe?**	Il m'a demandé ce qui	**se passait.**
Voilà ce que vous	**avez.**	Il m'a dit ce que j'	**avais.**
Qu'est-ce qui	**s'est passé?**	Il m'a demandé ce qui	**s'était passé.**
Voilà ce que vous	**avez eu.**	Il m'a dit ce que j'	**avais eu.**

There is no change of tense when the verb used in the direct style is in the imparfait:
    Voilà ce que vous **aviez.**   Il m'a dit ce que j'**avais.**

41   Pierre est allé chez le docteur. ⊗

Tu y es allé? Quand?   Sa grand-mère demande quand il y est allé.
Pourquoi? / Comment? / Avec qui?

42 Pierre explique au pharmacien. ⊗

Voilà ce qui est arrivé.
Voilà ce que j'ai eu.
J'ai eu un gros rhume.
Voilà comment je me sens.
J'ai très mal à la gorge.

Il lui dit ce qui est arrivé.

43 La pharmacienne veut tout savoir. ⊗

Qu'est-ce qui est arrivé à Pierre?
Qu'est-ce qu'il a eu?
Qui est-ce qu'il a vu?
Qu'est-ce que le docteur lui a dit?
Qu'est-ce qu'il lui a donné?

Elle veut savoir ce qui est arrivé à Pierre.

44 Deux camarades parlent de Pierre. ⊗

Qu'est-ce qu'il a?
Qui est-ce qu'il a vu?
Qu'est-ce que le docteur lui a dit?
Comment est-ce qu'il a trouvé le docteur?
Quels médicaments est-ce qu'il prend?
Qui est-ce qui le soigne?
Quand est-ce qu'il reviendra au travail?

Je ne lui ai pas demandé ce qu'il avait.

45 EXERCICE ECRIT

a. Ecrivez les réponses des exercices No 41, 42, 43 et 44.

b. Récrivez les dialogues « le docteur » et « le Diagnostic et l'Ordonnance » en style indirect et au passé. Faites tous les changements nécessaires (pronoms, temps, etc.). Commencez : Le docteur a demandé à Pierre ce qui... Pierre a dit...

46 EXERCICE DE CONVERSATION

a. Vous racontez à vos amis que vous avez été malade, et que vous êtes allé(e) à l'hôpital. Dites-leur:

1. ce que vous aviez.
2. combien de temps vous êtes resté(e) à l'hôpital.
3. ce qu'on vous a fait à l'hôpital — si vous avez eu une opération et laquelle.
4. si les infirmiers (infirmières) étaient sympathiques ou pas.
5. si la nourriture était bonne, et ce qu'on vous donnait à manger.
6. si vous aviez un(e) camarade de chambre, et comment il (elle) était.
7. combien de temps vous êtes resté(e) à la maison, après être revenu(e) de l'hôpital.
8. ce que vous faisiez pour passer le temps.

b. Si vous n'êtes jamais allé(e) à l'hôpital, racontez à vos amis le séjour à l'hôpital de l'un des membres de votre famille.

47 REDACTION

Vous écrivez à un(e) ami(e) pour lui dire que vous avez été malade et que vous êtes allé(e) à l'hôpital. Utilisez l'exercice No 46 comme modèle.

1–17

un abcès *abscess*
une carie *cavity*
la gencive *gum*
la langue *tongue*
un nerf *nerve*
une piqûre *injection*
un plombage *filling*
un rendez-vous *appointment*
la roulette *(dentist's) drill*
le sucre *sugar*
des sucreries (f.) *sweets*

s'asseoir *to sit down*
avoir mal aux dents *to have a toothache*
être touché(e) *to be affected*
faire mal *to hurt*
faire une piqûre *to give an injection*
se mordre *to bite*
se rassurer *to put one's mind at ease*
se rincer (like **commencer**) *to rinse out*
soigner *to treat*
  se soigner *to take care of (oneself)*

ça m'arrangerait mieux *that would suit me better*
ça vaut mieux que *it's better than*
j'ai la tête qui tourne *my head is spinning*
j'ai l'impression d'avoir la bouche en bois *my jaw feels as if it's asleep*
ouvrez bien *open wide*

grave *serious*
local, -e (m. pl: locaux) *local*

avant *first*
en dessous *underneath*
verticalement *vertically*

à la même heure *at the same time*
c'est l'effet de *it's the result of*
le plus vite possible *as soon as possible*

18–33

les amygdales (f.) *tonsils*
une angine *tonsillitis, sore throat*
l'appendicite (f.) *appendicitis*
la coqueluche *whooping cough*
une feuille *form, sheet of paper*
la fièvre *fever*
la gorge *throat*
un(e) gosse *kid*
la grippe *flu*
une maladie *disease, sickness*
un médicament *medicine*
une ordonnance *prescription*
les oreillons (m.) *mumps*
la pénicilline *penicillin*
le plâtre *plaster cast*
un rhume *cold*
la rougeole *measles*
la tension *blood pressure*
un traitement *treatment*

ausculter *to listen with a stethoscope*
avoir de la fièvre *to have a fever*
avoir mal à la gorge *to have a sore throat*
avoir mal à la tête *to have a headache*
avoir mal au cœur *to feel nauseous*
avoir mal au ventre *to have a stomachache*
douter *to doubt*
s'étonner *to be amazed*
être allergique *to be allergic*
être malade *to be sick*
faire une ordonnance *to write a prescription*
remplir (like **choisir**) *to fill out*
repousser *to grow back*
rester au lit *to stay in bed*
tousser *to cough*

élevé, -e *high*
malade *sick*
normal, -e (m. pl.: **normaux**) *normal*

consciencieusement *conscientiously*

avant que *before*
ça me fait tomber dans les pommes *it makes me faint*
en vacances *on vacation*
plus de *more than*
qu'est-ce qui ne va pas *what's wrong*

34–47

prescrire (like **écrire**) *to prescribe*
tamponner *to stamp*

comment ça s'est passé *how did it go*

36
Excursion Dans Le Jura Suisse

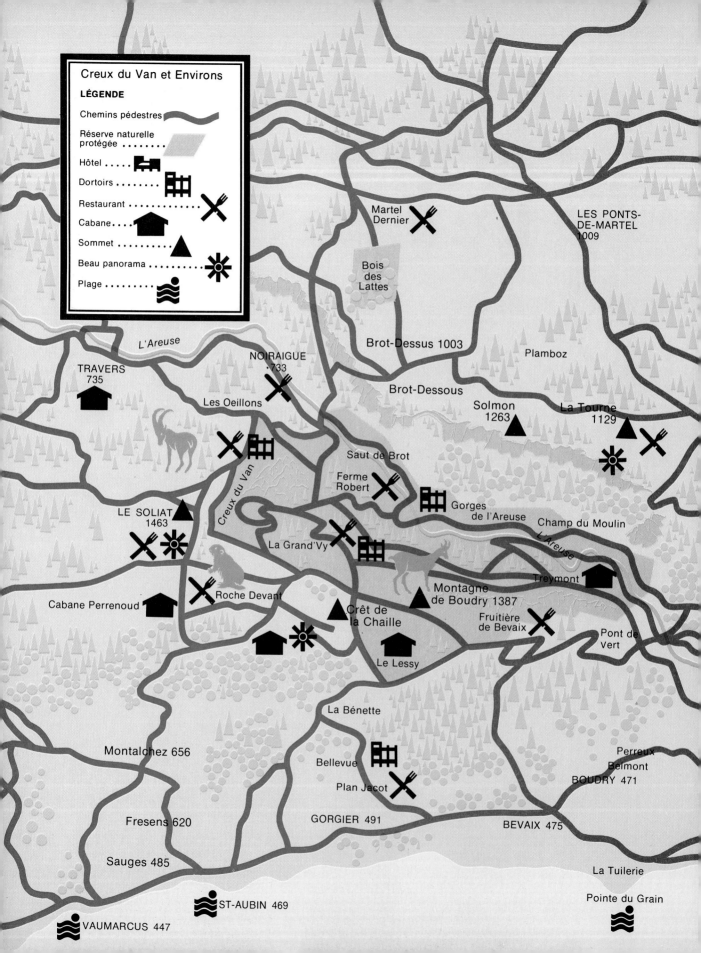

2 Le Jura suisse. ⊗

La Suisse est un pays de montagnes, de vallées et de lacs, célèbre pour la beauté de ses paysages. Les Suisses eux-mêmes, qui aiment beaucoup la nature, sont les premiers à apprécier cette beauté. Une de leurs activités préférées est la marche à pied°. Ils ont créé° de nombreux réseaux° de chemins pédestres°. Celui de la page précédente se trouve dans le Jura, la chaîne de montagnes au nord de Neuchâtel.

Le Jura suisse est une région très pittoresque. De gigantesques falaises° se dressent° jusqu'à° 1 500 m environ et offrent des points de vue° superbes sur les vallées des alentours°. L'un de ces endroits spectaculaires est le Creux du Van. Ses falaises s'élèvent° à 1 386 m et offrent une vue magnifique sur la vallée de l'Areuse. Le Creux du Van est également une réserve où chamois, cerfs° et bouquetins° peuvent vivre en toute tranquillité.

VOCABULAIRE: **la marche à pied** *hiking;* **créer** *to create;* **un réseau** *network;* **un chemin pédestre** *trail;* **une falaise** *cliff;* **se dresser** *to tower;* **jusqu'à** *up to;* **un point de vue** *lookout;* **les alentours** *surroundings;* **s'élever** *to rise;* **un cerf** *deer;* **un bouquetin** *ibex*

3 Promenade et Pique-nique. ⊗

Nos amis de Neuchâtel — Brigitte, Evelyne, Roger, Gilles et Anne — ont décidé de profiter du beau temps pour aller faire un pique-nique. Comme endroit, ils ont choisi le Creux du Van. C'est surtout Roger qui tient à aller là : il va pouvoir donner libre cours à sa passion, la photographie.

Le programme de la journée est le suivant : ils montent jusqu'à la ferme du Soliat en voiture (la 2CV de Roger). De là, ils vont à pied au Creux du Van, qui est à trois quarts d'heure de marche de la ferme. Puis, pique-nique au Creux du Van. Promenade dans les champs voisins. Pour Roger, recherche de quelque chamois à photographier. Pour les autres, le calme dans la nature. En fin d'après-midi, retour à la ferme du Soliat où l'on peut prendre quelque chose à boire. Finalement, retour à Neuchâtel, chez Brigitte, pour plus de précision, où les attendra une bonne fondue.

Et maintenant, en route!

Arrivés à la ferme du Soliat, qui se trouve au pied du sommet qui porte le même nom, les cinq amis laissent leur voiture et se mettent en marche. Ils traversent des prés pleins de fleurs, ils escaladent des rochers, ils sautent de minuscules torrents créés par la fonte des neiges. Et ils continuent à suivre le sentier qui grimpe jusqu'en haut des falaises du Creux du Van.

BRIGITTE Quelle vue fantastique! Roger, tu devrais faire une photo!

ROGER Malheureusement, je ne suis pas doué pour les photos de paysages. Elles ne sont jamais réussies! Trouve-moi plutôt des jolies fleurs, des oiseaux...

GILLES Dites donc, la marche m'a donné faim, à moi... Si on s'installait là-bas, près des sapins, pour pique-niquer?

BRIGITTE Excellente idée!

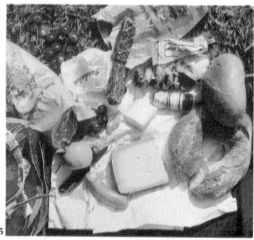

Ils font un grand feu de bois pour faire griller les saucisses qu'ils ont apportées. Avec de la moutarde de Dijon, il n'y a rien de meilleur! Et puis, ils mangent du fromage avec du bon pain de campagne, et ils finissent leur pique-nique avec des pommes et des cerises.

EVELYNE Attention! Roger nous mitraille!

BRIGITTE Roger! Tu pourrais nous laisser tranquilles, cinq minutes?!

ROGER Allons, allons, ne bougeons plus! Et faites un petit sourire au photographe... « Cheese! »

Après avoir bien mangé, nos amis décident d'aller un peu plus loin, jusqu'à un autre point de vue, à une demi-heure de marche. Néanmoins avant de partir, ils font bien attention de ne rien laisser traîner derrière eux.

7

Ils se remettent en route à travers les prés où les boutons d'or scintillent sous le soleil de mai.

9   8

10

11

En chemin, ils trouvent d'énormes plaques de neige qui n'ont pas encore fondu, et Brigitte fait une démonstration de ski de printemps… sans skis!

4 Répondez aux questions.

1. Où Brigitte, Evelyne, Roger, Gilles et Anne vont-ils aller faire un pique-nique?
2. Pourquoi Roger veut-il tellement aller à cet endroit?
3. Quel est le programme de la journée?
4. Pourquoi est-ce que Roger n'aime pas faire des photos de paysages?
5. Qu'est-ce qu'il préfère photographier?
6. Qu'est-ce que nos amis mangent?
7. Sur quoi font-ils griller leurs saucisses?
8. Qu'est-ce qu'ils font avant de repartir?
9. Qu'est-ce qu'ils trouvent en chemin?
10. Que fait Brigitte?

5 Et vous?

1. Quand avez-vous fait une excursion? Où ça?
2. Avec qui? En quelle saison?
3. Pourquoi avez-vous fait cette excursion?
4. Combien de temps a-t-elle duré?
5. Qu'est-ce que vous aviez mis comme vêtements?
6. Est-ce que vous aviez emporté du matériel de camping? Lequel?
7. Est-ce que vous avez fait un pique-nique? Décrivez-le.
8. Est-ce que vous avez fait des photos? De quoi?
9. Comment avez-vous aimé votre excursion?
10. Est-ce qu'il y a de la neige là où vous habitez? Quand est-ce qu'elle fond?

6 EXERCICE ORAL ⊗

7 Le Jeu des randonnées°. ⊗

Regardez la carte de la page 178. Votre classe se divise en deux groupes. Le premier groupe choisit un itinéraire, et l'autre groupe doit deviner lequel c'est. Par exemple, le premier groupe dit:

    Nous avons dormi dans une ferme.
    Nous avons marché le long d'une rivière.
    Nous avons admiré des gorges.
    Nous avons vu un moulin°.
    Nous avons traversé un pont.
    Nous avons déjeuné dans une fruitière°.
    Nous sommes montés en haut d'un sommet de 1 387 m.

Le deuxième groupe dit:

    Vous êtes allé(e)s de la ferme Robert à la montagne de Boudry,
    en passant par les gorges de l'Areuse, le champ du Moulin,
    le pont de Vert et la fruitière de Bevaix.

Chaque groupe a dix minutes pour choisir un itinéraire de randonnée et cinq minutes pour deviner l'itinéraire de l'autre groupe. Le groupe qui devine le plus d'itinéraires gagne.

VOCABULAIRE: **une randonnée** *outing;* **un moulin** *mill;* **une fruitière** *cheese dairy*

8

NEGATIVE CONSTRUCTIONS
Review

1. The following chart shows all the negative expressions you have seen so far.

Je	ne ne ne	fais	pas plus jamais	de marche.		
Je	ne	fais	**ni**	excursions	**ni**	pique-niques.
Je	ne ne	vois	**rien.** **personne.**			

Notice that **ne (n')** always precedes the verb, and the other negative word follows it. This word order remains the same when the verb is followed by an infinitive.

Je **n'**aime **pas** marcher.

The only exception to this rule occurs with **personne,** which follows the infinitive.

Je **ne** vois passer **personne.**

2. When the verb is in a compound tense, **ne (n')** precedes the auxiliary **être** or **avoir,** and the other negative word follows it.

Je **n'**ai **pas** fait de promenade.

However, note the place of the negative words in the following cases:

Je **n'**ai fait **ni** excursion **ni** pique-nique.

Je **n'**ai vu **personne.**

3. In a negative construction without a verb, **ne** is not used.

Tu fais souvent de la marche?   **Non, jamais.**

4. **Un, une, des, du, de la** are not used in negative constructions. Instead, **de (d')** is used.

Tu fais souvent **des** excursions?   Je **ne** fais **jamais d'**excursions.

But **de** is not used after **ne... ni... ni...**

Je fais **une** promenade et **un** pique-nique.   Je **ne** fais **ni** promenade **ni** pique-nique.

5. **Rien** and **personne** can be used as subjects as well as direct or indirect objects.

Subject				Object
Rien	n'a bougé.		Ils ne verront Ils n'arriveront	**rien.** **à rien.**
Personne	n'a bougé.		Ils ne rencontreront Ils ne parleront	**personne.** **à personne.**

9   Nous n'avons plus le temps d'aller nous promener. ⊗

Vous faites encore de la marche?

Vous grimpez encore en haut de falaises?

Vous escaladez encore les rochers?

Vous montez encore au sommet des montagnes?

Non, nous ne faisons plus de marche.

10 Si nous allions au Creux du Van? ⊗

Evelyne, tu connais le chemin? Non, je ne connais pas le chemin.
Roger, tu as regardé la carte?
Anne, tu es allée te renseigner?
Gilles, tu vas conduire?
Angélique, tu vas venir avec nous?
Brigitte, tu prends ton appareil-photo?

11 Anne et Evelyne n'ont jamais fait de marche. ⊗

Vous avez déjà fait de la marche? Non, nous n'avons jamais fait de marche.
escaladé des rochers / grimpé en haut de falaises / sauté des torrents / descendu des rivières

12 Roger n'aime rien! ⊗

Roger, tu veux des côtelettes ou des sau- Je ne veux ni côtelettes ni saucisses!
cisses?
du jus de pomme ou du jus d'orange / du gruyère ou du camembert / des pommes ou des
cerises

13 Le temps était très mauvais. ⊗

Vous avez vu de beaux paysages? Non, nous n'avons rien vu.
rencontré d'autres marcheurs / vu les grandes falaises / rencontré des touristes / vu les bou-
quetins

14 EXERCICE ECRIT

Ecrivez les réponses des exercices No 9, 10, 11, 12 et 13.

15 Paysage de montagne. ⊗

Voici la description de quelques-uns° des éléments qui composent° le paysage ci-contre°.
Essayez de découvrir leurs noms sur le dessin.
1. Le haut° d'une montagne. 2. Une montagne très pointue. 3. Une énorme plaque de
neige qui s'est transformée° en glace. 4. Une grande étendue° d'eau entourée de terre°.
5. Une vallée étroite° et profonde°. 6. On y mène° les vaches. 7. Une rivière très rapide
et pleine de rochers. 8. Un passage entre deux montagnes. 9. Des arbres qu'on trouve
surtout en montagne. 10. L'eau qui tombe d'une falaise. 11. Permet de passer au-dessus
d'une rivière. 12. Permet de faire des randonnées à pied.

VOCABULAIRE: **quelques-uns** *some;* **composer** *to make up;* **ci-contre** *opposite;* **le haut** *the top;* **se transformer**
to turn into; **une étendue** *body;* **la terre** *land;* **étroit** *narrow;* **profond** *deep;* **mener** *to bring*

16 REDACTION

Décrivez la randonnée du marcheur A qui va rejoindre le marcheur B en suivant l'itinéraire
rouge. Commencez : « Il suit le chemin qui va vers le pont. Il prend le pont qui passe au-
dessus de la rivière. Ensuite, il prend le chemin au bord de la falaise... » Donnez le plus de
détails possible.

17 Quelques fleurs. ⊗

Voici quelques fleurs que nos amis sont en train de cueillir, ainsi que d'autres fleurs de printemps.

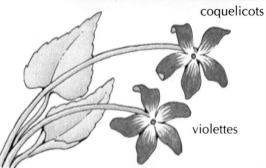

coquelicots

violettes

marguerites et bleuets

pervenches

trèfles des prés avec coccinelle

jonquilles

boutons d'or et myosotis

muguet

aubépine

19

THE VERB cueillir

1. The following are the present-tense forms of the verb **cueillir,** *to gather, to pick.* ⊗

Je	**cueille**	du muguet.	Nous	**cueillons**	des bleuets.
Tu	**cueilles**	des marguerites.	Vous	**cueillez**	des coquelicots.
Il / Elle	**cueille**	des boutons d'or.	Ils / Elles	**cueillent**	des myosotis.

2. a. The past participle of **cueillir** is **cueilli: Ils ont cueilli des fleurs des champs.**
   b. The future tense of **cueillir** is: **je cueillerai, tu cueilleras,** etc.

20 **Ces fleurs sont superbes!** ⊗

Je suis dans le jardin.   Je cueille des fleurs.
Brigitte est dans le jardin.
Nous sommes dans le jardin.
Ils sont dans le jardin.

21 **Les pommes sont mûres.** ⊗

Quand est-ce que tu vas les cueillir?   Je les cueillerai demain.
Quand est-ce que Roger va les cueillir?
Quand est-ce que vous allez les cueillir?
Quand est-ce qu'Evelyne et Brigitte vont les cueillir?

22 **Chanson : Dans la forêt prochaine.** ⊗

VOCABULAIRE: **un chêne** *oak;* **un hibou** *owl*

23 **Qu'est-ce que j'ai cueilli?**

Vous dites : « J'ai cueilli une fleur. » Vos camarades vous demandent : « Elle est jaune? Blanche?... Elle est petite?... On en trouve aux Etats-Unis? On en vend chez le fleuriste? » Vos camarades ont droit à six questions pour trouver de quelle fleur il s'agit. Continuez ensuite le jeu en choisissant d'autres fleurs, des fruits ou des légumes.

24 Roger nous parle de son passe-temps favori. ⊗

Pour moi, photographier la nature est une véritable° passion. En toute modestie, je dois dire que je ne me débrouille pas mal. Aucune de mes photos n'a encore gagné de prix°, mais ça viendra bientôt!

Pour moi, la nature est un univers qui m'offre une variété infinie de sujets. Le monde des insectes est fascinant° à observer. Grâce à° mon appareil, je peux capter° la beauté des fleurs de montagne qu'il est interdit° de cueillir[1]. Il est très excitant d'attendre pendant des heures qu'un animal sauvage apparaisse, d'écouter chaque bruit, de guetter° chaque mouvement insolite°. (Pouvez-vous trouver le petit chamois qui se cache° dans les fleurs de la photo ci-contre°?) Bien que, la plupart du temps, il n'y ait aucun danger, je ressens° souvent un pincement au cœur° lorsque° j'ai finalement réussi à photographier un animal sur le vif°.

Et puis, ça m'étonne toujours de voir le nombre° de gens que je rencontre lors de mes expéditions. Il faut dire que les promeneurs° ou les paysans° ne manquent pas d'être intrigués lorsqu'ils me voient à plat ventre° au milieu d'un champ ou au bord de° la route. Ils finissent toujours par vaincre° leur timidité° et par s'approcher. C'est alors le début d'une longue conversation : on parle d'abord de mon appareil photographique, de la technique à employer, et on enchaîne° sur la vie des fourmis° ou des abeilles°.

J'ai une véritable sympathie° pour les choses de la nature, et la photographie est pour moi le meilleur moyen° d'exprimer° ce que je ressens.

VOCABULAIRE: **véritable** *true, genuine;* **un prix** *prize;* **fascinant** *fascinating;* **grâce à** *thanks to;* **capter** *to capture;* **il est interdit** *it is forbidden;* **guetter** *to watch out for;* **insolite** *unusual, strange;* **se cacher** *to hide;* **ci-contre** *opposite;* **ressentir** *to feel;* **un pincement au cœur** *lump in one's throat;* **lorsque** *when;* **sur le vif** *in the wild;* **un nombre** *number;* **un promeneur** *stroller;* **un paysan** *countryman;* **à plat ventre** *flat on one's face;* **au bord de** *alongside;* **vaincre** *to overcome;* **la timidité** *shyness;* **enchaîner** *to move on;* **une fourmie** *ant;* **une abeille** *bee;* **la sympathie** *liking;* **un moyen** *means, way;* **exprimer** *to express*

25 Répondez aux questions.

1. Quel est le passe-temps favori de Roger? Est-ce qu'une de ses photos a déjà gagné un prix?
2. Qu'est-ce que la nature offre à Roger? Qu'est-ce qu'il trouve excitant?
3. Quand est-ce que Roger ressent un pincement au cœur?
4. Est-ce qu'il y a du danger à photographier des animaux sauvages?
5. Qu'est-ce qui intrigue les promeneurs et les paysans? De quoi Roger parle-t-il avec eux?

26 EXERCICE DE CONVERSATION

Choisissez le genre de photographie que vous aimeriez faire, et dites pourquoi ça vous plairait. Quelques suggestions : la nature, les paysages, les gens, les sports, les monuments…

[1] In Switzerland, some flower species are protected. Some cannot be picked at all; others can be, but the amount is limited—one stalk, a handful, etc.

27   ne… aucun(e)

Répondez aux questions qui suivent les exemples. ⊗

J'ai vu **un** chamois.   Je **n'**ai vu **aucun** chamois.

J'ai vu **une** abeille.   Je **n'**ai vu **aucune** abeille.

Are the sentences on the right affirmative or negative? What word is used instead of **un?** What word is used instead of **une?**

28   Lisez la généralisation suivante.

1. **Aucun(e)** is used in negative constructions, usually with **ne.** When the negative construction does not have a verb, **ne** is omitted.

Tu as vu des chamois?   *Did you see any chamois?*

Non, je **n'**ai vu **aucun** chamois.   *No, I saw no chamois.*

Non, aucun.   *No, none.*

2. **Aucun(e)** occurs in the same position as **un(e),** and it agrees in gender with the noun it refers to.

| Roger a rencontré | **un** | paysan. | Gilles **n'**a rencontré | **aucun** | paysan. |
| Roger a rencontré | **une** | paysanne. | Gilles **n'**a rencontré | **aucune** | paysanne. |

| **Un** | des paysans lui a parlé. | **Aucun** | des paysans **ne** lui a parlé. |
| **Une** | des paysannes lui a parlé. | **Aucune** | des paysannes **ne** lui a parlé. |

3. Liaison occurs with **aucun** as with **un.**

Je n'ai vu **aucun**^{n}**animal** sauvage.

29   Ils se sont bien amusés pendant leur excursion? ⊗

Ils ont sauté des torrents?   Non, ils n'ont sauté aucun torrent.

Ils ont escaladé des falaises?

Ils ont descendu des rivières?

Ils ont grimpé à des arbres?

Ils ont vu des chamois?

Ils ont cueilli des fleurs?

30   Roger a pris des photos d'animaux. ⊗

Il y avait du danger?   Non, il n'y avait aucun danger.

Tu as entendu des bruits? / Tu as eu des problèmes? / Tu as eu des difficultés?

31   EXERCICE ECRIT

Ecrivez les réponses des exercices No 29 et 30.

32   EXERCICE DE COMPREHENSION ⊗

	0	1	2	3	4	5	6	7	8	9	10
Affirmative	√										
Negative											

33 **Dans la forêt.** ⊗

une araignée

une coccinelle   une fourmi   une abeille

un papillon

une sauterelle   une **guêpe**   une mouche

un bouleau

un érable

un orme   un sapin   un chêne

un moineau

un coucou

un merle

une pie

une alouette   un hibou   un aigle   un rouge-gorge

34 **Le Jeu du baccalauréat.**

Choisissez une lettre de l'alphabet, et essayez de trouver un arbre, une fleur, un fruit, un insecte, un oiseau et un animal dont les noms commencent par cette lettre. Celui qui en trouve le plus gagne.

35 Si vous faites de la photo, il vous faut: ⊗

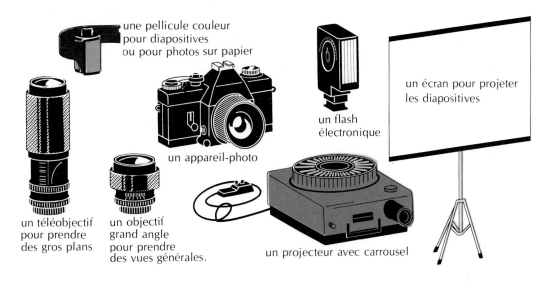

une pellicule couleur pour diapositives ou pour photos sur papier

un flash électronique

un écran pour projeter les diapositives

un appareil-photo

un téléobjectif pour prendre des gros plans

un objectif grand angle pour prendre des vues générales.

un projecteur avec carrousel

36 C'est Roger qui a pris ces photos. ⊗

1

Celle-ci est parfaite. Elle n'est ni trop claire ni trop sombre.

2

Celle-ci a été prise au flash. Elle est bien nette, mais un peu trop sombre.

3

Celle-ci a été prise avec un téléobjectif. Elle est très bien cadrée.

37 EXERCICE DE CONVERSATION

Ceux d'entre vous qui sont photographes apportent des photos qu'ils ont prises. Ils vous disent où et comment ils les ont prises et ce qu'elles représentent. Ensuite, vous dites comment vous trouvez ces photos.

38 REDACTION

Choisissez la photo que vous préférez parmi celles que vous avez vues en faisant l'exercice précédent. Décrivez-la, et dites pourquoi elle vous plaît.

39

WORD LIST

1–23

une aubépine *hawthorn*
un bleuet *cornflower*
un bouton d'or *buttercup*
le calme *peace (and quiet)*
la campagne *country(side)*
un chamois *chamois*
une coccinelle *ladybug*
un coquelicot *corn poppy*
une falaise *cliff*
une fondue *fondue*
la fonte *thawing*
une jonquille *daffodil*
la marche *walk*
une marguerite *daisy*
le muguet *lily of the valley*
un myosotis *forget-me-not*
une passion *passion*
une pervenche *periwinkle*
la photographie *photography*
un point de vue *lookout*
la recherche *pursuit*
le retour *return*
un sapin *fir (tree)*
une saucisse *frankfurter, sausage*

un sentier *path*
le sommet *summit, top*
un torrent *torrent*
un trèfle *clover*
une violette *violet*

bouger (like **manger**) *to move*
cueillir *to pick*
donner faim *to make hungry*
donner libre cours *to give free expression to*
escalader *to climb*
faire une démonstration *to give a demonstration*
faire une photo *to take a picture*
faire un feu *to build a fire*
faire un pique-nique *to have a picnic*
faire un sourire *to smile*
fondre *to melt*
laisser tranquille *to leave alone*
se mettre en marche *to start walking*
mitrailler *to shoot*

photographier *to photograph*
porter le nom *to bear the name*
profiter de *to take advantage of*
se remettre en route *to start out again*
scintiller *to glitter*
tenir à *to be eager to*
traîner *to lie around*

minuscule *minute*
suivant, -e *following*

à travers *across*
de là *from there*
en chemin *along the way*
néanmoins *however*
rien de meilleur *nothing better*

24–38

une abeille *bee*
un carrousel *carrousel*
le danger *danger*
une diapo(sitive) *slide*
un écran *screen*
un flash *flash*
une fourmi *ant*
un insecte *insect*
un moyen *means, way*
un objectif *lens*
  un objectif grand angle *wide-angle lens*
  un téléobjectif *telephoto lens*
un(e) paysan (-anne) *countryman, countrywoman*
une pellicule *roll of film*
une photo sur papier *print*
un pincement *pinching*
  un pincement au cœur *lump in one's throat*
un prix *prize*
un projecteur *projector*
un(e) promeneur (-euse) *stroller*
la sympathie *liking*

la technique *technique*
la timidité *shyness*
un univers *universe*
une variété *variety*

apparaître (like **connaître**) *to appear*
se cacher *to hide*
capter *to capture*
employer *to use*
enchaîner *to move on*
être intrigué, -e *to be intrigued*
exprimer *to express*
guetter *to watch out for*
observer *to observe*
projeter *to project*
ressentir *to feel*
vaincre *to overcome*

aucun, -e *none, not . . . any*
cadré, -e *centered*
clair, -e *light*
fascinant, -e *fascinating*
général, -e (m. pl.: **généraux**) *general*
infini, -e *infinite*
insolite *unusual, strange*
interdit, -e (de) *forbidden (to)*
intrigué, -e *intrigued*
net, nette *sharp*
véritable *true, genuine*

à plat ventre *flat on one's face*
au bord de *alongside*
ci-contre *opposite*
en toute modestie *in all modesty*
grâce à *thanks to*
lorsque *when*
sur le vif *in the wild*

33

un aigle *eagle*
une alouette *lark*
une araignée *spider*
un bouleau *birch*
un chêne *oak*
un corbeau *crow*
un coucou *cuckoo*

un érable *maple*
un hibou *owl*
un merle *blackbird*
un moineau *sparrow*
une mouche *fly*
un orme *elm*

un papillon *butterfly*
un peuplier *poplar*
une pie *magpie*
un rouge-gorge *robin (redbreast)*
une sauterelle *grasshopper*

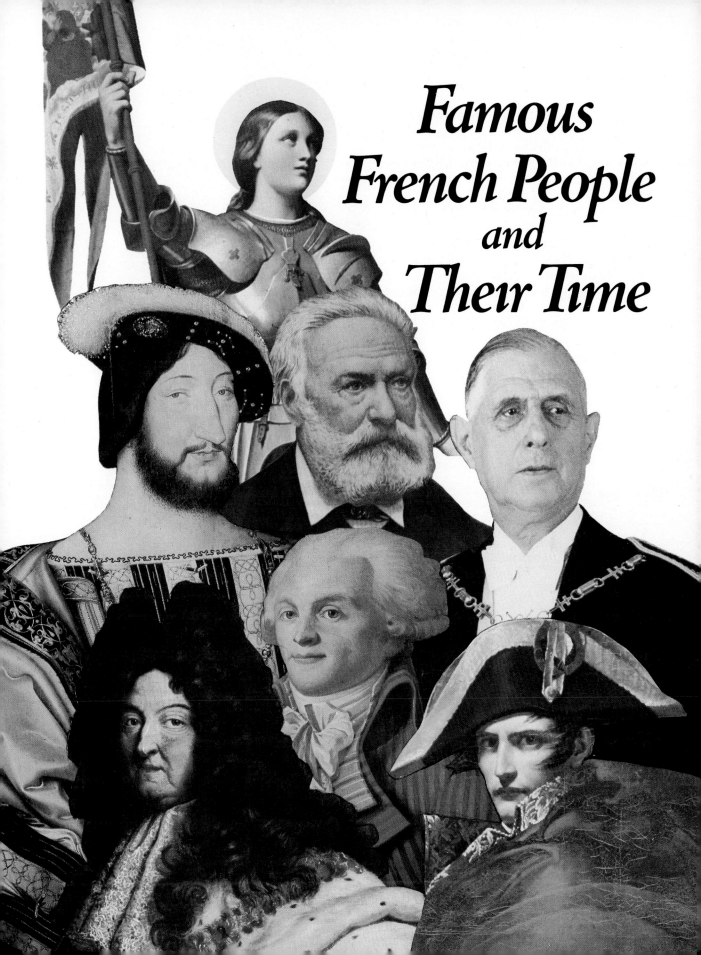

Famous French People and Their Time

When Jeanne d'Arc was born in a village of Lorraine in 1412, France had been ravaged for nearly a hundred years by a war opposing the kings of England and France. Inspired by what she called her "voices," this simple peasant girl managed to convince the king of France to let her fight for him, and she led his armies from victory to victory. Later on, the English captured her and burned her at the stake (1431). However, she had given the French renewed faith in themselves, and a few years later they were able to defeat the English, putting an end to the war. Jeanne d'Arc was made a saint and a national heroine. She truly embodied the fighting spirituality of the Middle Ages, a time of stark castles and resplendent churches.

1

2

3

4 5

François Ier, king of France from 1515 to 1547, embodied the spirit of the French Renaissance. He had led the French army to fight in Italy, and there he and his men rediscovered the Greek and Roman classical arts, which had been forgotten during the Middle Ages. Now, after a thousand years of intense concern with God and the after-life, the focus of interest shifted again to man and life on earth. The king brought back from Italy, artists who influenced the French and who helped create the new art of the Renaissance. The jewel-like "châteaux" of the Loire Valley, the superb portraits by Clouet, and the bittersweet poems of Ronsard are some of the finest expressions of this period.

Plate 19

1 2

3   **4**

Louis XIV (1638–1715) instituted absolute monarchy, and in the process left his mark on every aspect of French life. He ruled from his sumptuous palace at Versailles, using it as a gilded web to trap those who might have challenged his autocratic rule: the aristocrats. They were caught by elaborate court rituals, and by a constant round of entertainment: balls, concerts, fireworks, ballets, and plays by famous playwrights such as Molière. Madame de Sévigné wrote delightful accounts of court life then, in her *Lettres*.

Plate 20

5

The absolute monarchy instituted by Louis XIV was upheld by his successors, Louis XV and Louis XVI. However, new ideas about the rights of man and democracy were being circulated, and the French were growing increasingly restive. Finally, in 1789, revolution broke out. It lasted some five years and claimed the lives of countless people, among them Louis XVI and Robespierre—the most prominent revolutionary. At the end though, the rights of man had been established and a republic had replaced the monarchy.

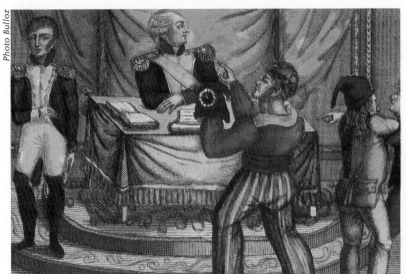

Napoléon Ier shaped the destinies of the French people and of millions of other Europeans besides. He was a military genius who, after winning several victories for the French Republic, decided in 1799 to seize power for himself. He governed first as "Consul" and then, starting in 1804, as "Empereur." He was a brilliant legislator and administrator: among other things, he created a completely new set of laws, the "Code Civil," which is still in use today. Unfortunately, he embarked on a long series of military campaigns against a coalition of European states. At first he was successful but in 1812 his luck ran out; and in 1815 he met final defeat at Waterloo. He died in 1821, a prisoner of the British.

1

2 3

CODE CIVIL

DES FRANÇAIS.

TITRE PRÉLIMINAIRE.

DE LA PUBLICATION, DES EFFETS ET DE L'APPLICATION DES LOIS EN GÉNÉRAL.

ARTICLE 1.er

LES lois sont exécutoires dans tout le territoire français, en vertu de la promulgation qui en est faite par le PREMIER CONSUL.

Elles seront exécutées dans chaque partie de la République, du moment où la promulgation en pourra être connue.

La promulgation faite par le PREMIER CONSUL sera réputée connue dans le département où siégera le Gouvernement, un jour après celui de la promulgation; et dans chacun des autres départemens, après l'expiration du même délai, augmenté d'autant de jours qu'il y aura de fois dix myriamètres [environ vingt lieues anciennes] entre la ville où la

A

4

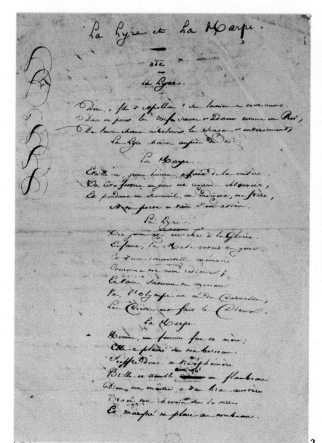

Photo Bulloz

Victor Hugo (1802–1885) is the towering figure of 19th-century France. He was a poet of genius, a gifted playwright, and a brilliant novelist. In his work, and especially in his novel *Les Misérables*, Hugo showed a great concern for the poor and the oppressed, giving moving portraits of them, like the one of Gavroche, the young boy who dies singing on the barricades. It is this concern for the poor which led him to take an active part in politics and to lead the fight against Napoléon III, emperor from 1852 to 1870.

Plate 23

1 2

3

LE GÉNÉRAL DE GAULLE A PRIS SES FONCTIONS
de président de la République et de la Communauté

LE MONDE JAN 9 1959

« Le premier des Français devient le Premier en France »

4

Charles de Gaulle (1890–1970) guided the French through two very critical times in their history. One was during World War II, when he headed the Resistance movement against the German occupation of France. The other was in 1958, when the decolonization of Algeria brought France close to civil war. De Gaulle assumed power and negotiated the independence of Algeria while maintaining the integrity of the French nation. He remained president until his resignation in 1969.

Plate 24

5

37
L'ENVIRONNEMENT

Société Nationale de Protection de la Nature
57 rue Cuvier 75005 Paris Tél. 707.31.95

1 Que pensez-vous des problèmes de l'environnement? ⊗

JEAN-FRANÇOIS: Moi, ce que je trouve vraiment grave, c'est la pollution des lacs et des rivières. Les usines, les gens, tout le monde jette ses déchets dedans, alors on ne peut plus boire l'eau, on ne peut plus manger les poissons, et quelquefois, on ne peut même plus se baigner! C'est grave! Et les forêts! On n'arrête pas de couper les arbres! On en a besoin pour vivre, des arbres. Si on continue à les couper comme ça, un jour on va se retrouver dans un désert.

DOMINIQUE: Quand on vit à la campagne comme moi, on se rend compte à quel point tout ce qu'on mange est plein de produits chimiques. La quantité d'engrais et de pesticides qu'on emploie dans l'agriculture est incroyable! Et tout ça se retrouve dans ce que nous mangeons : les légumes, les fruits, la viande. Ce n'est pas étonnant qu'on attrape des tas de maladies. Et puis ces produits chimiques s'ajoutent à d'autres produits chimiques quand on fait des conserves ou des plats surgelés! C'est sans fin!

CHRISTINE: Moi, je trouve que les gens consomment trop et mal. Ils gaspillent. Ils achètent des tas de choses qu'ils entassent dans leurs placards ou qu'ils jettent sans jamais s'en être servi. Nous à la maison, on n'achète que le nécessaire. On ne jette rien : quand quelque chose est cassé, on le répare. Si on ne se sert pas de quelque chose, on essaie de trouver quelqu'un qui pourrait s'en servir. On met de côté les journaux et les bouteilles, et on les apporte au centre de recyclage.

FRANCIS: Je viens de passer mon permis, et je veux m'acheter une voiture, mais je me rends très bien compte que l'automobile, ça cause des problèmes. D'abord il y a le bruit, et puis il y a la pollution de l'air et le gaspillage d'énergie. Il faut éviter tout ça, c'est pourquoi je suis décidé à utiliser ma voiture seulement quand j'en aurai besoin. Et puis je ferai faire des révisions régulièrement, pour qu'elle pollue et qu'elle consomme le moins possible. Je compte bien aussi respecter les limitations de vitesse.

2 Répondez aux questions.

1. Quel est le problème le plus grave pour Jean-François? Pourquoi?
2. Pourquoi est-ce qu'il faut protéger les forêts?
3. Quel est le problème pour Dominique? Pourquoi?
4. Comment est-ce que les gens gaspillent d'après Christine?
5. Que font-ils dans la famille de Christine quand quelque chose est cassé?
6. Quels sont les problèmes causés par l'automobile?
7. Quand est-ce que Francis se servira de sa voiture?
8. Pourquoi est-ce qu'il fera faire des révisions régulièrement?

3 EXERCICE ORAL ⊗

4 ENQUETE : L'ENVIRONNEMENT ET VOUS ⊗

NOM DE FAMILLE: _Lehmann_   PRENOM: _Yves_   AGE: _17 ans_

Donnez une réponse à chacune des questions suivantes. Ne répondez pas seulement par oui ou par non.

1. Est-ce que vous vous intéressez aux problèmes de l'environnement? Pourquoi?

Je crois que nous n'avons pas le choix. Il faut s'intéresser aux problèmes de l'environnement si on veut continuer à vivre dans des conditions décentes. Et puis il faut aussi penser à ceux qui viendront après nous.

2. Est-ce que vous faites partie d'un groupe ou d'une organisation qui s'occupe de ces problèmes, ou est-ce que vous agissez seul(e)?

Je fais partie d'une organisation qui s'appelle « Jeunes et Nature ». Malheureusement, comme je suis apprenti coiffeur je n'ai pas beaucoup de temps à leur consacrer. La plupart du temps j'agis seul ou avec des copains.

3. Quels sont les problèmes qui vous préoccupent le plus, et pourquoi?
   - ☐ la pollution de l'air ☐ la pollution de l'eau ☐ la pollution des aliments
   - ☑ la pollution des sites ☐ le bruit ☐ le gaspillage

La pollution des sites: j'habite près d'un bois qui pourrait être très joli si les gens n'y jetaient pas leurs ordures. C'est devenu un véritable dépotoir! Ce n'est pourtant pas difficile de ramasser les papiers gras et les bouteilles à la fin d'un pique-nique.

4. Qu'est-ce que vous faites pour trouver des solutions à ces problèmes?

Je suis allé à la mairie pour essayer d'organiser une opération de nettoyage, mais ça n'a rien donné. Alors maintenant, j'essaie d'organiser ça avec des voisins et des copains.

5 DISCUSSION

Donnez vos propres réponses à cette enquête, et discutez-les avec vos camarades.

VERBS WITH STEM CHANGES
jeter

1. **Jeter,** *to throw (away),* shows the same sound change as the verb **acheter.** This sound change is indicated in writing by doubling the consonant: **jet-** becomes **jett-** in the **je, tu, il,** and **ils** forms of the present tense, as the following chart shows. ⊗

Je ne	**jette**	jamais rien.
Tu ne	**jettes**	jamais rien.
Il / Elle ne	**jette**	jamais rien.
Nous ne	**jetons**	jamais rien.
Vous ne	**jetez**	jamais rien.
Ils / Elles ne	**jettent**	jamais rien.

2. The future tense of **jeter** is: **je jetterai, tu jetteras,** etc.
3. **Appeler,** *to call,* **rappeler,** *to call back,* and **s'appeler,** *to be named,* follow the same pattern as **jeter.**

> Cette organisation **s'appelle** « Jeunes et Nature ».
> Je les **appellerai** demain.

7 Où sont les livres de Grand-père? ⊗

Tu les as jetés?
Vous les avez jetés?
Maman les a jetés?
Les parents les ont jetés?

Tu sais bien que je ne jette rien!

8 Opération nettoyage! ⊗

Quand j'ai besoin d'aide,...
nous / tu / ils / vous

j'appelle les copains.

9 Ces vêtements ne me plaisent plus. J'ai envie de les jeter. ⊗

Qu'est-ce que tu ferais à ma place?

Moi, je ne les jetterais pas. Je les donnerais à quelqu'un.

Qu'est-ce que vous feriez à ma place?

Nous, nous ne les jetterions pas. Nous les donnerions à quelqu'un.

Qu'est-ce que Christine ferait à ma place?

Elle, elle ne les jetterait pas. Elle les donnerait à quelqu'un.

Qu'est-ce que tes sœurs feraient à ma place?

Elles, elles ne les jetteraient pas. Elles les donneraient à quelqu'un.

10 C'est devenu un véritable dépotoir! ⊗

Je trouve ça très grave.
Christine trouve ça très grave.
Nous trouvons ça très grave.
Yves et ses amis trouvent ça très grave.

J'appellerai la mairie lundi.

11 VERBS WITH STEM CHANGES
nettoyer

1. **Nettoyer**, *to clean,* also has a sound change in the **je, tu, il,** and **ils** forms of the present tense: **nettoy-** becomes **nettoi-,** as the following chart shows. ⊗

Je	**nettoie**	le jardin.
Tu	**nettoies**	la voiture.
Il / Elle	**nettoie**	sa chambre.
Nous	**nettoyons**	l'appartement.
Vous	**nettoyez**	la piscine.
Ils / Elles	**nettoient**	la cuisine.

2. The future tense of **nettoyer** is: **je nettoierai, tu nettoieras,** etc.
3. **Essayer,** *to try,* and **appuyer,** *to press,* follow the same pattern as **nettoyer.**
   J'**essaierai** d'organiser une opération de nettoyage.
   Si j'étais toi, je n'**appuierais** pas sur ce bouton!

12 Votre chambre aussi fait partie de l'environnement! ⊗

Vous allez la nettoyer bientôt?   Oui, nous la nettoierons ce week-end.
Yves, tu vas la nettoyer bientôt?
Jean-François va la nettoyer bientôt?
Christine et Denis vont la nettoyer bientôt?

13 Nous faisons des efforts. ⊗

Nous n'achetons plus tout ce que nous voyons.   Nous essayons d'acheter le moins possible.

Je ne jette plus tout ce qui ne me sert pas.   J'essaie de jeter le moins possible.
Mes parents ne voyagent plus autant.   Ils essaient de voyager le moins possible.

14 Comment est-ce que ça marche? ⊗

Si tu veux mettre la télévision,…   tu appuies sur ce bouton.
Si elle veut mettre la télévision,…
Si vous voulez mettre la télévision,…
S'ils veulent mettre la télévision,…

15 EXERCICE ECRIT

a. Ecrivez les réponses des exercices No 12 et 14.
b. Récrivez chaque phrase en employant le verbe donné à la forme qui convient.
   1. (jeter) Les lacs, les rivières et les forêts ne sont pas des dépotoirs; il ne faut pas que les gens y _____ leurs ordures.
   2. (employer) Les engrais que les fermiers _____ se retrouvent dans tout ce qu'on mange.
   3. (s'appuyer) Ne t'_____ pas sur ce fauteuil; il est cassé.
   4. (nettoyer) Je _____ ma chambre quand je reviendrai du cinéma.
   5. (essayer) Beaucoup de gens _____ de se servir de leur voiture le moins possible.

16 Comment éviter de gaspiller de l'énergie. ⊗

- N'oubliez pas d'éteindre le four quand vous avez fini de vous en servir.

- Ne faites pas chauffer un litre d'eau ou de lait si vous n'avez besoin que d'une tasse.

- Ne laissez pas la porte du frigidaire ouverte trop longtemps.

- N'oubliez pas d'éteindre la lumière en sortant d'une pièce.

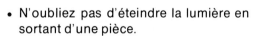

- Quand vous regardez la télévision, ne gardez qu'une lampe allumée.

- En hiver, baissez la température du radiateur de votre chambre pendant la nuit et fermez vos fenêtres. Avec une bonne couverture, vous dormirez beaucoup mieux.

- En été, fermez vos fenêtres, vos stores ou vos rideaux pour empêcher la chaleur d'entrer. Vous pourrez ainsi baisser votre climatiseur.

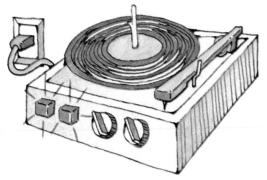

- Fermez le robinet pendant que vous vous brossez les dents. Il est inutile de laisser l'eau couler pour rien.

- Quand vous avez fini d'écouter vos disques, éteignez votre électrophone.

- Ne demandez pas à vos parents de vous accompagner à l'école en voiture. Allez-y en vélo ou en autobus.

17 **Dites à vos amis comment économiser de l'énergie.**

Il vous disent:
A table! Le gigot est cuit!

Vous leur répondez:
Vous avez éteint le four?
N'oubliez pas d'éteindre le four!

Nous allons t'emmener au lycée en voiture.
Il fait trop chaud ici!
Nous allons regarder la télévision.
Nous sommes en train de nous laver les dents.

18 **EXERCICE ORAL** ⊗

19

THE VERB éteindre

1. The following chart shows the present-tense forms of the verb **éteindre,** *to turn off.* ⊗

J'	**éteins**	le magnétophone.	Nous	**éteignons**	l'électrophone.
Tu	**éteins**	la radio.	Vous	**éteignez**	la télévision.
Il / Elle	**éteint**	le four.	Ils / Elles	**éteignent**	la lumière.

2. The past participle of **éteindre** is **éteint: J'ai éteint la lumière.**

20 **Il ne faut pas gaspiller de l'énergie.** ⊗

Quand je sors d'une pièce,...
il / nous / tu / ils / vous

j'éteins toujours la lumière.

21 **Votre mère vous demande:** ⊗

Les lampes sont toujours allumées?
Tu te sers toujours du four?
La télévision marche toujours?
L'électrophone marche toujours?

Non, je les ai éteintes.
Non, je l'ai éteint.
Non, je l'ai éteinte.
Non, je l'ai éteint.

22 **Parlons de vous!**

1. Quand vous regardez la télévision, combien de lampes est-ce que vous gardez allumées?
2. Comment allez-vous à l'école?
3. Est-ce que vous éteignez toujours la lumière quand vous sortez d'une pièce?
4. Quand vous prenez quelque chose dans le frigidaire, combien de temps est-ce que vous laissez la porte ouverte?
5. Qui dans votre famille gaspille le plus d'énergie? Donnez des exemples.
6. Qui en gaspille le moins? Donnez des exemples.

23 **DISCUSSION**

Discutez avec vos camarades de ce que vous pourriez faire pour éviter de gaspiller de l'énergie dans votre école. Faites une liste de vos suggestions... et mettez-les en pratique.

24 *Not only are French young people concerned about the preservation of the environment and the conservation of energy, they also care very much about the protection of their historical heritage. Many of them spend as much as two or three weeks of their summer vacation restoring historical landmarks. Foreign students who feel the same concern can also participate.*

The work of many restoration groups throughout France is coordinated by R.E.M.P. ART. (pour la Réhabilitation et l'Entretien des Monuments et du Patrimoine Artistique) — a union of associations dedicated, as its name suggests, to the rehabilitation and upkeep of monuments and to the preservation of the national artistic heritage.

25 Le Chantier° du château de Montaigut. ⊗

1

Description

C'est un château féodal° bâti° au XIIᵉ siècle, perché à 600 m d'alt., dominant° une région sauvage et présentant de belles salles voûtées° desservies par un escalier en vis°.

Travaux

Maçonnerie°, taille de pierre°, charpente°, menuiserie°, travail du bois, aménagement° intérieur.

Age : 17 ans — **Prix** : par session, juillet 300 F; août 250 F.

Animation

Visite de la région et excursions libres (1 jour par semaine), veillées°... instruments de musique bienvenus°.

Hébergement°

En dur° (lits et matelas°).

Adresse postale

Chantier R.E.M.P. ART. du château de Montaigut 12360 CAMARES — Tel: (65) 99.81.50 (chantier)

Accueil°

A St-Affrique jusqu'à midi au « Grand-Café » (250 m du terminus° des cars venant de la gare, les 11/7, 1/8 et 16/8 exclusivement).

Fonctionnement°

3 sessions possibles : du 11/7 au 28/7, du 1/8 au 16/8 et du 16/8 au 31/8.

Note : Travail 6 h/jour (sf. avec le maçon 7 h/j par roulement°), 1 j. de repos° par semaine. L'ambiance sera créée° par le groupe : on souhaite° des personnes ouvertes et dynamiques venant restaurer le château avec bonne humeur° et courage.

VOCABULAIRE: **le chantier** *(restoration) site;* **féodal** *medieval;* **bâtir** *to build;* **dominer** *to tower over;* **voûté** *vaulted;* **desservies par un escalier en vis** *with a spiral staircase leading to them;* **maçonnerie** *masonry;* **taille de pierre** *cutting of stone;* **charpente** *framework;* **menuiserie** *carpentry;* **aménagement** *renovation;* **veillée** *evening;* **bienvenu** *welcomed;* **hébergement** *lodging;* **en dur** *indoors;* **matelas** *mattress;* **accueil** *reception;* **le terminus** *terminal;* **fonctionnement** *operation;* **par roulement** *in shifts;* **le repos** *rest;* **créer** *to create;* **souhaiter** *to wish;* **bonne humeur** *good spirits*

26 En plein travail. ⊗

Marielle vient d'arriver sur le chantier. Danièle, « une ancienne », la met au courant de ce qui se passe.

DANIÈLE Nous sommes en train de restaurer l'aile sud du château. Le toit s'est effondré l'année dernière, et le bâtiment menaçait de tomber en ruines. Les murs qui soutenaient le toit commencent à s'écrouler, alors on est en train de les consolider. Une fois que ce sera fait, on s'occupera du toit.

MARIELLE Si je comprends bien, il y a du pain sur la planche!

DANIÈLE Ça, tu peux le dire! Viens, on va aller voir M. Marcillac. C'est l'ingénieur qui dirige les travaux. Il est sur le toit. Tu n'as pas le vertige, j'espère?!

MARCILLAC Dites donc, les enfants, on n'a presque plus de pierres ici.

FLORENCE Marc et Mathieu sont en train d'en monter.

MARCILLAC Lesquelles est-ce qu'ils prennent?

FLORENCE Celles qu'on a déblayées hier dans la grande salle.

MARCILLAC Bien. Dès que tu auras fini de démolir ce petit mur, va les aider pour que ça aille plus vite. Et Agnès, où est-elle?

THIÉRRY Elle est allée chercher des seaux pour le ciment.

MARCILLAC Il ne faut pas qu'elle perde une minute. Dès qu'elle sera revenue, il faut qu'elle nous le fasse, ce ciment!

27 Répondez aux questions.

1. Qu'est-ce que Danièle et ses amis restaurent? Qu'est-ce qui s'est passé l'année dernière?
2. Que feront nos jeunes « travailleurs » une fois qu'ils auront consolidé les murs?
3. Qui dirige les travaux? De quoi a-t-il besoin? D'où viennent ces pierres?
4. Quand est-ce que Florence devra aider Marc et Mathieu?
5. Que fait Agnès? Qu'est-ce qu'elle devra faire dès qu'elle sera revenue?

28 Venez tous m'aider! ⊗

Dès que je serai redescendue du toit!

Dès que j'aurai monté tous les seaux!

Dès que j'aurai rempli les brouettes!

Dès qu'on aura mis une nouvelle poutre!

Dès que j'aurai scié cette planche!

Dès que je me serai lavé les mains!

29 Et aux Etats-Unis, qu'est-ce qu'on restaure? ⊗

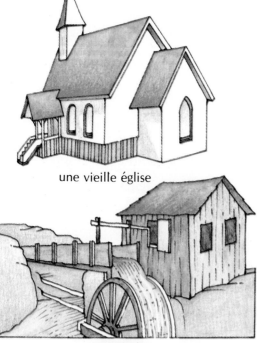

une vieille église

la maison d'un homme célèbre
(écrivain, peintre ou homme politique)

un moulin

un vieux pont

une auberge

une grande propriété

30 EXERCICE ORAL ⊗

31 Et vous?

1. Est-ce que vous avez visité de vieilles maisons qui ont été restaurées? Lesquelles?
2. Où se trouvent-elles, et de quelle époque datent-elles?
3. Est-ce que vous êtes pour ou contre la restauration de vieilles maisons?
4. Quels monuments ou vieilles maisons est-ce que vous aimeriez (voir) restaurer?
5. Dans quels cas est-ce que vous trouvez qu'on devrait les démolir et les remplacer par des bâtiments modernes?
6. Est-ce que vous aimeriez passer une partie de vos vacances à travailler sur un chantier comme Montaigut? Pourquoi?

32

ACTIONS NOT HAPPENING AT THE SAME TIME
The Future Perfect

Répondez aux questions qui suivent l'exemple. ⊛

Quand Marc **aura scié** cette planche, il **ira** aider M. Marcillac.

Both actions will occur in the future, but one of them will have occurred before the other. What will happen first? Will Marc saw the board, or will he help M. Marcillac? What verb form is used to indicate the action of sawing the board? What is **aura scié** composed of? This form **aura scié** is a new tense called the future perfect.

33 ## Lisez la généralisation suivante.

1. Within a time clause, French uses a future-tense form where English may use a present-tense form.

Il	**viendra**	dès qu'il	**aura fini.**
He	will come	as soon as he	finishes.

2. In a sentence where two actions are in the future, the one which happens first is in the future perfect. In the above example, the action of finishing will take place before the action of coming.
3. The future perfect is a compound tense. It is formed with the future of either **avoir** or **être** + the past participle of the verb.

Future of **avoir**	Past Participle	Future of **être**	Past Participle
j'**aurai** tu **auras** il / elle **aura** nous **aurons** vous **aurez** ils / elles **auront**	**joué** **servi** **choisi** **attendu**	je **serai** tu **seras** il / elle **sera** nous **serons** vous **serez** ils / elles **seront**	**sorti(e)** **sorti(e)(s)**

4. In the future perfect, the agreement of the past participle functions in the same way as it does in all other compound tenses.

La grande salle? Ils **l'auront refaite** quand vous reviendrez.
Dès qu'**elle sera revenue,** elle ira t'aider.

34 ## Allez aider Marc! ⊛

Arrache ces clous d'abord.	D'accord, dès que j'aurai arraché ces clous, j'irai l'aider.
Remplissez cette brouette d'abord.	D'accord, dès que nous aurons rempli cette brouette, nous irons l'aider.
Mesure ces deux planches d'abord.	D'accord, dès que j'aurai mesuré ces deux planches, j'irai l'aider.
Montez les seaux d'abord.	D'accord, dès que nous aurons monté les seaux, nous irons l'aider.

35 C'est fatigant, ce travail! ⊗

Je peux me reposer?

Thiérry peut se reposer?
Marielle peut se reposer?
Florence et Agnès peuvent se reposer?
Les garçons peuvent se reposer?
Nous pouvons nous reposer?

Oui, quand tu auras fini ce que tu es en train de faire!

36 Il y a encore beaucoup de travail. ⊗

J'espère que vous rentrerez avant le dîner.
J'espère que Marielle rentrera avant le dîner.
J'espère que tu rentreras avant le dîner.
J'espère que les filles rentreront avant le dîner.

Oui, oui, nous serons rentrées avant.

37 M. Marcillac demande: ⊗

Vous avez déblayé la salle?

Vous avez consolidé les murs?
Vous avez refait le toit?
Vous avez restauré l'aile sud?
Vous avez réparé les portes?
Vous avez nettoyé les escaliers?

Pas encore. Quand on l'aura déblayée, on viendra vous aider.

38 EXERCICE DE COMPREHENSION ⊗

	0	1	2	3	4	5	6	7	8	9	10
A											
B	√										

39 EXERCICE ECRIT

a. Ecrivez les réponses des exercices No 35, 36 et 37.
b. Combinez chaque paire de phrases selon le modèle.
   Exemple: Nous ferons des planches. Ensuite nous réparerons le toit.
         Quand nous aurons fait des planches, nous réparerons le toit.
   1. Nous installerons une nouvelle poutre. Ensuite, nous nous reposerons.
   2. Nous monterons les planches. Puis nous les poserons sur les poutres.
   3. Nous démolirons le petit mur. Puis nous utiliserons les pierres pour réparer l'autre mur.
   4. Nous remplirons les brouettes de pierres. Puis nous commencerons le mur.
   5. Nous déblayerons la salle. Puis nous rangerons le matériel.
   6. Nous restaurerons l'aile sud. Puis nous commencerons à travailler sur l'aile nord.

Montaigut, le 9 août

40

Salut, Véronique! ⊗

Tu sais, tu as eu tort de ne pas venir ici avec nous. Marc, Florence et moi passons des vacances extra! Tout le monde sur le chantier est très sympa, et il y a une ambiance formidable.

Ce n'est pas ce qu'on appelle des vacances reposantes : on démolit, on reconstruit, on pioche, on cimente, on pousse, on tire, on porte... et à la fin de la journée, on est couvert de sueur et de poussière! Mais on est super-ravi, parce qu'ensemble on fait quelque chose de valable. Et puis, on voit tout de suite les résultats : par exemple, ce matin en déblayant une salle du donjon, Marc et moi avons découvert de vieilles sépultures. Ça nous a fait un coup!

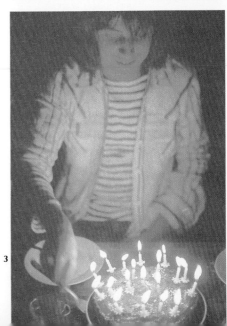

Enfin, on n'est pas toujours au travail. On prend quand même le temps de manger, dormir et s'amuser. Les repas et les veillées sont super-animées. La semaine dernière, on a fêté l'anniversaire de Marc, avec gâteaux, bougies, chansons... C'était vraiment très chouette!

Mon seul regret, c'est qu'on n'ait pas assez de temps libre pour explorer la région. Mais, je crois que Marc et moi allons nous arranger pour faire un peu de tourisme dans les environs, quand le chantier sera terminé.

Bon, allez, je te quitte. Marc et Florence te font la bise. Salut!

Mathieu

41 REDACTION

Votre famille vient d'acheter une vieille ferme, et vous avez passé vos vacances à aider vos parents à refaire le toit de la grange, reconstruire le vieux four à pain, déblayer la cour, etc. Vous écrivez à un(e) ami(e) pour lui raconter ce que vous avez fait pendant vos vacances, si ça vous a plu, et pourquoi. Prenez la lettre de Mathieu (page 207) comme modèle.

42 WORD LIST

1–15

l'agriculture (f.)   *agriculture*
l'air (m.)   *air*
une automobile   *automobile*
les conserves (f.)   *canned food(s)*
les déchets (m.)   *waste*
un dépotoir   *garbage dump*
l'environnement (m.)   *environment*
le gaspillage   *wasting*
la limitation de vitesse   *speed limit*
le nécessaire   *what is needed*
un nettoyage   *cleanup*
les ordures (f.)   *garbage*
un pesticide   *pesticide*
un placard   *closet*
la pollution   *pollution*
le recyclage   *recycling*

agir (like choisir)   *to act*
s'ajouter (à)   *to be added (to)*
causer   *to cause*
consacrer   *to devote*
entasser   *to pile up*
être décidé(e) à   *to be determined to*
éviter   *to avoid*
faire des conserves   *to can*
gaspiller   *to waste*
s'intéresser à   *to take an interest in*
jeter   *to throw away*
mettre de côté   *to put aside*
polluer   *to pollute*
préoccuper   *to preoccupy, to worry*
ramasser   *to pick up*
respecter   *to respect*

cassé, -e   *broken*
chimique   *chemical*
décent, -e   *decent*
étonnant, -e   *surprising*
incroyable   *incredible*
surgelé, -e   *frozen*

la plupart de   *most of*
pourtant   *after all*

ça n'a rien donné   *nothing happened*

16–23

un climatiseur   *air conditioner*
une couverture   *blanket*
un four   *oven*
un frigidaire   *refrigerator*
la lumière   *light*
une porte   *door*
un radiateur   *radiator*
un robinet   *(water) faucet*
un store   *(window) shade, blind*

couler   *to run*
éteindre   *to turn off*
faire chauffer   *to heat up*

inutile   *unnecessary*

24–41

une aile   *wing*
un(e) ancien (-ienne)   *old-timer*
une auberge   *inn*
une bougie   *candle*
une brouette   *wheelbarrow*
un chantier   *(restoration) site*
le ciment   *cement*
un écrivain   *writer*
un homme politique   *politician*
un moulin   *mill*
une pierre   *stone*
la poussière   *dust*
une poutre   *beam*
une propriété   *estate*
un seau   *pail*
la sueur   *sweat*
une veillée   *evening*

s'arranger (like manger)   *to manage*
avoir du pain sur la planche   *to have plenty to do*
avoir tort   *to be wrong*
cimenter   *to cement*
consolider   *to strengthen*
déblayer (like nettoyer)   *to remove, to clear away*
démolir (like choisir)   *to demolish, to pull down*
s'effondrer   *to collapse*
faire du tourisme   *to tour*
faire la bise   *to send one's love*
fêter   *to celebrate*
menacer (like commencer)   *to threaten*
mettre au courant de   *to bring up to date on*
piocher   *to dig*
reconstruire (like construire)   *to rebuild*

redescendre   *to come down*
restaurer   *to restore*
soutenir (like venir)   *to support*
tirer   *to pull*
tomber en ruines   *to fall apart*

chouette   *great*
couvert(e) de   *covered with*
reposant, -e   *relaxing*
sympa = sympathique

Ça nous a fait un coup!   *It gave us a shock!*

38
ON SORT

1 Au théâtre. ⊗

Il est 6 heures du soir. Claire et Vincent sont assis à la terrasse d'un café du Quartier Latin, à Paris. Ils ont décidé d'aller au théâtre ce soir, et tout en buvant un express, ils cherchent dans *l'Officiel*[1] une pièce qui leur plaise à tous les deux. Et ça n'est pas facile!

CLAIRE Je ne sais pas, moi! J'aimerais voir une pièce qui ne soit pas trop triste. Il n'y a pas une bonne comédie?

VINCENT Il y a *Tartuffe* à la Comédie-Française[2]. Il paraît que ça a un succès fou.

CLAIRE Oui, l'ennui c'est qu'il faut louer à l'avance. Sinon, on fait la queue pendant des heures pour des places au troisième balcon!

VINCENT C'est vrai… Bon, alors, continuons. Il doit bien y avoir dans tout ça une bonne pièce qui nous convienne.

CLAIRE *Les Deux Orphelines*[3], peut-être? C'est un mélodrame, mais il paraît que c'est aussi très drôle!

VINCENT Tiens oui, bonne idée. Allons-y!

Il est 8 heures. Claire et Vincent sont maintenant au palais de Chaillot, salle Gémier, où se joue *Les Deux Orphelines*. Ils ont acheté des billets d'orchestre (ils ont eu la chance d'avoir des places au quatrième rang). Et comme il reste une demi-heure avant le commencement du spectacle, ils lisent les critiques qui sont affichées à l'entrée du théâtre :

« La pièce est superbe, pleine d'ingéniosité, de passion et de grands sentiments. » (*L'Express*)

« Chaque scène regorge de poésie et de pittoresque. La mise en scène de Jean-Louis Martin-Barbaz est une fête pour l'œil, pour l'esprit et pour le cœur. » (*Le Quotidien de Paris*).

[1] *L'Officiel des spectacles* is a guide to Paris theaters, movie houses, etc. It appears weekly, on Wednesdays.
[2] The Comédie-Française is the oldest and most famous theater company in France. It is also the name used to refer to the theater in which this company performs. The Comédie-Française puts on mostly classical plays, such as *Tartuffe* by Molière (1622-1673).
[3] A 19th century play. Set in France during the 1789 Revolution, it tells of the misadventures that befall two young girls — one of whom is blind — when they leave the provinces to go to Paris.

Le spectacle commence...

3 4

A l'entracte, Claire et Vincent échangent leurs impressions.

CLAIRE   C'est chouette, hein?

VINCENT   La mise en scène est géniale, mais l'histoire est ridicule, et le texte est complètement débile!

CLAIRE   Mais ce qui compte c'est l'ensemble et son effet sur le public! Et à en juger par les applaudissements, les gens aiment ça. Tiens, écoute ce qu'on dit autour de nous.

2 *The two theaters of the palais de Chaillot are government subsidized, like a good number of theaters in France. Therefore, tickets can be bought at reasonable prices, and students like Claire and Vincent get a discount. Foreign students with an international student card can also take advantage of these special prices.*

3 ## Répondez aux questions.

1. Où sont assis Claire et Vincent, à 6 heures du soir?
2. Pourquoi lisent-ils *l'Officiel des spectacles?*
3. Qu'est-ce qu'elle a envie de voir ce soir, Claire?
4. Quelle pièce est-ce que Vincent suggère? Pourquoi?
5. Quand on n'a pas loué à l'avance, qu'est-ce qu'il faut faire pour voir *Tartuffe?*
6. Quelle pièce est-ce qu'ils choisissent finalement? Quel genre de pièce est-ce que c'est?
7. Où est-ce que ça se joue? Quelles places est-ce qu'ils ont eu la chance d'avoir?
8. Qu'est-ce qu'ils font avant le commencement du spectacle? Que dit la critique de *l'Express?*
9. Que font Claire et Vincent à l'entracte? Comment trouve-t-il la pièce, Vincent? Et Claire?
10. Et la femme blonde, comment trouve-t-elle la pièce? Et l'homme à la moustache?
11. Et l'homme au grand nez? Et le monsieur aux cheveux blancs? Et le jeune homme à la barbe?

4 ## Et vous?

1. Est-ce que vous avez vu une pièce de théâtre dernièrement? Laquelle?
2. Si vous en avez vu plusieurs, laquelle est-ce que vous avez préférée?
3. Vous l'avez vue dans un théâtre ou à la télévision?
4. Si vous l'avez vue dans un théâtre, dans lequel?
5. Qu'est-ce que vous aviez comme places?
6. Vous les aviez louées à l'avance?
7. Quel genre de pièce est-ce que c'était? Une comédie, une histoire policière, une tragédie?
8. Est-ce que cette pièce vous a plu? Faites-en la critique.

5 ## EXERCICE ORAL ⊗

6
WHEN UNCERTAINTY IS IMPLIED
The Subjunctive in Relative Clauses

Répondez aux questions qui suivent les exemples. ⊗

Nous cherchons une pièce qui **soit** drôle.
Nous connaissons une pièce qui **est** drôle.

In the first sentence, do we know if such a play exists? What is the verb in the relative clause? Is it in the subjunctive? In the second sentence, do we know if there is such a play? What is the verb in the relative clause? Is it in the subjunctive?

Est-ce qu'il y a une pièce que Claire **ait** envie de voir?
Oui, il y a une pièce que Claire **a** envie de voir.

In the first sentence, do we know if there is a play Claire wants to see? Is the verb of the relative clause in the subjunctive? In the second sentence, do we know if there is such a play? Is the verb of the relative clause in the subjunctive?

7 Lisez la généralisation suivante.

You already know that uncertainty expressed by verbs of belief and opinion requires the subjunctive in the subordinate clause. Uncertainty that is just implied and not expressed also requires the subjunctive in the subordinate clause.

Certain	Uncertain
Ils vont voir une pièce qui **est** drôle. J'ai trois places qui **sont** ensemble.	Ils veulent voir une pièce qui **soit** drôle. Vous n'avez pas trois places qui **soient** ensemble?
Je connais un film qu'elle **a** envie de voir.	Je ne connais pas de film qu'elle **ait** envie de voir.

8 La pièce que j'aimerais voir. ⊗

Elle doit être drôle.
Elle doit me faire rire.
Elle doit me plaire.
Elle doit me passionner.

J'aimerais voir une pièce qui soit drôle.

9 Il ne nous reste que quelques places!

Ce sont des places au deuxième rang d'orchestre.
Ce sont des places au troisième balcon.

Ce sont des places séparées.
Ce sont des places à 80 F.

Vous n'en avez pas qui soient plus loin de la scène?
Vous n'en avez pas qui soient plus près de la scène?

10 Claire et Vincent regardent *l'Officiel des spectacles.*

Quel genre de pièce est-ce que vous cherchez?

Nous cherchons une pièce qui nous plaise à tous les deux.
Une pièce qui soit drôle.
Une pièce qui nous fasse rire et pleurer.
Une pièce qui nous passionne.

Quel genre de spectacle est-ce que vous cherchez?
Quel genre de ballet est-ce que vous cherchez?
Quel genre de film est-ce que vous cherchez?

11 EXERCICE DE COMPREHENSION ⊗

	0	1	2	3	4	5	6	7	8
Certain									
Uncertain	√								

12 Vous êtes à Paris, et vous voulez aller au théâtre. ⊗

Vous regardez dans *l'Officiel des spectacles* avec vos ami(e)s, et vous discutez. Par exemple, l'un(e) de vous aimerait voir une pièce poétique. Vous lui dites quelle pièce lui plairait, de qui c'est, dans quel théâtre ça se joue, à quelle heure ça commence, et quel est le prix des places pour les étudiants°.

programmes des théâtres

ATHENEE. 4, square Louis-Jouvet. 073-27-24. M° Opera. P 7, rue Caumartin. Soir. 21h (sauf dim. et lun.). Pl. 10 à 50 F. Etud. 25 F. Loc.° de 11h à 19h.

Maurice RISCH (Argante), André GILLE (Géronte), Bernard ALLOUF (Octave), Manuel BONNET (Léandre), Magali RENOIR (Zerbinette), Monique VERMEER (Hyacinthe), Francis PERRIN (Scapin). J.-Pierre RAMBAL (Sylvestre), A.-Marie JABRAUD (Nérine), Bertrand PENDOT (Carle), dans une comédie de Molière, mise en scène de P. Boutron, décors de J. P. Bertrand, costumes de D. Ogier.
LES FOURBERIES DE SCAPIN

CARTOUCHERIE. Av. de la Pyramide. M° Château-de-Vincennes puis autobus 306. Gare Routière, quai C, descende à « Route du Champ-de-Manœuvre ». Autobus retour assuré jusqu'au métro.
Th. du Soleil 374-24-08. Les lun., mar., ven., sam. à 15h30. Pl. : 25 F. Coll.° : 18 F. Loc. de 14h à 19h.
Jusqu'au 30 juillet :
J.-Claude BOURBAULT, PHILIPPE CAUBERE, Françoise JAMET, Maxime LOMBARD, Clémence MASSART, Jonathan SUTTON, dans une comédie de Molière, mise en scène de Ph. Caubère :
DOM JUAN

ESSAION. 6, rue Pierre-Au-Lard. 278-46-42. M° Hôtel-de-Ville. Pl. 30 et 40 F, étud. 25 F. Relâche° dimanche.

A 18h30 :
Micheline UZAN dans une mise en scène de J. Valverde :

LES LETTRES DE LA RELIGIEUSE° PORTUGAISE
■ **La plus authentique des tragédies** *(Le Figaro)*

A 20h30 :
Bernadette CASTAY et François DALOU, dans une pièce d'après Tchekhov, mise en scène et adaptation de E. Tamiz :
LA CIGALE
■ **Une grande élégance** *(Le Journal du Dimanche)*

A 22h :
Isa MERCURE et Gilles GUILLOT dans un spectacle de J. Prévert, mise en scène par les comédiens°, musiques de Y. Dautin :

L'EMPEREUR S'APPELLE DROMADAIRE
■ **Spirituel° et poétique** *(France-Inter)*

VOCABULAIRE : **un étudiant** *student;* **M°** = **métro;** **la location** *reservation;* **Les Fourberies** *Cheats;* **une gare routière** *bus terminal;* **assuré** *guaranteed;* **une collectivité** *group;* **relâche** *closed;* **une religieuse** *nun;* **une cigale** *cicada;* **spirituel** *witty*

13 EXERCICE DE CONVERSATION

Hier soir, vous êtes allé(e) au théâtre. Un(e) camarade vous demande où vous êtes allé(e), ce que vous avez vu comme pièce, de qui c'était, comment était la mise en scène, comment étaient les costumes, s'il y avait de la musique, si c'était bien joué, si ça vous a plu...

14 REDACTION

Vous avez vu une pièce hier soir. Vous en faites la critique pour le journal de votre école. Utilisez l'exercice No 13 comme modèle.

15 Dans une discothèque. ⊗

METRO RER SORTIE ETOILE ▶

CENTRE DE LOISIRS
ETOILE FOCH
restaurant
bowling
BRIDGE
boutiques *etc.*

Valérie téléphone à son copain Thibault.

VALÉRIE   C'est vraiment dommage que tu n'aies pas pu venir avec nous hier après-midi. Nous sommes allés dans une discothèque absolument super!

THIBAULT   Ah oui, laquelle?

VALÉRIE   L'Etoile-Foch, sur les Champs-Elysées. Tu aimerais... Il y a un décor sensationnel, avec des jeux de lumière extras et une sono de première classe!

THIBAULT   Il y avait une ambiance sympa?

VALÉRIE   Oh oui! C'était plein de jeunes! On a tellement dansé, qu'aujourd'hui Xavier peut à peine marcher!

THIBAULT   Il doit être content que vous ayez décidé d'aller danser.

VALÉRIE   Mais oui! Isabelle et Eric aussi, d'ailleurs. Ils dansent très mal, mais ils se sont amusés comme des fous!

THIBAULT   Ça m'étonne qu'Isabelle et Eric n'aient pas passé leur temps à tout critiquer. Ils sont tellement snobs, ces deux-là!

VALÉRIE   Pas du tout! Ils étaient ravis que je leur aie demandé de venir, et ils ont été charmants... Et toi, comment ça s'est passé le cirque avec ta petite sœur?

THIBAULT   Eh bien, je croyais que j'allais m'ennuyer ferme, mais pas du tout : ça m'a bien plu. Quant à ma petite sœur, Aline, elle était aux anges, et elle n'a plus qu'une idée : y retourner!

VALÉRIE   Tu en as de la chance!

1

16 Au cirque. ⊗

C'était hier l'anniversaire d'Aline (5 ans), et Thibault l'a emmenée au cirque Olympia. C'est un petit cirque ambulant° qui a dressé° son chapiteau° pour deux ou trois jours dans le quartier° où habitent Thibault et Aline.

2

Aline a été très impressionnée par l'intelligence et l'agilité de Bimbo, l'éléphant-acrobate.

3

Les clowns ont bien fait rire Aline.

◄En voyant Mlle Nina évoluer° gracieusement sur un fil de fer°, Aline a décidé que quand elle serait grande, elle serait équilibriste°.

4

Mais après avoir vu un couple d'écuyers° ► faire un numéro° éblouissant° sur un cheval au galop°, Aline a changé d'idée… Elle sera écuyère!

VOCABULAIRE : **ambulant** *traveling;* **dresser** *to set up;* **le chapiteau** *tent;* **le quartier** *neighborhood;* **évoluer** *to perform;* **un fil de fer** *tightrope;* **équilibriste** *tightrope walker;* **un écuyer** *circus rider;* **un numéro** *act;* **éblouissant** *dazzling;* **au galop** *galloping*

216 LE MONDE DES JEUNES

5

17 Autres spectacles. ⊗

Si vous n'aimez ni le théâtre, ni les disco-
thèques, ni le cirque, ne vous en faites pas.
Paris a bien d'autres spectacles, et vous
trouverez toujours quelque chose à votre
goût...

1

un concert de musique classique, par
exemple,

ou bien, un spectacle de music-hall,

2

Roland Magdane
Voici, sans doute°, le meilleur spectacle de
café-théâtre de la saison : un « one-man show »
étonnant qui non seulement révèle un comédien inconnu° de 30 ans, Roland Magdane, mais,
surtout, impose d'emblée° un personnage hors
série°. En une heure, Magdane fait vivre un
soldat mi°-benêt°, mi-roublard°, naïf et lucide à la
fois, dont les aventures oscillent° irrésistiblement
entre délire° et tendresse. Bref°, inoubliable°. S'il
reste encore quelques facilités° dans certains
sketches de transition, on peut parier dès aujour-
d'hui que ce petit soldat-là fera une grande carrière.
(Le Point) **La Cour des Miracles,** 23, av. du Maine.
548.85.60. A 22 h 15.

Vous pouvez aussi aller dîner dans un
café-théâtre et regarder en même temps un
spectacle donné par des chanteurs, des
chansonniers ou des comédiens.

Et si vous ne voulez pas vous dépayser,
vous pouvez aller écouter du jazz, voir une
comédie musicale ou une revue à l'américaine. Enfin, vous voyez, vous aurez
l'embarras du choix!

VOCABULAIRE DE « ROLAND MAGDANE » : **sans
doute** *probably;* **inconnu** *unknown;* **d'emblée** *immediately;* **hors série** *unique;* **mi-** *half;* **benêt**
dumb; **roublard** *sharp;* **osciller** *to waver;* **le délire**
frenzy; **bref** *in short;* **inoubliable** *unforgettable;* **une
facilité** *weakness*

3

ou peut-être, un ballet ou un opéra,

ou encore, une pantomime.

4

Répondez aux questions.

1. Où est allée Valérie hier après-midi?
2. Comment trouve-t-elle l'Etoile-Foch?
3. Y avait-il de l'ambiance?
4. Avec qui est-ce qu'elle est allée à cette discothèque?
5. Pourquoi est-ce que Xavier peut à peine marcher aujourd'hui?
6. Est-ce qu'Isabelle et Eric dansent bien? Est-ce qu'ils se sont amusés?
7. Qu'est-ce qui étonne Thibault? Pourquoi?
8. Est-ce qu'Isabelle et Eric étaient contents? Qu'est-ce qu'ils ont fait?
9. Et Thibault, qu'est-ce qu'il a fait hier après-midi? Pourquoi?
10. Est-ce qu'il a aimé ça? Est-ce que ça a plu à Aline?

19

Et vous?

1. Est-ce que vous allez souvent danser? Où ça?
2. Est-ce que vous aimez danser? Vous dansez bien?
3. Est-ce que vous êtes déjà allé(e) dans une discothèque? Comment était-elle?
4. Est-ce que vous aimez aller au cirque? Pourquoi?
5. Quels numéros de cirque est-ce que vous préférez : les acrobates, les clowns, les écuyers, les équilibristes, les éléphants, les lions?
6. Est-ce que vous sortez quelquefois avec vos frères et sœurs? Pour aller où?
7. Quel spectacle est-ce que vous choisiriez de voir, si vous étiez à Paris?

EXERCICE ORAL ⊗

ACTIONS NOT HAPPENING AT THE SAME TIME
The Past Subjunctive

1. The subjunctive forms you have learned are those of the present subjunctive. There is also a past subjunctive. It is composed of the present subjunctive of either **avoir** or **être** + the past participle of the verb. ⊗

Present Subjunctive of **avoir**	Past Participle	Present Subjunctive of **être**	Past Participle
que j'**aie**		que je **sois**	
que tu **aies**	**joué**	que tu **sois**	**sorti(e)**
qu'il / elle **ait**	**servi**	qu'il / elle **soit**	
que nous **ayons**	**choisi**	que nous **soyons**	
que vous **ayez**	**attendu**	que vous **soyez**	**sorti(e)(s)**
qu'ils / elles **aient**		qu'ils / elles **soient**	

2. In the past subjunctive, the agreement of the past participle functions in the same way as it does in all other compound tenses.

> Nous sommes contents qu'**Aline soit sortie** avec Thibault.
> **Aline** est ravie que Thibault **l'ait emmenée** au cirque.

3. The past subjunctive is used after the same expressions as the present subjunctive. It indicates that an action is thought of as completed by a certain point in time, which may be either in the past or in the future.

	Action that has been or is to be completed
Je suis contente	que vous **soyez sortis** hier soir.
Ça m'étonnerait	qu'ils **soient partis** sans nous.
Il faut	que nous **soyons rentrés** avant minuit.
Elle sera contente	que tu **aies téléphoné.**
Il est important	que vous **ayez loué** vos places avant samedi.

22 Elle n'est pas « contente », elle est « ravie »! ⊗

Aline est contente d'être sortie avec toi?

Elle est « ravie » que nous soyons sortis ensemble!

Elle est contente d'être allée au cirque avec toi?
Elle est contente d'avoir mangé au restaurant avec toi?
Elle est contente d'avoir pris un taxi avec toi?
Elle est contente d'avoir fêté son anniversaire avec toi?

23 Dis donc, Thibault, Valérie est sortie sans toi hier! ⊗

Il paraît qu'elle est allée dans une discothèque!

Et qu'est-ce que tu veux que ça me fasse qu'elle soit allée dans une discothèque?!

Il paraît qu'elle y est allée avec Xavier!
Il paraît qu'elle y a emmené Isabelle et Eric!
Il paraît qu'ils ont dansé toute la nuit!
Il paraît qu'ils se sont amusés comme des fous!

24 C'est bien dommage! ⊗

Thibault ne pourra pas aller danser ce soir.

C'est dommage qu'il ne puisse pas aller danser ce soir!

Thibault n'a pas pu aller danser hier soir.

C'est dommage qu'il n'ait pas pu aller danser hier soir!

Valérie n'ira pas au cirque avec eux.
Valérie n'est pas allée au cirque avec eux.
Claire et Vincent ne voudront pas aller voir une tragédie.
Claire et Vincent n'ont pas voulu aller voir une tragédie.

25 EXERCICE ECRIT

Ecrivez les réponses des exercices No 22, 23 et 24.

26 Au restaurant. ⊛

C'est dimanche. Cet après-midi les Vincent sont allés au théâtre, et après le spectacle, ils vont dîner au restaurant. Après avoir lu le menu avec attention, ils demandent des éclaircissements à la patronne, qui est venue prendre leur commande.

M. VINCENT	C'est quoi, votre plat du jour?
PATRONNE	Le ris de veau Montpensier. Ce sont des ris de veau garnis de quenelles dans une sauce aux champignons. C'est délicieux!
M. VINCENT	Ça en a tout l'air!... Bon, les enfants, vous avez choisi?
SYLVIE	Oui, moi je voudrais l'avocat aux fruits de mer et les côtes d'agneau.
PATRONNE	Vous prenez le menu ou vous mangez à la carte?
M. VINCENT	Nous prenons tous le menu... Thiérry, à toi de commander!
THIÉRRY	Moi, je voudrais la terrine de volaille et l'entrecôte.

PATRONNE	Vous la voulez comment votre entrecôte : saignante, bien cuite, à point?
THIÉRRY	Saignante, s'il vous plaît.
PATRONNE	Et vous, Madame?
MME VINCENT	Moi, je vais prendre l'avocat et l'entrecôte grillée. Bien cuite, l'entrecôte, s'il vous plaît.
M. VINCENT	Bon, et pour moi, ce sera le jambon de Bayonne et le ris de veau.
PATRONNE	Et qu'est-ce que je vous sers comme boissons?
M. VINCENT	Les enfants vont prendre du Coca-Cola, j'imagine... Nous, nous prendrons du vin.
PATRONNE	Bien, alors je vais vous donner notre carte des vins.

Le garçon a apporté les hors-d'œuvre, puis le plat principal, et tout le monde se régale. M. Vincent est très content de son ris de veau et il le fait goûter à sa fille. Tout le monde mange du fromage, sauf Thiérry qui se réserve pour son dessert favori : le café liégeois! Et puis, c'est la minute de vérité : l'addition!

Carte

Foie Gras **55~**	Assiette Campagnarde **24~**
Avocat aux Fruits de Mer **24~**	Escargots à la Façon du Chef **34~**
Terrine de Volaille **22~**	Saumon Fumé **44~**
Jambon de Bayonne **22~**	Tête de Veau Vinaigrette **22~**

Cuisses de Grenouilles Provençale **40~**	Entrecôte Grillée **38~**
Turbotin Braisé au Cidre **45~**	Côtes d'Agneau au Basilic **38~**
Steak de Lotte à l'indienne **45~**	Filet de Bœuf Perigueux **60~**
Coquilles St-Jacques à La Ciboulette **45~**	Côte de Bœuf Bercy **(2 pers.) 95~**
Sole Grillée Beurre Fondu **44~**	Ris de Veau Montpensier **48~**

Plateau de Fromages **8~**

Tarte Normande **12~**	Glaces **10~**
Poire Dijonnaise **12~**	Sorbets **10~**
Crème Caramel **10~**	Profiteroles au Chocolat **12~**
Mousse au Chocolat **12~**	Café Liégeois **12~**

Menu 60F

(1) Au Choix

Avocat aux Fruits de Mer
Jambon de Bayonne
Terrine de Volaille
Assiette de Crudités

(2) Au Choix

Le Plat du Jour
Steak de Lotte à l'indienne
Côtes d'Agneau au Basilic
Entrecôte Grillée

(3) Au Choix

Tarte aux Pommes
Café Liégeois
Crème Caramel
Poire Dijonnaise

15% de service en sus

VOCABULAIRE: **le foie gras** *goose liver;* **l'assiette campagnarde** *cold platter;* **les escargots** *snails;* **à la façon du chef** *chef style;* **le saumon fumé** *smoked salmon;* **les cuisses de grenouilles** *frogs' legs;* **le turbotin** *turbot;* **braisé** *braised;* **la lotte** *devilfish;* **les coquilles St-Jacques à la ciboulette** *scallops with chives;* **au basilic** *with basil;* **la côte de bœuf** *rib of beef;* **le sorbet** *sherbet;* **la crème** *custard;* **l'assiette de crudités** *assorted salad plate;* **en sus** *in addition*

28 Répondez aux questions.

1. Que font les Vincent après être allés au spectacle?
2. Qui vient prendre leur commande?
3. Quel est le plat du jour?
4. Que prennent Sylvie et Thiérry? Et Mme Vincent? Et M. Vincent?
5. Comment veut-il son entrecôte, Thiérry? Et Mme Vincent?
6. Ils commandent à la carte, ou ils prennent le menu? Pourquoi, d'après vous?
7. Qu'est-ce qu'ils prennent comme boissons?
8. Est-ce qu'ils sont contents de ce qu'ils ont choisi comme hors-d'œuvre et plat principal?
9. A qui est-ce que M. Vincent fait goûter son ris de veau?
10. Est-ce que Thiérry mange du fromage? Pourquoi?
11. Si les boissons coûtent 52 F, l'addition sera de combien?
12. Avec 15% de service, combien les Vincent paieront-ils en tout?

29 Et vous?

1. Est-ce que vous allez souvent au restaurant?
2. Quand ça? Avec qui?
3. Quel est votre restaurant favori? Pourquoi?
4. Quel est votre plat favori? Pourquoi?

30 EXERCICE ORAL ⊗

31 Au restaurant.

Imaginez que vous êtes dans le restaurant où sont allés les Vincent. Un(e) camarade est le patron (la patronne), et il (elle) vient prendre votre commande. Après avoir lu le menu (p. 221) avec attention, vous commandez. A la fin du repas, le patron (la patronne) vous présente l'addition. Vous la vérifiez, et vous payez.

32 Thiérry, tiens-toi bien°! ⊗

Les Français attachent beaucoup d'importance aux bonnes manières° à table. Et les jeunes Français sont constamment° priés° d'observer les règles° suivantes:

- Quand on n'est pas en train de manger, on garde les mains sur la table.
- On ne met pas les coudes sur la table.
- On ne mange pas avec ses doigts!
- On s'essuie° la bouche avant de boire!
- On ne coupe pas le pain, on le casse.
- On ne coupe pas la salade. On plie chaque feuille°, avant de la piquer avec sa fourchette°.
- On coupe sa viande avec son couteau dans la main droite et sa fourchette dans la main gauche. On garde sa fourchette dans la main gauche pour manger le morceau de viande.

VOCABULAIRE : **tiens-toi bien** *sit up straight;* **les manières** *manners;* **constamment** *constantly;* **prié** *asked;* **une règle** *rule;* **s'essuyer** *to wipe;* **une feuille** *leaf;* **piquer avec une fourchette** *to pick up with a fork*

33 Vous êtes à Paris, et vous voulez aller au restaurant. ⊗

Vous et vos ami(e)s voulez dîner dans le quartier des Champs-Elysées. Vous regardez dans *l'Officiel des spectacles* la liste des restaurants de ce quartier, et vous discutez. Par exemple, l'un(e) de vous aimerait manger des plats exotiques. Vous lui dites quels restaurants lui plairaient, et quelles sont leurs spécialités.

L'ASSIETTE AU BŒUF, Ouv.° dimanche, 123, Champs-Elysées. Filet sauce « bœuf » pommes allumettes° : Gde carte de desserts. 31,50 F s.n.c. T.l.j.° jusqu'à 1h du matin. Salle climatisée.°

BATEAUX MOUCHES, Port de la Conférence (Pont de l'Alma, Rive Droite). Déj.° 12h30 t.l.j. sf° lundi : Diners t.l.j. 20h. Rens.° et réserv. 225-96-10.

LE BISTRO DE LA GARE, Ouv. dimanche, 73, Champs-Elysées. 3 entrées, 3 plats « pommes allumettes » Gde carte de desserts. 31,50 F s.n.c. T.l.j. jusqu'à 1h du mat. Salle climatisée.

BRASSERIE LOWENBRAU, 84, av. des Champs-Elysées. 225-78-63. Jusqu'à 2h mat. Charcuteries munichoises, choucroutes, cochon de lait,° ses bières. Orch. bavarois. Salle climat.

LE CHATEAU DE CHINE, 9, rue La Tremoille. 359-73-47. Délices° de la gastronomie chinoise. On sert jusqu'à 23h.

LE COLISEE, 44, av.des Champs-Elysées. 225-44-50. Ouvert jusqu'à 2h du matin. Spécialités de poissons, grillades,° sorbets° et glaces.

ELEPHANT BLEU, 12, rue Marignan. 359-58-64 et 225-20-84. Parking François-Iᵉʳ. Du lundi au vendredi : Déjeuners thaïlandais. Menus 40 F vin s.c. et Gastronomique 80 F s.c.

L'ENTRECOTE, 35, Champs-Elysées, angle rue Marignan 225-28-60. Salade aux noix° l'en trecôte avec sa fameuse sauce, pommes allumettes 29,50 F. T.l.j. de 11h30 à 1h du mat.

ETOILE DE MOSCOU, 6, rue Arsène-Houssaye, 563-63-12. Diner-spect. de grande classe.

HIPPOPOTAMUS, 6, av. Franklin-Roosevelt. 225-77-96. Bar Grill. Ouvert jusqu'à 1h du matin. Suggestion 31.50 F.

INDRA, 10, r. du Cdt-Rivière (St-Philippe-du-Roule). 359-46-40. Rest. indien, spéc. « Tandori ». On sert jusqu'à 23h.

LASSERRE, 17, av. Franklin-Roosevelt. 359-53-43 et 67-45. Une cuisine de grande tradition.

LA MAISON D'ALSACE, 39, Ch.-Elysées. 359-44-24. Ouvert t.l.j. 24h sur 24. Foie gras, choucroutes, banc d'huitres.° Brasserie taverne.

MARTIN ALMA, 44, r. Jean-Goujon. 359-28-25 et 28-78. Pastilla, méchoui, couscous. Livraison à domicile.°

TAVERNE DES CHAMPS, Galerie 84, Champs-Elysées. 359-82-09. Menu 29,50 F midi et soir. Orchestre de jazz différent chaque soir.

LES TROIS LIMOUSINS, 8, rue de Berri. 256-35-97. Grillades de bœuf. Fermé dimanche, et fêtes.

LES TROIS MOUTONS, 63, av. Fr.-Roosevelt (8ᵉ). 225-26-95. F.° dim. Le spécialiste parisien des grillades d'agneau.

AU VIEUX BERLIN, 32, av. George-V. 225-88-96. F. dim., spécialités allemandes. Musique. Snack bar et Carte.

VOCABULAIRE: **ouv.** = **ouvert; des pommes allumettes** *skinny French fries;* **s.n.c.** = **service non compris; T.l.j.** = **tous les jours; climatisé** *air-conditioned;* **déj.** = **déjeuner; sf** = **sauf; rens.** = **renseignements; un cochon de lait** *suckling pig;* **délice** *delicacy;* **une grillade** *grilled meat;* **un sorbet** *sherbet;* **une noix** *walnut;* **un banc d'huîtres** *oyster bed;* **une livraison à domicile** *home delivery;* **F.** = **fermé.**

34 EXERCICE DE CONVERSATION

Un(e) camarade vous téléphone pour vous demander si vous voulez sortir avec lui (elle) et des copains dimanche après-midi. Ils ont des billets pour aller au spectacle, et ils pensent aller dîner après. Vous lui demandez de quel spectacle il s'agit, si ça a reçu de bonnes critiques, quels copains viennent avec lui (elle), comment ils vont se rendre au spectacle, où ils pensent aller dîner, quel genre de restaurant c'est, combien tout ça va coûter à peu près…

35 REDACTION

Vous écrivez à votre correspondant(e) français(e), et vous lui racontez une sortie extraordinaire que vous avez faite il n'y a pas longtemps (théâtre, ballet, opéra, cirque, discothèque, restaurant, etc.). Vous lui dites quand c'était, où vous êtes allé(e), avec qui. Vous décrivez l'endroit, le spectacle et l'ambiance. Si vous êtes allé(e) au restaurant, vous dites ce que vous avez mangé. Vous dites ce qui vous a plu, ce que vous n'avez pas aimé, et pourquoi. Vous dites si c'était cher, si vous aimeriez faire des sorties comme ça plus souvent, etc.

1–14 **les applaudissements** (m.) *applause*
le commencement *start*
une critique *review*
un ennui *problem*
un ensemble *whole*
un entracte *intermission*
un express *espresso (coffee)*
l'ingéniosité (f.) *cleverness*
un mélo(drame) *melodrama*
une mise en scène *staging*
l'orchestre (m.) *orchestra*
un(e) orphelin(e) *orphan*
la poésie *poetry*
le public *audience*
un sentiment *feeling, emotion*
un texte *text*

se jouer *to be playing*
regorger de *to overflow with*
rembourser *to refund*

il doit bien y avoir *there must be*
il reste (une demi-heure) *there is still (a half-hour)*

bête *silly*
débile *idiotic*
déroutant, -e *confusing*
émouvant, -e *moving, touching*
C'est d'un émouvant! *It's extremely touching!*
fou, folle *tremendous*
génial, -e (m. pl.: géniaux) *brilliant*
passionant, -e *exciting*
superbe *superb*
triste *sad*

bien *happily*
franchement *frankly*

d'un bout à l'autre *from the beginning to the end*
hein *isn't it*
Quel pied! *It's a real killer!*

15–25 un ballet *ballet*
un café-théâtre *dinner theater*
un chansonnier *singing humorist*
un cirque *circus*
un(e) comédien (-ienne) *comedian*
un décor *décor, setting*
une discothèque *discothèque*
un fou, une folle *madman, madwoman*
un music-hall *music hall*
un opéra *opera*
une pantomime *pantomime*
une revue *show*

critiquer *to criticize*
s'en faire *to worry*
s'ennuyer (like **nettoyer**) *to be bored*
être aux anges *to be in heaven*

charmant, -e *charming*
musical, -e *musical*
sensationnel, -elle *sensational*
snob *snobbish*
super *super, fantastic*

absolument *absolutely*
ferme *stiff*
tellement *so, so much*

ou bien *or else*
quant à *as to*

à l'américaine *American style*
si vous ne voulez pas vous dépaysez *if you want to feel at home*

26–35 un avocat *avocado*
un café liégeois *coffee ice cream with whipped cream*
la carte des vins *wine list*
une commande *order*
une côte d'agneau *lamb chop*
un éclaircissement *clarification*
une entrecôte *rib steak*
le menu *fixed-price dinner*
la minute de vérité *the moment of truth*
le plat du jour *today's special*
une quenelle *dumpling*
le ris de veau *sweetbread*
une sauce *sauce*
une terrine *pâté*
la volaille *poultry*

goûter *to taste*
se régaler *to enjoy food*
se réserver *to save some room*

bien cuit, -e *well-done*
favori, -ite *favorite*
garni, -e *served with*
saignant, -e *rare*

à la carte *à la carte*
à point *medium*
avec attention *carefully*

39

MER
ET
SOLEIL

1 La famille de Pascal va partir en vacances. ⊗

« Les Pensées de Pascal » par Philippe Wolff er J. L. Bessor

VOCABULAIRE: **sans cesse** *all the time;* **repenser** *to think back;* **une mouette** *sea gull;* **un concours de beauté** *beauty contest;* **douloureux** *painful;* **le Midi** *South of France;* **complet** *full;* **mourir** *to die;* **une copine** *(girl)friend;* **une résidence secondaire** *summer house;* **ça repart** *same story again;* **rester sur place** *to stay put;* **rayonner** *to tour around*

2 En Corse. ⊗

St-Florent, vu du port.

La côte ouest de la Corse.

St-Florent ● **BASTIA** ■

● **Algajola**

Beaucoup de Français sont comme la sœur de Pascal : pour eux, les vacances d'été c'est pour bronzer. Et c'est dans ce but qu'ils descendent en masse, pendant le mois de juillet et le mois d'août, sur les plages du Midi ou sur certaines plages de la côte espagnole.

Ceux qui, comme les Soudier, veulent bronzer loin des foules, choisissent souvent d'aller en Corse. En effet, grâce à son isolement (il faut ll h de bateau pour aller de Marseille à Bastia), cette île de la Méditerranée est beaucoup moins fréquentée que la Côte d'Azur. Elle a donc pu garder intacte la beauté de ses paysages, et mérite bien qu'on l'appelle « l'Ile de Beauté ».

Les Soudier, qui habitent Marseille, adorent la Corse, et ils y retournent chaque été, dans la petite ville de St-Florent. Ils y ont acheté une maison qui donne sur la mer, et leur bateau à moteur est ancré pendant toute l'année dans le port.

M. Soudier, Danièle et Richard.

3 Répondez aux questions.

1. Où beaucoup de Français vont-ils en vacances? Pourquoi?
2. Où vont ceux qui veulent bronzer loin des foules? Pourquoi?
3. Où vont les Soudier chaque été pour les vacances?
4. Qu'est-ce qu'ils ont acheté à St-Florent?
5. Qu'est-ce qu'ils ont comme bateau?

4 Et vous?

1. Où aimeriez-vous passer vos vacances cet été? Pourquoi?
2. Avec qui aimeriez-vous partir? Pourquoi?
3. Où allez-vous passer vos vacances, en réalité? Avec qui allez-vous?
4. Qui est-ce qui a décidé ça? Qui est-ce qui décide en général? Est-ce que vous en discutez avant?
5. Vous allez chaque année au même endroit, ou vous changez? Pourquoi?

5 EXERCICE ORAL ⊗

6 Ce qu'on emporte à la plage. ⊗

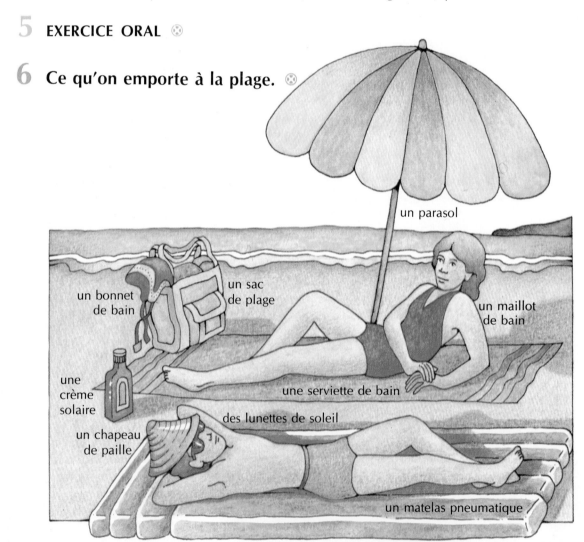

un parasol

un bonnet de bain

un sac de plage

un maillot de bain

une crème solaire

une serviette de bain

des lunettes de soleil

un chapeau de paille

un matelas pneumatique

7 Tout le monde à bord! ⊗

MARIE-LUCIE	Dis donc, Danièle, tu as le dos plus rouge que ton sac!
DANIÈLE	J'ai attrapé un coup de soleil hier, en jouant au tennis.
MARIE-LUCIE	Quand on a une peau aussi fragile que la tienne, on met de la crème.
DANIÈLE	Oh, zut! J'en ai assez de me mettre ça sur la peau! Pourquoi est-ce que je ne bronze pas comme toi, au lieu de devenir rouge comme un homard?!

M. SOUDIER	Jean-Luc, monte le canot sur le pont, et attache-le bien. Qu'on ne le perde pas comme hier!
JEAN-LUC	Ça, c'était le travail de Richard! Moi, je fais mes nœuds mieux que ça!
MME SOUDIER	Qu'est-ce qu'elle fait sur le quai, Danièle?
M. SOUDIER	Elle veut aider Jean-Pierre à larguer les amarres. Bon, allez les enfants, montez à bord. On lève l'ancre!

Jean-Luc, Jean-Pierre et Danièle se sont installés à l'avant du bateau.

JEAN-LUC	Où est le phare de Fornali?
JEAN-PIERRE	Derrière toi. On vient de le passer.
DANIÈLE	Oh, regardez le beau voilier!
JEAN-PIERRE	C'est une goélette, je crois.

M. Soudier pilote. Mme Soudier l'aide.

MME SOUDIER	C'est un voilier comme ça que j'aimerais. C'est élégant, nerveux. Et ça ne pollue pas!
M. SOUDIER	Oui, mais ça demande un équipage de marins expérimentés.

8 Jetons l'ancre! ⊗

Les Soudier sont maintenant à l'ancre dans une petite baie, dominée par les ruines d'une tour génoise[1]. Mme Soudier et ses filles ont pris le canot pour aller les explorer.

Du bateau, M. Soudier regarde la plage avec des jumelles. « Tiens, les Casabianca sont là, en train de prendre un bain de soleil. »

RICHARD	Allons les surprendre!
JEAN-LUC	On fait la course?
JEAN-PIERRE	Papa, tu nous chronomètres?
M. SOUDIER	Tu veux rire! Je fais la course avec vous, oui!

Aussitôt dit, aussitôt fait : ils ont plongé tous ensemble et nagent rapidement vers la plage. Jean-Luc dépasse très vite les autres et arrive au but avec une bonne minute d'avance. C'est, de loin, le meilleur nageur de la famille. « Bravo, Jean-Luc! »

Un peu plus tard tout le monde se rassemble sur la plage. Les Casabianca, qui ont un hors-bord, vont faire du ski nautique. Marie-Lucie se joint à eux. La voici qui part sur ses skis. Elle décolle doucement et glisse de plus en plus vite à la surface de l'eau. Le hors-bord l'entraîne maintenant à toute vitesse, mais elle se tient bien… jusqu'au moment où une grosse vague lui fait perdre l'équilibre. Marie-Lucie tombe à l'eau en criant « Au secours! », et… elle boit une bonne tasse!

Après le ski nautique, ils font une grande partie de ballon.

MARIE-LUCIE	Jean-Pierre, lance le ballon moins fort que ça! Ce n'est pas un boulet de canon!
DANIÈLE	Je parie que tu ne peux pas attraper ça!
RICHARD	Moi, je bats n'importe qui au ballon!
MARIE-LUCIE	Toujours en train de se taquiner, ces deux-là! Vous jouez, oui ou non?

[1] One of the many defense towers that the Genoese built along the coast of Corsica when they were masters of the island (from the 15th to the 18th century). When an enemy ship was spotted, a fire would be lit on the tower as a signal to be picked up and transmitted by the next tower.

9 Répondez aux questions.

1. Pourquoi Danièle a-t-elle le dos rouge? Qu'est-ce qu'elle devrait mettre? Pourquoi?
2. Est-ce qu'elle bronze facilement? Qu'est-ce qu'elle fait?
3. Qu'est-ce que Jean-Luc doit faire avec le canot? Pourquoi est-ce qu'il doit bien l'attacher?
4. Que font Jean-Pierre et Danièle avant de monter à bord? Où se sont-ils installés?
5. Qui pilote le bateau? Que fait Mme Soudier?
6. Qu'est-ce qu'elle aimerait avoir comme bateau? Pourquoi? Qu'en pense M. Soudier?
7. Où les Soudier ont-ils jeté l'ancre? Que font Mme Soudier et ses filles?
8. Et M. Soudier et ses fils? Qui est le meilleur nageur de la famille?
9. Avec qui Marie-Lucie fait-elle du ski nautique? Qu'est-ce qu'ils ont comme bateau?
10. Elle part bien, Marie-Lucie? Qu'est-ce qui la fait tomber?
11. Qu'est-ce qu'elle fait en tombant à l'eau?
12. Qu'est-ce que tout le monde fait après le ski nautique?

10 Et vous?

1. Vous prenez souvent des bains de soleil? Où ça? Vous bronzez facilement?
2. Vous avez déjà fait du bateau? Qu'est-ce que c'était comme bateau? Vous êtes bon marin?
3. Si vous pouviez avoir un bateau, qu'est-ce que vous choisiriez? Un bateau à moteur ou un voilier? Pourquoi?
4. Est-ce que vous avez déjà fait du ski nautique? Est-ce que vous aimeriez en faire? Pourquoi?
5. Vous nagez souvent? Où ça? Vous êtes bon nageur (bonne nageuse)? Vous faites la course? Avec qui?
6. Qu'est-ce que vous faites quand vous allez à la plage?

11 EXERCICE ORAL ⊗

12 MAKING COMPARISONS

Review

1. Comparatives are formed by using **plus / moins / aussi** + adverb / adjective + **que.**

	plus / moins / aussi	Adverb / Adjective	que	
Danièle bronze	**plus** **moins** **aussi**	**vite**	**que**	Richard.
Elle est		**bronzée**		lui.

2. Superlatives of adverbs are formed by using **le** + **plus / moins** + adverb.

	le	plus / moins	Adverb
C'est elle qui bronze	**le**	**plus** **moins**	**vite.**

3. a. Superlatives of adjectives are formed by using **le / la / les** + **plus / moins** + adjective.

	le / la / les	plus / moins	*Adjective*	de	
C'est lui qui est	le		bronzé		
C'est elle qui est	la	plus	bronzée	de	la famille.
Ce sont eux qui sont	les	moins	bronzés		la plage.
Ce sont elles qui sont	les		bronzées		

Note that in French the preposition following the superlative is always **de,** whereas in English it varies: *in* the family, *on* the beach.

b. In a superlative construction including a noun, the order is:
  - noun + adjective, if the adjective is one that normally follows the noun. The article **le, la,** or **les** is always retained before **plus** or **moins.**
        C'est **la baie la plus abritée** de la région.
  - adjective + noun or noun + adjective, if the adjective is one that normally precedes the noun (**bon, petit, vieux,** etc.).
        C'est **le plus vieux bateau** du port.   C'est **le bateau le plus vieux** du port.

4. There are a few irregular comparatives and superlatives in French. For example: **mieux / le mieux** for the adverb **bien,** and **meilleur(e)(s) / le, la, les meilleur(e)(s)** for the adjective **bon(ne)(s).**

Marie-Lucie nage	**bien.**		Il est	**bon**	nageur.
Marie-Lucie nage	**mieux**	que lui.	Il est	**meilleur**	nageur que moi.
C'est elle qui nage	**le mieux.**		C'est lui	**le meilleur**	nageur de tous.

13 Mme Soudier préfère les voiliers. M. Soudier n'est pas d'accord. ⊗

Comme il est beau, ce voilier!   Pas aussi beau que notre bateau!
rapide / grand / élégant

14 Danièle taquine Richard. ⊗

Je parie que…
tu nages moins vite que Jean-Luc!   Moi? Je nage plus vite que n'importe qui!
tu restes sous l'eau moins longtemps que moi!
tu lances moins fort que Jean-Pierre!
tu pilotes moins bien que Papa!

15 M. Soudier est en train de louer un hors-bord. ⊗

Et celui-là, il est rapide?   Oui, c'est le plus rapide de tous.
nerveux / bon / cher

16 Alain Casabianca veut faire la course avec Jean-Luc. ⊗

Tu nages vite?   Oui, c'est moi qui nage le plus vite.
bien / loin / rapidement

17 La Chasse sous-marine. ⊗

« Et maintenant, notre bulletin météorologique pour la Corse. Aujourd'hui, 25 juillet, le temps sera beau et ensoleillé le matin, avec de la brume, ici et là, le long des côtes. De nombreux nuages dans l'après-midi. et tendance à l'orage dans la soirée. Vent variable faible. Mer belle à peu agitée. Températures sans grand changement. Maximum prévu: 30° à 32°. »

1

M. SOUDIER   Allez, debout, les garçons! Le temps est clair. La météo est bonne. Le baromètre est au beau. Alors profitons-en pour aller faire un peu de chasse!

18 Ce qu'il faut comme équipement. ⊗

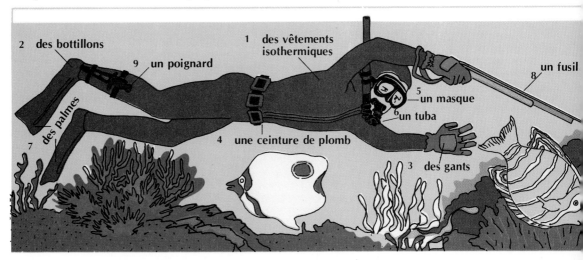

2 des bottillons
9 un poignard
1 des vêtements isothermiques
un fusil 8
5 un masque
6 un tuba
7 des palmes
4 une ceinture de plomb
3 des gants

19 Jean-Pierre et Richard se préparent à plonger. ⊗

Pendant que Richard enfile son pantalon isothermique, M. Soudier gonfle la bouée qui flottera au-dessus des plongeurs. Elle indiquera aux bateaux qui passent qu'il y a des gens sous l'eau à cet endroit.

Richard a presque fini de s'habiller : il ajuste ses palmes. Jean-Pierre, lui, est fin prêt et sur le point de plonger. Ou plutôt de culbuter, car on peut difficilement plonger quand on tient un fusil!

1   2

Jean-Pierre écrit dans son journal de bord pour le 25 juillet : « Aujourd'hui, Richard et moi avons plongé près d'Algajola. De la surface, alors que nous respirions à fond avant de descendre, nous avons repéré, à environ 20 mètres en dessous de nous, un mérou! Et un gros… Le plus gros que nous ayons jamais vu! Il devait bien faire 30 à 35 kg! Il était posé sur la queue, à la verticale, dans l'ombre d'un rocher dont il avait pris les couleurs, et il nous regardait d'un œil malin et cruel. Nous nous sommes laissés couler sur lui, et à 3 mètres, pensant qu'il allait fuir, j'ai tiré. Malheureusement, j'étais encore trop loin, et je l'ai manqué! Bien sûr, notre mérou n'a pas demandé son reste, et il a disparu entre deux rochers. »

« Après être remontés à la surface pour
respirer, nous sommes redescendus pour
voir si nous pouvions repérer le trou où se cachait
notre mérou. Nous avons cherché partout : sous toutes les pierres,
derrière tous les rochers. Nous avons dérangé les algues, réveillé les
crabes, surpris les étoiles de mer, et fait fuir un grand banc de crevettes.
Nous sommes descendus encore plus profond... mais pas trace de mérou.
La seule créature aquatique que nous voulions attraper s'était échappée!
Déçus et fatigués, nous remontions vers la surface, quand une petite pieuvre
s'est pratiquement jetée sur mon fusil. Une fois sur le bateau, nous l'avons
mise dans un seau d'eau, mais comme elle n'arrêtait pas d'en sortir pour
aller explorer le pont, et qu'elle mettait de l'encre partout,
nous l'avons vite rejetée à la mer!
Bilan de notre chasse d'aujourd'hui : néant! Mais nous avons
eu la chance de rencontrer le plus noble adversaire qu'un chasseur
ait en Méditerranée : le mérou... Et c'était passionnant! »

21 Répondez aux questions.

1. Quel temps est-ce qu'on prévoit pour la Corse, le 25 juillet? Quelle température est-ce qu'il va faire?
2. Quels vêtements est-ce qu'il faut pour faire de la chasse sous-marine?
3. Qu'est-ce qui indique aux bateaux qu'il y a des plongeurs sous l'eau?
4. Comment est-ce que Jean-Pierre et Richard se mettent à l'eau? Pourquoi?
5. Ce jour-là, après s'être mis à l'eau, qu'est-ce qu'ils ont repéré de la surface?
6. Comment était ce poisson? Qu'est-ce qu'il faisait?
7. Qu'ont fait Jean-Pierre et Richard?
8. Est-ce que Jean-Pierre a attrapé le mérou? Pourquoi? Où est passé le mérou?
9. Pourquoi Richard et Jean-Pierre sont-ils remontés à la surface? Qu'est-ce qu'ils ont fait après?
10. Quelles créatures aquatiques est-ce qu'ils ont rencontrées? Et le mérou, est-ce qu'ils l'ont attrapé? Pourquoi?
11. Qu'est-ce qui s'est jeté sur le fusil de Jean-Pierre? Pourquoi est-ce qu'ils l'ont rejetée à la mer?
12. Quel a été le bilan de la chasse de Jean-Pierre et Richard, le 25 juillet? Pourquoi est-ce que Jean-Pierre est tout de même content?

22 EXERCICE ORAL ⊗

23 Et vous?

1. Vous avez déjà fait de la chasse sous-marine? Où ça? Avec qui?
2. Qu'est-ce que vous avez chassé comme animaux? Avec quoi?
3. Qu'est-ce que vous avez fait avec les animaux que vous avez pris?
4. Que pensez-vous de la chasse sous-marine : vous trouvez ça bien ou mal? Pourquoi?

24

STRESSING UNIQUENESS
The Subjunctive after Superlatives

Répondez aux questions qui suivent les exemples. ⊗

C'est **le gros poisson** que nous **avons vu.**

C'est **le plus gros poisson** que nous **ayons vu.**

In which sentence is the verb in the subjunctive? What is the difference between the sentences?

C'est **le poisson** qu'il **a pêché.**

C'est **le seul poisson** qu'il **ait pêché.**

In which sentence is the verb in the subjunctive? What is the difference between the sentences?

25 Lisez la généralisation suivante.

1. Verbs following superlatives and expressions of uniqueness (**le seul, le premier, le dernier,** etc.) are in the subjunctive. The latter are similar in meaning to superlatives, and they all indicate the idea of uniqueness, of being one of a kind (*the biggest, the best, the last, the only one*).

	Main Clause Superlatives / Similar Expressions		Relative Clause Subjunctive		
C'est	**le plus gros**	poisson	que nous	**ayons attrapé.**	
C'est	**le meilleur**	chasseur	que je	**connaisse.**	
C'est	**le premier**	mérou	que j'	**aie rencontré.**	
C'est	**la dernière**	chasse	à laquelle il	**ait participé.**	
C'est	**le seul**	plongeur	qui	**soit descendu**	à 40 mètres.

2. The subjunctive is not used when the idea of uniqueness is not emphasized.

Le dernier poisson que tu **as pris** était trop petit.

The last fish you caught was too small. (The emphasis is on the size of the fish, not on the fact that it was the last to be caught.)

26 Jean-Pierre, il était comment ce mérou? ⊗

Il était gros?

beau / noble / malin / fort / rapide

Oui, c'était le plus gros poisson que nous ayons jamais vu.

27 Marie-Lucie aime le poisson. ⊗

Elle le trouve bon, ce homard?

Elle la trouve bonne, cette pieuvre?
Elle les trouve bonnes, ces crevettes?
Elle les trouve bons, ces crabes?

Oui, c'est le meilleur homard qu'elle ait jamais mangé.

28 Ce sont de bons plongeurs et de bonnes plongeuses. ⊗

Richard est descendu profond?

Marie-Lucie est descendue profond?
Richard et Jean-Pierre sont descendus profond?
Marie-Lucie et Danièle sont descendues profond?

Oui, c'est le seul qui soit descendu à 25 mètres.

29 En vacances en Corse. ⊗

Nous n'avons jamais passé d'aussi bonnes vacances.
Mme Soudier n'a jamais vu un aussi beau bateau.
Richard n'a jamais attrapé un aussi gros poisson.
Je n'ai jamais fait un voyage aussi agréable.
Les garçons n'ont jamais acheté de masques aussi chers.

Ce sont les meilleures vacances que nous ayons jamais passées.

30 EXERCICE ECRIT

a. Ecrivez les réponses des exercices No 26, 27, 28 et 29.

b. Combinez chaque paire de phrases en une seule.

Exemple : C'est le plus gros poisson. Nous l'avons attrapé.
C'est le plus gros poisson que nous ayons attrapé.

1. C'est le plus beau poisson. Il l'a vu dans la Méditerranée.
2. C'est la meilleure plongeuse. Je la connais.
3. C'est la première chasse. Nous avons participé à cette chasse.
4. C'est la dernière sortie. Ils ont fait une sortie.
5. C'est le bateau le plus rapide. Nous avons eu un bateau rapide.
6. C'est le marin le plus expérimenté. Vous l'avez à bord?
7. Ce sont les seuls chasseurs de mérous. Ils savent ce qu'ils font.

31 EXERCICE DE COMPREHENSION ☺

	0	1	2	3	4	5	6	7
A	√							
B								

32 EXERCICE DE CONVERSATION

Vous revenez de vacances au bord de la mer, et vous racontez à un(e) ami(e) comment elles se sont passées. Par exemple, vous lui dites où vous êtes allé(e), avec qui vous étiez, quels sports vous avez faits, si vous vous êtes fait de nouveaux amis, si vous êtes sorti(e) souvent le soir et où.

33 REDACTION

Vous écrivez votre journal pour la meilleure journée que vous ayez jamais passée en vacances au bord de la mer.

34 Qui va plus vite que qui dans l'eau? ☺

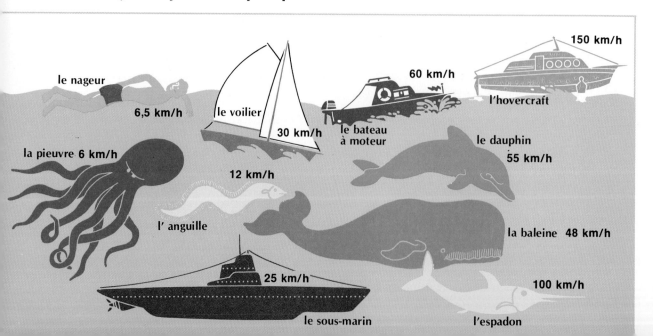

35 Chanson: La Marie-Joseph.

Ça nous a pris trois mois com-plets Pour dé-cou-vrir quels é - taient ses pro-
nous l'a dit c'é - tait trop beau Pour les va -

jets, Quand le père cances nous a - vions un ba - teau. D'un bond d'un

seul et sans hé - si - ta - tion On s'do-cu-mente sur la na - vi - ga - tion, En moins d'huit

jours nous fû - mes per - sua - dés Qu'la mer pour nous n'au - rait plus de se -

crets. En - core heu - reux qu'il ait fait beau Et qu'la Ma - rie Jo -

seph soit un bon ba - teau. En - core heu teau. 2. Le père a

LA MARIE-JOSEPH, words and music by Stéphane Golmann.
Copyright 1951 by Les Nouvelles Editions Meridian. Sole Selling Agent Southern Music Publishing Co. Inc. New York, New York.
Used by permission.

1 D'un bond, d'un seul et sans hésitation
On s'documente° sur la navigation.
En moins d'huit jours nous fûmes persuadés°
Qu'la mer pour nous n'aurait plus de secrets.

Refrain

Encore heureux° qu'il ait fait beau
Et qu'la Marie-Joseph soit un bon bateau. } (bis°)

2 Le père alors fit preuve d'°autorité
« J'suis ingénieur, laissez-moi commander. »
D'vant l'résultat on lui a suggéré
Qu'un vrai marin vienn' nous accompagner.

3 Alors j'ai dit : « J'vais prendre la direction
Ancien marin j'sais la navigation. »
J'commence à croire qu'c'était prématuré
Faut pas confondre° Guitare et Naviguer.

4 Quand finalement on a pu réparer
Alors on s'est décidé à rentrer.
Mais on n'a jamais trouvé l'appontement°,
Car à minuit on n'y voit pas tellement.

5 On dit « maussade° comme un marin breton ».
Moi j'peux vous dire qu'c'est pas mon impression
Car tous les gars° du côté d'Noirmoutier
Ne sont pas prêts d'arrêter d'rigoler°.

VOCABULAIRE: **d'un bond, d'un seul... on s'documente** *we rush to gather information;* **nous fûmes persuadés**
we were convinced; **encore heureux** *a good thing at least;* **bis** *repeat;* **fit preuve de** *showed;* **confondre** *to*
confuse; **un appontement** *dock;* **maussade** *sullen;* **un gars** *guy;* **rigoler** *to have a good laugh*

WORD LIST

1-16

une amarre   *line*
une ancre   *anchor*
l'avant (m.)   *bow (of a boat)*
un bain de soleil   *sun bath*
un bateau à moteur   *motorboat*
la beauté   *beauty*
un bonnet de bain   *bathing cap*
un boulet de canon   *cannonball*
la Corse   *Corsica*
un coup de soleil   *sunburn*
une crème solaire   *suntan lotion*
un équipage   *crew*
une goélette   *schooner*
un homard   *lobster*
un hors-bord   *speedboat*
l'isolement (m.)   *isolation*
des jumelles (f.)   *binoculars*
un marin   *sailor*
un matelas pneumatique   *air mattress*
un(e) nageur (-euse)   *swimmer*
un nœud   *knot*
un parasol   *beach umbrella*
la peau   *skin*
un phare   *lighthouse*
un quai   *pier*
les ruines (f.)   *ruins*
le ski nautique   *water skiing*
la surface   *surface*
un voilier   *sailboat*

attraper un coup de soleil   *to get a sunburn*
battre   *to beat*
boire une bonne tasse   *to swallow a lot of water*
dépasser   *to overtake*
descendre en masse   *to flock (to)*
donner sur   *to overlook*
entraîner   *to pull*
être ancré   *to be anchored*
faire la course   *to race*
faire une partie de ballon   *to play ball*
jeter l'ancre   *to drop anchor*
larguer   *to cast*
lever l'ancre   *to weight anchor, to leave*
mériter   *to deserve*
piloter   *to steer*
prendre un bain de soleil   *to sunbathe*
se rassembler   *to gather*
surprendre   *to surprise*
se tenir bien   *to hold on well*
tomber à l'eau   *to fall in the water*

dominé(e) par les ruines   *with ruins rising high above*
expérimenté, -e   *experienced*
fragile   *delicate*
fréquenté, -e   *visited*
intact, -e   *unspoiled*

Au secours!   *Help!*
aussitôt dit, aussitôt fait   *no sooner said than done*
avec une minute d'avance   *a minute ahead*
de loin   *by far*
de plus en plus   *more and more*
n'importe qui   *anybody*

17-35

un(e) adversaire   *opponent*
une algue   *seaweed*
un banc   *school (of fish)*
un baromètre   *barometer*
le bilan   *result*
des bottillons (m.)   *ankle boots*
une bouée   *buoy*
la brume   *haze*
un bulletin météorologique   *weather report*
une ceinture de plomb   *weight belt*
un changement   *change*
la chasse sous-marine   *underwater fishing*
un(e) chasseur (-euse)   *hunter*
un crabe   *crab*
une créature   *creature*
une crevette   *shrimp*
l'encre (f.)   *ink*
une étoile de mer   *starfish*
un fusil (sous-marin)   *(spear) gun*
le maximum   *maximum*
un mérou   *grouper*
un nuage   *cloud*
un orage   *thunderstorm*
une pierre   *rock*
une pieuvre   *octopus*
un(e) plongeur (-euse)   *diver*
un poignard   *dagger*
une queue   *tail*
la soirée   *evening*
une trace   *trace*

ajuster   *to adjust*
couler   *to sink*
culbuter   *to tumble over*
déranger   *to disturb*
s'échapper   *to escape*
enfiler   *to slip on*
être fin prêt   *to be all ready*
être sur le point   *to be on the verge*
flotter   *to float*
fuir   *to flee*
gonfler   *to blow up*
rejeter (like **jeter**)   *to throw back*
repérer (like **préférer**)   *to spot*
tirer   *to shoot*

il n'a pas demandé son reste   *he did not hang around for more of the same*

aquatique   *aquatic*
cruel, -elle   *cruel*
déçu, -e   *disappointed*
ensoleillé, -e   *sunny*
isothermique   *isothermic*
malin, -igne   *cunning, clever*
posé, -e   *resting*
prévu, -e   *forecast*
variable   *variable*

à fond   *fully, deeply*
à la verticale   *vertically*
profond   *deep, deeply*

Debout!   *Get up!*
le baromètre est au beau   *the barometer indicates fair weather*
mer belle à peu agitée   *seas calm to moderately choppy*
néant   *zero*
tendance à   *chance of*

40

Bon Voyage!

1

QUELQUES CONSEILS
Si vous prenez le train

POUR CHOISIR VOTRE HORAIRE

Tous les renseignements vous seront donnés au guichet ou au bureau « Information » ou « Renseignements ».

POUR OBTENIR VOTRE BILLET

- Précisez si vous voulez un billet « aller » ou un billet « aller retour ».
- Dites quelle classe vous désirez — $1^{\text{ère}}$ ou 2e classe.
- Indiquez bien la date du départ et la durée du voyage : vous pouvez peut-être bénéficier d'un billet à tarif réduit.

POUR VOYAGER CONFORTABLEMENT LA NUIT

Pour un supplément modique, vous pouvez passer la nuit allongé sur une couchette. Oreillers et couvertures sont à votre disposition.
Les compartiments sont de 4 places en $1^{\text{ère}}$ classe et de 6 places en 2e classe.

POUR ETRE SUR D'AVOIR UNE PLACE

Réservez votre place, assise ou couchée, le plus longtemps possible à l'avance. N'oubliez pas de noter le numéro du train et l'heure exacte de son départ.

POUR NE PAS ETRE ENCOMBRE

Si vous avez quelques heures d'attente à la gare, vous pouvez mettre vos bagages à la consigne ou dans des casiers consignes automatiques.

POUR TROUVER VOTRE PLACE

Pour trouver plus facilement votre voiture le long du quai, consultez le tableau de composition des trains.
Les places réservées sont indiquées soit à l'entrée du compartiment, soit sur le dossier même du fauteuil.

POUR PRENDRE VOS REPAS

Dans la plupart des trains, vous avez une (ou plusieurs) des possibilités suivantes :
- un wagon-restaurant où on vous servira un repas classique, comme dans un restaurant.
- un « Gril-Express » où on sert des grillades et des plats garnis en libre-service.
- une voiture-bar où on sert des sandwiches et des boissons.
- un « mini-bar » roulant qui passe dans les wagons et offre des sandwiches et des boissons. Vous pouvez aussi apporter vos propres sandwiches et boissons.

2 EXERCICE DE CONVERSATION

Vous donnez des conseils à un(e) ami(e) qui va faire un voyage en train en France. Utilisez le texte ci-dessus comme modèle. Vous pouvez commencer de la façon suivante : « Si tu as besoin de renseignements, va au bureau « Information » ou « Renseignements ».

3 In France public transportation is well organized and dependable. This is especially true of railroad trains. The French national railroad company, the S.N.C.F. (Société Nationale des Chemins de Fer Français), efficiently operates a network of approximately 35,000 kilometers of railroad. More than two thirds of the trains run on diesel fuel and the rest on electricity. The newest kind of train is the slim-line turbotrain with a gas-turbine engine.

Trains are clean, fast, and on time: On main lines they often reach an average speed of 120 kilometers per hour. Passengers may choose to travel in first class—en première—or in second class—en seconde. In first class, seats are more comfortable but more expensive, which is why most people travel in second class.

There are three types of trains in France: the omnibus, the express, and the rapide. The omnibus makes local stops, and the express and rapide run between major cities—the express makes a few more stops than the rapide. Many of these long-distance trains are given names, such as Aquitaine (Paris-Bordeaux), Oiseau-Bleu (Paris-Bruxelles), and Maine-Océan (Nantes-Paris).

European railroad companies offer discount fares to young people: the Inter-Rail card, which can be purchased in Europe, and the Eurail Youthpass, which can be purchased only outside Europe.

4

POUR VOUS ORIENTER PLUS FACILEMENT

Vous trouverez partout des symboles ou « pictogrammes ».
Voici les modèles les plus utilisés.

Bureau de renseignements

Guichet des billets

Réservation des places

Consigne des bagages

Consigne automatique

Poste d'appel de porteurs

Chariot porte-bagages

Bureau des objets trouvés

Bureau de change

Téléphone public

VOCABULAIRE: **un poste d'appel** *calling station;* **un chariot porte-bagages** *luggage cart;* **bureau des objets trouvés** *lost and found;* **bureau de change** *(foreign) exchange*

5 Voyage à Chamonix. ⊗

A la gare.

Paris, Gare de Lyon, 7 heures du matin. Martine, Agnès, Catherine et leur amie américaine Mary Lou partent pour Chamonix où elles vont passer deux semaines. Elles se sont décidées un peu à la dernière minute, et elles n'ont pas eu le temps d'acheter leurs billets à l'avance.

MARTINE   Quatre allers retours pour Chamonix, tarif « Inter-Rail », s'il vous plaît. C'est direct?

EMPLOYÉ   Non, il faut changer à St-Gervais. Vous arrivez à St-Gervais à 15 h 10, et vous avez une correspondance pour Chamonix à 15 h 20.

MARTINE   Et à quelle heure est-ce qu'on arrive à Chamonix?

EMPLOYÉ   A 15 h 57. Vous avez vos cartes Inter-Rail?

MARTINE   Oui, les voilà.

Sur le quai.

AGNÈS   Ce n'est pas tout d'avoir les billets, il faut encore pouvoir trouver le train. Où est le tableau?

Haut-parleurs : « Attention! Attention! A la voie Numéro 10, le train rapide 5601 à destination de Dijon, Bourg-en-Bresse, Culoz, Aix-les-Bains, Annecy, La Roche-sur-Foron et St-Gervais, en voiture, s'il vous plaît! »

MARTINE   Vite, on va le rater!

Dans le train.

CATHERINE On a drôlement eu de la chance de trouver ces quatre places ensemble. Normalement, on aurait dû acheter nos billets à l'avance et réserver nos places.

MARTINE Oui, ça c'est vrai!

CATHERINE On est vraiment bien dans ces trains corail.

MARY LOU Ces trains quoi?

CATHERINE C-O-R-A-I-L. Nous sommes dans un train corail. On les appelle comme ça à cause de la couleur des sièges. Et puis, ils n'ont pas de compartiments.

MARTINE Moi, je préfère les trains à compartiments. C'est plus « intime ».

5

AGNÈS Moi, je commence à avoir faim!

MARTINE C'est pas possible! Après tout ce que tu as mangé au petit déjeuner?! Et il n'est que 11 h...

AGNÈS Je n'ai mangé qu'une tartine!

MARTINE Oui, mais elle était longue comme mon bras!

AGNÈS Si j'avais su, j'aurais acheté des sandwiches.

MARTINE De toute façon, tu n'aurais pas eu le temps.

AGNÈS Si on était parties plus tôt, j'aurais pu en acheter.

MARTINE Tu sais, il y a un wagon-restaurant. Tu peux y aller si tu veux.

CATHERINE Il y a aussi une voiture-bar. Ou alors tu peux attendre le prochain arrêt; c'est Bourg-en-Bresse. Il y aura certainement une voiture-buffet sur le quai.

6 Répondez aux questions.

1. Où vont les quatre filles? Qu'est-ce qu'elles achètent comme billets?
2. Où faut-il changer pour aller à Chamonix?
3. Qu'est-ce que les filles doivent montrer pour avoir des billets à tarif « Inter-Rail »?
4. De quelle voie part leur train?
5. Qu'est-ce que Catherine trouve qu'elles auraient dû faire?
6. Où peut-on déjeuner dans le train?

7 Et vous?

1. Quelle est la dernière fois que vous avez pris le train?
2. Où êtes-vous allé(e)? Avec qui? Pour quoi faire? Vous avez voyagé de jour ou de nuit?
3. Quel genre de place aviez-vous? Combien de temps a duré votre voyage? C'était direct?

8 EXERCICE ORAL ⊗

HORAIRE ⊗

Identification du train	Exp 807/6 AUTORAIL	8669	Rap 5601 CORAIL	8741 AUTORAIL	8671	Exp 5591	8675	Exp 809/8 TURBO-TRAIN
Places assises / Places couchées / Restauration	1.2	1.2	1.2 ✕🍴	1.2	1.2	1.2	1.2	1.2
Paris / **Dijon**			7 48 / 10 15					
Dijon / **Bourg-en-Bresse**			10 18 / 11 32					
Bourg-en-Bresse / **Culoz**			11 33 / 12 25					
Culoz / **Lyon**			12 26					
Lyon / **Chambéry**	9 52 / 11 19							13 33 / 14 45
Chambéry / **Aix-les-Bains**	11 31 / 11 42							14 48 / 15 00
Aix-les-Bains / Grésy-sur-Aix / Albens / Bloye / Rumilly	11 44 / / / / 12 05		12 56	13 11 / 13 18 / 13 27 / 13 32 / 13 37		14 22 / / / / 14 48		15 07 / / / / 15 24
Marcellaz / Lovagny / **Annecy**	/ / 12 21		13 30	13 43 / 13 50 / 13 58		15 05		15 39
Annecy / Pringy / St-Laurent / **La Roche-sur-Foron**	12 24 / / / 13 01		13 35 / / / 14 10			15 14 / / / 15 49		
La Roche-sur-Foron / St Pierre-en-Faucigny / Bonneville / Marignier / Cluses	13 06 / / 13 15 / 13 27		14 20 / / 14 30 / / 14 45			15 59 / 16 11 / 16 18 / 16 26 / 16 40		
Magland / Sallanches-Mégève / **St-Gervais**	13 42 / 13 50		15 02 / 15 10			16 49 / 16 58 / 17 05		
St-Gervais / Chedde / Servoz / Vaudagne / Viaduc-Ste-Marie / Les Houches		13 58 / 14 01 / 14 09 / 14 12 / 14 14 / 14 18			15 20 / 15 23 / 15 31 / 15 34 / 15 36 / 15 42		17 19 / 17 22 / 17 32 / 17 35 / 17 37 / 17 41	
Taconnaz / Les Bossons / Les Pèlerins / Les Moussoux / **Chamonix**		14 22 / 14 25 / 14 27 / 14 29 / 14 33			15 46 / 15 49 / 15 51 / 15 53 / 15 57		17 45 / 17 48 / 17 50 / 17 52 / 17 56	

10 EXERCICE DE CONVERSATION

Vous voulez aller à l'un des endroits indiqués sur l'horaire ci-dessus. Vous demandez à un(e) de vos camarades à quelle heure il y a un train, s'il est direct ou pas, etc.

246   **LE MONDE DES JEUNES**

11

EXPRESSING CONDITIONS
The Past Conditional

1. The conditional forms you have learned are those of the present conditional. There is also a past conditional. It is composed of the present conditional of either **avoir** or **être** + the past participle of the verb. ⊗

Present Conditional of **avoir**	Past Participle	Present Conditional of **être**	Past Participle
j'**aurais** tu **aurais** il / elle **aurait** nous **aurions** vous **auriez** ils / elles **auraient**	**joué** **servi** **choisi** **attendu**	je **serais** tu **serais** il / elle **serait** nous **serions** vous **seriez** ils / elles **seraient**	**sorti(e)** **sorti(e)(s)**

2. The past conditional is used to tell what would have happened. It is used to express conditions that have not been met. There are two other types of conditions you have already seen: conditions that can be met, and conditions that are not likely to be met. The chart below shows all three.

CAN BE MET	
Si + *Present*	*Imperative / Future*
Si tu **peux,** *If you can,* **Si** elle **peut,** *If she can,*	**achète** des sandwiches. *buy some sandwiches.* elle **achètera** des sandwiches. *she will buy some sandwiches.*
NOT LIKELY TO BE MET	
Si + *Imparfait*	*Present Conditional*
Si elle **pouvait,** *If she could,*	elle **achèterait** des sandwiches. *she would buy some sandwiches.*
NOT MET	
Si + *Past Perfect*	*Past Conditional*
Si elle **avait pu,** *If she could have,*	elle **aurait acheté** des sandwiches. *she would have bought some sandwiches.*

Note that in the third type of conditions, the past perfect is used in the **si**-clause and the past conditional is used in the main clause.

3. The rules of agreement for the past participle in the past conditional are the same as those for the past participle in other compound tenses.

Les sandwiches? Elle **les** aurait **achetés** si elle avait pu.

12 C'est un long voyage! ⊗

J'aurais dû acheter un journal.
Elles auraient dû acheter des sandwiches.
Nous aurions dû acheter des boissons.
Vous auriez dû acheter des magazines.

Tu n'aurais pas eu le temps.

13 Il va falloir rester debout toute la nuit. ⊗

Tu n'as pas loué ta place?
Tu n'as pas pris de couchette? / Tu n'as pas acheté ton billet à l'avance?

Non, si j'avais su, je l'aurais louée.

14 Beaucoup de conseils! ⊗

Vous auriez dû partir en vacances.

Vous auriez dû prendre le train.
Vous auriez dû emporter des sandwiches.
Vous auriez dû manger au wagon-restaurant.
Vous auriez dû prendre une couchette.
Vous auriez dû acheter quelque chose à lire.

Si j'avais pu partir en vacances, je serais parti(e) en vacances!

15 EXERCICE ECRIT

Ecrivez les réponses des exercices No 12, 13 et 14.

16 EXERCICE DE COMPREHENSION ⊗

	0	1	2	3	4	5	6	7	8	9	10
Can be met											
Not likely to be met	✓										
Not met											

17 EXERCICE DE CONVERSATION

1. Vous préparez un voyage. Vous voulez savoir : quels trains (cars, avions) se rendent là où vous voulez aller, l'heure à laquelle ils partent et ils arrivent, s'ils sont directs ou pas, combien coûte le voyage, si vous avez droit à une réduction, s'il faut que vous réserviez, etc.
2. Des amis viennent passer quelques jours chez vous. Ils ont pris le train, mais pas le bon, et ils sont arrivés avec 4 heures de retard. Vous leur dites : quel(s) train(s) ils auraient dû prendre, où ils auraient dû changer, à quelle heure ils seraient arrivés.

18 REDACTION

Un(e) de vos ami(e)s va faire un voyage avec vous. Vous lui écrivez pour lui donner tous les renseignements nécessaires. Utilisez la première partie de l'exercice précédent comme modèle.

19 *Chamonix* ⊗

Située dans le Massif du Mont Blanc, cette station a été édifiée° au cœur d'°un ensemble unique de pics et d'aiguilles° : aiguille du Midi, aiguille du Goûter. La proximité des sommets de plus de 4 000 mètres et les nombreux glaciers (dont la Mer de Glace) constituent un spectacle unique. Les premiers Jeux Olympiques d'hiver se sont déroulés° en 1924 à Chamonix qui reste encore aujourd'hui le principal centre français d'alpinisme° et de sports d'hiver.

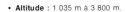

Adresse de l'A.J. :

**Auberge de Jeunesse°
Les Pèlerins
74400 - Chamonix
Tél.: (50) 53.14.52**

• **Altitude** : 1 035 m à 3 800 m.

• **Accès par le train** : Gare de Saint-Gervais (ligne Paris/Saint-Gervais). Correspondance immédiate train Saint-Gervais/Chamonix. Descendre à la station « Les Pèlerins ». L'Auberge est à 500 m.

• **L'auberge** : Installation de 140 places réparties en° petits dortoirs de 4 à 8 lits.

VOCABULAIRE: **édifié** *built;* **au cœur de** *in the heart of;* **aiguille** *(jagged) peak;* **se dérouler** *to take place;* **l'alpinisme** *mountain climbing;* **une auberge de jeunesse** *youth hostel;* **réparti en** *divided into*

20 A l'auberge de jeunesse. ⊗

Catherine, Martine, Agnès et Mary Lou arrivent à l'auberge de jeunesse de Chamonix.

MARTINE Ouf! Heureusement qu'on arrive. J'ai les épaules en compote!

CATHERINE Il ne fallait pas charger ton sac à dos comme ça!

AGNÈS Où est-ce qu'on s'inscrit?

MARY LOU D'après ce panneau, le bureau est par là... Suivez la flèche!

Les filles présentent chacune leur carte d'adhérente (ajiste) à la secrétaire qui prend les inscriptions.

CATHERINE Nous avons des réservations pour le séjour « Tour du Mont-Blanc ».

SECRÉTAIRE Bon, laissez-moi vérifier... Demange Catherine, Demange Martine, Kirscher et Kregel... Oui, tout est en règle. Vous partez dans trois jours. Et d'ici là, vous coucherez dans le dortoir 14 au 2ᵉ étage.

Après s'être installées, les filles ont pris une douche et se sont changées.

1

2

MARTINE Ça fait du bien de se sentir propre!

CATHERINE Oui, surtout après un voyage comme ça! Bon, tout le monde est prêt? Allons vérifier les heures des repas. Je n'ai pas envie de manquer le dîner!

AGNÈS C'est à 7 heures et quart, et il est déjà 7 heures dix. On devrait aller tout de suite à la salle à manger. Vous ne croyez pas?

MARY LOU Oui, bonne idée. Moi, je meurs de faim!

21 Les Auberges de jeunesse en France. ⊗

QUI PEUT ETRE « AJISTE » ?

Tous les garçons et filles de quatorze à trente ans, adhérents à la Fédération Unie des Auberges de Jeunesse (FUAJ), 41, rue Notre-Dame-de-Lorette, 75009 Paris. Tél. : 874-36-46.

Pour avoir la carte d'adhérent, il faut envoyer :
• une autorisation des parents (pour les mineurs)
• une carte d'identité
• une photo d'identité
• un mandat ou un chèque de 15 F (moins de dix-huit ans), 40 F (plus de dix-huit ans) ou 42 F (étrangers).

On renouvelle la carte chaque année.
Les cartes sont délivrées également directement dans les auberges de jeunesse dont vous obtiendrez la liste en écrivant à la FUAJ.

CE QU'UN « AJISTE » DOIT SAVOIR.

Les auberges sont ouvertes de 7 heures à 22 heures.
—Prix : 14 F la nuit, 14 F le repas, 5 F le petit déjeuner, soit 47 F environ la pension complète.
—La réservation est conseillée, obligatoire si vous êtes plus de cinq. Les places réservées ne sont retenues que jusqu'à 19 heures.
—Vous ne pouvez séjourner plus de trois jours (à moins de faire un séjour).
—Règlement intérieur :
• Interdit de fumer et de manger dans les dortoirs, de faire du bruit après 22 heures, d'apporter de l'alcool et... d'aller dans le dortoir des filles et vice versa !
• Obligation de libérer les dortoirs de 9 heures à 18 heures, d'avoir un sac de couchage, de faire le ménage.

22 Répondez aux questions.

1. Pourquoi Martine est-elle contente d'arriver à l'auberge? Qu'est-ce qu'elle a fait?
2. Où les filles vont-elles en premier? Pour quoi faire?
3. Qu'est-ce qu'elles donnent à la secrétaire qui prend les inscriptions?
4. Est-ce qu'elles ont des réservations? Pour quoi exactement?
5. Où vont-elles coucher, jusqu'à leur départ pour le Mont-Blanc?
6. Qu'est-ce qu'elles ont fait, après s'être installées dans le dortoir?
7. Quel âge faut-il avoir pour être « ajiste » ?
8. Qu'est-ce qu'il faut envoyer pour avoir une carte d'adhérent(e)?
9. De quelle heure à quelle heure les auberges de jeunesse sont-elles ouvertes?
10. Quel est le prix de la pension complète?
11. Est-ce qu'il faut réserver?
12. Combien de jours peut-on rester dans une auberge de jeunesse?
13. Qu'est-ce qu'il est interdit de faire dans les auberges de jeunesse?
14. Qu'est-ce qu'on est obligé de faire? Qu'est-ce qu'on est obligé d'avoir?

23 Et vous?

1. Est-ce que vous êtes déjà allé(e) dans une auberge de jeunesse? Où ça?
2. Avec qui est-ce que vous y êtes allé(e)? Quand?
3. Pourquoi est-ce que vous êtes allé(e) dans cette auberge? C'était bien? Décrivez.
4. Quel en était le règlement?

24 EXERCICE ORAL ⊗

25 Tour du Mont-Blanc. ⊗

PROGRAMME :

Après quelques jours passés dans la vallée de Chamonix, pendant lesquels un programme de promenades faciles permet de se mettre en bonne condition, et de faire déjà connaissance avec la montagne, le départ de cette randonnée° se fait en direction du versant° ouest par le col° de Voza, la vallée de Montjoie, vers les magnifiques alpages° du col du Bonhomme (2 400 m) situé face aux glaciers de Tré-la-Tête. Le repas du soir et le logement sont prévus° au col même.

Le lendemain, franchissant le col des Fours (2 600 m) et le col de La Seigne (frontière°) la descente se fait sur le versant italien vers le refuge° Elisabetta, but de la journée.

Le jour suivant, descente sur le Val Veni, puis passage du col du Checrouit, d'où la vue sur le versant sud du Mont-Blanc est extraordinaire, en direction de Courmayeur, grande station d'alpinisme.

Le lendemain, départ pour le grand col Ferret (frontière) puis descente sur le val Ferret suisse, plein d'une vie alpestre° qui a conservé toutes ses traditions montagnardes°, et montée° à Champex (1 600 m) dont le lac est entouré de magnifiques forêts et au bord duquel le logement est assuré.

Une nouvelle journée de promenade permet en faisant l'ascension de la Fenêtre d'Arpette (2 700 m) d'accéder au°

val de Trient face au magnifique glacier qui domine cette vallée sauvage.

Après la nuit passée à Trient, dernière journée de randonnée qui assure, par le col de Balme, le retour vers la vallée de Chamonix et son paysage unique au monde.

• **Matériel et Equipement** (à emporter) : chaussures de montagne et chaussures de repos, pantalon de montagne ou blue-jean, et short, 2 chemises de sport, 1 gros° pull et 1 pull léger, 1 anorak (cagoule° de pluie en plus très utile), 2 paires de chaussettes de laine, lunettes de soleil, crème solaire, bonnet ou casquette°, trousse de toilette.

DATES :
séjour A : **du 3 au 16 juillet**
séjour B : **du 17 au 30 juillet**

PRIX : 1 117 F (14 jours)
comprenant° : séjour au centre, encadrement° par un guide de haute montagne pendant le séjour, transports et remontées mécaniques° pendant les randonnées, repas du soir, petit déjeuner et logement dans les refuges (le repas de midi est fourni° en pique-nique).

CONDITIONS PARTICULIERES :
Carte d'identité ou passeport, autorisation de sortie du territoire pour les mineurs, certificat médical, âge minimum : 16 ans.

VOCABULAIRE : **une randonnée** *excursion;* **un versant** *side;* **un col** *pass;* **un alpage** *mountain pasture;* **prévu** *provided;* **une frontière** *border;* **un refuge** *cabin;* **alpestre** *alpine;* **montagnard** *mountain;* **une montée** *ascent;* **accéder à** *to get to;* **gros** *heavy;* **une cagoule** *hood;* **une casquette** *cap;* **comprenant** *including;* **l'encadrement** *training;* **une remontée mécanique** *lift;* **fourni** *provided;* **sortie du territoire** *leave the country*

26 Le Départ. ⊗

Catherine, Martine, Agnès et Mary Lou ont bien aimé leur randonnée dans le massif du Mont-Blanc. Malheureusement, ça s'est terminé hier, et aujourd'hui, c'est le départ. Déjà!

Avant de partir, les quatre filles vont pour la dernière fois prendre le petit déjeuner avec leurs copains de randonnée.

HANS	Allez, mangez, les filles! Il faut prendre des forces pour le voyage!
LISA	Mary Lou, n'oublie pas de me donner ton adresse. Je t'écrirai à mon retour à Seattle.
CARLOS	Martine, je voudrais bien aussi avoir ton adresse. On pourrait s'écrire. Ça serait bon pour mon français et pour ton espagnol.
MARTINE	D'accord… C'était drôlement sympa de se rencontrer comme ça!
AGNÈS	Oui, on devrait recommencer.
LISA	Moi, je peux revenir l'année prochaine.
CATHERINE	Alors, c'est d'accord?
CARLOS	D'accord! On revient tous ici, l'année prochaine.
MARY LOU	Formidable! Je vais noter ça sur mon calepin.
MARTINE	Maintenant, on est un peu moins tristes de partir, puisqu'on sait qu'on se reverra.
HANS	« Ce n'est qu'un au revoir, mes frères. Ce n'est qu'un au revoir ».
TOUS	« Oui, nous nous reverrons, mes frères. Ce n'est qu'un au revoir! »

27 Répondez aux questions.

1. Que font les quatre filles aujourd'hui?
2. Qu'est-ce qu'elles font avant de partir?
3. De quel pays est Lisa?
4. Qu'est-ce que Carlos demande à Martine? Pourquoi?
5. Qu'est-ce qu'Agnès suggère?

6. Quand est-ce que Lisa peut revenir? Est-ce que les autres sont d'accord?
7. Quand est-ce qu'ils se retrouveront tous à Chamonix?
8. Pourquoi sont-ils moins tristes de partir maintenant? Qu'est-ce qu'ils chantent?

28 EXERCICE ORAL ⊗

29 Chanson : Ce n'est qu'un au revoir ⊗

Faut-il nous quit-ter sans es-poir, sans es-poir de re-tour? Faut-il nous quit-ter sans es-poir de_ nous re-voir un jour? Ce n'est qu'un au-re-voir mes frères, ce n'est qu'un au-re-voir. Oui nous nous re-ver-rons mes frères, ce_ n'est qu'un au-re-voir.

30 A l'hôtel. ⊗

De leur côté, notre amie Christine Pierre et sa cousine Sophie veulent passer la première semaine du mois d'août à Chamonix. Comme elles y vont pour se reposer et qu'elles aiment leur confort, elles décident d'aller à l'hôtel. Oui, mais lequel? Elles consultent le guide Michelin pour sa sélection des hôtels de Chamonix. Elles cherchent un hôtel assez confortable, tranquille et pas trop cher, où elles n'aient pas à prendre la pension, car elles ne veulent pas être obligées de prendre leurs repas à l'hôtel. Enfin, comme elles n'ont pas de voiture, elles veulent un hôtel près du centre. Lequel vont-elles choisir, à votre avis?

🏰🏰🏰	Hôtel de grand luxe
🏰🏰	Hôtel de grand confort
🏰	Hôtel très confortable
🏠	Hôtel confortable
⌂	Hôtel assez confortable
✿	Hôtel simple mais convenable
M	Équipement moderne
XXXXX	**Restaurant** de grand luxe
XXXX	Restaurant de grand confort
XXX	Restaurant très confortable
XX	Restaurant confortable
X	Restaurant simple, convenable
✿✿✿	La table vaut le voyage
✿✿	La table mérite un détour
✿	Une très bonne table
R 35	Repas soigné à prix modérés
⛛	Petit déjeuner
SC	Service compris
🏛 X	Menu à moins de 25 F
🏰🏠...⌂	Hôtels agréables
XXX...X	Restaurants agréables
≼	Vue exceptionnelle
≼	Vue intéressante ou étendue
⅀	Situation très tranquille, isolée
⅀	Situation tranquille
⛱ ⛱	Piscine en plein air ou couverte
🌿 ✗	Jardin de repos - Tennis à l'hôtel
🛗	Ascenseur
▦	Air conditionné
🛁wc	Salle de bains et wc privés
🚿wc	Douche et wc privés
☎	Téléphone dans la chambre
☎	Téléphone direct
♿	Accessible aux handicapés physiques
🚗 🚗	Garage gratuit ou payant
🏛	Salles de conférence, séminaire
🐕	Accès interdit aux chiens

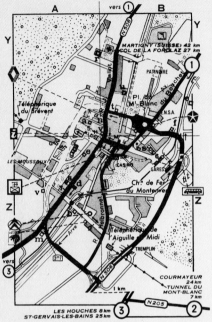

CHAMONIX-MONT-BLANC 74400 H.-Savoie 74 ⑧⑨ G. Alpes – 9 002 h. alt. 1 037 – Sports d'hiver : 1 037/3 842 m 14 ✓ 24 ✗; Casino BZ – ☉ 50.

Env. E : Mer de glace*** et le Montenvers*** par chemin de fer électrique – SE : Aiguille du Midi ✸*** par téléphérique (station intermédiaire : Plan de l'Aiguille**) – NO : Le Brévent *** par téléphérique (station intermédiaire : Planpraz**).

☎ ☎ 53 06.28 par ① 3 km.

Tunnel du Mont-Blanc : Péage aller simple : autos 32 à 66 F, motos 10 F, camions 150 à 300 F – Tarifs spéciaux AR pour autos et camions.

Office de Tourisme pl. Église ☎ 53.00.24, Télex 385022.

Paris 624 ③ – Albertville 67 ③ – Annecy 93 ③ – Aoste 62 ② – Berne 175 ① – Bourg-en-B. 198 ⑨ – Genève 83 ③ – Lausanne 113 ① – Mont-Blanc (Tunnel du) 7 ② – Turin 174 ②.

Aiguille-du-Midi (Av.) AZ 2
Balmat (Pl. Jacques) ABZ 3
Croz (Av. Michel) ___ BZ 4
Église (Pl. de l') ___ AYZ 5
Gare (Pl. de la) ___ BZ 6
Paccard (R. du Dr) ___ AZ 7
Saussure (Pl. de) ___ BZ 8

🏰🏰 **Mont Blanc et rest. Le Matafan,** pl. Église ☎ 53.05.64, Télex 385614 ≼, XX, ⅀, 🌿 – 🛗 ☎ ♿. AE GB ⓘ AZ **g** fermé 1er nov. au 15 déc. – SC : R 60/80 – ⛛ 14 – 51 ch 90/210, 4 appartements 300 - P 160/225.

🏰🏰 **Aub. du Bois Prin** M ⅀, aux **Moussoux** – AZ – ☎ 53.33.51, ≼ massif du Mont-Blanc · – 🛁🖥 ♿. AE ⓘ, 🌿 rest fermé 2 au 22 mai et 1er oct. au 7 déc. – SC : R (diner seul.) 50/60 - 11 ch ⛛ 180/280.

🏰 **Croix Blanche,** 7 r. Vallot ☎ 53.00.11, ≼ – 🛗 ♿. AE GB ⓘ ABY **v** fermé juin – R brasserie carte environ 45 - 38 ch ⛛ 75/155.

🏰 **Le Prieuré** M ⅀, av. Payot ☎ 53.20.72, ≼, 🌿 – cuisinette 🛁wc ☎ ♿. 🌿🍽 AE GB ⓘ AZ **v** fermé 15 oct. au 15 déc. – SC : R 40/45 - 75 ch ⛛ 100/162, 14 appartements 188/248 - P 140/165.

🏠 **Sapinière et rest. le Montana** ⅀, r. Mummery ☎ 53.07.63, ≼, 🌿 – 🛁wc ⛱ ♿. 🌿🍽 AE ⓘ. 🐕 AY **r** fermé 4 nov. au 15 déc. – SC : R 45/60 - 35 ch ⛛ 100/180 - P 135/180.

🏠 **Hermitage et Paccard** ⅀, r. Cristalliers ☎ 53.13.87, ≼, 🌿 – cuisinette 🛁wc ⛱ ♿. 🌿🍽 BY **h** 1er juin-1er oct. et 15 déc.-3 mai – SC : R 38/65 - 32 ch ⛛ 62/145, 3 appartements 280 - P 116/150.

🏠 **Richemond,** 228 r. Dr-Paccard ☎ 53.08.85, ≼, 🌿 – 🛗 🛁wc ☎ ♿. 🌿🍽 GB 16 juin-17 sept. et 20 déc.-Pâques – SC : R 35/43 - 52 ch ⛛ 64/156 - P 115/150. AZ **s**

🏠 **Pointe Isabelle** M, 165 av. M. Croz ☎ 53.12.87 – 🛗 🛁wc 🚿wc ⛱. 🌿🍽 AE fermé 1er nov. au 20 déc. – SC : R (fermé merc. hors sais.) 28/70 - 41 ch ⛛ 100/150 - P 135/155. BZ **x**

⌂ **Arve,** r. J.-Vallot ☎ 53.02.31, ≼ – 🛗 🛁wc 🚿wc ⛱ ♿. 🌿🍽 🐕 rest BY **u** 10 juin-30 sept. et 15 janv.-Pâques – SC : R 32/35 - ⛛ 8 - 38 ch 55/125 - P 95/120.

⌂ **Au Bon Coin** sans rest, 80 av. Aiguille-du-Midi ☎ 53.15.67, ≼, 🌿 – 🛁wc ⛱ ♿. fermé 5 mai au 5 juin et 5 nov. au 15 déc. – SC : 20 ch ⛛ 68/100. AZ **b**

⌂ **Marronniers** ⅀ sans rest, r. J.-Vallot ☎ 53.05.73, ≼, 🌿 – 🛁wc 🚿wc ⛱. AY **a** 1er juin-30 sept. et 18 déc.-22 avril – SC : 20 ch ⛛ 75/125.

⌂ **Midi** sans rest, r. J.-Vallot ☎ 53.05.62, ≼ – 🚿wc SC : ⛛ 7,50 - 18 ch 60/75. AY **n**

⌂ **La Chaumière,** S : 1 km par r. Dr-Paccard – AZ – ☎ 53.13.25, ≼, 🌿 – 🛗 ♿. 🌿🍽 🐕 1er juin-30 sept. et 20 déc.-30 avril – SC : R 29/38 - ⛛ 8 - 28 ch 48/75 - P 88/100.

X **Lion d'Or** avec ch, r. Dr-Paccard ☎ 53.15.09 – ♿ AE AZ **d** fermé juin, 20 oct. au 20 déc. et lundi hors sais. – SC : R 33/50 - 10 ch (pension seul.) - P 86/94.

31 Pour réserver une chambre. ⊗

Christine et Sophie ont choisi l'hôtel Marronniers. Christine écrit pour réserver.

```
Christine Pierre
Résidence Musset
8, rue de la Ronce
92410 Ville d'Avray
                                        Ville d'Avray, le 10 mai


                                        Hôtel Marronniers
                                        Rue J.-Vallot
                                        74400 Chamonix

Monsieur,

    Ma cousine et moi voudrions passer une semaine à Chamonix, du 3
au 9 août prochains, et nous aimerions séjourner dans votre hôtel.

    Il nous faudrait une chambre à deux lits et salle de bains, à
vos prix les plus modérés.

    Si vous avez une chambre pour nous, nous vous serions obligées
de nous la réserver, et de nous préciser vos conditions et le
montant des arrhes à vous verser. Vous trouverez ci-joint une
enveloppe timbrée pour la réponse.

    Recevez, Monsieur, mes sincères salutations.
                                        Christine Pierre
```

32 Réponse de l'hôtel Marronniers. ⊗

```
                            Hôtel Marronniers
                        Rue J.-Vallot,  74400 Chamonix
                              Tel. : 53.05.73


                                        Chamonix, le 24 mai

                                        Mademoiselle Christine Pierre
                                        Résidence Musset
                                        8, rue de la Ronce
                                        92410 Ville d'Avray

Mademoiselle,

    En réponse à votre lettre du 10, j'ai l'honneur de vous informer
qu'une chambre à deux lits et salle de bains vous est réservée
pour la période du 3 au 9 août. Cette chambre, au mois d'août,
est à 85 F par nuit, petits déjeuners et service compris.

    Je vous serais obligé, si vous pouviez m'envoyer le prix de trois
nuits. Dès le reçu de ces arrhes, je vous enverrai une confirmation
de votre réservation.

    Recevez, Mademoiselle, mes sincères salutations.
                                        Monsieur Le Beau
                                        Directeur
```

33 Et vous?

1. Est-ce que vous avez déjà séjourné dans un hôtel? Où ça?
2. Avec qui étiez-vous? Vous êtes resté(e) combien de temps?
3. Est-ce que l'hôtel vous a plu? Pourquoi?
4. Décrivez votre hôtel, à la façon du guide Michelin.
5. Si vous alliez à Chamonix, quel hôtel choisiriez-vous? Pourquoi?

34 EXERCICE ORAL ⊗

35 Le Jeu du guide Michelin. ⊗

Vous travaillez pour une agence de voyage. Vous avez plusieurs clients qui veulent séjourner à Chamonix. Vous consultez le guide Michelin pour essayer de trouver un hôtel qui correspond aux renseignements que vous ont donnés chacun de vos clients.

CLIENT	RENSEIGNEMENTS
M. et Mme Lajoie	Canadiens aisés, veulent un hôtel très confortable avec tennis, piscine et très bon restaurant.
○ Michael Davis	Riche Anglais veut hôtel très confortable, agréable et tranquille, avec vue exceptionnelle, change dans l'hôtel, télé dans la chambre.
○ M. et Mme Martin	Américains avec chien, veulent hôtel confortable tranquille avec vue intéressante et téléphone dans la chambre. Pension (pas plus 120F/j)

36 EXERCICE DE CONVERSATION

Vous travaillez dans une agence de voyage. Vous choisissez un des clients du jeu précédent, et vous téléphonez à l'hôtel choisi, pour réserver une chambre pour la semaine du 23 au 29 juillet. Le (la) patron(ne) de l'hôtel — un(e) de vos camarades — vous répond.

37 REDACTION

a. Au lieu de téléphoner, vous écrivez pour réserver la chambre de l'exercice précédent. Vous écrivez également la réponse que vous pourriez recevoir de l'hôtel. Prenez comme modèles les lettres de la page 254.

b. Vous écrivez à un(e) ami(e) pour lui raconter votre semaine de vacances à Chamonix. Vous commencez par votre voyage en train Paris-Chamonix, puis vous décrivez l'auberge de jeunesse ou l'hôtel où vous avez séjourné. Enfin vous dites ce qui vous a plu le plus à Chamonix et pourquoi.

c. Vous écrivez maintenant à un(e) ami(e) pour lui raconter comment vous avez passé une semaine de vacances à la montagne.

1–4
l'attente (f.) *wait, waiting*
un (billet) aller *one-way ticket*
un (billet) aller retour *round-trip ticket*
un casier consigne automatique *locker*
un compartiment *compartment*
la composition *order of the cars*
la consigne *checkroom*
une couchette *berth*
le dossier *back*
une grillade *grilled meat*
un guichet *window*
un horaire *timetable*
un libre-service *self-service*
un mini-bar roulant *beverage cart*
un oreiller *pillow*

un plat garni *meat and vegetable plate*
un quai *platform*
un supplément *additional charge*
un tarif *rate*
un train *train*
une voiture-bar *club car*
un wagon *car (of a train)*
un wagon-restaurant *dining car*

bénéficier *to benefit*
être à la disposition de *to be at the disposal of*
être encombré(e) de *to be weighted down with*
préciser *to specify*
réserver *to reserve*

allongé, -e *stretched out*
exact, -e *exact*
modique *moderate*
réduit, -e *reduced*

plusieurs *many*
soit… soit *either . . . or*

à tarif réduit *at a special rate*
réservez votre place, assise ou couchée *make your reservations for coach or sleeping car*

5–18
un arrêt *stop*
une correspondance *connecting train*
un train rapide *express train*
une voie *track*
une voiture-buffet *snack bar*

se décider (à) *to make up one's mind, to decide to*
être bien *to be comfortable*

corail *coral (pink)*
direct, -e *express*
intime *cozy, intimate*

normalement *theoretically*

à cause de *because of*
à destination de *to, for*
En voiture! *All aboard!*

19–29
un(e) adhérent(e) *member*
ajiste *member of youth hostel association*
l'alcool (m.) *alcoholic beverages*
une auberge de jeunesse *youth hostel*
une autorisation *authorization*
un calepin *small notebook*
une carte d'adhérent(e) *membership card*
une carte d'identité *identification card*
une flèche *arrow*
la force *strength*
une inscription *registration*
un massif *massif, mountainous area*
un panneau *sign*

la pension complète *room with three meals a day*
une randonnée *excursion, outing*
un règlement *rules*
un(e) secrétaire *secretary*
le séjour *stay*

charger (like manger) *to load*
être d'accord *to agree*
être en règle *to be in order*
faire du bien *to feel good*
fumer *to smoke*
s'imposer *to be essential*
libérer (like préférer) *to vacate, to leave*
mourir de faim *to be starving*
prendre des forces *to build up one's strength*

prendre les inscriptions *to enter the names*
renouveler (like jeter) *to renew*
retenir *to hold, to retain*

délivré, -e *issued*
intérieur, -e *house, interior*
modéré, -e *moderate*
uni, -e *united*

d'ici là *until then*
directement *while you wait*
j'ai (les épaules) en compote *my (shoulders) are killing me*

ne… que *only*

30–37
l'air conditionné (m.) *air conditioning*
les arrhes (f.) *deposit*
un chemin de fer *railroad*
les conditions (f.) *terms*
une douche *shower*
une écrevisse *crayfish*
une escalope *veal cutlet*
une étendue *extensive view*
le montant *amount*
une morille *morel (mushroom)*
la pension *meal plan*
un péage *toll*
des salutations (f.) *greetings*
un séminaire *seminar*
une station *(cable car) stop*
un téléphérique *cable car*

avoir l'honneur de *to be pleased to*
informer *to inform*
séjourner *to stay*
verser *to pay*
    verser des arrhes *to make a deposit*
Recevez, (Monsieur,) mes sincères salutations. *Sincerely yours.*

convenable *adequate*
couvert, -e *indoor*
direct, -e *direct-dialing*
isolé, -e *secluded*

payant, -e *not free*
pétillant, -e *sparkling*
simple *plain*
soigné, -e *carefully prepared*
timbré, -e *stamped*

accès interdit aux chiens *dogs not allowed*
avec farçon savoyard *with stuffing Savoy style*
à (votre) avis *in (your) opinion*
la table vaut le voyage *the meal is worth the trip*

They Helped Shape the New World

Plate 26

QUEBEC
Comme il se voit du coté de l'Est

4

In 1534, Jacques Cartier left St-Malo, in Brittany, on a ship bound for North America. He had been commissioned by the king, Francois Ier, to explore the northern lands in the hope of discovering gold, spices, and a passage to the Orient. Cartier found none of these, but he did explore the shores of the St-Lawrence as far as present-day Montréal. Colonization of the new territories did not begin until 1608, when Samuel de Champlain and a party of French pioneers built a small settlement, which they called Québec (from an Algonquin word meaning "narrowing of the river"). Soon, Québec prospered from fur trading and agriculture, and became the capital of the ever-growing "Nouvelle-France." In 1666, a young man named Robert Cavelier de la Salle came from Normandy. He had great visions of building an empire for France, in America, and in 1682, after canoeing down the Mississippi, he claimed the entire region for his country, calling it Louisiana.

5

The destinies of Louisiana and of the West Indies were shaped by pirate chiefs and black liberators as well as by explorers and colonizers. Jean Laffite was a pirate chief who, in the War of 1812, fought with his men to defend New Orleans, then under British attack. They saved the city and were pardoned. Toussaint-Louverture, born in 1743, began life as a slave in the French colony of Haiti. In 1791, he joined a slave revolt and soon became the successful commander of its army. Abolition of slavery was of great concern to him, and in 1794, when the French freed their slaves, he made peace with the French, who made him lieutenant governor of Haiti. However, when he overran Santo Domingo, uniting the whole island under his governorship, the French sent an expedition to stop him. Toussaint died in a French prison in 1803.

5

7

6

Henri Christophe (1767–1820) was one of Toussaint's lieutenants. After Toussaint's death, Christophe led the fight against the French until 1804, when Haiti was proclaimed independent. Then, Christophe retreated to the north where he set up his own kingdom. He ruled until 1820, maintaining general prosperity and building the famous Citadelle Laferrière.

Plate 29

THE FIRST MEETING OF WASHINGTON AND LAFAYETTE.

Philadelphia. August 3rd 1777.

PUBLISHED BY CURRIER & IVES   Copyright 1876. by Currier & Ives, N.Y.   125 NASSAU ST, NEW YORK

Stirred by the ideas of the American Revolution, a number of Frenchmen came to the New World to fight for the American cause. Lafayette arrived in 1777. Appointed a major general by the colonists, he struck up a lasting friendship with George Washington. He fought with distinction in several battles until 1779, when he returned to France to persuade Louis XVI to send an army of six thousand to aid the colonists. Back in America, in 1780, he led the siege against Cornwallis at Yorktown. The British cause was lost. Lafayette was hailed "the Hero of Two Worlds."

Pierre-Charles L'Enfant (1754–1825) was another Frenchman who enlisted as a volunteer in the American Revolutionary Army, in 1776. He was by profession an engineer, architect, and urban designer, and in recognition of his services during the War of Independence, Congress made him major of engineers in 1783. When Congress decided to build a federal city on the Potomac, President Washington commissioned L'Enfant, in 1791, to create a plan for it. This plan was a grid pattern of irregular rectangular blocks and diagonal avenues focused on the Capitol and the White House.

1

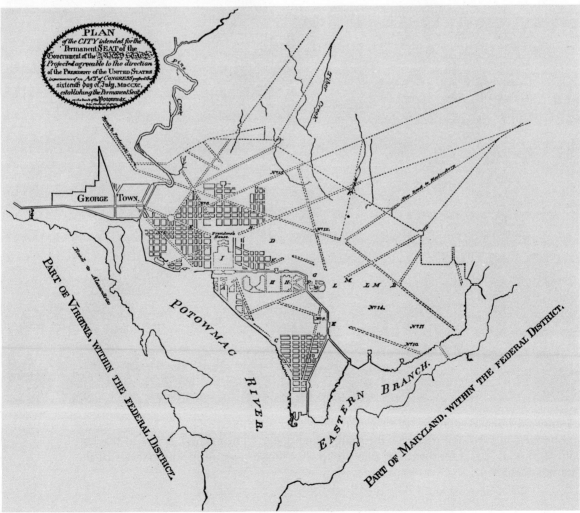

2

Plate 31

L'Enfant's original designs for Washington were greatly influenced by his having studied architecture in Paris. For instance, the Mall, which extends from the Capitol to the Lincoln Memorial, was intended to be one broad, tree-lined avenue in the manner of the Champs-Elysées.

Plate 32

For Reference

Grammar Summary

Articles

Singular		Plural
Masculine	Feminine	
un frère **un** [n] ami	**une** sœur	**des** frères / sœurs **des** [z] amis / amies
le frère **l'**ami	**la** sœur **l'**amie	**les** frères / sœurs **les** [z] amis / amies
ce frère **cet** [t] ami	**cette** sœur	**ces** frères / sœurs **ces** [z] amis / amies
mon frère **mon** [n] ami	**ma** sœur **mon** [n] amie	**mes** frères / sœurs **mes** [z] amis / amies
ton frère **ton** [n] ami	**ta** sœur **ton** [n] amie	**tes** frères / sœurs **tes** [z] amis / amies
son frère **son** [n] ami	**sa** sœur **son** [n] amie	**ses** frères / sœurs **ses** [z] amis / amies
notre frère	**notre** sœur	**nos** frères / sœurs **nos** [z] amis / amies
votre frère	**votre** sœur	**vos** frères / sœurs **vos** [z] amis / amies
leur frère	**leur** sœur	**leurs** frères / sœurs **leurs** [z] amis / amies

Pronouns

Independent Pronouns	Subject Pronouns	Direct-Object Pronouns	Indirect-Object Pronouns	Reflexive Pronouns
moi	je (j')	me (m') or moi	me (m') or moi	me (m')
toi	tu	te (t')	te (t')	te (t') or toi
lui	il	le (l')	lui	se (s')
elle	elle	la (l')	lui	se (s')
nous	nous (nous [z])	nous (nous [z])	nous (nous [z])	nous (nous [z])
vous	vous (vous [z])	vous (vous [z])	vous (vous [z])	vous (vous [z])
eux	ils (ils [z])	les (les [z])	leur	se (s')
elles	elles (elles [z])	les (les [z])	leur	se (s')

Pronouns

Pronoun replacing **de** + noun phrase	en (en [n])
Pronoun replacing **à, dans, sur…** + noun phrase	y

259

Adjectives: Formation of Feminine

	Masculine	*Feminine*
MOST ADJECTIVES (*add* **–e**)	un garçon distrait	une fille distraite
MOST ADJECTIVES ENDING IN **–é** (*add* **–e**)	un garçon doué	une fille douée
ALL ADJECTIVES ENDING IN AN UNACCENTED **–e** (*no change*)	un garçon timide	une fille timide
MOST ADJECTIVES ENDING IN **–eux** (**–eux** → **–euse**)	un garçon sérieux	une fille sérieuse
ALL ADJECTIVES ENDING IN **–el** (**–el** → **–elle**)	un centre industriel	une ville industrielle
ALL ADJECTIVES ENDING IN **–ien** (**–ien** → **–ienne**)	un garçon italien	une fille italienne
ALL ADJECTIVES ENDING IN **–er** (**–er** → **–ère**)	un garçon étranger	une fille étrangère
ALL ADJECTIVES ENDING IN **–f** (**–f** → **–ve**)	un garçon sportif	une fille sportive

Adjectives and Nouns: Formation of Plural

		Masculine	*Feminine*
MOST NOUN AND ADJECTIVE FORMS (*add* **–s**)	*sing* *pl*	un garçon distrait des garçons distraits	une fille distraite des filles distraites
MOST NOUN AND MASCULINE ADJECTIVE FORMS ENDING IN **–al** (**–al** → **–aux**)	*sing* *pl*	un canal principal des canaux principaux	une route principale des routes principales
ALL NOUN AND MASCULINE ADJECTIVE FORMS ENDING IN **–eau** (*add* **–x**)	*sing* *pl*	un nouveau panneau de nouveaux panneaux	une nouvelle route de nouvelles routes
ALL NOUN AND MASCULINE ADJECTIVE FORMS ENDING IN **–s** (*no change*)	*sing* *pl*	un autobus gris des autobus gris	une voiture grise des voitures grises
ALL MASCULINE ADJECTIVE FORMS ENDING IN **–x** (*no change*)	*sing* *pl*	un garçon sérieux des garçons sérieux	une fille sérieuse des filles sérieuses
ALL NOUNS ENDING IN **–z** (*no change*)	*sing* *pl*	un nez des nez	
MOST NOUNS ENDING IN **–eu** (*add* **–x**)	*sing* *pl*	un cheveu des cheveux	

Adverbs and Adjectives: Comparatives

plus / moins / aussi	adverb / adjective	que	
plus **moins** **aussi**	vite bronzé	**que**	Richard

Adverbs: Superlatives

le	plus / moins	adverb
le	**plus** **moins**	vite

Adjectives: Superlatives

le / la / les	plus / moins	adjective	de	
le **la** **les** **les**	**plus** **moins**	bronzé bronzée bronzés bronzées	**de**	la famille

Irregular Comparatives and Superlatives

	Comparative	Superlative
bon, bonne bien	**meilleur, –e** **mieux**	**le / la / les meilleur(e)(s)** **le mieux**

Regular Verbs

INFINITIVE

Stem	Ending	Stem	Ending	Stem	Ending	Stem	Ending
jou	**–er**	sort	**–ir**	chois	**–ir**	attend	**–re**

PRESENT

Stem	Ending	Stem	Ending	Stem	Ending	Stem	Ending
jou	**–e** **–es** **–e** **–ons** **–ez** **–ent**	sor sort	**–s** **–s** **–t** **–ons** **–ez** **–ent**	chois choisiss	**–is** **–is** **–it** **–ons** **–ez** **–ent**	attend	**–s** **–s** — **–ons** **–ez** **–ent**

COMMANDS

Stem	Ending	Stem	Ending	Stem	Ending	Stem	Ending
jou	**–e** **–ons** **–ez**	sor sort	**–s** **–ons** **–ez**	chois choisiss	**–is** **–ons** **–ez**	attend	**–s** **–ons** **–ez**

Regular Verbs

IMPARFAIT		FUTURE		CONDITIONAL		PRESENT SUBJUNCTIVE	
Stem	Ending	Stem	Ending	Stem	Ending		
jou sort choisiss attend	−ais −ais −ait −ions −iez −aient	jouer sortir choisir attendr	−ai −as −a −ons −ez −ont	jouer sortir choisir attendr	−ais −ais −ait −ions −iez −aient	jou sort choisiss attend	−e −es −e −ions −iez −ent

Regular Verbs: Compound Tenses

	PASSE COMPOSE		PAST PERFECT	
	Auxiliary	Past Participle	Auxiliary	Past Participle
with avoir	ai as a avons avez ont	jou −é sort −i chois −i attend −u	avais avais avait avions aviez avaient	jou −é sort −i chois −i attend −u
with être	suis es est sommes êtes sont	rentr −é(e) rentr −é(e)s	étais étais était étions étiez étaient	rentr −é(e) rentr −é(e)s

Regular Verbs: Compound Tenses

	FUTURE PERFECT		PAST CONDITIONAL			PAST SUBJUNCTIVE	
	Auxiliary	Past Participle	Auxiliary	Past Participle		Auxiliary	Past Participle
with avoir	aurai auras aura aurons aurez auront	jou −é sort −i chois −i attend −u	aurais aurais aurait aurions auriez auraient	jou −é sort −i chois −i attend −u	with avoir	aie aies ait ayons ayez aient	jou −é sort −i chois −i attend −u
with être	serai seras sera serons serez seront	rentr −é(e) rentr −é(e)s	serais serais serait serions seriez seraient	rentr −é(e) rentr −é(e)s	with être	sois sois soit soyons soyez soient	rentr −é(e) rentr −é(e)s

Stem-changing and Irregular Verbs

Following is an alphabetical list of verbs with stem changes, spelling changes, or irregular forms. An infinitive appearing after the verb means that the verb follows one of the patterns shown on the next few pages. Verbs like **sortir** are included in the list. Verbs like **choisir** are not.

acheter
accélérer, like **préférer**
aller
amener, like **acheter**
annoncer, like **commencer**
apparaître, like **connaître**
appeler, like **jeter**
apprendre, like **prendre**
appuyer, like **essayer**
arranger, like **manger**
s'asseoir
avancer, like **commencer**
avoir

balayer, like **essayer**
battre
boire
bouger, like **manger**

célébrer, like **préférer**
changer, like **manger**
se charger, like **manger**
chronométrer, like **préférer**
commencer
comprendre, like **prendre**
conduire
connaître
considérer, like **préférer**
corriger, like **manger**
courir
croire
cueillir

débrayer, like **essayer**
décourager, like **manger**
décrire, like **écrire**
se déplacer, like **commencer**
déranger, like **manger**
devenir, like **venir**
devoir
dire
diriger, like **manger**
avoir dormir, like **sortir**

échanger, like **manger**

écrire
effacer, like **commencer**
s'élancer, like **commencer**
élever, like **acheter**
embrayer, like **essayer**
emmener, like **acheter**
encourager, like **manger**
s'endormir, like **sortir**
enfoncer, like **commencer**
s'ennuyer, like **essayer**
envoyer, like **essayer**
essayer
espérer, like **préférer**
éteindre
être
exercer, like **commencer**

faire
falloir
foncer, like **commencer**

s'inscrire, like **écrire**

jeter

lancer, like **commencer**
lever, like **acheter**
libérer, like **préférer**
lire
longer, like **manger**

manger
menacer, like **commencer**
mener, like **acheter**
mettre

nager, like **manger**
neiger, like **manger**
nettoyer, like **essayer**

opérer, like **préférer**

partager, like **manger**
partir, like **sortir**
payer, like **essayer**
peler, like **acheter**

pleuvoir
plonger, like **manger**
poursuivre, like **suivre**
pouvoir
prédire, like **dire**
préférer
prendre
prescrire, like **écrire**
se promener, like **acheter**

rallonger, like **manger**
ramener, like **acheter**
ranger, like **manger**
rappeler
recevoir
recommencer, like **commencer**
reconnaître, like **connaître**
régler, like **préférer**
regorger, like **manger**
rejeter, like **jeter**
se relever, like **acheter**
remplacer, like **commencer**
renoncer, like **commencer**
renouveler, like **jeter**
repérer, like **préférer**
répéter, like **préférer**
reprendre, like **prendre**
rincer, like **commencer**
rire

savoir
semer, like **acheter**
sentir, like **sortir**
servir, like **sortir**
sortir *être*
se souvenir, like **venir**
suivre

se taire

venir
voir
vouloir
voyager, like **manger**

ACHETER

Present	achète, achètes, achète, achetons, achetez, achètent
Commands	achète, achetons, achetez
Future	achèterai, achèteras, achètera, achèterons, achèterez, achèteront
Conditional	achèterais, achèterais, achèterait, achèterions, achèteriez, achèteraient
Present Subjunctive	achète, achètes, achète, achetions, achetiez, achètent

ALLER

Present	vais, vas, va, allons, allez, vont
Commands	va, allons, allez
Imparfait	allais, allais, allait, allions, alliez, allaient
Future	irai, iras, ira, irons, irez, iront
Conditional	irais, irais, irait, irions, iriez, iraient
Present Subjunctive	aille, ailles, aille, allions, alliez, aillent
Compound Tenses	*Auxiliary:* être *Past Participle:* allé

S'ASSEOIR

Present	m'assieds, t'assieds, s'assied, nous asseyons, vous asseyez, s'asseyent
Commands	assieds-toi, asseyons-nous, asseyez-vous
Imparfait	m'asseyais, t'asseyais, s'asseyait, nous asseyions, vous asseyiez, s'asseyaient
Future	m'assiérai, t'assiéras, s'assiéra, nous assiérons, vous assiérez, s'assiéront
Conditional	m'assiérais, t'assiérais, s'assiérait, nous assiérions, vous assiériez, s'assiéraient
Present Subjunctive	m'asseye, t'asseyes, s'asseye, nous asseyions, vous asseyiez, s'asseyent
Compound Tenses	*Auxiliary:* être *Past Participle:* assis

AVOIR

Present	ai, as, a, avons, avez, ont
Commands	aie, ayons, ayez
Imparfait	avais, avais, avait, avions, aviez, avaient
Future	aurai, auras, aura, aurons, aurez, auront
Conditional	aurais, aurais, aurait, aurions, auriez, auraient
Present Subjunctive	aie, aies, ait, ayons, ayez, aient
Present Participle	ayant
Compound Tenses	*Auxiliary:* avoir *Past Participle:* eu

BATTRE

Present	bats, bats, bat, battons, battez, battent
Commands	bats, battons, battez
Imparfait	battais, battais, battait, battions, battiez, battaient
Future	battrai, battras, battra, battrons, battrez, battront
Conditional	battrais, battrais, battrait, battrions, battriez, battraient
Present Subjunctive	batte, battes, batte, battions, battiez, battent
Compound Tenses	*Auxiliary:* avoir *Past Participle:* battu

BOIRE

Present	bois, bois, boit, buvons, buvez, boivent
Commands	bois, buvons, buvez
Imparfait	buvais, buvais, buvait, buvions, buviez, buvaient
Future	boirai, boiras, boira, boirons, boirez, boiront
Conditional	boirais, boirais, boirait, boirions, boiriez, boiraient
Present Subjunctive	boive, boives, boive, buvions, buviez, boivent
Compound Tenses	*Auxiliary:* avoir *Past Participle:* bu

COMMENCER

Present	commence, commences, commence, commençons, commencez, commencent
Commands	commence, commençons, commencez
Imparfait	commençais, commençais, commençait, commencions, commenciez, commençaient

CONDUIRE

Present	conduis, conduis, conduit, conduisons, conduisez, conduisent
Commands	conduis, conduisons, conduisez
Imparfait	conduisais, conduisais, conduisait, conduisions, conduisiez, conduisaient
Future	conduirai, conduiras, conduira, conduirons, conduirez, conduiront
Conditional	conduirais, conduirais, conduirait, conduirions, conduiriez, conduiraient
Present Subjunctive	conduise, conduises, conduise, conduisions, conduisiez, conduisent
Compound Tenses	*Auxiliary:* avoir *Past Participle:* conduit

CONNAITRE

Present	connais, connais, connaît, connaissons, connaissez, connaissent
Commands	connais, connaissons, connaissez
Imparfait	connaissais, connaissais, connaissait, connaissions, connaissiez, connaissaient
Future	connaîtrai, connaîtras, connaîtra, connaîtrons, connaîtrez, connaîtront
Conditional	connaîtrais, connaîtrais, connaîtrait, connaîtrions, connaîtriez, connaîtraient
Present Subjunctive	connaisse, connaisses, connaisse, connaissions, connaissiez, connaissent
Compound Tenses	*Auxiliary:* avoir *Past Participle:* connu

COURIR

Present	cours, cours, court, courons, courez, courent
Commands	cours, courons, courez
Imparfait	courais, courais, courait, courions, couriez, couraient
Future	courrai, courras, courra, courrons, courrez, courront
Conditional	courrais, courrais, courrait, courrions, courriez, courraient
Present Subjunctive	coure, coures, coure, courions, couriez, courent
Compound Tenses	*Auxiliary:* avoir *Past Participle:* couru

CROIRE

Present	crois, crois, croit, croyons, croyez, croient
Commands	crois, croyons, croyez
Imparfait	croyais, croyais, croyait, croyions, croyiez, croyaient
Future	croirai, croiras, croira, croirons, croirez, croiront
Conditional	croirais, croirais, croirait, croirions, croiriez, croiraient
Present Subjunctive	croie, croies, croie, croyions, croyiez, croient
Compound Tenses	*Auxiliary:* avoir *Past Participle:* cru

CUEILLIR

Present	cueille, cueilles, cueille, cueillons, cueillez, cueillent
Commands	cueille, cueillons, cueillez
Imparfait	cueillais, cueillais, cueillait, cueillions, cueilliez, cueillaient
Future	cueillerai, cueilleras, cueillera, cueillerons, cueillerez, cueilleront
Conditional	cueillerais, cueillerais, cueillerait, cueillerions, cueilleriez, cueilleraient
Present Subjunctive	cueille, cueilles, cueille, cueillions, cueilliez, cueillent
Compound Tenses	*Auxiliary:* avoir *Past Participle:* cueilli

DEVOIR

Present	dois, dois, doit, devons, devez, doivent
Commands	dois, devons, devez
Imparfait	devais, devais, devait, devions, deviez, devaient
Future	devrai, devras, devra, devrons, devrez, devront
Conditional	devrais, devrais, devrait, devrions, devriez, devraient
Present Subjunctive	doive, doives, doive, devions, deviez, doivent
Compound Tenses	*Auxiliary:* avoir *Past Participle:* dû

DIRE

Present	dis, dis, dit, disons, dites, disent
Commands	dis, disons, dites
Imparfait	disais, disais, disait, disions, disiez, disaient
Future	dirai, diras, dira, dirons, direz, diront
Conditional	dirais, dirais, dirait, dirions, diriez, diraient
Present Subjunctive	dise, dises, dise, disions, disiez, disent
Compound Tenses	*Auxiliary:* avoir *Past Participle:* dit

ECRIRE

Present	écris, écris, écrit, écrivons, écrivez, écrivent
Commands	écris, écrivons, écrivez
Imparfait	écrivais, écrivais, écrivait, écrivions, écriviez, écrivaient
Future	écrirai, écriras, écrira, écrirons, écrirez, écriront
Conditional	écrirais, écrirais, écrirait, écririons, écririez, écriraient
Present Subjunctive	écrive, écrives, écrive, écrivions, écriviez, écrivent
Compound Tenses	*Auxiliary:* avoir *Past Participle:* écrit

ENVOYER

Present	envoie, envoies, envoie, envoyons, envoyez, envoient
Commands	envoie, envoyons, envoyez
Imparfait	envoyais, envoyais, envoyait, envoyions, envoyiez, envoyaient
Future	enverrai, enverras, enverra, enverrons, enverrez, enverront
Conditional	enverrais, enverrais, enverrait, enverrions, enverriez, enverraient
Present Subjunctive	envoie, envoies, envoie, envoyions, envoyiez, envoient
Compound Tenses	*Auxiliary:* avoir *Past Participle:* envoyé

ESSAYER

Present	essaie, essaies, essaie, essayons, essayez, essaient
Commands	essaie, essayons, essayez
Future	essaierai, essaieras, essaiera, essaierons, essaierez, essaieront
Conditional	essaierais, essaierais, essaierait, essaierions, essaieriez, essaieraient
Present Subjunctive	essaie, essaies, essaie, essayions, essayiez, essaient

ETEINDRE

Present	éteins, éteins, éteint, éteignons, éteignez, éteignent
Commands	éteins, éteignons, éteignez
Imparfait	éteignais, éteignais, éteignait, éteignions, éteigniez, éteignaient
Future	éteindrai, éteindras, éteindra, éteindrons, éteindrez, éteindront
Conditional	éteindrais, éteindrais, éteindrait, éteindrions, éteindriez, éteindraient
Present Subjunctive	éteigne, éteignes, éteigne, éteignions, éteigniez, éteignent
Compound Tenses	*Auxiliary:* avoir *Past Participle:* éteint

ETRE

Present	suis, es, est, sommes, êtes, sont
Commands	sois, soyons, soyez
Imparfait	étais, étais, était, étions, étiez, étaient
Future	serai, seras, sera, serons, serez, seront
Conditional	serais, serais, serait, serions, seriez, seraient
Present Subjunctive	sois, sois, soit, soyons, soyez, soient
Compound Tenses	*Auxiliary:* avoir *Past Participle:* été

FAIRE

Present	fais, fais, fait, faisons, faites, font
Commands	fais, faisons, faites
Imparfait	faisais, faisais, faisait, faisions, faisiez, faisaient
Future	ferai, feras, fera, ferons, ferez, feront
Conditional	ferais, ferais, ferait, ferions, feriez, feraient
Present Subjunctive	fasse, fasses, fasse, fassions, fassiez, fassent
Compound Tenses	*Auxiliary:* avoir *Past Participle:* fait

FALLOIR

Present	il faut
Imparfait	il fallait
Future	il faudra
Conditional	il faudrait
Present Subjunctive	il faille
Compound Tenses	*Auxiliary:* avoir *Past Participle:* fallu

JETER

Present	jette, jettes, jette, jetons, jetez, jettent
Commands	jette, jetons, jetez
Future	jetterai, jetteras, jettera, jetterons, jetterez, jetteront
Conditional	jetterais, jetterais, jetterait, jetterions, jetteriez, jetteraient
Present Subjunctive	jette, jettes, jette, jetions, jetiez, jettent

LIRE

Present	lis, lis, lit, lisons, lisez, lisent
Commands	lis, lisons, lisez
Imparfait	lisais, lisais, lisait, lisions, lisiez, lisaient
Future	lirai, liras, lira, lirons, lirez, liront
Conditional	lirais, lirais, lirait, lirions, liriez, liraient
Present Subjunctive	lise, lises, lise, lisions, lisiez, lisent
Compound Tenses	*Auxiliary:* avoir *Past Participle:* lu

MANGER

Present	mange, manges, mange, mangeons, mangez, mangent
Commands	mange, mangeons, mangez
Imparfait	mangeais, mangeais, mangeait, mangions, mangiez, mangeaient
Present Subjunctive	mange, manges, mange, mangions, mangiez, mangent

METTRE

Present	mets, mets, met, mettons, mettez, mettent
Commands	mets, mettons, mettez
Imparfait	mettais, mettais, mettait, mettions, mettiez, mettaient
Future	mettrai, mettras, mettra, mettrons, mettrez, mettront
Conditional	mettrais, mettrais, mettrait, mettrions, mettriez, mettraient
Present Subjunctive	mette, mettes, mette, mettions, mettiez, mettent
Compound Tenses	*Auxiliary:* avoir *Past Participle:* mis

PLEUVOIR

Present	il pleut
Imparfait	il pleuvait
Future	il pleuvra
Conditional	il pleuvrait
Present Subjunctive	il pleuve
Compound Tenses	*Auxiliary:* avoir *Past Participle:* plu

POUVOIR

Present	peux, peux, peut, pouvons, pouvez, peuvent
Imparfait	pouvais, pouvais, pouvait, pouvions, pouviez, pouvaient
Future	pourrai, pourras, pourra, pourrons, pourrez, pourront
Conditional	pourrais, pourrais, pourrait, pourrions, pourriez, pourraient
Present Subjunctive	puisse, puisses, puisse, puissions, puissiez, puissent
Compound Tenses	*Auxiliary:* avoir *Past Participle:* pu

PREFERER

Present	préfère, préfères, préfère, préférons, préférez, préfèrent
Commands	préfère, préférons, préférez
Present Subjunctive	préfère, préfères, préfère, préférions, préfériez, préfèrent

PRENDRE

Present	prends, prends, prend, prenons, prenez, prennent
Commands	prends, prenons, prenez
Imparfait	prenais, prenais, prenait, prenions, preniez, prenaient
Future	prendrai, prendras, prendra, prendrons, prendrez, prendront
Conditional	prendrais, prendrais, prendrait, prendrions, prendriez, prendraient
Present Subjunctive	prenne, prennes, prenne, prenions, preniez, prennent
Compound Tenses	*Auxiliary:* avoir *Past Participle:* pris

RECEVOIR

Present	reçois, reçois, reçoit, recevons, recevez, reçoivent
Commands	reçois, recevons, recevez
Imparfait	recevais, recevais, recevait, recevions, receviez, recevaient
Future	recevrai, recevras, recevra, recevrons, recevrez, recevront
Conditional	recevrais, recevrais, recevrait, recevrions, recevriez, recevraient
Present Subjunctive	reçoive, reçoives, reçoive, recevions, receviez, reçoivent
Compound Tenses	*Auxiliary:* avoir *Past Participle:* reçu

RIRE

Present	ris, ris, rit, rions, riez, rient
Commands	ris, rions, riez
Imparfait	riais, riais, riait, riions, riiez, riaient
Future	rirai, riras, rira, rirons, rirez, riront
Conditional	rirais, rirais, rirait, ririons, ririez, riraient
Present Subjunctive	rie, ries, rie, riions, riiez, rient
Compound Tenses	*Auxiliary:* avoir *Past Participle:* ri

SAVOIR

Present	sais, sais, sait, savons, savez, savent
Imparfait	savais, savais, savait, savions, saviez, savaient
Future	saurai, sauras, saura, saurons, saurez, sauront
Conditional	saurais, saurais, saurait, saurions, sauriez, sauraient
Present Subjunctive	sache, saches, sache, sachions, sachiez, sachent
Present Participle	sachant
Compound Tenses	*Auxiliary:* avoir *Past Participle:* su

SUIVRE

Present	suis, suis, suit, suivons, suivez, suivent
Commands	suis, suivons, suivez
Imparfait	suivais, suivais, suivait, suivions, suiviez, suivaient
Future	suivrai, suivras, suivra, suivrons, suivrez, suivront
Conditional	suivrais, suivrais, suivrait, suivrions, suivriez, suivraient
Present Subjunctive	suive, suives, suive, suivions, suiviez, suivent
Compound Tenses	*Auxiliary:* avoir *Past Participle:* suivi

SE TAIRE

Present	me tais, te tais, se tait, nous taisons, vous taisez, se taisent
Commands	tais-toi, taisons-nous, taisez-vous
Imparfait	me taisais, te taisais, se taisait, nous taisions, vous taisiez, se taisaient
Future	me tairai, te tairas, se taira, nous tairons, vous tairez, se tairont
Conditional	me tairais, te tairais, se tairait, nous tairions, vous tairiez, se tairaient
Present Subjunctive	me taise, te taises, se taise, nous taisions, vous taisiez, se taisent
Compound Tenses	*Auxiliary:* être *Past Participle:* tu

VENIR

Present	viens, viens, vient, venons, venez, viennent
Commands	viens, venons, venez
Imparfait	venais, venais, venait, venions, veniez, venaient
Future	viendrai, viendras, viendra, viendrons, viendrez, viendront
Conditional	viendrais, viendrais, viendrait, viendrions, viendriez, viendraient
Present Subjunctive	vienne, viennes, vienne, venions, veniez, viennent
Compound Tenses	*Auxiliary:* être *Past Participle:* venu

VOIR

Present	vois, vois, voit, voyons, voyez, voient
Commands	vois, voyons, voyez
Imparfait	voyais, voyais, voyait, voyions, voyiez, voyaient
Future	verrai, verras, verra, verrons, verrez, verront
Conditional	verrais, verrais, verrait, verrions, verriez, verraient
Present Subjunctive	voie, voies, voie, voyions, voyiez, voient
Compound Tenses	*Auxiliary:* avoir *Past Participle:* vu

VOULOIR

Present	veux, veux, veut, voulons, voulez, veulent
Imparfait	voulais, voulais, voulait, voulions, vouliez, voulaient
Future	voudrai, voudras, voudra, voudrons, voudrez, voudront
Conditional	voudrais, voudrais, voudrait, voudrions, voudriez, voudraient
Present Subjunctive	veuille, veuilles, veuille, voulions, vouliez, veuillent
Compound Tenses	*Auxiliary:* avoir *Past Participle:* voulu

French-English Vocabulary

This vocabulary includes all the words that appear in the 24 units of **Nos Amis** and in the 16 units of **Le Monde des Jeunes**. Exceptions are most proper nouns and words from optional material (color-coded purple). Verbs are listed in the infinitive. However, forms other than the infinitive are given for verbs that have not yet been introduced.

Nouns are always given with a gender marker. If gender is not apparent, however, it is indicated by *m.* (masculine) or *f.* (feminine) following the noun. Irregular plurals and those of compound nouns are also given, abbreviated *pl.* An asterisk (*) before a word beginning with **h** indicates an aspirated **h.**

The number after each definition refers to the unit in which a word or phrase appears. In cases where a single entry is followed by two numbers, the first number indicates the unit in which the word is introduced passively, and the second number indicates the unit in which the word becomes active.

A

à *to, in* 1; *at,* 4; *on,* 10; *with,* 31; à cause de *because of,* 40; à côté (de) *next to,* 4; à deux pas *a few feet from,* 3; à droite *on (to) the right,* 8, 10; à gauche *on (to) the left,* 8, 10; à la fin *at the end,* 8; à la fois *at the same time,* 17; à la maison *(at) home,* 5; à l'(américaine) *(American) style,* 38; à la mode *fashionable, in style,* 25; à la place (de) *in place of,* 16; à la verticale *vertically,* 39; à l'heure *on time,* 19; à moins que *unless,* 34; à noter *to be noted,* 22; à partir de *from,* 29; à peine *hardly,* 16; à peu près *approximately,* 27; à pied *on foot,* 13; à plat ventre *flat on one's face,* 36; à point *medium,* 38; A table! *Dinner (lunch) is served!* 8; A (ton) tour! *(Your) turn!* 21; à travers *across,* 36; à vendre *for sale,* 11; à voix haute *aloud,* 29; A vos marques, prêts, partez! *On your marks, get set, go!* 22; à votre service *at your service,* 33; c'est à toi (de) *it's your turn (to),* 3; une pièce à eux *their own room,* 9; une vie bien à elle *its very own life,* 10
un abcès *abscess,* 35
une abeille *bee,* 36
abîmer *to damage,* 33
un abri *shed,* 4
abriter *to protect,* 16
absolument *absolutely,* 38
l' **accélérateur** (m.) *accelerator,* 31
accélérer *to step on the gas,* 31
accès interdit à *not allowed!* 40
un accessoire *prop,* 29
un accident *accident,* 17
accompagner *to go with,* 25

accueillant, -e *hospitable,* 17
un achat *purchase,* 20; faire des achats *to shop,* 20
acheter *to buy,* 8
un acte *act,* 29
un(e) **acteur (-trice)** *actor, actress,* 28
une activité *activity,* 29; les activités manuelles (f.) *arts and crafts,* 29
actuel, -elle *current,* 24
une addition *check,* 5
un(e) **adhérent(e)** *member,* 40; une carte d'adhérent *membership card,* 40
administratif, -ive *administrative,* 24
l' **administration** (f.) *administration,* 4
admirer *to admire,* 12
admis, -e *accepted,* 28
adorer *to like very much,* 15
une adresse *address,* 10
un(e) **adulte** *adult,* 12
un(e) **adversaire** *opponent,* 39
un aéroport *airport,* 19
une affaire *bargain,* 25; des affaires *belongings,* 18
affichage: un tableau d'affichage *bulletin board,* 26
une affiche *poster,* 3
afficher *to post,* 19
l' **Afrique** (f.) *Africa,* 24
l' **âge** *age,* 1; Quel âge astu? *How old are you?* 1
agir *to act,* 37
agitée: belle à agitée *calm to moderately choppy,* 39
l' **agneau** (m.) *lamb,* 8; une côte d'agneau *lamb chop,* 38; un gigot d'agneau *leg of lamb,* 8
agréable *pleasant,* 29
agricole *agricultural,* 24
l' **agriculture** (f.) *agriculture,* 37
s' **agripper** *to hold on,* 21
l' **aide** (f.) *help,* 16; à l'aide de *with the help of,* 33

aider (à) *to help,* 8
aïe! *oh dear!* 31
l' **aïkido** (m.) *aikido,* 29
une aile *wing,* 37
ailé, -e *winged,* 32
aimer *to like,* 2
aîné, -e *eldest,* 34
ainsi *thus, and therefore,* 28; ainsi que *as well as,* 26
un air *tune,* 14; *look,* 21; l'air (m.) *air,* 37; l'air conditionné *air conditioning,* 40; avoir l'air *to look (good, etc.),* 8; *to seem,* 21; en l'air *in the air,* 32; en plein air *outside,* 13; *outdoors,* 40
aisé, -e *well-off, well-to-do,* 34
ajiste *member of youth hostel association,* 40
s' **ajouter (à)** *to be added (to),* 37
ajuster *to adjust,* 39
un album *album,* 7
l' **alcool** (m.) *alcoholic beverages,* 40
l' **Algérie** (f.) *Algeria,* 31
une algue *seaweed,* 39
alimentation: un magasin d'alimentation *grocery store,* 26
une allée *lane,* 10; *walkway, path,* 21
l' **Allemagne** (f.) *Germany,* 19
allemand, -e *German,* 19
un aller *one-way ticket,* 40; un aller retour *round-trip ticket,* 40
aller *to go,* 4; aller à *to fit,* 23; aller à la pêche *to go fishing,* 17; aller chercher *to go get,* 16; aller et venir *to come and go,* 14; Allez! *Come on!* 9; Allons-y! *Let's go!* 5; Ça va? *How's everything?* 6; Ça va. *Okay.* 6; ça vous va? *is it all right with you?* 35; On y va! *Let's go!* 15; ne pas aller *to go wrong,* 35
allergique *allergic,* 35

Allô. *Hello.* 6

allongé, -e *stretched out,* 40

allumer *to turn on,* 24; *to light up,* 27

une **allumette** *match,* 27

alors *then,* 3; *so,* 35

une **amarre** *line,* 39

amateur *amateur,* 3

une **ambiance** *atmosphere,* 29

amener *to bring,* 27

américain, -e *American,* 19; à l'(américaine) *(American) style,* 38; football américain *football,* 2

un(e) **ami(e)** *friend,* 2

l' **amitié** (f.) *friendship,* 30; Amitiés. *Love.* 12

l' **amour** (m.) *love,* 5

amoureux, -euse (de) *in love with,* 29

amusant, -e *fun,* 2

s' **amuser** *to have fun,* 13

les **amygdales** (f.) *tonsils,* 35

un **an** *year,* 1; avoir . . . ans *to be . . . years old,* 1; tous les ans *every year,* 7

un **ananas** *pineapple,* 8

un(e) **ancêtre** *ancestor*

un(e) **ancien (-ienne)** *elder,* 34; *old-timer,* 37

une **ancre** *anchor,* 39; jeter l'ancre *to drop anchor,* 39; lever l'ancre *to weigh anchor, to leave,* 39

ancré, -e *anchored,* 39

l' **anesthésie** (f.) *anesthesia,* 28

anges: être aux anges *to be in heaven,* 38

une **angine** *angina,* 28; *tonsillitis,* 35

anglais, -e *English,* 19

un **angle** *angle,* 33; un objectif grand angle *wide-angle lens,* 36

l' **Angleterre** (f.) *England,* 19

un **animal** (pl.: **-aux**) *animal,* 16

un(e) **animateur (-trice)** *youth leader,* 27

animé: un dessin animé *an animated cartoon,* 5

les **anneaux** (m.) *rings,* 22

une **année** *year,* 4; une année scolaire *school year,* 4

un **anniversaire** *birthday,* 23; Bon Anniversaire! *Happy Birthday!* 23

une **annonce** *announcement,* 19; *notice, ad(vertisement),* 26

annoncer *to annouce,* 18

un **annuaire** *phone book,* 6

annuel, -elle *annual,* 2

un **anorak** *ski jacket,* 15

un **antibiotique** *antibiotic,* 28

les **Antilles** (f.) *West Indies,* 17

une **antilope** *antelope,* 34

une **antiquité** *antique item,* 11

août *August,* 12

apparaître *to appear,* 29

un **appareil** *telephone,* 6; *machine,* 26

un **appareil(-photo)** (pl.: **appareils-photo**) *camera,* 3

un **appartement** *apartment,* 1

appelé, -e *called,* 10

appeler *to call,* 6, 37; s'appeler *to be called,* 13; Comment t'appelles-tu? *What is your name?* 1

l' **appendicite** (f.) *appendicitis,* 35

appétit: Bon appétit! *Enjoy your meal!* 8

applaudir *to clap,* 14

les **applaudissements** (m.) *applause,* 38

apporter *to bring,* 5

une **appréciation** *comment,* 4

apprécier *to appreciate,* 30

apprendre à *to learn,* 19

un(e) **apprenti(e)** *apprentice,* 38

un **apprentissage** *apprenticeship,* 33

s' **approcher (de)** *to get closer,* 19

appuyé, -e *propped up,* 22

appuyer *to press,* 14; s'appuyer (sur) *to lean (on),* 15

après *after,* 5

un **après-midi** *afternoon,* 4

un **aquarium** *aquarium,* 12

aquatique *aquatic,* 39

l' **arabe** (m.) *Arabic,* 19

un **arbre** *tree,* 10

l' **argent** (m.) *money,* 5; *silver,* 20; l'argent de poche *allowance,* 23

l' **argile** (f.) *clay,* 29

aronde; une queue d'aronde *dove tail,* 33

arracher *to pull,* 33

arranger *to arrange,* 27; s'arranger *to manage,* 37; ça m'arrangerait mieux *that would suit me better,* 35

un **arrêt** *stop,* 40

s' **arrêter** *to stop,* 13

des **arrhes** (f.) *deposit,* 40; verser des arrhes *to make a deposit,* 40

arrière *fullback,* 2

arrière: en arrière *behind,* 32

arrivant *arriving,* 19

une **arrivée** *arrival,* 11

arriver *to arrive,* 5; arriver (à) *to succeed (in),* 6; *to happen (to),* 15; ne pas arriver à la cheville de *not to be mentioned in the same breath with,* 22

l' **art:** l'art (m.) dramatique *acting,* 28

artifice: un feu d'artifice *fireworks,* 32

un **artisan** *craftsperson,* 20

un **artiste** *artist,* 20

artistique *artistic,* 24

un **ascenseur** *elevator,* 10

un **aspirateur** *vacuum cleaner,* 26; passer l'aspirateur *to vacuum,* 26

un **assaisonnement** *dressing,* 8

assaisonner *to season,* 20

assembler *to put together,* 33

s' **asseoir** *to sit down,* 35

assez *rather,* 4; assez (de) *enough, enough of,* 5; en avoir assez *to be tired of,* 33

une **assiette** *a plate,* 8

un(e) **assistant(e)** *assistant,* 33; une assistante sociale *social worker,* 17

assisté, -e: la direction assistée *power steering,* 31

s' **assurer** *to make sure,* 13

l' **astrologie** (f.) *astrology,* 21

un **atelier** *workshop,* 29

un(e) **athlète** *athlete,* 22

l' **athlétisme** (m.) *athletics,* 22

l' **Atlantique** (m.) *Atlantic Ocean,* 32

attacher *to fasten,* 27

attaquer *to attack,* 21

attendre *to wait (for),* 7; Attendez! *Wait a minute!* 5; s'attendre (à) *to expect (to),* 26

l' **attente** (f.) *wait, waiting,* 40

attention: avec attention *carefully,* 38; faire attention *to be careful,* 4; attention (à) *watch out (for),* 14; *look out (for),* 32

atterrir *to land,* 19

attirer l'attention de *to attract the attention of,* 25

attraper *to catch,* 17; attraper un coup de soleil *to get a sunburn,* 39

une **aubépine** *hawthorn,* 36

une **auberge** *inn,* 37; auberge de jeunesse *youth hostel,* 40

aucun, -e *no, not . . . any,* 19, 39

au-dessus (de) *on top of,* 20

augmenter *to increase,* 33

aujourd'hui *today,* 5

ausculter *to listen with a stethoscope,* 28, 35

aussi *too, also,* 1; aussi . . . que *as . . . as,* 22

aussitôt dit, aussitôt fait *no sooner said than done,* 39

autant que *as much as,* 26; en faire autant *to do the same thing,* 23

une **auto** *car,* 21; auto tamponneuse *bumper car,* 21

un **autobus** *bus,* 13

une **auto-école** *driving school,* 31

automatique *automatic,* 21; un casier consigne automatique *locker,* 40

l' **automne** (m.) *autumn, fall,* 15; en automne *in the fall,* 15

une **automobile** *automobile,* 37

une **autorisation** *authorization,* 40

autour (de) *around,* 15

autre *other,* 4; les autres *everybody else,* 4; autre chose *something else,* 29; d'un bout à l'autre *from the beginning to the end,* 38; entre autres *among other things,* 29;

Qu'est-ce qu'il y a d'autre? *What else is there?* 14; quoi d'autre *what else,* 23

autrefois *(in) the old days,* 17

autrement dit *in other words,* 32

l' **Autriche** (f.) *Austria,* 31

avance: à l'avance *in advance,* 29; en avance *early,* 19

avancer *to come (go) forward,* 29

avant *forward,* 2; l'avant (m.) *bow, front,* 39

avant *first,* 36; avant (de) *before,* 5; avant que *before,* 35; en avant *forward,* 32

un **avantage** *advantage,* 28

avec *with,* 2

l' **avenir** (m.) *future,* 21

l' **aventure** (f.) *adventure,* 17

une **avenue** *avenue,* 10

un **avion** *airplane,* 17, 19; une maquette d' avion *model airplane,* 3

un **aviron** *paddle,* 27

avis: à (votre) avis *in (your) opinion,* 40

un **avocat** *avocado,* 38

un(e) **avocat(e)** *lawyer,* 7

l' **avoine** (f.) *oats,* 16

avoir *to have,* 3; avoir . . . ans *to be . . . years old,* 1; avoir besoin de *to need (to),* 25; avoir de la chance *to be lucky,* 26; avoir de la fièvre *to have a fever,* 35; avoir des pépins *to have trouble,* 31; avoir du mal à *to have difficulty,* 27; avoir du pain sur la planche *to have plenty to do,* 37; avoir envie de *to feel like,* 32; avoir faim *to be hungry,* 5; avoir froid *to be cold,* 15; avoir *hâte (de) *to look forward to,* 12; avoir horreur de *to hate,* 30; avoir intérêt à *to be in one's best interest to,* 33; avoir l'air *to look (good, etc.),* 8; avoir la parole *to be one's turn to speak,* 27; avoir le mal de mer *to be seasick,* 21; avoir le vertige *to be dizzy,* 21; avoir l'honneur de *to be pleased to,* 40; avoir lieu *to take place,* 9; avoir mal (à) *to hurt,* 15; avoir mal à la gorge *to have a sore throat,* 35; avoir mal à la tête *to have a headache,* 35; avoir mal au cœur *to feel nauseous,* 35; avoir mal au ventre *to have a stomachache,* 35; avoir mal aux dents *to have a toothache,* 35; avoir peur *to be afraid,* 21; avoir raison *to be right,* 23; avoir soif *to be thirsty,* 5; avoir tort *to be wrong,* 37; en avoir assez *to be tired of,* 33; Qu'est-ce que vous avez . . . ? *What's the matter with you . . . ?* 22

avouer *to admit,* 30

avril (m.) *April,* 12

B

le **bac(calauréat)** *baccalaureate,* 28

des **bagages** (m.) *baggage, luggage,* 27

une **bagnole** *car,* 31

une **bague** *ring,* 9

une **baguette** *long French bread,* 5

une **baie** *bay,* 17

baigné, -e *bathed,* 17

se **baigner** *to go swimming,* 17

un **bain** *bath,* 10; un bonnet de bain *bathing cap,* 39; prendre un bain de soleil *to sunbathe,* 39; une salle de bains *bathroom,* 10

un **baiser** *kiss,* 23

baisser *to lower,* 14, 22; *to go down,* 26

un **bal** *dance,* 14;

un **balai** *broom,* 29

balayer *to sweep,* 9

un **balcon** *balcony,* 10

une **balle** *ball (baseball, tennis),* 2

un **ballet** *ballet,* 38; un maître de ballet *ballet director,* 28

un **ballon** *ball (football, soccer, etc.),* 2; faire une partie de ballon *to play ball,* 39

une **banane** *banana,* 8

un **banc** *school (of fish),* 39

une **bande** *gang,* 9; *tape,* 14; *piece,* 33

un **bandeau** *eye patch,* 29

un **banjo** *banjo,* 9, 14

une **banlieue** *suburb,* 10

une **banque** *bank,* 10

un **baracuda** *barracuda,* 17

une **barbe** *beard,* 29; une barbe à papa *cotton candy,* 21

un **baromètre** *barometer,* 39

une **barque** *ship,* 32

barre: la barre fixe *horizontal bar,* 22; les barres parallèles *parallel bars,* 22

bas *low, soft,* 14; en bas *at the bottom,* 32

le **base-ball** *baseball,* 2

le **basket-ball** *basketball,* 2

un **bateau** (pl.: **-x**) *boat,* 12; faire du bateau *to go boating,* 17; un bateau à moteur *motorboat,* 39; un bateau-moche *excursion boat,* 11

un **bâtiment** *building,* 10; un peintre en bâtiment *house painter,* 33

un **bâton** *ski pole,* 15

une **batte** *baseball bat,* 2

une **batterie** *drums,* 14

battre *to break,* 22; *to beat,* 39; battre son plein *to be going full swing,* 9; se battre *to fight,* 26; se battre à coups de boules de neige *to have a snowball fight,* 32

bavarder *to talk,* 4

beau, bel, belle, beaux, belles *beautiful,* 16; beau à peu agitée *calm to moderately choppy,* 39; il fait beau *the weather is nice,* 13, 15; le baromètre est au beau *the barometer indicates fair weather,* 39

beaucoup (de) *much, many, a lot,* 2

le **Beaujolais** *Beaujolais,* 8

la **beauté** *beauty,* 39; un produit de beauté *cosmetic,* 25

les **beaux-arts** (m.) *fine arts,* 28

un(e) **bêcheur (-euse)** *snob,* 30

un **beigne** *doughnut,* 27

belge *Belgian,* 19

la **Belgique** *Belgium,* 7, 19

bénéficier *to benefit,* 40

bercé, -e *lulled,* 34

un **berger allemand** *German shepherd,* 28

besoin: avoir besoin de *to need (to),* 25

bête *silly,* 38

le **beurre** *butter,* 8

beurré, -e *buttered,* 13

une **bibliothèque** *library,* 4

une **bicyclette** *bicycle,* 4

bien (f. & pl. **bien**) *nice,* 25

bien *well,* 3; *very,* 14, 27; *happily* 38; bien cuit, -e *well-done,* 38; bien des *many,* 23; bien entendu *of course, naturally,* 28; bien que *although,* 34; bien sûr *of course,* 4; Ça tombe bien! *Terrific!* 5; c'est pour (votre) bien *it's for (your) own good,* 28; eh bien *well,* 25; être bien *to be comfortable,* 40; faire du bien *to feel good,* 40; je pense bien *of course,* 19; ou bien *or else,* 38; ouvrez bien *open wide,* 35

bien *do (did),* 25

bientôt *soon,* 16

bienvenus: Soyez les bienvenus! *Welcome!* 17

un **bifteck** *steak,* 8

un **bijou** (pl.: **-x**) *a piece of jewelry,* 9

une **bijouterie** *jewelry shop,* 23

un(e) **bijoutier (-ière)** *jeweler,* 33

le **bilan** *result,* 39

une **bille** *marble,* 9

un **billet** *bill (money),* 5, 12; un (billet) aller *one-way ticket,* 40; un (billet) aller retour *round-trip ticket,* 40

bise: faire la bise *to send one's love,* 37

bizarre *strange,* 29; ça fait bizarre *it looks strange,* 29

blanc, blanche *white,* 2

le **blé** *wheat,* 16

bleu, -e *blue,* 2; couvert(e) de bleus *all black and blue,* 21

un **bleuet** *cornflower,* 36

blond, -e *blond,* 7

blond-cendré *ash blond,* 33

une **blouse** *smock,* 28

un **blouson** *jacket,* 9

le **bœuf** *beef,* 8; un rôti de bœuf *roast of beef,* 8

un(e) **bohémien (-ienne)** *gypsy,* 29

boire *to drink,* 9; boire une bonne tasse *to swallow a lot of water,* 39; donner à boire *to give water to,* 16

un **bois** *woods,* 7, 16; le bois *wood,* 27; avoir la bouche en bois *to have a numb jaw,* 35

une **boisson** *drink,* 5

une **boîte** *box,* 4; *can,* 27; une boîte de couleurs *paintbox,* 4; une boîte de vitesse *transmission,* 31

un **bol** *bowl,* 13

bon, bonne *good,* 4; *right,* 28; Bon Anniversaire! *Happy Birthday!* 23; Bon Appétit! *Enjoy your meal!* 8; de bonne heure *early,* 32; en bonne forme *in good condition,* 26; il fait bon *it's nice,* 15

un **bond** *leap,* 13

le **bonheur** *happiness,* 23

un **bonhomme de neige** *snowman,* 32

Bonne nuit! *Good night!* 13

un **bonnet** *(ski) cap,* 15; un bonnet de bain *bathing cap,* 39

bonsoir *good night,* 13

un **bord** *side,* 33; au bord de *alongside,* 36; au bord de la mer *at the shore,* 17; un journal de bord *"log," diary,* 18

bordé, -e de *edged with,* 17

une **bosse** *bump,* 32

une **botte** *boot,* 9

des **bottillons** (m.) *ankle boots,* 39

la **bouche** *mouth,* 22; avoir la bouche en bois *to have a numb jaw,* 35; bouche bée *gaping, flabbergasted,* 34

un(e) **boucher (-ère)** *butcher,* 8

une **boucherie** *butcher shop,* 8

une **boucle d'oreille** (pl.: **boucles d'oreille**) *earring,* 23

une **bouée** *buoy,* 39

bouffant, -e *bouffant,* 33

un **bouffon** *clown,* 32

un **bougainvillier** *bougainvillaea,* 20

un **bouger** *to move,* 36

une **bougie** *candle,* 37

bouillir *to boil,* 27

une **bouilloire** *kettle,* 27

un(e) **boulanger (-ère)** *baker,* 8

une **boulangerie-pâtisserie** *bakery-pastry shop,* 8

boule: une boule de neige *snowball,* 32; jouer aux boules *to play boule (a bowling-type game),* 20

un **bouleau** *birch tree,* 27

un **boulet de canon** *cannonball,* 39

un **boulevard** *boulevard,* 11

un **bourdonnement** *buzzing,* 34

un **bouquin** *book,* 34

une **bourse** *scholarship,* 28

une **boussole** *compass,* 27

bout: à l'autre bout du fil *at the other end of the line,* 6; d'un bout à l'autre *from the beginning to the end,* 38

une **bouteille** *bottle,* 8

un **boutillon** *ankle boot,* 39

une **boutique** *boutique,* 25

bouton: un bouton d'écoute *playback button,* 14; un bouton d'enregistrement *record button,* 14; un bouton de manchette *cufflink,* 23; un bouton d'or *buttercup,* 36

un **bowling** *bowling alley,* 5

un **bracelet** *bracelet,* 9; un bracelet (fantaisie) *bracelet (costume jewelry),* 23

la **braise** *hot coals,* 27

brancher *to plug in,* 14

un **bras** *arm,* 15

un **break** *station wagon,* 31

bricoler *to tinker,* 3

un(e) **bricoleur (-euse)** *jack-of-all-trades,* 33

brillant, -e *bright,* 18; *shiny,* 24

une **brioche** *brioche,* 8

un **brise-glace** (pl.: **brise-glace**) *ice breaker,* 32

une **broche** *spit,* 27; *brooch,* 29

se **bronzer** *to sunbathe,* 17; *to tan,* 24

une **brosse** *brush,* 13; une brosse à cheveux *hairbrush,* 13; une brosse à dents *toothbrush,* 13

se **brosser** *to brush,* 13; se brosser les cheveux *to brush one's hair,* 13

une **brouette** *wheelbarrow,* 37

le **brouillard** *fog,* 19

brousse *jungle,* 33

le **bruit** *noise,* 29

le **bruitage** *sound effects,* 29

brûler *to burn,* 27

la **brume** *haze,* 39

brun, -e *dark (haired),* 7

brusquement *suddenly,* 32

une **brute** *bully,* 21

bruyamment *noisily,* 32

Bruxelles *Brussels,* 19

un **buffle** *buffalo,* 34

la **Bulgarie** *Bulgaria,* 31

bulletin: un bulletin météorologique *weather report,* 39; un bulletin trimestriel *report card,* 4

un **bureau** (pl.: **-x**) *office,* 4; *desk,* 33; employé(e) de bureau *office worker,* 7

un **burnous** *long Arab cloak,* 20

bus: un mini-bus *mini-bus,* 31

un **but** *goal,* 2

C

ça *that,* 2; ça fait combien *that's how much,* 5, 15; ça n'est pas la peine (de) *there is no point (in),* 30; Ça va. *(It is) okay.* 6; Ça va? *How's everything?* 6; ça (vous) va? *is it all right with (you)?* 35; Ça y est! *That did it!* 21

cabine: une cabine d'essayage *fitting room,* 25; une cabine téléphonique *phone booth,* 6

un **cabinet** *office,* 28

cache-cache: jouer à cache-cache *to play hide and seek,* 21

se **cacher** *to hide,* 36

un **cadeau** (pl.: **-x**) *gift,* 23; faire un cadeau *to give a gift,* 23

cadet, -ette *junior,* 22

un **cadre** *frame,* 33

cadré, -e *centered,* 36

un **café** *café,* 5; le café *coffee (flavor),* 5, 8; le café au lait *coffee with milk,* 8; un café liégeois *coffee ice cream with whipped cream,* 38; un café-théâtre *dinner theater,* 38

un **cahier** *notebook,* 4

un **caillou** (pl.: **-x**) *pebble, stone,* 27

la **caisse d'epargne** *savings bank,* 26

un(e) **caissier (-ière)** *cashier,* 26

calculer *to figure out,* 5

un **calepin** *small notebook,* 40

caler *to stall,* 31

calme *quiet,* 29; le calme *peace (and quiet),* 36

se **calmer** *to calm down,* 31

un(e) **camarade** *classmate, friend,* 4

le **camembert** *Camembert cheese,* 5

un **camion** *truck,* 31

un **camp** *camp,* 18

la **campagne** *country(side),* 36

camper *to camp,* 27

un(e) **campeur (-euse)** *camper,* 27

un **camping** *campground,* 27; le camping *camping,* 27; faire du camping *to go camping,* 27 le **Canada** *Canada,* 19; au Canada *in Canada,* 1

canadien, -ienne *Canadian,* 15

un **canard** *duck,* 16; les Canards à l'Orange *Ducks in Orange Sauce,* 14

un(e) **candidat(e)** *candidate,* 28

un **canif** *pocketknife,* 27

la **canne à sucre** *sugar cane,* 17

un **canon** *cannon,* 12

un **canot** *canoe,* 27

le **caoutchouc** *rubber,* 28

une **cape** *cloak,* 29

un **capitaine** *captain,* 2

une **capitale** *capital,* 1, 19

capter *to capture,* 36

un **car** *coach, bus,* 31

car *for,* 7

le **caractère** *character,* 10

Caraïbes: la mer des Caraïbes *Caribbean Sea,* 1

une **carie** *cavity,* 35

un **carnaval** *carnival,* 32

une **carotte** *carrot,* 8

carreaux: à carreaux *checkered,* 25

carrément *downright,* 28

une **carrière** *career,* 28

une **carrosserie** *body (of a car),* 31

un **carrousel** *carrousel,* 36

un **cartable** *schoolbag,* 4

une **carte** *playing card,* 3, 29; *map,* 15; *greeting card,* 23; une carte d'adhérent *membership card,* 40; une carte d'identité *identification card,* 40; une carte postale *post card,* 16; à la carte *à la carte,* 38; la carte des vins *wine list,* 38

carton: faire un carton *to go target-shooting,* 21

le **carton-pâte** *pasteboard,* 32

un **cas** *case,* 20; au cas où *in case, if,* 25

une **case** *cabana,* 17; *hut,* 24

un **casier consigne automatique** *locker,* 40

cassé, -e *broken,* 37

se **casser** *to break,* 15; se casser la figure *to break one's neck,* 32

une **cassette** *cassette,* 3; un lecteur de cassette *cassette player,* 31

une **catégorie** *category,* 22

cause: à cause de *because of,* 40

causer *to cause,* 37

ce *this, that,* 1; ce que *what,* 2

une **ceinture** *belt,* 23; une ceinture de plomb *weight belt,* 39

célèbre *famous,* 17, 24

célébrer *to celebrate,* 32

celle (-là) *the one, that one, this one,* 14

celles (-là) *the ones, these, those,* 14

celui (-là) *the one, that one, this one,* 14

cendré, -e *ash color*

une **centaine de** *about a hundred,* 34

un **centime** *centime,* 5

un **centimètre** *centimeter,* 22; un 100 m(ètres) *100-meter dash,* 22

un **centre** *center,* 24

centré, -e *centered,* 10

un **cercle** *circle,* 34

une **cerise** *cherry,* 8

certain, -e *some, certain,* 26; certains . . . d'autres *some . . . others,* 26

certainement *certainly, of course,* 1

un **certificat** *certificate,* 33

ces *these, those,* 3

un **CES** *secondary school,* 4

c'est: c'est bien pour ça . . . *that's exactly why . . . ,* 23

cet *this, that,* 2

cette *this, that,* 1

ceux (-là) *the ones, these, those,* 14

chacun, -e *each one,* 7

chahuter *to make noise, to disrupt,* 29

une **chaîne** *chain,* 29

une **chaîne stéréo** *stereo,* 26

une **chaise** *chair,* 33

un **châle** *shawl,* 29

un **chalet** *chalet,* 15

la **chaleur** *warmth,* 32; *heat,* 34

une **chambre** *(bed)room,* 10; faire les chambres *to make up the rooms,* 26

un **chamois** *chamois,* 36

un **champ** *field,* 16

un **champignon** *mushroom,* 8

un(e) **champion(ne)** *champion,* 21

un **championnat** *championship,* 22

une **chance** *luck,* 21; *chance,* 28; avoir de la chance *to be lucky,* 26; pas de chance *no luck,* 6

un **changement** *change,* 39; le changement de vitesses *manual transmission,* 31

changer *to change,* 9; se changer *to change one's clothes,* 13

une **chanson** *song,* 9

un **chansonnier** *singing humorist,* 38

un **chant** *a song,* 7; le chant des oiseaux *birdcalls,* 7

chanter *to sing,* 9

un(e) **chanteur (-euse)** *singer,* 14

un **chantier** *(restoration) site,* 37

un **chapeau** *hat,* 9

un **chapitre** *unit,* 1; un chapitre de révision *review unit,* 6

chaque *each, every,* 7, 26

un **char** *float,* 32

une **charade** *charade,* 8

une **charcuterie** *a meat shop specializing in pork products and prepared dishes,* 8

un(e) **charcutier (-ière)** *pork butcher,* 8

chargé, -e *full,* 28

se **charger** *to take charge (of),* 16; charger *to load,* 40

charmant, -e *charming,* 38

chasse: la chasse sous-marine *underwater fishing,* 39

un **chasse-neige** (pl.: **chasse-neige**) *snowplow,* 32

un(e) **chasseur (-euse)** *hunter,* 39

un **chat** *cat,* 7

un **château** *castle,* 26

chaud, -e *hot,* 15; être au chaud *to be kept warm,* 28; il fait chaud *it's hot (weather),* 15

un **chaudron** *cauldron,* 27

chauffer: faire chauffer *to heat up,* 37

une **chaussette** *sock,* 25

une **chaussure** *shoe,* 9; une chaussure de ski *ski boot,* 15

chavirer *to capsize,* 27

un **chef** *leader,* 18

le **chemin** *way, route,* 10; au chemin *along the way,* 36; un chemin de fer *railroad,* 40

une **chemise** *shirt,* 9

un **chemisier** *blouse,* 9

un **chenal** *passageway,* 32

cher, chère *expensive,* 8; *dear,* 12

chercher *to look up,* 6; *to look for,* 9; aller chercher *to go get,* 16

chéri, -e *dear, darling,* 16

un **cheval** (pl.: **-aux**) *horse,* 16; le cheval *horseback-riding,* 2; le cheval de voltige *vaulting horse,* 22; faire du cheval *to go horseback-riding,* 2; monter un cheval *to ride a horse,* 16

les **cheveux** (m.) *hair,* 13; une brosse à cheveux *hairbrush,* 13

la **cheville** *ankle,* 22; ne pas arriver à la cheville de *not to be mentioned in the same breath with,* 22

chez *at (to) someone's house,* 5; chez eux *at their house,* 5

un **chien** *dog,* 7

chimique *chemical,* 37

les **chips** (f.) *potato chips,* 9

le **chocolat** *chocolate (flavor),* 5; *hot chocolate,* 13; un chocolat *chocolate candy,* 23

choisir *to choose,* 5

un **choix** *choice,* 25; l'embarras du choix *embarrassment of riches,* 23

une **chose** *thing,* 9; autre chose *something else,* 29

chouette *great,* 37

chronométrer *to time,* 22

un **chuchotement** *whispering,* 34

une **chute** *fall,* 32

ci-contre *opposite,* 36

ci-dessous *below,* 25
le **ciel** *sky,* 32
un **cil** *eyelash,* 29
le **ciment** *cement,* 37
un **cinéaste** *filmmaker,* 28
un **ciné-club** *film club,* 29
le **cinéma** *movies,* 5
un **circuit** *route,* 17
la **circulation** *traffic,* 31; à grande circulation *with a lot of traffic,* 31
un **cirque** *circus,* 38
des **ciseaux** (m.) *pair of scissors,* 33
clair, -e *clear,* 18; *bright,* 24; *light,* 36
une **clarinette** *clarinet,* 4
une **classe** *a class,* 4; une classe terminale *senior year, final year,* 28; la rentrée des classes *start of the school year,* 25; une salle de classe *classroom,* 4
classique *classical,* 28; la danse classique *ballet,* 28
un(e) **client(e)** *customer,* 13
un **climat** *climate,* 24
un **climatiseur** *air conditioner,* 37
un **clou** *nail,* 33
un **club** *club,* 25
une **coccinelle** *ladybug,* 36
un **cochon** *pig,* 16
un **cocotier** *coconut tree,* 17
un **code** *code,* 12; un code postal *zip code,* 12; le code de la route *traffic laws,* 31
un **cœur** *heart,* 3; avoir mal au cœur *to feel nauseous,* 35; un pincement au cœur *lump in one's throat,* 36
coiffer *to comb,* 33
un(e) **coiffeur (-euse)** *hairdresser,* 33
une **coiffure** *hairdo,* 33
un **collant** *(pair of) tights,* 25
une **colle** *question,* 19; poser des colles *to quiz,* 19
collé, -e *glued,* 12
collectionner *to collect,* 3
un(e) **collectionneur (-euse)** *collector,* 3
un **collier** *necklace,* 9
une **colline** *hill,* 17
colonie: une colonie de vacances *summer camp,* 26
colorant, -e *coloring,* 33
coloré, -e *colored,* 34
combien (de) *how much, how many,* 3; ça fait combien *how much,* 5
un **combiné** *receiver,* 6
une **comédie** *comedy,* 29
un(e) **comédien (-ienne)** *comedian,* 38
comique: un film comique *a comedy,* 5
une **commande** *order,* 38; à double commande *with dual controls,* 31

commander *to order,* 5
comme *like, as,* 1; *for,* 2; *how,* 25; tout comme *just like,* 31
le **commencement** *start,* 38
commencer (à) *to start (to),* 4
comment *what, how,* 1; Comment t'appelles-tu? *What is your name?* 1; comment ça s'est passé *how did it go,* 35
un(e) **commerçant(e)** *merchant,* 7; une rue commerçante *a shopping street,* 10
commun, -e *mutual,* 13
une **communication** *call,* 6
une **compagnie** *airline,* 19; en compagnie de *together with,* 34
comparer *to compare,* 22
un **compartiment** *compartment,* 40
un **compas** *compass,* 4
la **compétition** *competition,* 28
complètement *completely,* 32, 34
compléter *to complete,* 15
compliqué, -e *complicated,* 23
composer *to dial,* 6; (se) composer de *to be made up of,* 24
la **composition** *order of the cars,* 40; une composition musicale *composition (musical),* 14; une composition française *composition,* 4
compote: j'ai (les épaules) en compote *my (shoulders) are killing me,* 40
comprendre *to understand,* 19
la **comptabilité** *bookkeeping,* 28
un(e) **comptable** *accountant,* 28; un expert-comptable *certified public accountant,* 28
compte: les comptes (m.) *books,* 28; je n'ai pas mon compte de . . . *I don't have all . . . ,* 27; un compte rendu *account,* 22; se rendre compte *to realize,* 28
compter *to count,* 3; *to hope to, to expect to,* 34; je compte bien *I certainly hope to,* 34
un **comptoir** *counter,* 19
se **concentrer** *to concentrate,* 28
un **concert** *concert,* 14
un **concombre** *cucumber,* 8
un **concours** *entrance exam,* 28
la **concurrence** *competition,* 28
un(e) **concurrent(e)** *competitor,* 22
une **condition** *condition,* 30; les conditions (f.) *terms,* 40
conditionné: l'air conditionné (m.) *air conditioning,* 40
un(e) **conducteur (-trice)** *driver,* 31
conduire *to drive,* 16, 31; un permis de conduire *driver's license,* 31; il conduit *he leads,* 28
la **conduite** *driving,* 31
un **confetti** *confetti,* 32
confiance: avoir confiance en *to trust,* 30
la **confiture** *jam,* 8

confortable *comfortable,* 31
la **connaissance** *knowledge,* 26; faire la connaissance de *to make the acquaintance of,* 10
connaître *to know (be acquainted with),* 10; se connaître *to know each other,* 19
une **conquête** *conquest,* 30
consacré, -e *devoted,* 28
consacrer *to devote,* 37
consciencieusement *conscientiously,* 35
un **conseil** *advice,* 20
un(e) **conseiller (-ère)** *counselor,* 28
conseiller *to advise,* 28
conséquent: par conséquent *consequently,* 10
la **conservation** *conservation,* 24
les **conserves** (f.) *canned food(s),* 37; faire des conserves *to can,* 37
considérer *to look upon as,* 34
la **consigne** *checkroom,* 40; un casier consigne automatique *locker,* 40
consolider *to strengthen,* 37
consommer *to consume, to use,* 31; Ça consomme combien de litres aux 100? *How many miles does it get to a gallon?* 31; Ça ne consomme pas beaucoup d'essence. *It gets good mileage.* 31
construire *to build,* 30
consulter *to read,* 6
un **conte de fées** *fairy tale,* 21
content, -e *pleased,* 18
continuellement *continually,* 26
continuer *to continue,* 9
un **contraste** *contrast,* 29
contre *against,* 17
une **contrebasse** *double bass,* 14
le **contre-plaqué** *plywood,* 33
contrôler *to direct, to steer,* 27
convaincre *to convince,* 29
convenable *adequate,* 40
convenir *to suit,* 29
la **coordination** *coordination,* 29
coordonné, -e *coordinated,* 29
un **copain** *pal,* 9
une **copie** *(test) paper,* 34
un **coquelicot** *corn poppy,* 36
la **coqueluche** *whooping cough,* 35
un **coquillage** *shell,* 3
le **corail** (pl.: **-aux**) *coral,* 17; corail *coral (pink),* 40
la **corde** *rope,* 22; la corde à nœuds *knotted rope,* 22; la corde lisse *rope,* 22
un **cordonnier** *shoemaker,* 20
le **corps** *body,* 22
correct, -e *correct,* 6
un **correspondance** *connecting train,* 40; par correspondance *in writing,* 19
un(e) **correspondant(e)** *pen pal,* 19

correspondre to correspond, 20

corriger to correct, 4

un **corsaire** pirate, 17

la **Corse** Corsica, 39

un **costume** (man's) suit, 25; costume, 29

une **côte** coastline, 17; une côte d'agneau lamb chop, 38; en côte uphill, 21

la **Côte d'Ivoire** Ivory Coast, 34

côté: à côté (de) next to, 4; de côté aside, 37; de (son) côté (his / her) own way, 8; on (his / her) part, 25; du côté de ma mère on my mother's side, 7; du côté garçons on the boys' side, 22

une **côtelette** chop, 8

le **coton** cotton, 34

le **cou** neck, 22

couchage: un sac de couchage sleeping bag, 18

une **couche** coat (of paint), 33

se **coucher** to go to bed, 13; to set (sun), 27

une **couchette** berth, 40

un **coucou** cuckoo, 36

le **coude** elbow, 22

couler to run, 37; to sink, 39

une **couleur** color, 2

un **couloir** hallway, 4

coup: un coup de soleil sunburn, 39; un coup de téléphone phone call, 6; passer un coup de fil to telephone, 31; se battre à coups de boules de neige to have a snowball fight, 32; se donner un coup de peigne to comb one's hair, 13

une **coupe** cup, trophy, 10; haircut, 33

couper to chop, 27; to cut, 33

une **cour** courtyard, schoolyard, 4

courageux, -euse courageous, 22

un **courant** current, 27; au courant up to date, informed, 30; mettre au courant de to bring up to date on, 37; tenir au courant to keep informed, 30

courir to run, 22; ils / elles courent they run, 7

le **courrier** mail, 26

un **cours** course, class, 4; au cours de during, 10; donne libre cours to give free expression to, 36; suivre un cours to attend a class, 31

une **course** errand, 8; la course race, running, 22; faire des courses to go shopping, 11; faire la course to race, 39; faire les courses to go grocery shopping, 8

court, -e short, 25

le **couscous** couscous, 20

un(e) **cousin(e)** cousin, 7

un **couteau** (pl.: **-x**) knife, 8; un couteau de chasse hunting knife, 27

coûter to cost, 8

un **couvert** a place setting, 8; mettre le couvert to set the table, 26

couvert, -e indoor, 40; couvert de covered with, 37; couvert de bleus all black and blue, 21

une **couverture** blanket, 37

un **crabe** crab, 17, 39

une **cravate** necktie, 13

un **crayon** pencil, 4

une **créature** creature, 39

la **crème** cream, 27; crème cream-colored, 25; la crème fraîche heavy soured cream, 8; une crème après shampooing conditioner, 33; une crème solaire suntan lotion, 39

une **crémerie** dairy outlet, 8

crétins: Espèces de crétins! What are you, some kind of idiots! 21

creuser to dig, 32

une **crevette** shrimp, 39

crier to shout, 32

une **critique** review, 38

critiquer to criticize, 38

crochu, -e hooked, 29

un **crocodile** crocodile, 24

croire to believe, 12; je crois I think, 14

un **croisement** intersection, 10

un **croissant** croissant, 8

un **croquis** sketch, 33

une **crosse** hockey stick, 2

cruel, -elle cruel, 39

un **cube** cube, 33

cueillir to pick, 15, 36

une **cuillère** spoon, 8; une petite cuillère teaspoon, 8

le **cuir** leather, 20

cuire: faire cuire to cook, 20

une **cuisine** kitchen, 4; faire la cuisine to cook, 20

un(e) **cuisinier (-ière)** cook, 33

la **cuisse** thigh, 22

cuit, -e cooked, 20; cuit à la vapeur steamed, 20; bien cuit, well-done, 28

le **cuivre** brass, copper, 20

culbuter to tumble over, 39

cultiver to tend, to grow, 16

culturel, -elle cultural, 24

curieux, -euse curious, 23

un(e) **cycliste** cyclist, 31

D

d'abord first, 4

d'accord okay, 5

d'ailleurs as a matter of fact, besides, 14

une **dame** lady, 19

les **dames** checkers, 3

le **Danemark** Denmark, 31

le **danger** danger, 36

dangereux, -euse dangerous, 2, 4

dans in, 1

une **danse** dance, 9; la danse classique ballet, 28

danser to dance, 9

un(e) **danseur (-euse)** dancer, 28

d'après according to, 15

la **date** date, 12

dater de to date from, 26

d'avance ahead, 39

de of, from, 1; about, 4

débarrasser to clear, 26

un **débarquement** landing, 17

débarquer to disembark, to land, 27

débile idiotic, 38

déblayé, -e removed, cleared away, 32

déblayer to remove, to clear away, 37

debout standing up, 13; Debout! Get Up! 39

débrancher to unplug, 14

débrayer to put in the clutch, 31

se **débrouiller** to manage, 28

le **début** beginning, 33; une formule de début salutation, 12

débuter to start, 22

décembre (m.) December, 12

décent, -e decent, 37

les **déchets** (m.) waste, 37

décider (de) to decide (to), 9; se décider (à) to make up one's mind to, to decide (to), 40

décoller to take off, 19

décontracté, -e loose, easy-going, 19

un **décor** set, 29; décor, setting, 38

découper to cut, 33

décourager to discourage, 28

découvrir to discover, 17

décrire to describe, 9

décrocher to pick up the receiver, 6

déçu, -e disappointed, 39; elle n'a pas déçu she didn't disappoint, 22

dedans inside, into, 21; les pieds en dedans pigeon-toed, 29

un **défaut** fault, 30

un **défilé** parade, 32

dégoutter to drip, 27

un **degré** degree, 15

se **déguiser** to dress up, 29

déjà already, 9

un **déjeuner** lunch, 7, 8; le petit déjeuner breakfast, 40

déjeuner to have lunch, 4

de la some, any, 5

délicieux, -euse delicious, 8

délivré, -e issued, 40

demain *tomorrow*, 11

demandé, -e *in demand*, 29

demander (à) *to ask, to ask for*, 4; il n'a pas demandé son reste *he did not hang around for more of the same*, 39

démarrage: faire un démarrage *to start (a car)*, 31

demarrer *to start*, 31

dément: C'est dément! *It's too wild!* 21

un **demi** *halfback*, 2

un **demi-circle** *half-circle*, 34

demie: et demie *half past (the hour)*, 4

le **demi-fond** *middle distance run*, 22

une **demi-heure** *half hour*, 9; mettre une demi-heure *to take a half hour*, 13

démolir *to demolish, to pull down*, 37

démonstration: faire une démonstration *to give a demonstration*, 36

une **dent** *tooth*, 13; avoir mal aux dents *to have a toothache*, 35; une brosse à dents *toothbrush*, 13

dentaire *dentistry*, 28

la **dentifrice** *toothpaste*, 13

un(e) **dentiste** *dentist*, 7

un **départ** *departure, start*, 27; un point de départ *starting point*, 27

dépasser *to overtake*, 39

dépayser: si vous ne voulez pas vous dépayser *if you want to feel at home*, 38

se **dépêcher** *to hurry*, 13

dépendre (de) *to depend (on)*, 31; ça dépend *it depends*, 23

dépenser *to spend*, 8

se **déplacer** *to move about*, 28

déposer *to drop off*, 27

un **dépotoir** *garbage dump*, 37

depuis *since*, 10

déranger *to disturb*, 39

dernier, -ière *last*, 22

déroutant, -e *confusing*, 38

derrière *behind*, 10

des *some, any*, 3, 5

dès *since, as of*, 28; dès que *as soon as*, 26

descendre *to go down*, 7; *to take down*, 9; descendre en masse *to flock (to)*, 39

la **descente** *going down*, 27

un **désert** *desert*, 24

se **déshabiller** *to get undressed*, 13

désirer *to want*, 5

désolé, -e *sorry*, 30

desserrer *to release*, 31

un **dessert** *dessert*, 8

le **dessin** *drawing, art*, 4; un dessin animé *animated cartoon*, 5

un(e) **dessinateur (-trice)** *illustrator*, 7

dessous: en dessous *underneath*, 35

dessus *on (it)*, 25

un(e) **destinataire** *addressee*, 12

destination: à destination de *to, for*, 40

un **détail** *detail* 31

se **détendre** *to relax*, 13

déterminer *to determine*, 31

détour: au détour de *at a turn in*, 21

détruit, -e *destroyed*, 17

deux: tous les deux *both*, 30

devait: il devait s'asseoir *he had to sit*, 29

devant *in front of*, 10

devenir *to become*, 16

deviner *to guess*, 7

une **devinette** *riddle*, 11

dévoiler *to uncover*, 21

un **devoir** *homework*, 4

devoir *to have to, must*, 33

d'habitude *usually*, 27

un **diagnostic** *diagnosis*, 28

une **diapo(sitive)** *slide*, 36

différent, -e *different*, 4

difficile *difficult*, 24

une **difficulté** *trouble, difficulty*, 3

dimanche (m.) *Sunday*, 4

une **dimension** *measurement*, 33

un **dinar** *dinar (Tunisian money)*, 20

un **dîner** *dinner (supper)*, 7, 8

dîner *to have dinner*, 7

un **diplôme** *diploma*, 26

dire *to say, to tell*, 19; vouloir dire *to mean*, 26

direct, -e *express; direct-dialing*, 40

directement *while you wait*, 40

la **direction** *supervision, direction*, 33; la direction assistée *power steering*, 31

diriger *to direct*, 22; se diriger *to go toward*, 28

Dis donc! *Listen!* 6; *Gee!* 25

une **discothèque** *discothèque*, 38

un **discours** *speech*, 28

discrètement *discreetly*, 26

une **discussion** *discussion*, 20

discuter *to talk over*, 3

disparu: elles ont disparu *they disappeared*, 27

se **disperser** *to scatter*, 27

disposition: à la disposition de *at the disposal of*, 40

se **disputer** *to quarrel*, 34

un **disque** *record*, 3; le disque discus*, 22; les freins à disques (m.) *disc brakes*, 31

la **distance** *distance*, 29

se **distraire** *to be entertained*, 24

distrait, -e *inattentive*, 4

distribuer *to assign, to distribute*, 28

dit: autrement dit *in other words*, 32

diviser (en) *to divide (into)*, 18

une **division** *section*, 32

un **dixième** *a tenth*, 22

une **dizaine** *about ten*, 9

un **docteur** (une **doctoresse**) *doctor*, 28

un **documentaire** *documentary*, 24

un **doigt** *finger*, 22

dois: je dois *I have to*, 5

doit: il / elle doit *he / she has to*, 13; il doit bien y avoir *there must be*, 38

doivent: ils / elles doivent *they have to*, 10

dominé(e) par les ruines *with ruins rising above*, 39

les **dominos** (m.) *dominoes*, 3

dommage *too bad*, 18

un **don** *gift, talent*, 28

donc *so, then*, 10; Dis donc! *Listen!* 6; *Gee!* 25

un **donjon** *dungeon, keep*, 26

donner *to give*, 5; donner à boire *to give water to*, 16; donner à manger *to feed*, 16; donner de ses nouvelles *tell how one's doing*, 16; donner faim *to make hungry*, 36; donner la parole à *to call upon (someone) to speak*, 27; donner le départ *to give the signal to start*, 22; donner libre cours *to give free expression to*, 36; donner sur *to overlook*, 39; donner un coup de téléphone *to make a phone call*, 6; se donner un coup de peigne *to comb one's hair*, 13; ça n'a rien donné *nothing happened*, 37

doré, -e *golden*, 29

dormir *to sleep*, 18; dormir à poings fermés *to sleep like a log*, 18

un **dortoir** *dormitory*, 34

le **dos** *back*, 22; un sac à dos *backpack*, 18

le **dossier** *back*, 40

double: à double commande *with dual controls*, 31

doubler *to pass*, 31

doucement *slowly*, 29

une **douche** *shower*, 40

doué, -e *gifted, talented*, 4

douter *to doubt*, 35

doux, douce *gentle*, 17; *mild, soft*, 24

une **douzaine** *dozen*, 8

un **dragon** *dragon*, 32

dramatique: l'art (m.) dramatique *dramatic art*, 28

un **drap** *sheet*, 26

le **droit** *law*, 28

droit, -e *right*, 22; à droite *on (to) the right*, 8, 10

drôle *funny*, 21

drôlement *really*, 27

une **duchesse** *duchess*, 32

une **dune** *dune,* 18
dur *hard,* 26
la **durée** *duration,* 28
durer *to last,* 7

E

l' **eau** (f.) *water,* 5; l'eau minérale *mineral water,* 5; la mise à l'eau *putting (the canoes) in the water,* 27
échanger *to exchange,* 19
s' **échapper** *to escape,* 39
une **écharpe** *(long) scarf,* 23
les **échecs** (m.) *chess,* 3
un **éclair** *lightning,* 16
un **éclaircissement** *clarification,* 38
éclairé, -e *lit,* 29
s' **éclairer** *to have light,* 27
éclater *to go off,* 32
éclats: rire aux éclats *to roar with laughter,* 34
une **école** *school,* 4; une école de voile *sailing school,* 18; une école primaire *elementary school,* 17
un(e) **écolier (-ière)** *schoolboy, schoolgirl,* 32
l' **économie** (f.) *economy,* 28
des **économies** (f.) *savings,* 23; faire des économies *to save,* 23
économique *economical,* 24
économiser *to save,* 8
écoute: un bouton d'écoute *playback button,* 14
écouter *to listen (to),* 3
un **écouteur** *earphone,* 14
un **écran** *screen,* 36
écraser *to run over,* 31
une **écrevisse** *crayfish,* 40
écrire *to write,* 12
écrit, -e *written,* 4
un **écrivain** *writer,* 37
s' **écrouler** *to collapse,* 13
effacer *to erase,* 4
effervescence: en pleine effervescence *bustling with activity,* 25
effet: c'est l'effet de *it's the result of,* 35; en effet *the fact is,* 19; *in fact,* 28
s' **effondrer** *to collapse,* 37
un **effort** *effort,* 22
égal: ça (leur) est égal *it's all the same (to them),* 28
également *also,* 22
une **église** *church,* 10
l' **Egypte** (f.) *Egypt,* 31
égyptien, -ienne *Egyptian,* 11
élan: prendre son élan *to take a running start,* 22
s' **élancer** *to push off,* 15; *to lunge,* 27
un **électricien** *electrician,* 29
électrique *electric,* 14

l' **électronique** (f.) *electronics,* 3
électronique *electronic,* 26
un **électrophone** *record-player,* 9
élégant, -e *elegant,* 25
un **éléphant,** *elephant,* 24
un(e) **élève** *pupil, student,* 4
élevé, -e *high,* 35
élever *to rear,* 7, 8
elle *her,* 1; *she,* 1, 2; *it,* 8; **elles** *they,* 2; *them,* 7
l' **embarras du choix** *embarrassment of riches,* 23
emboîter *to fit,* 33
embrasser *to kiss,* 12
embrayer *to let up the clutch,* 31
une **émission** *program,* 24; une émission de variétés *variety show,* 24
emmener *to take,* 10
émouvant, -e *moving, touching,* 38; C'est d'un émouvant! *It's extremely touching!* 38
empêcher (de) *to keep from,* 20
un **emploi du temps** *schedule,* 4
un(e) **employé(e) de bureau** *office worker,* 7
employer *to use,* 36
emporter *to take along,* 27
emprunter (à) *to borrow (from),* 23; si on empruntait *how about borrowing,* 23
en *any,* 3; *in,* 4; en avance *early,* 19; en avant *forward,* 32; en bas *at the bottom,* 32; en ce moment *now,* 9; en effet *the fact is,* 19; en face (de) *in front of, facing,* 4; en fait *in fact,* 16; en général *usually,* 7; en haut de *on top of,* 11; en mains *in hand,* 19; en même temps *at the same time,* 13; en mettant *making,* 6; en place *in place, neat,* 13; en plein: J'ai mis en plein dans le mille. *I got it right in the bull's-eye.* 21; en plein air *outside,* 13; en pleine expansion *booming,* 24; en plus de *in addition to,* 17; en premier *first,* 31; en provenance de *from, coming from,* 19; en remplaçant *replacing,* 10; en retard *late,* 30; en tête *in front, headed by,* 32; en train de... *in the process of . . . ,* 3; la mise en train *warm-up,* 22; se mettre en train *to warm up,* 22; en utilisant *using,* 6; En voiture! *All aboard!* 40
enchaîner *to move on,* 36
enchanté *enchanted,* 17
encombré, -e (de) *weighted down (with),* 40
encore *still,* 7; *again,* 25; pas encore *not yet,* 9; s'il y en a encore *if there is any left,* 9
encourager *to encourage,* 22

l' **encre** (f.) *ink,* 39
s' **endormir** *to go to sleep,* 13
un **endroit** *place, location,* 27
l **énergie** (f.) *energy,* 24
énergique *energetic,* 22
s' **énerver** *to get excited,* 31
l' **enfance** (f.) *childhood,* 16
un **enfant** *child,* 4, 7
enfiler *to slip on,* 39
enfin *anyway,* 11; *finally, at last,* 26
enfoncer *to drive in,* 33
enfoui, -e *buried,* 32
un **engrais** *fertilizer,* 24, 37
un **ennui** *problem,* 38
s' **ennuyer** *to be bored,* 38
ennuyeux, -euse *boring,* 2, 4
énorme *huge, enormous,* 12
une **enquête** *poll,* 25, 30
un **enregistrement** *recording,* 14; un bouton d'enregistrement *record button,* 14
enregistrer *to record,* 7, 14
l' **enseignement** (m.) *education,* 26
enseigner *to teach,* 7
un **ensemble** *group,* 10; *outfit,* 25, 38
ensemble *together,* 7
ensoleillé, -e *sunny,* 39
ensuite *then,* 8
entasser *to pile up,* 37
entendre *to hear,* 7; s'entendre *to get along,* 30
entendu: bien entendu *of course, naturally,* 28
entouré, -e *surrounded by,* 17
entourer *to surround,* 10
un **entracte** *intermission,* 38
s' **entraider** *to help one another,* 30
l' **entraînement** (m.) *training,* 22
s' **entraîner** *to train,* 22; **entraîner** *to pull,* 39
entre *between,* 7; *among,* 11; entre autres *among other things,* 29
une **entrecôte** *rib steak,* 38
une **entrée** *entryway,* 10
une **entreprise** *firm,* 28
entrer *to go in, to come in,* 25
entretenir *to take care of,* 31
une **enveloppe** *envelope,* 12
envers *towards,* 30
envie: avoir envie de *to want to,* 5; *to feel like,* 32; ce dont ils ont envie *what they feel like doing,* 26; l'envie le prend *he suddenly feels the urge,* 34
environ *about,* 13
l' **environnement** (m.) *environment,* 37
les **environs** (m.) *surroundings,* 25
envoyer *to send,* 16, 34
l' **épaisseur** (f.) *thickness,* 33

Epargne: la Caisse d'Epargne *savings bank,* 26
l' **épaule** (f.) *shoulder,* 22
une **épicerie** *grocery,* 8
un(e) **épicier (-ière)** *grocer,* 8
éplucher *to peel,* 20
une **époque** *period,* 26
une **épreuve** *event,* 22
épuisé, -e *exhausted,* 13
une **épuisette** *landing net,* 17
une **équerre** *square rule,* 33
l' **équilibre** (m.) *balance,* 22
un **équipage** *team,* 27; *team, crew,* 39
une **équipe** *team,* 2
une **équipement** (m.) *equipment,* 15
un(e) **équipier (-ière)** *teammate,* 27
érafler *to scratch,* 31
une **erreur** *wrong number, mistake,* 6
une **éruption** *eruption,* 17
escalader *to climb,* 36
un **escalier** *stairway, stairs,* 10
une **escalope** *veal cutlet,* 40
l' **Espagne** (f.) *Spain,* 19
espagnol, -e *Spanish,* 19
les **espaliers** (m.) *stall bars,* 22
Espèces de crétins! *What are you, some kind of idiots!* 21
espérer *to hope,* 14
l' **espoir** (m.) *hope,* 23
l' **esprit** (m.) *spirit,* 34
s' **esquiver** *to slip away,* 26
un **essai** *test,* 14; *attempt,* 22
essayage: une cabine d'essayage *fitting room,* 25
essayer (de) *to try (to),* 7
l' **essence** (f.) *gas,* 31
l' **est** (m.) *east,* 17
est-ce que…? *(do you, they) . . .?* 2
une **estrade** *platform,* 14
et *and,* 1
une **étable** *cowshed,* 16
un **établi** *workbench,* 33
un **étage** *floor,* 10
des **étagères** (f.) *bookshelf,* 33
étaler *to spread out,* 18
un **étang** *pond,* 10
étant: étant resté(e) en arrière *having stayed behind,* 32
l' **état** (m.) *condition,* 31; en bon état *in good condition,* 27; un lycée d'état *public high school,* 34
les **Etats-Unis** (m.) *the United States,* 19
l' **été** (m.) *summer,* 4, 15; en été *in the summer,* 15
éteignent: les lumières s'éteignent *the lights are turned off,* 34
éteindre *to turn off,* 24, 37
éteint *turn out the light,* 13
une **étendue** *extensive view,* 40

éthnique *ethnic,* 24
une **étoffe** *fabric, material,* 34
une **étoile** *star,* 18; une étoile de mer *starfish,* 17, 39
étonnant, -e *surprising,* 37
s' **étonner** *to be amazed,* 35
étourdi, -e *stunned, dazed,* 32
étranger, -ère *foreign,* 21
être *to be,* 3; être aux anges *to be in heaven,* 38; être bien *to be comfortable,* 40; être d'accord *to agree,* 40; être décidé(e) à *to be determined to,* 37; être question (de) *to be a matter (of),* 27
l' **étude** (f.) *study hall,* 34; les études *studies,* 26
un(e) **étudiant(e)** *student,* 32
étudier *to study,* 4
eux *them,* 5; eux-mêmes *themselves,* 27
éventuellement *eventually,* 28
évidemment *obviously,* 25
éviter *to avoid,* 37
ex aequo *tied (score),* 22
exact, -e *exact,* 40
exactement *exactly,* 14
un **examen** *exam,* 28
examiner *to look over, to examine,* 27, 35
excentrique *eccentric,* 25
excepté *except,* 7
excitant, -e *exciting,* 31
une **excursion** *excursion,* 17
excusez-moi *excuse me,* 6
un **exemple** *example,* 4; par exemple *for instance,* 3
exercer *to practice, to be in,* 33
un **exercice** *exercise,* 4; les exercices au sol *floor exercises,* 22; un exercice de compréhension *listening exercise,* 4; un exercice écrit *writing exercice,* 4
exotique *exotic,* 17
expansion: en pleine expansion *booming,* 24
un(e) **expéditeur (-trice)** *sender,* 12
expédition: faire une expédition *to take a trip,* 27
une **expérience** *experience,* 26
expérimenté, -e *experienced,* 39
un **expert-comptable** *certified public accountant,* 28
expliquer *to explain,* 10
exploiter *to make use of,* 28
une **exploration** *exploration,* 12
explorer *to explore,* 17
une **exposition** *exhibition,* 13
un **express** *espresso (coffee),* 38
exprimer *to express,* 36
un **externe** *day student,* 34
extra: C'est extra! *It's really great!* 21
extraordinaire *exceptional,* 3
une **extrémité** *tip,* 17

F

la **fabrication** *manufacturing,* 24
fabriquer *to make,* 29
face: en face (de) *in front (of), facing,* 4; jouer à pile ou face *to toss a coin,* 10
facile *easy,* 26
facilement *easily,* 25
une **façon** *way, manner,* 19; de la même façon *in the same manner,* 29; de toute façon *anyway,* 19
faible *weak,* 22
failli: (il a) failli *(he) almost,* 31
faim: avoir faim *to be hungry,* 5; donner faim *to make hungry,* 36; mourir de faim *to be starving,* 40
faire *to do,* 2; *to make,* 4; faire attention *to be careful,* 4; faire chauffer *to heat up,* 37; faire cuire *to cook,* 20; faire de la luge *to go sledding,* 32; faire de la motoneige *to ride a snowmobile,* 32; faire de la natation *to swim,* 2; faire de la photo *to take pictures,* 3; faire de la raquette *to go snowshoeing,* 32; faire de la voile *to sail,* 18; faire des achats *to shop,* 20; faire des conserves *to can,* 37; faires des courses *to shop,* 11; faire des économies *to save,* 23; faire des glissades *to go sliding,* 32; faire du bateau *to go boating,* 17; faire du bien *to feel good,* 40; faire du camping *to go camping,* 27; faire du cheval *to go horseback-riding,* 2; faire du judo *to practice judo,* 2; faire du patin à glace *to ice-skate,* 32; faire du portage *to carry the boats overland,* 27; faire du ski *to ski,* 2; faire du ski de fond *to ski cross-country,* 32; faire du sport *to take part in sports,* 34; faire du tourisme *to tour,* 37; faire du vélo *to go bike-riding,* 2; faire du zèle *to overdo,* 34; faire faire quelque chose à quelqu'un *to have someone do something,* 26; faire la bise *to send one's love,* 37; faire la connaissance de *to make the acquaintance of,* 10; faire la course *to race,* 39; faire la cuisine *to cook,* 20; faire la moisson *to harvest,* 16; faire la queue *to stand in line,* 15; faire la sieste *to take an afternoon nap,* 34; faire le ménage *to clean, to do housework,* 26; faire le mort *to play dead,* 29; faire le numéro *to dial the number,* 6; faire les chambres *to make up the rooms,* 26; faire les courses *to go grocery shopping,* 8;

faire les foins *to hay, to do the haying,* 16; faire l'ingénieur du son *to be the sound engineer,* 14; faire mal *to hurt,* 35; faire nuit *to get dark,* 27; faire partie (de) *to be part (of),* 10; faire plaisir à *to please (someone),* 11; faire sa toilette *to get washed,* 13; faire un bonhomme de neige *to build a snowman,* 32; faire un cadeau *to give a gift,* 23; faire un carton *to go target-shooting,* 21; faire un démarrage *to start (a car),* 31; faire un pansement *to dress a wound,* 28; faire une démonstration *to give a demonstration,* 36; faire une expédition *to take a trip,* 27; faire une ordonnance *to write a prescription,* 35; faire une partie de ballon *to play ball,* 39; faire une photo *to take a picture,* 36; faire une piqure *to give an injection,* 35; faire une promenade *to take a jaunt,* 11; faire un feu *to build a fire,* 36; faire un pique-nique *to have a picnic,* 36; faire un shampooing *to shampoo,* 33; faire un sourire *to smile,* 36; faire un tour *to take a ride,* 2; faire un voyage *to take a trip,* 21; ça fait bien *it looks good,* 31; ça fait combien *how much,* 5; en faire autant *to do the same thing,* 23; Fais de beaux rêves! *Sweet dreams!* 13; fait par *made by,* 7; il fait beau *the weather is nice,* 13; il fait bon *it's nice,* 15; il fait chaud *it's hot,* 15; il fait (cinq) *it's (five) degrees,* 15; il fait du vent *it's windy,* 15; il fait frais *it's cool,* 15; il fait froid *it's cold,* 15; il fait mauvais *the weather is bad,* 15; Quelle température fait-il? *What's the temperature?* 15; Quel temps fait-il? *What's the weather like?* 15; se faire *to do for oneself,* 13; *to make,* 32; se faire mal (à) *to hurt,* 15; s'en faire *to worry,* 38

fait: au fait *incidentally,* 29; en fait *in fact,* 16; tout à fait *entirely,* 36

un **fakir** *fortune-teller, fakir,* 21

une **falaise** *cliff,* 36

falloir *to have to, must,* 26

familier, -ière *familiar,* 34

une **famille** *family,* 7

une **fanfare** *brass band,* 32

fantaisie: un bracelet fantaisie *bracelet (costume jewelry),* 23

fantastique *fantastic,* 17

un **fantôme** *ghost,* 29

farçon: avec farçon savoyard *with stuffing Savoy style,* 40

fard: le fard à joues *rouge,* 29

fascinant, -e *fascinating,* 36

fatigant, -e *tiring,* 26

fatigué, -e *tired,* 9

se **fatiguer** *to work harder,* 28

faut: il faut (que) *must, have to,* 4; il (me) faut *(I) need,* 25

une **faute** *mistake, fault,* 4; une faute d'orthographe *spelling mistake,* 4

un **fauteuil** *armchair,* 13

faux, fausse *false,* 4, 29

favori, -ite *favorite,* 22, 38

favorisé, -e *at an advantage,* 26

fées: un conte de fées *fairy tale,* 21

une **femme** *wife,* 16; une femme de ménage *cleaning lady,* 26

une **fenêtre** *window,* 24

le **fer** *iron,* 34; un chemin de fer *railroad,* 40; un fer à friser *curling iron,* 33; un fil de fer *iron wire,* 33

une **ferme** *farm,* 16

ferme *stiff,* 38

fermer *to close,* 13

la **fermeture** *closing,* 11

un(e) **fermier (-ière)** *farmer,* 7

fertile *fertile,* 24

une **fête** *fair,* 21; *festival,* 32; une fête foraine *traveling fair,* 21

fêter *to celebrate,* 37

un **feu** *fire,* 15; faire un feu *to build a fire,* 36; un feu d'artifice *fireworks,* 32; un feu de bois *wood fire,* 15

une **feuille** *form, sheet of paper,* 35

un **feuilleton** *serial,* 24

un **feutre** *felt-tip pen,* 4

février (m.) *February,* 12

une **fiche de progression** *report card,* 22

fier, fière (de) *proud (of),* 30

la **fièvre** *fever,* 35; avoir de la fièvre *to have a fever,* 35

une **figue** *fig,* 16

figure: se casser la figure *to break one's neck,* 32

un **fil** *wire,* 33; un fil de fer *iron wire,* 33; à l'autre bout du fil *at the other end of the line,* 6; passer un coup de fil *to telephone,* 31

filer *to spin,* 34

un **filet** *net,* 2

une **fille** *girl,* 1

un **film** *movie, film,* 5; un film comique *comedy,* 5; un film policier *detective film,* 5

un **fils** *son,* 34; de père en fils *from father to son,* 34

la **fin** *end,* 8; au fin fond de *in the depths of,* 34; en fin *at the end of,* 18; fin prêt *all ready,* 39

fin, -e *fine,* 17

finale: une formule finale *a closing,* 12

finalement *at last, finally,* 18

finir *to end, to finish,* 5

la **Finlande** *Finland,* 31

flâner *to browse,* 20

un **flash** *flash,* 26

une **flèche** *arrow,* 40

une **fleur** *flower,* 8; le Marché aux Fleurs *the Flower Market,* 8

un(e) **fleuriste** *florist,* 23

la **Floride** *Florida,* 17

flotter *to float,* 39

flou, -e *fuzzy, out of focus,* 24

une **flûte** *flute,* 14

le **foin** *hay,* 16; faire les foins *to hay, to do the haying,* 16

une **fois** *time,* 11; à la fois *once,* 11; *at the same time,* 17

folle: à une vitesse folle *at an incredible speed,* 32

foncer *to rush,* 21; *to dash,* 32

fonction: en fonction de *in terms of,* 28

le **fond** *back,* 29; le fond de teint *makeup,* 29; à fond *fully, deeply,* 39; au fin fond de *in the depths of,* 34; au fond (de) *at the far end (of),* 4

un(e) **fondateur (-trice)** *founder,* 32

fondre *to melt,* 36

une **fondue** *fondue,* 36

la **fonte** *thawing,* 36

le **football** *soccer,* 2; le football américain *football,* 2

la **force** *strength,* 40; prendre des forces *to build up one's strength,* 40

une **forêt** *forest,* 17

un **forgeron** *blacksmith,* 34

une **forme** *form,* 6; *shape,* 12; en bonne forme *in good condition,* 26

formidable *terrific,* 10

formule: une formule de début *salutation,* 12; une formule finale *closing,* 12

fort, -e *loud,* 14; *strong,* 19

une **forteresse** *fortress,* 26

une **fortune** *fortune,* 12

un **fou, une folle** *madman, madwoman,* 38; un monde fou *a lot of people,* 32

fou, folle *tremendous,* 38

un **foulard** *scarf,* 23

la **foule** *crowd,* 32

un **four** *oven,* 37

une **fourchette** *a fork,* 8

fragile *delicate,* 39

frais: il fait frais *it's cool,* 15

la **fraise** *strawberry (flavor),* 5

un **franc** *franc,* 5

franc, franche *honest,* 30

le **français** *French,* 4

la **France** *France,* 1; en France *in France,* 1

franchement *frankly,* 38

franchir *to pass through,* 27

une **frange** *bangs*, 33
frapper *to knock*, 29
un **frein** *brake*, 31; des freins à disques *disc brakes*, 31; le frein à main *hand brake*, 31
freiner *to brake*, 31; en voulant freiner *while he was trying to brake*, 31
fréquence: une radio modulation de fréquence *FM radio*, 31
fréquenté, -e *visited*, 39
un **frère** *brother*, 7
un **frigidaire** *refrigerator*, 37
frisé, -e *curly*, 33
friser: un fer à friser *curling iron*, 33
des **frites** (f.) *French fries*, 8
le **froid** *cold*, 32
froid, -e *cold*, 5; avoir froid *to be cold*, 15; il fait froid *it's cold*, 15
le **fromage** *cheese*, 8; le fromage de chèvre *goat cheese*, 8
un **fromager** *kapok tree*, 34
un(e) **froussard(e)** *scaredy-cat!* 21
un **fruit** *fruit*, 8; un jus de fruit *fruit juice*, 5
fuir *to flee*, 39
la **fumée** *smoke*, 27
fumer *to smoke*, 40
un **fusil (sous-marin)** *(spear) gun*, 39
futur, -e *future*, 31

G

gagner *to win*, 3; *to make money, to earn*, 7
la **Galerie des Glaces** *Hall of Mirrors*, 30
une **galerie marchande** *shopping arcade*, 23
un **gant** *glove*, 15; un gant de toilette *wash mitt*, 13
un **garage** *garage*, 20
un **garçon** *boy*, 1; *waiter*, 5
garder *to keep*, 9; garder des enfants *to baby-sit*, 7; garder l'équilibre *to keep one's balance*, 22
un(e) **gardien (-ienne) de but** *goalkeeper*, 2
une **gare** *railroad station*, 10
se **garer** *to park*, 31
garni, -e *served with*, 38; un plat garni *meat and vegetable plate*, 40
le **gaspillage** *wasting*, 37
gaspiller *to waste*, 37
un **gâteau** (pl.: **-x**). *cake*, 7; *pastry*, 8
gauche *left*, 22; à gauche *on (to) the left*, 8, 10
geler *to freeze*, 32
la **gencive** *gum*, 35
général, -e (m. pl.: **-aux**) *general*, 36; en général *usually*, 7
généralement *generally*, 29

une **généralisation** *generalization*, 4
une **génération** *generation*, 34
génial, -e (m. pl.: **géniaux**) *brilliant*, 38
un **genou** (pl.: **-x**) *knee*, 15
un **genre** *kind, sort*, 14; ce n'es pas (mon) genre *(he / she) is not my type*, 30
les **gens** *people*, 7
la **gentillesse** *niceness*, 13; d'une telle gentillesse *so nice*, 13
la **géographie** *geography*, 4
un **geste** *gesture*, 29
un **gigot d'agneau** *leg of lamb*, 8
un **gilet** *vest*, 25; un gilet de sauvetage *life jacket*, 27
une **girafe** *giraffe*, 34
une **glace** *ice cream*, 5; *mirror*, 25; *ice*, 32
glacial, -e *icy*, 32
glissade: faire des glissades *to go sliding*, 32
glisser *to slide, to lunge*, 32
une **glissoire** *slide*, 32
une **goélette** *schooner*, 39
une **gomme** *eraser*, 4
gonfler *to blow up*, 39
la **gorge** *throat*, 35; avoir mal à la gorge *to have a sore throat*, 35
un(e) **gosse** *kid*, 35
le **goût** *taste*, 25
goûter *to taste*, 38
grâce à *thanks to*, 36
gracieux, -euse *graceful*, 22
la **grammaire** *gammar*, 4
un **gramme** *gram*, 8
grand, -e *big, large*, 1; *tall*, 7
grand-chose: pas . . . grand-chose *not much*, 26
la **Grande Bretagne** *Great Britain*, 31
une **grande roue** *Ferris wheel*, 21
un **grand huit** *roller coaster*, 21
une **grand-mère** *grandmother*, 7
un **grand-père** *grandfather*, 7
une **grand-rue** *main street*, 16
des **grands-parents** *grandparents*, 7
une **grange** *barn*, 16
gras, grasse *oily, greasy*, 33
gratuit, -e *free*, 26
grave *serious*, 35
un **grenier à foin** *hayloft*, 16
des **grésillements** (m.) *static*, 6
une **grillade** *grilled meat*, 40
griller *to grill*, 20
grimper *to climb*, 22
la **grippe** *flu*, 35
gris, -e *gray*, 7
gros, grosse *big*, 21; *thick*, 33
un **groupe** *group*, 14
le **gruyère** *Swiss cheese*, 5
la **Guadeloupe** *Guadeloupe*, 17
un **guépard** *cheetah*, 34
guéri, -e *cured*, 28
une **guerre** *war*, 26
guetter *to watch out for*, 36

un **guichet** *window*, 40
un **guide** *guide*, 10; *guidebook*, 30
une **guide** *girl scout*, 27
guider *to guide*, 10
une **guitare** *guitar*, 9, 14
un **gymnase** *gym(nasium)*, 4
la **gym(nastique)** *gym*, 4

H

s' **habiller** *to get dressed*, 13; habiller *to dress*, 13
un **habitant** *inhabitant*, 10
habiter *to live*, 1, 2
habitué, -e (à) *used (to)*, 30
une ***hache** *axe*, 27
les ***haies** (f.) *hurdles*, 22
un ***hall** *entrance hall*, 12
un ***hangar** *shed*, 16
un ***haricot** *bean*, 8; des *haricots verts *green beans*, 8
un **harmonica** *harmonica*, 14
***hâte**: avoir *hâte (de) *to look forward to*, 12
***haut** *high*, 22; à voix 'haute aloud*, 29; en *haut de *on top of*, 11; là-haut *up on top*, 32
la ***hauteur** *height*, 33; le saut en *hauteur *high jump*, 22
un ***haut-parleur** (pl.: ***haut-parleurs**) *loudspeaker*, 14
l' **hébreu** (m.) *Hebrew*, 19
hein *isn't it*, 38
l' **herbe** (f.) *grass*, 16
une **hésitation** *hesitation*, 23
une **heure (h)** *hour*, 4; à l'heure *on time*, 19; à la même heure *at the same time*, 35; de bonne heure *early*, 32; de tout à l'heure *from before*, 21; il est (une) heure *it's (one) o'clock*, 4; l'heure d'affluence *rush hour*, 13; Quelle heure est-il? *What time is it?* 4; 1 h de retard *an hour late*, 40
heureusement *luckily*, 15
heureux, -euse *happy*, 30
hier *yesterday*, 9
un **hippocampe** *sea horse*, 17
un **hippopotame** *hippopotamus*, 24
une **histoire** *story*, 5; l'histoire (f.) *history*, 4; faire toute une histoire *to make a fuss*, 30
l' **hiver** (m.) *winter*, 15; en hiver *in the winter*, 15
le ***hockey sur glace** *ice hockey*, 2
un ***homard** *lobster*, 39
un **homme** *man*, 6; un homme politique *politician*, 37
la ***Hongrie** *Hungary*, 31
honneur: avoir l'honneur de *to be pleased to*, 40
un **hôpital** (pl.: **-aux**) *hospital*, 7
un **horaire** *timetable*, 40
un **horoscope** *horoscope*, 21

horreur: avoir horreur de *to hate,* 30

un **hors-bord** *speedboat,* 39

un ***hors-d'œuvre** (pl.: ***hors-d'œuvre**) *hors d'œuvre,* 8

un **hôtel** *hotel,* 26

une **hôtesse** *hostess,* 19

Hourra! *Hurray!* 27

huit: un grand huit *roller coaster,* 21

humide *humid,* 27

humoristique *funny, humorous,* 23

humour: un sens de l'humour *sense of humour,* 30

hypocrite *hypocritical,* 30

I

ici *here,* 4; d'ici là *until then,* 40; juste ici *right here,* 4

une **idée** *idea,* 19

identifier *to identify,* 7

identité: une carte d'identité *identification card,* 40; une photo d'identité *passport picture,* 29

il *he,* 2; *it,* 8; il est question (de) *it is a matter (of),* 27; il paraît (que) *they say (that),* 5

une **île** *island,* 1

un **illusionniste** *magician,* 14

illustrer *to illustrate,* 17

ils *they,* 2

il y a *there is (are),* 4; *ago,* 11; il y a du soleil *it's sunny,* 15; il y a longtemps *a long time ago,* 11; Qu'est-ce qu'il y a d'autre? *What else is there?* 14; s'il y en a encore *if there is any left,* 9

une **image** *picture,* 24

imaginaire *imaginary,* 34

imaginer *to imagine,* 19

immatriculé, -e *registered,* 31

immédiatement *right away,* 13

un **immeuble** *apartment building,* 10

impatience: avec impatience *impatiently,* 7

un **imperméable** *raincoat,* 25

important, -e *important,* 28

importe: n'importe qui *anybody,* 39

s' **imposer** *to be essential,* 40

impossible *impossible,* 6

une **impression** *feeling, impression,* 26

impressionnant, -e *impressive,* 18

incroyable *incredible,* 37

indépendant, -e *independent,* 30

un **indicatif (musical)** *chimes,* 19

indiqué, -e *indicated,* 7

indiquer *to indicate,* 33

indiscutablement *indisputably,* 22

indispensable *indispensable,* 28

individuel, -elle *individual,* 27

une **industrie** *industry,* 10

industriel, -ielle *industrial,* 24

inférieur, -e *less than, lower than,* 33

infini, -e *infinite,* 36

une **infirmerie** *infirmary,* 15

un(e) **infirmier (-ière)** *nurse,* 7

l' **influence** (f.) *influence,* 30

informer *to inform,* 40

un **ingénieur** *engineer,* 7; un ingénieur du son *sound engineer,* 14; faire l'ingénieur du son *to be the sound engineer,* 14

l' **ingéniosité** (f.) *cleverness,* 38

une **inscription** *registration,* 40; prendre les inscriptions *to enter the names,* 40

s' **inscrire** *to register,* 29

un **insecte** *insect,* 36

un **insecticide** *insect repellent,* 27

insolite *unusual, strange,* 36

l' **inspiration** (f.) *inspiration,* 23

une **installation** *installation,* 27

installer *to set up,* 14; s'installer *to settle (in, down),* 18

des **instructions** (f.) *directions,* 6

s' **instruire** *to learn,* 24

un **instrument** *instrument,* 14

intact, -e *unspoiled,* 39

intelligent, -e *intelligent,* 4

interdit, -e (de) *forbidden (to),* 36; accès interdit à *entry not allowed,* 40

intéressant, -e *interesting,* 26

intéresser *to interest,* 25; si ça (vous) intéresse *if you are interested,* 25; s'intéresser à *to take an interest in,* 37

intérêt: avoir intérêt à *to be in one's best interest to,* 33

intérieur, -e *house, interior,* 40

intermédiaire *intermediate,* 15

un **interne** *boarding,* 34

un(e) **interprète** *interpreter,* 28

une **interro(gation) écrite** *quiz,* 34

intime *cozy, intimate,* 40

intrigué, -e *intrigued,* 36

inutile *unnecessary,* 37

un(e) **invité(e)** *guest,* 14

inviter *to invite,* 7

invoquer *to invoke,* 34

isolé, -e *secluded,* 40

l' **isolement** (m.) *isolation,* 39

isothermique *isothermic,* 39

Israël (m.) *Israel,* 19

israélien, -ienne *Israeli,* 19

l' **Italie** (f.) *Italy,* 19

italien, -ienne *Italian,* 19

un(e) **Ivoirien (-ienne)** *person from the Ivory Coast,* 34

J

jadis *in the old days,* 16

la **Jamaïque** *Jamaica,* 17

jamais *never,* 7; ne . . . jamais *never,* 7

une **jambe** *leg,* 15

le **jambon** *ham,* 5

janvier (m.) *January,* 12

un **jardin** *garden,* 11; un jardin potager *vegetable garden,* 16

jaune *yellow,* 2

le **javelot** *javelin,* 22

le **jazz** *jazz,* 14

je *I,* 2

un **jean** *jeans,* 9

jeter *to throw,* 17; *to throw (away),* 37; jeter l'ancre *to drop anchor,* 39

un **jeu** (pl.: **-x**) *game,* 3; un jeu de lumière *lighting effects,* 29; un jeu de scène *actor's movements on the stage,* 29

jeudi (m.) *Thursday,* 4

jeune *young,* 16; les jeunes *young people,* 3; un(e) jeune premier (-ière) *leading man, leading lady,* 29; une maison des jeunes *youth center,* 10

jeunesse: une auberge de jeunesse *youth hostel,* 40

un **job** *job,* 26

la **joie** *joy,* 23

joignent: ils se joignent à *they join,* 32

joli, -e *pretty,* 10

une **jonquille** *daffodil,* 36

la **Jordanie** *Jordan,* 31

jouer *to play,* 2; jouer (à) *to play (a sport),* 2, *(a game),* 3; jouer à cache-cache *to play hide and seek,* 21; jouer à pile ou face *to toss a coin,* 10; jouer (de) *to play (an instrument),* 14; se jouer *to be playing,* 38

un **jour** *day,* 4; ce jour-là *that day,* 7; le jour où *the day when,* 4; le plat du jour *today's special,* 38; tous les jours *every day,* 4

un **journal** (pl.: **-aux**) *newspaper,* 5; le journal télévisé *TV news,* 24; un journal de bord *"log," diary,* 18

le **journalisme** *journalism,* 28

un(e) **journaliste** *journalist,* 7

une **journée** *a day,* 5; toute la journée *all day long,* 5

joyeux, -euse *joyous,* 23

joyeusement *merrily,* 32

le **judo** *judo,* 2; faire du judo *to practice judo,* 2

le **jugement** *judgement,* 30

juillet (m.) *July,* 7, 12

juin (m.) *June,* 12

des **jumelles** (f.) *binoculars,* 39

une **jupe** *skirt,* 9; une jupe-culotte *culottes,* 25

un **jus** *juice,* 5

jusqu'à *as far as, until,* 11

juste: juste ici *right here,* 4; juste

un petit mot *just a line,* 16
juteux, -euse *juicy,* 8

K

le **karaté** *karate,* 29
une **kermesse** *fair,* 14
un **kilo** *kilogram,* 8
un **kilomètre** *kilometer,* 17

L

la *the,* 1; *her, it,* 10
là *there,* 20; ce jour-là *that day,* 7; celui-là *that one,* 14; c'est là que *it's where,* 23; là-bas *over there,* 4; là-haut *up on top,* 32; par là *over there,* 17
un **laboratoire** *laboratory,* 4
un **lac** *lake,* 18
laisser *to leave,* 5; *to let,* 16
le **lait** *milk,* 5
un **lambi** *conch,* 17
une **lampe** *lamp,* 33; une lampe de poche *flashlight,* 27
lancer *to throw,* 22; se lancer *to lunge,* 32, *to take on,* 33
une **langouste** *spiny lobster,* 17
une **langue** *language,* 4; la langue *tongue,* 35; une langue vivante *modern language,* 4
un **lapin** *rabbit,* 16
laquelle *which one,* 14
la **largeur** *width,* 33
larguer *to cast,* 39
latin, -e *Latin,* 4
les **Laurentides** *the Laurentian Mountains,* 15
laver *to wash,* 13; se laver *to wash, to get washed,* 13
le *the,* 1; *him, it,* 10
une **leçon** *lesson,* 31; une leçon de conduite *driving lesson,* 31
lecteur: un lecteur de cassette *cassette player,* 31
léger, -ère *light,* 8, 32
légèrement *slightly,* 31
un **légume** *vegetable,* 8
lendemain: le lendemain *on the following day,* 11
lent, -e *slow,* 9
lentement *slowly,* 22
lequel *which one,* 14
les *the,* 3; *them,* 10
lesquels, lesquelles *which ones,* 14
une **lettre** *letter,* 12; du papier à lettres *writing paper,* 23; les lettres (f.) *liberal arts,* 28
leur *their,* 3; *(to, for) them,* 8; leurs *their,* 6; le leur, la leur, les leurs *theirs,* 23
lève: elle lève la main *she raises her hand,* 4

lever *to raise,* 8; se lever *to get up,* 13; lever l'ancre *to weigh anchor, to leave,* 39
lèvre: le rouge à lèvres *lipstick,* 29
libérer *to vacate, to leave,* 40
liberté: en liberté *in the wild,* 24
une **librairie-papeterie** *book and stationery store,* 23
libre *free,* 5; donner libre cours à *to give free expression to,* 36; un libre service *self-service,* 40
la **Libye** *Libya,* 31
liégeois: un café liégeois *coffee ice cream with whipped cream,* 38
un **lieu** *place,* 12; un lieu de rencontres *meeting place,* 29; avoir lieu *to take place,* 9
une **ligne** *line (phone connection),* 6; un pilote de ligne *airline pilot,* 28
une **lime** *file,* 33
limer *to file,* 33
limitation: la limitation de vitesse *speed limit,* 37
la **limonade** *lemon soda,* 5
un **lion** *lion,* 24
lire *to read,* 3
lisent: ils / elles lisent *they read,* 7
lisez *read,* 3
lisse: la corde lisse *rope,* 22
une **liste** *list,* 9, 27
un **lit** *bed,* 35; au lit *in bed,* 35
lit: il / elle lit *he / she reads,* 3
une **litière** *litter,* 16
un **litre** *liter,* 8
une **livraison** *delivery,* 26
un **livre** *book,* 3
une **livre** *pound,* 8
un **local** (m. pl.: **locaux**) *quarters,* 27
local, -e (m. pl.: **locaux**) *local,* 35
un **logement** *room, lodging,* 28
loin (de) *far (from),* 1; au loin *far away,* 32; de loin *by far,* 39; plus loin *farther on,* 20
lointain, -e *far away,* 24
les **loisirs** (m.) *leisure-time activities,* 38
Londres *London,* 19
long, longue *long,* 9; le long de *along,* 32
longer *to run along,* 27
longtemps *a long time,* 11
la **longueur** *length,* 33; 1 m de longueur *1 meter long,* 33; le saut en longueur *long jump,* 22
lors de *at the time of,* 22
lorsque *when,* 36
la **loterie** *lottery, raffle,* 21
louer *to rent,* 15
luge: faire de la luge *to go sledding,* 32
lui *him,* 1; *(to, for) him / her,* 8

une **lumière** *light,* 34, 37; un jeu de lumière *lighting effects,* 29
lundi (m.) *Monday,* 4; le lundi *on Mondays,* 4
les **lunettes** (f.) *eyeglasses,* 7; *goggles,* 15
lutter *to struggle,* 27
un **lycée** *high school,* 7, 26; un lycée d'état *public high school,* 34
un(e) **lycéen (-éenne)** *high-school student,* 26, 28

M

mâché: le papier mâché *papier-mâché,* 29
une **machine** *machine,* 21
un **maçon** *bricklayer,* 33
madame (Mme) *Mrs.,* 4
un **magasin** *store,* 13; un magasin d'alimentation *grocery store,* 26
un **magnéto(phone)** *tape recorder,* 14
magnifique *magnificent,* 17
mai (m.) *May,* 12
maigre *thin,* 29
un **maillot de bain** *bathing suit,* 17
une **main** *hand,* 4, 22; en mains *in hand,* 19; lever la main *to raise one's hand,* 4
maintenant *now,* 4
maintenir *to hold down,* 28
une **mairie** *town hall,* 10
mais *but,* 3; mais si *of course we are,* 2
le **maïs** *corn,* 16
une **maison** *house,* 1; à la maison *(at) home,* 5; une maison des jeunes *youth center,* 10; une maison magique *fun house,* 21
maître: un maître de ballet *ballet director,* 28; un maître-nageur *lifeguard,* 26; se rendre maître de *to take possession of,* 26
mal *badly,* 3; avoir du mal (à) *to have difficulty (in),* 27; avoir mal (à) *to hurt,* 15; avoir mal à la gorge *to have a sore throat,* 35; avoir mal à la tête *to have a headache,* 35; avoir mal au cœur *to feel nauseated,* 35; avoir mal au ventre *to have a stomachache,* 35; avoir mal aux dents *to have a toothache,* 35; faire mal *to hurt,* 35; se faire mal (à) *to hurt,* 15; pas mal (f. & pl.: pas mal) *good-looking,* 25; pas mal de *quite a bit of,* 26; tout va mal *everything's going wrong,* 9
un(e) **malade** *patient,* 28
malade *sick,* 35
une **maladie** *disease, sickness,* 35
le **mal de mer** *seasickness,* 21; avoir le mal de mer *to be seasick,* 21

malgré *in spite of*, 10

malheureusement *unfortunately*, 11

malin, maligne *cunning, clever*, 39

maman *mom, mother*, 7; Maman! *Somebody help me!* 21

manchette: un bouton de manchette (pl.: boutons de manchette) *cufflink*, 23

un mandat *money order*, 34

un manège *a ride*, 21

manger *to eat*, 5; donner à manger *to feed*, 16; une salle à manger *dining room*, 10

manifester *to display*, 32

le manioc *manioc*, 34

une manoeuvre *maneuver*, 31

manoeuvrer *to maneuver*, 27

manquer *to lack*, 13; *to miss*, 34; rien ne manque *nothing is missing*, 13; sa famille lui manque *he misses his family*, 34

un manteau *coat*, 25

manuel, -elle *manual*, 33; les activités manuelles (f.) *arts and crafts*, 29

une maquette *model*, 3

le maquillage *makeup*, 29

se maquiller *to put on makeup*, 13

un(e) marchand(e) *salesman, saleswoman*, 8; *merchant*, 25

marchande: une galerie marchande *shopping arcade*, 23

marchander *to bargain*, 20

une marchandise *goods*, 26

la marche *walk*, 36; se mettre en marche *to start walking*, 36

un marché *market*, 8; le Marché aux Fleurs *the Flower Market*, 8

marcher *to work, to function*, 9; *to walk*, 19

mardi (m.) *Tuesday*, 4

une marguerite *daisy*, 36

un mariage *wedding*, 14

se marier *to get married*, 21

un marin *sailor*, 39

une marionnette *puppet*, 29

une marmite *pot*, 20

le Maroc *Morocco*, 19

marocain, -e *Moroccan*, 19

une maroquinerie *leather-goods store*, 23

une marque *brand, make*, 31; A vos marques, prêts, partez! *On your marks, get set, go!* 22

marquer *to mark down*, 3; marquer les points *to keep score*, 3

marron (f. & pl.: marron) *brown*, 2

mars (m.) *March*, 12

un marteau (pl.: -x) *hammer*, 33

un(e) Martiniquais(e) *person from Martinique*, 17

la Martinique *Martinique*, 1

le mascara *mascara*, 29

un masque *mask*, 17

masqué, -e *masked*, 34

un massif *massif, mountainous area*, 40

un match *game*, 2

un matelas pneumatique *air mattress*, 39

le matériel *equipment*, 27

les mathématiques (m.) *mathematics*, 17

les maths (m.) *math*, 4

une matière *subject*, 4

le matin *morning*, 4

une matinée *morning*, 13

mauvais, -e *poor, bad*, 4; il fait mauvais *the weather is bad*, 15

le maximum *maximum*, 39

me *(to, for) me*, 10; *myself*, 13

un mécanicien *mechanic*, 31

une mèche *lock of hair*, 33

un médecin *doctor*, 7

la médecine *medicine*, 28

un médicament *medicine*, 35

une médina *medina (old part of an Arab city)*, 20

une méduse *jelly fish*, 17

meilleur, -e *better*, 22; la meilleure de *the best in*, 22; meilleures pensées *(lit.) best thoughts*, 12; meilleurs souvenirs *regards*, 12; rien de meilleur *nothing better*, 36

un mélo (drame) *melodrama*, 38

un melon *melon*, 8

un membre *member*, 14

même *same*, 10; *even*, 26; *self*, 27; en même temps *at the same time*, 13; tout de même *all the same*, 11, *nevertheless*, 34

mémoire: un trou de mémoire *memory lapse*, 29

menacer *to threaten*, 37

ménage: faire le ménage *to clean, to do housework*, 26; une femme de ménage *cleaning lady*, 26

mener *to lead*, 34

menteur, -euse *liar*, 10

le menton *chin*, 22

un menu *menu*, 27; le menu fixed-price dinner, 38

un menuisier *carpenter*, 33

la mer *sea*, 1; la mer des Caraïbes *Caribbean Sea*, 1; au bord de la mer *at the shore*, 17; avoir le mal de mer *to be seasick*, 21; une étoile de mer *starfish*, 39

merci *thanks, thank you*, 4

mercredi (m.) *Wednesday*, 4

une mère *mother*, 7

mérité, -e *deserved*, 22

mériter *to deserve*, 39

un mérou *grouper*, 39

mes *my*, 7

mesurer *to measure*, 22

un métal (pl.: -aux) *metal*, 33

la météo *weather report*, 15

météorologique: un bulletin météorologique *weather report*, 39

un métier *craft, trade*, 20

un mètre *meter*, 12; *measuring stick*, 33; le 100 m *100-meter dash*, 22

le métro *subway*, 13

metteur: un metteur en scène *director*, 29

mettre *to put (on), to wear*, 9; mettre au courant de *to bring up to date on*, 37; mettre au point *to set straight*, 32; mettre la table *to set the table*, 8; mettre la télévision *to turn on the TV*, 24; mettre le couvert *to set the table*, 26; mettre une demi-heure *to take a half hour*, 13

se mettre à *to start*, 27; se mettre en marche *to start walking*, 36; se mettre en train *to warm up*, 22

un meuble *piece of furniture*, 29

mi-chemin: à mi-chemin *halfway*, 27

un micro(phone) *microphone*, 14

midi *noon*, 4

le mien, la mienne, les miens, les miennes *mine*, 23

mieux *better*, 2; aimer mieux *to prefer*, 2; le mieux *best*, 4

le milieu *middle*, 27

mille: en plein dans le mille *right in the bull's-eye*, 21

un millier *thousand*, 25

un(e) millionnaire *millionaire*, 37

minéral: l'eau minérale (f.) *mineral water*, 5

un mini-bar roulant *beverage cart*, 40

un mini-bus *mini-bus*, 31

minimum *minimum*, 33

minuit *midnight*, 4

minuscule *minute*, 36

une minute *minute*, 5; la minute de vérité *the moment of truth*, 38; réglé à la minute *timed to the second*, 26

mise: la mise à l'eau *putting (the canoes) in the water*, 27; une mise au point *adjustment*, 29; une mise en plis *hair set*, 33; une mise en scène *staging*, 38; une mise en train *warm-up*, 22

mitrailler *to shoot*, 36

mixte *coed*, 29

Mlle *Miss*, 4

Mme *Mrs.*, 4

une mobylette *moped*, 26

la mode *fashion*, 25; à la mode *fashionable, in style*, 25

un **modèle** *model*, 13
modéré, -e *moderate*, 40
moderne *modern*, 10
modeste *modest*, 30
la **modestie** *modesty*, 36
modique *moderate*, 40
modulation: une radio modulation de fréquence *FM radio*, 31
moi *me*, 1
moins *less*, 4; *below (zero)*, 15; moins le quart *quarter to / of (the hour)*, 4; moins . . . que *less . . . than*, 22; à moins que *unless*, 34; au moins *at least*, 13, *unless*, 34; le / la / les moins . . . (de) *the least . . . (in)*, 22
un **mois** *month*, 7, 12
la **moisson** *harvest*, 16; faire la moisson *to harvest*, 16
une **moitié** *half*, 27
molle: mou, molle *weak, limp*, 21
un **moment** *moment, time*, 31; au bon moment *at the right time*, 28; en ce moment *now*, 9
mon *my*, 7
le **monde** *world*, 17; *crowd*, 32; faire le tour du monde *to go around the world*, 24; un monde fou *a lot of people*, 32; tout le monde *everybody*, 4
un(e) **moniteur (-trice)** *(ski) instructor*, 15; *(camp) counselor*, 26
le **monopoly** *Monopoly*, 3
la **monnaie** *change*, 26; une pièce de monnaie *coin*, 3
monsieur (M.) *Mr.*, 4
une **montagne** *mountain*, 15
le **montant** *amount*, 40
monter *to go up*, 10; *to take up*, 11; monter en voiture *to get into a car*, 28; monter un cheval *to ride a horse*, 16; monter une pièce *to put on a play*, 29; monter une tente *to pitch a tent*, 27
une **montre** *watch*, 23
montrer *to show*, 7
un **monument** *monument, landmark*, 11
un **morceau** (pl.: **-x**) *piece, number*, 14
se **mordre** *to bite*, 35
une **morille** *morel (mushroom)*, 40
mort: faire le mort *to play dead*, 29; le point mort *neutral*, 31
un **mot** *word*, 4; écrire un petit mot *to write a little something*, 23; juste un petit mot . . . *just a line . . .* , 16
un **moteur** *engine*, 31; un bateau à moteur *motorboat*, 39
une **moto** *motorcycle*, 3
un(e) **motocycliste** *motorcyclist*, 31
motoneige: faire de la motoneige *to ride a snowmobile*, 32

mou, molle *weak, limp*, 21
un **mouchoir** *handkerchief*, 23
mouillé, -e *wet*, 27
un **moulin** *mill*, 37
mourir: mourir de faim *to be starving*, 40
une **mousse au chocolat** *chocolate mousse*, 8
une **moustiquaire** *mosquito net*, 34
un **moustique** *mosquito*, 27
la **moutarde** *mustard*, 8
un **mouton** *sheep*, 16; le mouton *lamb*, 20
un **mouvement** *movement*, 29
un **moyen** *means, way*, 36
moyenne: de taille moyenne *of medium height*, 7
le **muguet** *lily of the valley*, 36
multicolore *many-colored*, 17
un **mur** *wall*, 16
mûr, -e *ripe*, 8
une **mûre** *blackberry*, 16
une **murène** *moray eel*, 17
un **musée** *museum*, 11
musical, -e (m.pl.:**-aux**) *musical*, 38
un **music-hall** *music hall*, 38
un(e) **musicien (-ienne)** *musician*, 14
la **musique** *music*, 4; la musique folk *folk music*, 14; la musique pop *pop music*, 14
un **myosotis** *forget-me-not*, 36

N

nacelle: Arrête de faire tanguer la nacelle! *Stop making the car swing!* 21
nager *to swim*, 17
un(e) **nageur (-euse)** *swimmer*, 39; un maître nageur *lifeguard*, 26
une **naissance** *birth*, 17
la **natation** *swimming*, 2
national, -e (m.pl.: **-aux**) *national*, 24
une **nationalité** *nationality*, 19
la **nature** *nature*, 24
naturel, -elle *natural*, 24
nautique: le ski nautique *water skiing*, 39
un **navire** *ship*, 32
ne: ne... aucun, -e *no, not any*, 36; ne... jamais *never*, 7; ne... ni... ni *neither... nor...*, 5; ne... pas *not*, 3; ne... personne *nobody, not... anybody*, 13; ne... plus *no more, not... any more*, 5; ne... rien *nothing, not... anything*, 7; aucun, -e... ne *no, not any*, 36; personne ne... *nobody...*, 13; rien ne... *nothing...*, 13
né, -e: je suis né, -e *I was born*, 21
néanmoins *however*, 36
néant *zero*, 39
le **nécessaire** *what is needed*, 37
nécessaire *necessary*, 34

une **négotiation** *negotiation*, 30
la **neige** *snow*, 15; faire un bonhomme de neige *to build a snowman*, 32; une boule de neige *snowball*, 32
neiger *to snow*, 15
un **nerf** *nerve*, 35
nerveux, -euse *nervous*, 31; *with a good pickup*, 31
n'est-ce pas? *isn't it?* 1
net, nette *sharp*, 36
nettement *definitely*, 26
un **nettoyage** *cleanup*, 37
nettoyer *to clean*, 26, 37
neuf, neuve *new*, 31
le **nez** *nose*, 22
noble *noble*, 29
un **nœud** *knot*, 39; la corde à nœuds *knotted rope*, 22
noir, -e *black*, 2
une **noisette** *hazelnut*, 16; la noisette *hazelnut (flavor)*, 5
un **nom** *name*, 4
un **nombre** *number*, 1
nombreux, -euse *many*, 33
non *no*, 1
le **nord** *north*, 17; au nord (de) *north (of)*, 15
nordique *nordic*, 32
normal, -e (m. pl.: **-aux**) *normal*, 35
normalement *theoretically*, 40
la **Norvège** *Norway*, 31
un **notaire** *notary*, 30
nos *our*, 7
une **note** *grade*, 4
noter *to write down*, 18; à noter *to be noted*, 22
notre *our*, 7
le **nôtre, la nôtre, les nôtres** *ours*, 18, 23
noué, -e *knotted*, 18
la **nourriture** *food*, 9
nous *we*, 2; *us*, 5; *(to / for) us*, 10; *ourselves*, 13
un **nouveau, une nouvelle** *a new boy, a new girl*, 4
nouveau, nouvel, nouvelle, nouveaux, nouvelles *new*, 16
les **nouveautés** (f.) *new collection*, 25
des **nouvelles** (f.) *news*, 12; donner de ses nouvelles *to tell how one's doing*, 16
novembre (m.) *November*, 12
un(e) **novice** *beginner*, 15
novice *beginning*, 15
un **noyer** *walnut tree*, 16
un **nuage** *cloud*, 39
la **nuit** *night*, 18; Bonne nuit! *Good night!* 13; faire nuit *to get dark*, 27
un **numéro** *number*, 4; faire le numéro *to dial the number*, 6; Quel numéro demandez-vous? *What number do you want?* 6

la **nuque** *nape*, 33
nus: pieds-nus *barefoot*, 18

O

un **objectif** *lens*, 36; un objectif grand angle *wide-angle lens*, 36
un **objet** *object*, 29; un objet de toilette *toilet article*, 13
obligatoire *compulsory*, 34
obligé, -e *obliged*, 28
observer *to observe*, 36
obtenir *to obtain, to get*, 26
une **occasion** *opportunity, occasion*, 12; à l'occasion de *on the occasion of*, 34; d'occasion *used, second-hand*, 31
occidental, -e (m. pl.: **-aux**) *western*, 24
une **occupation** *occupation*, 7
occupé, -e *occupied, busy*, 6
s' **occuper (de)** *to take care of, to wait on*, 13
octobre (m.) *October*, 12
un **œil** (pl.: **yeux**) *eye*, 12
un **œuf** *egg*, 8
offert, -e *offered*, 12
officiel, -ielle *official*, 24
offre: qui offre *who offers*, 26
offrons: nous offrons *we offer*, 29
un **oiseau** (pl.: **-x**) *bird*, 7; le chant des oiseaux *birdcalls*, 7
l' **ombre** (f.) *shade*, 17; à l'ombre *in the shade*, 17
une **omelette** *omelet*, 8
on *one, people, they, we*, 2; On y va! *Let's go!* 15; où l'on = où on, 24
un **oncle** *uncle*, 7
un **opéra** *opera*, 38
une **opération** *operation*, 28; *procedure*, 33
opérer *to operate*, 28
opposé, -e *opposite*, 33
l' **or** (m.) *gold*, 23; en or *made of gold*, 23, 28; *golden*, 28
un **orage** *thunderstorm*, 39
une **orange** *an orange*, 8
orange (f. & pl.: **orange**) *orange*, 2
l' **orchestre** (m.) *orchestra*, 38
une **ordonnance** *prescription*, 35; faire une ordonnance *to write a prescription*, 35
l' **ordre** (m.) *order*, 9
les **ordures** (f.) *garbage*, 7
une **oreille** *ear*, 22; une boucle d'oreille (pl.: boucles d'oreille) *earring*, 23
un **oreiller** *pillow*, 40
les **oreillons** (m.) *mumps*, 35
un **orfèvre** *craftsperson in precious metals*, 20
une **organisation** *organization*, 27
organiser *to organize*, 25

un **orgue** *organ*, 14
l' **orientation** *orientation*, 28
original, -e (m. pl.: **-aux**) *original*, 23
un(e) **orphelin(e)** *orphan*, 38
l' **orthographe** (f.) *spelling*, 4; une faute d'orthographe *spelling mistake*, 4
ou *or*, 1; ou bien *or else*, 38
où *where*, 1; où l'on = où on, 24
ouais *yeah*, 25
oublier *to forget*, 8, 24
l' **ouest** (m.) *west*, 17
Ouf! *Phew!* 27
oui *yes*, 1
le **ouolof** *Wolof*, 19
un **oursin** *sea urchin*, 17
un **outil** *tool*, 33
ouvert, -e *open*, 13
ouvrant: un toit ouvrant *sunroof*, 31
un **ouvre-boîtes** (pl.: **ouvre-boîtes**) *can opener*, 27
un **ouvre-bouteilles** (pl.: **ouvre-bouteilles**) *bottle opener*, 27
ouvrez *open*, 4; ouvrez bien *open wide*, 35
un(e) **ouvrier (-ière)** *factory worker*, 7
ouvrir *to open*, 25
ovale *oval*, 2

P

une **page** *page*, 4; à la page 32 *on page 32*, 4
la **paille** *straw*, 16
le **pain** *bread*, 8; du pain sur la planche *plenty to do*, 37; un pain de sucre *sugar loaf*, 32; une tartine de pain *slice of bread (with butter and / or jam on it)*, 13
un **palais** *palace*, 12
un **palier** *landing*, 10
une **palme** *flipper*, 17
un **pamplemousse** *grapefruit*, 8; un jus de pamplemousse *grapefruit juice*, 5
un **panier** *basket*, 2; *colander*, 20
panique: Pas de panique! *Don't panic!* 21
un **panneau** *sign*, 40
un **pansement** *dressing*, 28
un **pantalon** *pants*, 9; un pantalon de ski *ski pants*, 15
une **panthère** *panther*, 24
une **pantomime** *pantomime*, 38
papa *dad, daddy*, 7; une barbe à papa *cotton candy*, 21
papeterie: une librairie-papeterie *book and stationery store*, 23
le **papier** *paper*, 23; le papier à lettres *writing paper*, 23; le papier de verre *sandpaper*, 33; le papier mâché *papier-mâché*, 29;

une photo sur papier *print*, 36
par *with*, 4; *by*, 7; *per*, 32; par conséquent *consequently*, 10; par correspondance *in writing*, 19; par exemple *for instance, for example*, 3; par là *over there*, 17; par terre *on the ground*, 18; sept jours par semaine *seven days a week*, 26
un **paragraphe** *paragraph*, 16
paraît: il paraît (que) *they say (that), it seems (that)*, 5
un **parasol** *beach umbrella*, 39
un **parc** *park*, 10
parce que *because*, 2
parcourir *to go through*, 30
pardon *excuse me*, 19
pareille: une chose pareille *such a thing*, 12
les **parents** *parents*, 7
paresseux, -euse *lazy*, 4
parfait, -e *perfect*, 15
parfois *sometimes*, 26
le **parfum** *perfume*, 23
une **parfumerie** *perfume shop*, 23
parier *to bet*, 19
parler *to talk, to speak*, 2
parmi *among*, 19
parole: avoir la parole *to be one's turn to speak*, 27; donner la parole à *to call upon (someone) to speak*, 27
part: quelque part *somewhere*, 37
partager *to share*, 13
un(e) **partenaire** *partner*, 29
participer (à) *to take part (in)*, 22
particulièrement *especially*, 22
une **partie** *game*, 7; *part*, 22; faire partie (de) *to be part (of)*, 10; faire une partie de ballon *to play ball*, 39
partir *to leave*, 5; à partir de *from*, 29; (le / la / les) voilà parti(e)(s) *there (he / she / they) go*, 32
partout *everywhere*, 9
pas: à deux pas de *a few feet from*, 3
pas *not*, 2; pas de chance *no luck*, 6; pas du tout *not at all*, 25; pas encore *not yet*, 9; pas . . . grand-chose *not much*, 26; pas mal (f. & pl.: pas mal) *good-looking*, 25; pas mal de *quite a bit of*, 26; ne . . . pas *not*, 3
un **passage** *passage*, 18
un(e) **passager (-ère)** *passenger*, 19
une **passe** *pass*, 27
passé: comment ça s'est passé *how did it go*, 35
passer *to spend (time)*, 3; *to pass*, 8; to pass by, 10; *to take*, 28; *to shift*, 31; passer en première *to go into first (gear)*, 31; passer l'aspirateur *to vacuum*, 26;

passer un coup de fil *to telephone*, 31; se **passer** *to happen, to take place*, 31

un **passe-temps** (pl.: **passe-temps**) *pastime*, 3

une **passion** *passion*, 36

passionnant, -e *exciting*, 38

passionné, -e *enthusiastic*, 10

se **passionner** *to have a passion*, 34

une **patate** *potato*, 27

la **pâte** *clay*, 29

le **pâté** *pâté*, 5

des **pâtes** (f.) *noodles*, 8

la **patience** *patience*, 26

patin à glace: faire du patin à glace *to ice-skate*, 32

une **patinoire** *skating rink*, 5

un(e) **patron(ne)** *boss*, 13

payant, -e *not free*, 40

payé, -e *paid*, 28

payer *to pay*, 5

un **pays** *country*, 19

un **paysage** *landscape*, 24

un(e) **paysan(ne)** *countryman, countrywoman*, 36

les **Pays-Bas** (m.) *Netherlands*, 31

un **péage** *toll*, 40

la **peau** *skin*, 39

une **pêche** *peach*, 8

la **pêche** *fishing*, 17; faire la pêche *to go fishing*, 17

pêcher *to fish*, 17

un **pêcheur** *fisherman*, 17

un **peigne** *comb*, 13; se donner un coup de peigne *to comb one's hair*, 13

peigner *to comb*, 24

peine: à peine *hardly*, 16; ça n'est pas la peine (de) *there is no point (in)*, 30

un **peintre** *painter*, 24; un peintre en bâtiment *housepainter*, 33

la **peinture** *painting*, 29; *paint*, 33

peler *to peel, to pull the skin away*, 20

une **pellicule** *roll of film*, 36

une **pelouse** *lawn*, 7

pendant *during*, 6; pendant que *while*, 25

la **pénicilline** *penicillin*, 35

pensées: meilleures pensées *(lit.) best thoughts*, 12

penser (à) *to think (of)*, 34; je pense bien *of course*, 19

la **pension** *meal plan*, 40; la pension complète *room with three meals a day*, 40

une **pente** *slope*, 15

pépins: avoir des pépins *to have trouble*, 31

perché, -e *perched*, 18

perdre *to lose*, 9; perdre courage *to get lazy*, 13

perdu: du temps de perdu *wasted time*, 34

un **père** *father*, 7; de père en fils *from father to son*, 34

la **perfection** *perfection*, 28; à la perfection *to perfection*, 29

une **performance** *performance*, 22

périlleux: un saut périlleux *somersault*, 22

une **perle** *pearl*, 17

une **permanente** *permanent*, 33

permettre *to allow*, 30

permis: le permis de conduire *driver's license*, 31

la **permission** *permission*, 24

perpétuel, -elle *constant*, 17

un **perroquet** *parrot*, 29

une **perruque** *wig*, 29

un **personnage** *character*, 29

personne *nobody*, 13; personne ne . . . *nobody*, 13; ne . . . personne *nobody, not . . . anybody*, 13

personnel, -elle *personal*, 22

le **personnel** *staff*, 26

une **pervenche** *periwinkle*, 36

un **pesticide** *pesticide*, 37

pétillant, -e *bubbly, sparkling*, 24

petit, -e *little, small*, 1; *short*, 7; le petit déjeuner *breakfast*, 8; un(e) petit(e) ami(e) *boyfriend, girlfriend*, 30; une petite cuillère *a teaspoon*, 8

un **peu** *a little*, 4; un peu (de) *a little (of)*, 8; à peu près *approximately*, 27

peur: avoir peur (de) *to be afraid (of)*, 21

peut: il / elle peut *he / she can*, 3

peut-être *maybe*, 3; peut-être que . . . , *maybe . . .*, 24

peuvent: ils / elles peuvent *they can*, 7

un **phare** *lighthouse*, 39

la **pharmacie** *drugstore*, 10

un(e) **pharmacien (-ienne)** *druggist, pharmacist*, 28

une **photo** *photograph, picture*, 3; une photo d'identité *passport picture*, 29; une photo sur papier print, 36; faire de la photo *to take pictures*, 3; faire une photo *to take a picture*, 36

un(e) **photographe** *photographer*, 3

la **photographie** *photography*, 36

photographier *to photograph*, 36

une **phrase** *sentence*, 5

physique *physical*, 26

un(e) **pianiste** *pianist*, 14

le **piano** *piano*, 7

une **pièce** *coin*, 3; *room*, 10; *play*, 29; une pièce à eux *their own room*, 9

pièce: 1 F la pièce *1 F each*, 8

un **pied** *foot*, 22; à pied *on foot*, 13; aller à pied *to walk*, 13; les pieds en dedans *pigeon-toed*, 29; pieds-nus *barefoot*, 18; Quel pied! *It's a real killer!* 38

une **pierre** *stone*, 37; *rock*, 39

un **piéton** *pedestrian*, 31

une **pieuvre** *octopus*, 17, 39

un **pigeon** *pigeon*, 13

pile *on the dot*, 26; jouer à pile ou face *to toss a coin*, 10

piler *to pound*, 34

un(e) **pilote (de ligne)** *(airline) pilot*, 28

piloter *to steer*, 39

un **pin** *pine tree*, 18

une **pince** *pair of pliers*, 33

un **pinceau** *paintbrush*, 33

un **pincement** *pinching*, 36; un pincement au cœur *lump in one's throat*, 36

le **ping-pong** *Ping-Pong*, 2

piocher *to dig*, 37

un **pionnier** *boy scout*, 27

un **piquant** *spine*, 17

un **pique-nique** *picnic*, 18; faire une pique-nique *to have a picnic*, 36

pique-niquer *to have a picnic*, 20

une **piqûre** *injection*, 35; faire une piqûre *to give an injection*, 35

un **pirate** *pirate*, 29

pis: tant pis *too bad*, 9

une **piscine** *swimming pool*, 5

la **pistache** *pistachio (flavor)*, 5

une **piste** *(ski) trail*, 15

un **pistolet** *pistol*, 29

la **pitié** *pity*, 30

pittoresque *picturesque*, 17

un **placard** *closet*, 37

une **place** *square*, 11; *seat*, 29; *space, room*, 29; à la place de *in place of*, 16; elle a pris la 2e place *she came in second*, 22; en place *in place, neat*, 13; réservez votre place, assise ou couchée *make your reservation for coach or sleeping car*, 40

se **placer** *to put oneself*, 28

une **plage** *beach*, 3

se **plaindre** *to complain*, 26

une **plaine** *plain*, 17

plaire (à) *to please*, 23; Ça plaît toujours. *That always goes over.* 14; s'il te plaît, s'il vous plaît *please*, 4

plaisir: avoir le plaisir (de) *to be pleased (to)*, 14; faire plaisir (à) *to please*, 11

un **plan** *map*, 10

une **planche** *board*, 33

planter *to plant*, 16

une **plaque** *plaque*, 31; *plate*, 33

le **plastique** *plastic*, 32

un **plat** *dish*, 8; un plat garni *meat and vegetable plate*, 40; le plat du jour *today's special*, 38

plat, -e *flat*, 27; à plat ventre *flat on one's face*, 36

un **plateau** (pl.: **-x**) *platter,* 20
le **plâtre** *plaster cast,* 35
plein, -e *full,* 17; plein de *a lot of,* 27; en plein air *outside,* 13; en pleine effervescence *bustling with activity,* 25; en pleine expansion *booming,* 24; en pleine forme *in the peak of condition,* 21
pleurer *to cry,* 27
pleuvoir *to rain,* 15; il pleut *it's raining,* 15
plier *to bend,* 22
plis: une mise en plis *hair set,* 33
un **plombage** *filling,* 35
un **plombier** *plumber,* 33
plomb: une ceinture de plomb *weight belt,* 39
plongeant, -e *diving,* 12
la **plongée** *diving,* 39
plonger *to dive,* 17
un(e) **plongeur** (**-euse**) *dishwasher,* 26; *diver,* 39
la **plupart** (**de**) *most (of),* 37
le **pluriel** *plural,* 6
plus: au plus *at the most,* 25; de plus en plus *more and more,* 39; en plus (de) *in addition (to),* 17; le / la / les plus . . . (de) *the most . . . (in),* 22; le plus vite possible *as soon as possible,* 35; ne . . . plus *no . . . more, not . . . any more,* 5; plus (de) *more (than),* 26; plus . . . que *more . . . than,* 22
plusieurs *several,* 29; *many,* 40
plutôt *rather, instead,* 16
pneumatique: un matelas pneumatique *air mattress,* 39
poche: l'argent de poche *allowance,* 23; une lampe de poche *flashlight,* 27
une **poêle** *frying pan,* 27
la **poésie** *poetry,* 38
le **poids** *shot,* 22
un **poignard** *dagger,* 39
un **point** *point,* 3; un point de départ *starting point,* 17; un point de vue *lookout,* 36; le point mort *neutral,* 31; à point *medium,* 38; mettre au point *to set straight,* 32, sur le point de *on the verge of,* 39; une mise au point *adjustment,* 29
pointu, -e *pointed,* 29
une **pointure** *size,* 25
une **poire** *pear,* 8
le **poisson** *fish,* 8; un poisson-ange *angel fish,* 17; un poisson-clown *clown fish,* 17; un poisson volant *flying fish,* 17
les **Poissons** *Pisces,* 21
la **poitrine** *chest,* 22
le **poivre** *pepper,* 8
un **poivron doux** *green pepper,* 20
policier, -ière *detective,* 5
la **politique** *politics,* 30

politique: un homme politique *politician,* 37
polluer *to pollute,* 37
la **pollution** *pollution,* 37
un **polo** *polo shirt,* 9
la **Pologne** *Poland,* 31
polyvalent, -e *comprehensive,* 22
une **pomme** *apple,* 8
une **pomme de terre** *potato,* 8
pommes: tomber dans les pommes *to faint,* 35
une **pompe** *pump,* 18
un(e) **pompiste** *gas pump attendant,* 26
un **pont** *bridge,* 11
la **population** *population,* 24
le **porc** *pork,* 8; une côtelette de porc *pork chop,* 8
un **port** *port,* 7
portage: faire du portage *to carry the boats overland,* 27
une **porte** *gate,* 19; *door,* 37
un **porte-clés** (pl.: **porte-clés**) *key ring,* 23
un **porte-couteau** (pl.: **porte-couteaux**) *knife-rest,* 8
un **porte-documents** (pl.: **porte-documents**) *portfolio,* 23
un **portefeuille** *wallet,* 20
un **porte-monnaie** (pl.: **porte-monnaie**) *change purse,* 23
porter *to wear,* 7; *to carry,* 26; *to bear,* 36
le **Portugal** *Portugal,* 19
le **portugais** *Portuguese,* 19
portugais, -e *Portuguese,* 19
posé, -e *resting,* 39
poser: poser des colles *to quiz,* 19; poser des questions *ask questions,* 7
possible *possible,* 25
postal: le code postal *the zip code,* 12
un **poste** *television set,* 24; *position,* 28; allumer le poste *to turn on the TV set,* 24; éteindre le poste *to turn off the TV set,* 24
une **poste** *post office,* 10
une **posture** *attitude,* 29
un **pot** *jar, pot,* 8; un pot de moutarde *jar of mustard,* 8
potager: un jardin potager *vegetable garden,* 20
une **poterie** *piece of pottery,* 20
un **potier** *potter,* 20
un **pouce** *inch,* 22
un **pouf** *hassock,* 20
un **poulain** *colt,* 28
une **poule** *hen,* 16
un **poulet** *chicken,* 8
pour *for,* 3
un **pourboire** *tip,* 5
pourquoi *why,* 2
poursuite: à la poursuite de *chasing,* 34

poursuivre *to go after,* 17
pourtant *after all,* 37
pourvu que *provided that,* 34
pousser *to push,* 27
la **poussière** *dust,* 37
la **poutre** *balance beam,* 22; une poutre *beam,* 37
pouvoir *can, to be able to,* 17
pratique *practical,* 24
pratiquement *practically,* 26
un **pré** *meadow,* 16
précisément *precisely,* 32
préciser *to specify,* 40
la **précision** *precision,* 34; pour plus de précision *to be more exact,* 34
prédire *to predict,* 21
préféré, -e *favorite,* 14
préférer *to prefer,* 14
premier, -ière *first,* 10; en premier *first,* 31; passer en première *to go into first (gear),* 31; une trousse de premiers soins *first-aid kit,* 27; un jeune premier, une jeune première *leading man, leading lady,* 29
prendre *to take,* 8; prendre des forces *to build up one's strength,* 40; prendre son élan *to take a running start,* 22; prendre un bain de soleil *to sunbathe,* 39; prendre une inscription *to enter a name,* 40
un **prénom** *first name,* 30
préoccuper *to preoccupy, to worry,* 37
des **préparatifs** (m.) *preparations,* 23
préparer *to get ready, to prepare,* 6; se préparer *to get ready,* 15
près de *near,* 1; à peu près *approximately,* 27; de près *closely,* 32
prescrire *to prescribe,* 35
le **présent** *the present,* 34
la **présentation** *appearance,* 4
présenter (à) *to introduce (to),* 10; *to present,* 14; se présenter (à) *to enter,* 22
presque *almost,* 1
une **presqu'île** *peninsula,* 17
pressé, -e *busy, in a hurry,* 6
se **presser** *to press, to crowd,* 32
prêt, -e *ready,* 5; fin prêt *all ready,* 39
prêter (à) *to lend (to),* 23
prétexte: sous prétexte *with the excuse of,* 16
prévu, -e *forecast,* 39
primaire *elementary,* 17
un(e) **prince(sse)** *prince, princess,* 12
principal, -e *main,* 8, 26
principe: en principe *theoretically,* 26
le **printemps** *spring,* 15; au printemps *in the spring,* 15

la **priorité** *right of way,* 31
un **prix** *cost, price,* 6; *prize,* 36
un **problème** *problem,* 6
  prochain, -e *next,* 22
un **produit** *product,* 33; un produit
  de beauté *cosmetic,* 25
un **prof(esseur)** *teacher,* 4
une **profession** *profession,* 7
  professionnel, -elle *professional,*
  32
  profiter (de) *to take advantage (of),*
  36
  profond, -e *deep, deeply,* 39
un **programme** *listing,* 5; *program,*
  14; *schedule,* 32
  progressivement *gradually,* 33
un **projecteur** *floodlight,* 29; *pro-*
  jector, 36
un **projet** *project,* 17; *plan,* 34
  projeter *to project,* 36
une **promenade** *walk,* 7; faire une
  promenade *to take a jaunt,* 11
se **promener** *to walk,* 13
un(e) **promeneur (-euse)** *stroller,* 36
  promettre *to promise,* 31
  proposer *to suggest,* 7
  propre *clean,* 8; *one's own,* 15
une **propriété** *estate,* 37
un **prospectus** *brochure,* 28
  provenance: en provenance de
  from, coming from, 19
  provençal, -e *from Provence,* 8
une **province** *province,* 32
des **provisions** (f.) *grocery supplies,*
  8; *supplies,* 27
  prudent, -e *careful,* 31
le **public** *audience,* 38
une **pub(licité)** *commercial,* 24
  puis *then,* 6
  puisque *since,* 26
un **pull(-over)** *pullover,* 9

Q

un **quai** *bank,* 11; *pier,* 39; *platform,*
  40
  qualifié, -e *qualified,* 28
une **qualité** *quality,* 30
  quand *when,* 5; quand même
  anyway, 15
  quant (à) *as (to),* 38
une **quantité** *quantity,* 26
un **quart** *quarter,* 4; *1/4 litre,* 5; et
  quart *quarter past (the hour),* 4;
  moins le quart *quarter to / of (the*
  hour), 4
la **quatrième** *9th grade,* 4
  que *which, that,* 4
le **Québec** *Quebec (Province),* 15
un(e) **Québecois(e)** *person from Que-*
  bec, 32
  quel, quelle, quels, quelles
  which, what, 14; Quel âge as-
  tu? *How old are you?* 1; quel que

  soit (leur âge) *whatever (their age)*
  may be, 29
  quelque: quelque chose *some-*
  thing, 9; quelques *a few, some,* 14
  quelquefois *sometimes,* 7
  quelqu'un *someone,* 9
une **quenelle** *dumpling,* 38
  qu'est-ce que *what,* 2; Qu'est-ce
  que vous avez? *What's the mat-*
  ter with you? 22
  qu'est-ce qui *what,* 20
une **question** *question,* 4; il est question (de) *it is a matter (of),* 27
une **queue** *line,* 15; *tail,* 39; une
  queue d'aronde *dove tail,* 33;
  faire la queue *to stand in line,* 15
  qui *who,* 1; *whom,* 3
  qui est-ce que *whom,* 20
  qui est-ce qui *who,* 3
  quitter *to leave,* 6; Ne quittez
  pas! *Hold on!* 6
  quoi: *what,* 2; quoi d'autre
  what else, 23; quoi que ce soit
  anything, 32

R

  raccompagner *to bring back,* 30
  raccourcir *to shorten,* 25
  raccrocher *to hang up (the*
  phone), 6
  raconter *to tell,* 12
un **radiateur** *radiator,* 37
une **radio** *radio,* 3; *X-ray,* 28; une
  radio modulation de fréquence
  FM radio; un radio-téléphone *C.B. radio,* 28
  raide *steep,* 32; *straight,* 33
  raidir *to straighten,* 33
une **raie** *part,* 33
du **raisin** *grapes,* 8
une **raison** *reason,* 28; avoir raison *to be right,* 23
  rallonger *to lengthen,* 25
  ramasser *to pick up,* 37
  ramener *to lead back,* 16
  rancunier, -ière *holding a*
  grudge, 21
une **randonnée** *excursion, outing,* 40
un **rang** *row,* 28
  ranger *to straighten up,* 9; *to put*
  away, 33
  râpé, -e *grated,* 8
un **rapide** *rapids,* 27
  rapide *fast,* 8; *express,* 40
  rapidement *quickly,* 22
  rappeler *to call back,* 6, 37
  rapporter *to bring in (money),*
  14; Ça ne rapporte pas! *It*
  doesn't pay enough! 20
une **raquette** *racket,* 2; faire de la
  raquette *to go snowshoeing,* 32
un **rasoir** *razor,* 23

se **rassembler** *to gather,* 39
  rassurer *to reassure, to calm*
  down, 28; se rassurer *to put*
  one's mind at ease, 35
  rater *to miss,* 19
  ravi, -e *delighted,* 30
un **rayon** *department (of a store),* 25
  réaliser *to realize,* 31
  recalé: être recalé à *to fail, to*
  flunk, 28
  recevoir *to receive,* 12, 34; Recevez, (Monsieur), mes sincères
  salutations. *Sincerely yours,* 40
se **réchauffer** *to warm up,* 15
la **recherche** *pursuit,* 36
  rechercher *to want,* 31
un **récif** *reef,* 17
une **récitation** *recitation,* 4
  reçoit: il reçoit *it is visited by,* 26
  recommander *to recommend,* 26
  recommencer *to start again,* 22
  réconforter *to give comfort,* 21
  reconnaître *to recognize,* 16; se
  reconnaître *to recognize each*
  other, 19
  reconstruire *to rebuild,* 37
un **record** *record,* 22
  récrivez *rewrite,* 6
un **reçu** *receipt,* 23
  reçu: être reçu à *to pass,* 28
  reculer *to back up,* 29
le **recyclage** *recycling,* 37
une **rédaction** *composition,* 8
  redescendre *to go down again,*
  19; *to come down,* 37
  rédiger *to write,* 26
  redoubler *to repeat,* 28
  redoutable *formidable,* 26
  réduit, -e *reduced,* 40; à tarif
  réduit *at a special rate,* 40
  réel, -elle *real,* 34
  refaire *to redo,* 29; refaire le
  numéro *to dial the number*
  again, 6
un **réfectoire** *lunchroom,* 4
  réfléchir *to think,* 29
se **régaler** *to enjoy food,* 38
  regarder *to look (at), to watch,* 2
une **région** *area,* 14; *region,* 26
un **régisseur** *stage manager,* 29
une **règle** *a ruler,* 4
  règle: en règle *in order,* 40
  réglé, -e: réglé à la minute *timed*
  to the second, 26
un **règlement** *rules,* 40
  régler *to adjust,* 24
  regorger (de) *to overflow (with),* 38
  régulièrement *regularly,* 22
  rejeter *to throw back,* 39
les **réjouissances** (f.) *festivities,* 32
se **relever** *to get up again,* 15; relever *to lift up,* 34
  remarqué, -e *noticed,* 28
  rembobiner *to rewind,* 14
  rembourser *to refund,* 38
  remettre: remettre ça *to do the*

same thing, 25; se remettre en route to start out again, 36

remonter to go back up, 12; to go back on, 21; to go up, 32; remonter un réveil to set an alarm, 13

remorquer to tow, 27

remplaçant: en remplaçant replacing, 10

remplacer to replace, 14

rempli, -e full, 13

remplir to fill in the answers, 25; to fill out, 35

remporter to win, 22

rencontre: un lieu de rencontres meeting place, 29

rencontrer to meet, 4; se rencontrer to meet each other, 19

un **rendez-vous** meeting, date, 13; appointment, 35

rendre to give back, 9; se rendre to get to, 13; se rendre compte to realize, 28; se rendre maître de to take possession of, 26

renfermé, -e withdrawn, 30

renoncer (à) to give up, 18

renouveler to renew, 40

des **renseignements** (m.) information, 19

se **renseigner** to get information, 30

la **rentrée (des classes)** start of the school year, 25

rentrer to come (go) home, 2; to take back, 11; rentrer dans to bump into, 21

réorganiser to reorganize, 28

réparer to fix, 3

repartir to take off again, 28

un **repas** meal, 7, 8

repérer to spot, 39

répéter to rehearse, 14; to do again, 31

une **répétition** rehearsal, 14

une **réplique** cue, 29

répondre to answer, 7; répondez (à) answer, 4

une **réponse** answer, 4

un(e) **reporter** reporter, 28

le **repos** rest, 26; ça n'est pas de tout repos it's no picnic, 26

reposant, -e relaxing, 37

se **reposer** to rest, 13

repousser to grow back, 35

reprendre to take back, 27; to get back to, 28; reprendre le chemin to start back, 13

une **représentation** performance, 29

représenter to represent, 32

une **république** republic, 24

la **République Dominicaine** Dominican Republic, 17

un **requin** shark, 17

réserver to reserve, 40; réservez votre place, assise ou couchée make your reservations for

coach or sleeping car, 40; se réserver to save some room, 38

une **résidence** garden apartments, 10

résidentiel, -ielle residential, 10

résister (à) to withstand, 32

respecter to respect, to follow, 31

respirer to breathe, 28

la **responsabilité** responsibility, 29

un(e) **responsable** person responsible for, 27

une **ressemblance** resemblance, 7

ressembler (à) to look like, 7

ressentir to feel, 36

un **restaurant** restaurant, 26; une salle de restaurant dining room, 26

restaurer to restore, 37

reste: il n'a pas demandé son reste he did not hang around for more of the same, 39

rester to stay, 5; il reste (une demi-heure) there is still (a half-hour), 38

un **résultat** outcome, 22

retaper to rebuild the inside and outside, to fix completely, 31

retard: (1 h) de retard (an hour) late, 19; en retard late, 30

retenir to hold, retain, 40

retirer to take off, 14

une **retouche** alteration, 25

le **retour** return, 36; de retour back, 23

retourner to return, 11

retraite: être à la retraite to be retired, 7

retrouver to find again, 27; to meet (again), 30; se retrouver to find oneself, to end up, 29

une **réunion** meeting, 27

réunir to get together, 18; to bring together, 22

réussir (à) to succeed (in), 27

un **rêve** dream, 24; Fais de beaux rêves! Sweet dreams! 13

un **réveil** alarm clock, 13; remonter un réveil to set an alarm, 13

se **réveiller** to wake up, 13

revendre to resell, 31

revenir to come back, return, 27

rêver to dream, 17

réversible reversible, 25

rêveur, -euse pensive, dreamy, 30

réviser to review, 29

une **révision** review, 6; tuneup, 31

revoir to review, 29; se revoir to see (oneself) again, 34; Au revoir Goodbye, 6

une **revue** magazine, 3; show, 38

le **rez-de-chaussée** ground floor, 1

un **rhinocéros** rhinoceros, 34

un **rhume** cold, 35

riche wealthy, 21

un **rideau** curtain, 29

ridicule ridiculous, 25

rien nothing, 13; rien de meilleur nothing better, 36; rien de tel nothing like it, 21; rien de très excitant nothing very exciting, 31; rien ne . . . nothing, 13; ne . . . rien nothing, not . . . anything, 7

les **rillettes** potted pork, 5

se **rincer** to rinse out, 35

rire to laugh, 27; rire aux éclats to roar with laughter, 34

ris: le ris de veau sweetbread, 38

risquer to risk, 29

rituel, -elle ritual, 34

une **rive** bank (of a river), shore, 27

une **rivière** river, 27

une **robe** dress, 9

une **robe-chasuble** jumper, 25

un **robinet** (water) faucet, 37

un **rocher** rock, 17

le **rock** rock music, 14

un **roi** king, 30

le **Roi-Soleil** Sun King, 30

un **rôle** role, 28; part, 29

un **roman** novel, 13

rond, -e round, 2

un **rond de serviette** a napkin ring, 8

une **rondelle** hockey puck, 2

un **ronronnement** humming, 34

rôti, -e roasted, 27

un **rôti de bœuf** roast of beef, 8

une **rôtisserie** barbecue, 21

roue: une grande roue Ferris wheel, 21

rouge red, 2; le rouge à lèvres lipstick, 29

la **rougeole** measles, 35

roulant: un mini-bar roulant beverage cart, 40

un **rouleau** roller, 33

la **roulette** (dentist's) drill, 35; une roulette small wheel, 29

la **Roumanie** Roumania, 31

une **route** road, 31; le code de la route traffic laws, 29; se remettre en route to start out again, 36

roux, rousse red (headed), 7

une **rue** street, 10; une rue commerçante shopping street, 10

le **rugby** rugby, 2

les **ruines** (f.) ruins, 39; dominé(e) par les ruines with ruins rising above, 39; tomber en ruines to fall apart, 37

russe Russian, 19

la **Russie (l'U.R.S.S.)** Russia (U.S.S.R.), 19

S

sa his / her, 7

le **sable** sand, 17

un **sac** *handbag*, 23; un sac à dos *backpack*, 18; un sac de couchage *sleeping bag*, 18
sacré, -e *sacred*, 34
saignant, -e *rare*, 38
une **saison** *season*, 14, 15
une **salade** *salad*, 8
un **salaire** *salary*, 26; *wage*, 33
se **salir** *to get dirty*, 25
une **salle** *room*, 4; une salle à manger *dining room*, 10; une salle de bains *bathroom*, 10; une salle de classe *classroom*, 4; une salle de conférences *auditorium*, 4; une salle de restaurant *dining room*, 26; une salle de séjour *living room* 10; une salle de spectacle *auditorium*, 29
Salut! *Hi!* 6
des **salutations** (f.) *greetings*, 40; Recevez, (Monsieur,) mes sincères salutations. *Sincerely yours*, 40
samedi (m.) *Saturday*, 4
une **sandale** *sandal*, 9
un **sandwich** *sandwich*, 5
sans *without*, 13
la **santé** *health*, 23
un **sapin** *fir (tree)*, 36
satisfait, -e *satisfied*, 28
une **sauce** *sauce*, 38
une **saucisse** *frankfurter, sausage*, 36
un **saucisson** *salami*, 5
sauf *except*, 4
un **saut** *jump*, 22; le saut en hauteur *high jump*, 22; le saut en longueur *long jump*, 22; un saut périlleux *somersault*, 22
sauter *to jump*, 22; *to flip*, 24
sauvage *wild*, 17
sauvetage; un gilet de sauvetage *life jacket*, 27
la **savane** *savannah*, 24
savoir *to know, to know how to*, 16; savez-vous *do you know*, 12
le **savon** *soap*, 13
savoyard; avec façon savoyard *with stuffing Savoy style*, 40
un **saxo(phone)** *saxophone*, 14
la **scène** *stage*, 29; *scene*, 29; en scène *on stage*, 29; le jeu de scène *stage effect*, 29; un metteur en scène *director*, 29; une mise en scène *staging*, 38
une **scie** *saw*, 33
la **science-fiction** *science fiction*, 3
les **sciences** (f.) *science*, 4
scientifique *scientific*, 24
scier *to saw*, 33
scintiller *to glitter*, 36
scolaire: une année scolaire *school year*, 4; un trophée scolaire *school trophy*, 22
une **sculpture** *sculpture*, 13
se *himself, herself, itself, oneself, themselves*, 13
un **seau** *pail*, 37

sec, sèche *dry*, 27
un **séchoir** *hair dryer*, 33
secondaire *secondary*, 4
une **seconde** *second*, 22; en seconde *in the 11th grade*, 34
secours: au secours! *help!* 39
une **section** *section*, 28
le **séjour** *stay*, 40
séjourner *to stay*, 40
le **sel** *salt*, 8
selon *according to*, 31
une **semaine** *week*, 7
un **sémaphore** *watchtower*, 18
sembler *to seem*, 18
semer *to shake off*, 21
un **séminaire** *seminar*, 40
la **semoule** *semolina*, 20
le **Sénégal** *Senegal*, 19
sénégalais, -e *Senegalese*, 19
sens: dans un sens *in one way*, 28; un sens de l'humour *sense of humor*, 30
sensationnel, -elle *sensational*, 38
sensible *sensitive*, 30
un **sentier** *path*, 36
un **sentiment** *feeling, emotion*, 38
sentir *to smell*, 18; *to feel*, 27; se sentir *to feel*, 28
septembre (m.) *September*, 12
une **série** *series*, 24
sérieux, -euse *serious*, 4; au sérieux *seriously*, 30
un **serpentin** *streamer*, 32
un **serrurier** *locksmith*, 33
un(e) **serveur (-euse)** *waiter, waitress*, 26
un **service** *service*, 33; service compris *tip included*, 5
une **serviette** *a napkin*, 8; *towel*, 26; un rond de serviette *a napkin ring*, 8
servir *to serve*, 8; *to wait (on)*, 26; servir à *to be used for*, 26; servir de *to act as*, 11; se servir (de) *to make use of*, 14
ses *her*, 3; *his / her*, 7
seul, -e *alone, by oneself*, 12
seulement *only, just*, 3
le **shampooing** *shampoo*, 13; faire un shampooing *to shampoo*, 33; une crème après shampooing *conditioner*, 33
si *yes*, 2, 3; *if*, 5; *so*, 32; mais si *of course we are*, 2; s'il te (vous) plaît *please*, 4
un **siècle** *century*, 26
un **siège** *seat*, 34
le **sien, la sienne, les siens, les siennes** *his / hers*, 23
une **sieste** *afternoon nap*, 34; faire la sieste *to take an afternoon nap*, 34
un **sifflet** *whistle*, 32
signaler *to point out*, 26

un **signe** *sign*, 21
le **sillage** *wake*, 17
simple *simple*, 3; *plain*, 40
simplement *simply*, 23
un **singe** *monkey*, 24
sinon *otherwise*, 29
un **sirop** *flavoring syrup*, 5
un **site** *site*, 17
une **situation** *job*, 28
situé, -e *located*, 24
un **ski** *ski*, 15; le ski *skiing*, 2, 15; le ski nautique *water skiing*, 39; faire du ski *to ski*, 2; faire du ski de fond *to ski cross-country*, 32
skier *to ski*, 15
un(e) **skieur (-euse)** *skier*, 15
snob *snobbish*, 38
une **sœur** *sister*, 7
la **soie** *silk*, 23; en soie *made of silk*, 23
soif: avoir soif *to be thirsty*, 5
soigné, -e *carefully prepared*, 40
soigner *to take pains with*, 4; *to treat*, 35; se soigner *to take care of oneself*, 35
soins: une trousse de premiers soins *first-aid kit*, 27
le **soir** *evening*, 4; hier soir *last night*, 9
la **soirée** *evening*, 39
soit: quel que soit (leur âge) *whatever (their age) may be*, 29; quoi que ce soit *anything*, 32; soit . . . soit *either . . . or*, 40
le **sol** *floor*, 22; les exercices au sol *floor exercises*, 22
solaire: une crème solaire *suntan lotion*, 39
un **soldat** *soldier*, 29
le **soleil** *sun*, 30, 39; il y a du soleil *it's sunny*, 15; prendre un bain de soleil *to sunbathe*, 39; un bain de soleil *sun bath*, 39; un coup de soleil *sunburn*, 39; le Roi-Soleil *Sun King*, 30
une **solution** *solution*, 8
sombre *dark*, 24
le **sommet** *top, summit*, 36
le **son** *sound*, 14
son *her*, 3; son, sa, ses *his/her*, 7
sonner *to ring*, 6
la **sono(risation)** *sound*, 14
une **sorcière** *witch*, 29
le **sort** *fate, destiny*, 27
une **sortie** *outing*, 5; *exit*, 10; une sortie en mer *boat trip*, 17; à la sortie de *on coming out of*, 10
sortir *to go out, to take out*, 5
une **soucoupe** *saucer*, 12
souffler *to blow*, 32
un **souffleur** *prompter*, 29
un **souhait** *wish*, 23
un **souk** *Arab market*, 20
se **soulever** *to get up*, 29
souligné, -e *underlined*, 6

la **soupe,** *soup,* 8

souple *manageable,* 24

souri: elle m'a souri *she smiled at me,* 11

un **sourire:** faire un sourire *to smile,* 36

sous *under,* 11

sous-marin, -e *underwater,* 12; la chasse sous-marine *underwater fishing,* 39

le **sous-sol** *basement,* 9

soutenir *to support,* 37

se **souvenir (de)** *to remember,* 16

souvenirs: meilleurs souvenirs *regards,* 12

souvent *often,* 3

Soyez . . . *Be . . . ,* 22; Soyez les bienvenus! *Welcome!* 17

spécial, -e (m. pl.: **-aux**) *special,* 26

un **spectacle** *show,* 28; une salle de spectacle *playhouse, auditorium,* 29

un(e) **spectateur (-trice)** *spectator,* 29

splendide *splendid,* 17

un **sport** *sport,* 2; faire du sport *to take part in sports,* 34; une voiture de sport *sports car,* 31

sport (f. & pl.: **sport**) *casual,* 25

un(e) **sportif (-ive)** *sportsperson,* 22

sportif, -ive *athletic,* 22

stable *stable,* 28

un **stade** *athletic field,* 10

un **stage** *internship,* 34

un **stand** *stand, booth,* 21

une **station** *stop,* 40; une station de ski *ski area, resort,* 15; une station-service *service station,* 26

une **statue** *statue,* 30

stéréo: une chaîne stéréo *stereo,* 26

un **stock** *stock,* 26

un **store** *(window) shade, blind,* 37

un **style** *style,* 33

un **stylo à bille** *ballpoint pen,* 4

le **succès** *success,* 29

le **sucre** *sugar,* 35; un pain de sucre *sugar loaf,* 32

des **sucreries** (f.) *sweets,* 35

le **sud** *south,* 17

la **Suède** *Sweden,* 31

la **sueur** *sweat,* 37

suffit: Ça me suffit! *That's enough for me!* 21

une **suggestion** *suggestion,* 33

la **Suisse** *Switzerland,* 30

suisse *Swiss,* 33

suite: tout de suite *right away,* 4

suivant, -e *following,* 4, 36

suivent *follow,* 4

suivi, -e (de) *followed (by),* 19

suivre *to follow,* 10; suivre un cours *to take a class,* 31

un **sujet** *subject,* 26

super *super, fantastic,* 38

superbe *superb,* 38

un **supermarché** *supermarket,* 26

un **supplément** *additional charge,* 40

sur *on,* 1; sur le vif *in a real-life situation,* 36

sûr, -e *sure,* 3, 4; bien sûr *of course,* 4

le **surface** *surface,* 39

surgelé, -e *frozen,* 37

surprendre *to surprise,* 39

une **surprise** *surprise,* 22

une **surprise-partie** *party,* 9

surtout *above all, especially,* 26

suspendre *to hang,* 32

un **symbole** *symbol,* 31

la **sympathie** *liking,* 36

sympathique *nice,* 10

sympathiser *to get along well,* 30

la **Syrie** *Syria,* 31

T

ta *your,* 7

une **table** *table,* 8; A table! *Dinner (Lunch) is served!* 8; la table vaut le voyage *the meal is worth the trip,* 40; mettre la table *to set the table,* 8

un **tableau** (pl.: **-x**) *blackboard,* 4; *board,* 19; *painting,* 24; un tableau d'affichage *bulletin board,* 26

un **tabouret** *stool,* 33

la **taille** *size,* 22; *waist,* 22; de taille moyenne *of medium height,* 7

un **tailleur** *tailor,* 20

se **taire** *to be quiet,* 29

un **talent** *talent,* 28

talonner *to tail, to be at one's heels,* 21

tamponner *to stamp,* 35

tamponneuse: une auto tamponneuse *bumper car,* 21

un **tam-tam** *bongo drum,* 14

tanguer: Arrête de faire tanguer la nacelle! *Stop making the car swing!* 21

tant *so much,* 16; tant pis *too bad,* 9

une **tante** *aunt,* 7

un **tapis** *rug,* 20

un(e) **tapissier (-ière)** *rug-maker,* 20

taquiner *to tease,* 15

tard *late,* 26

un **tarif** *rate,* 40; à tarif réduit *at a special rate,* 40

une **tarte** *pie, tart,* 8

une **tartine** *slice of bread (with butter and / or jam on it),* 13

un **tas (de)** *a lot (of),* 9

une **tasse** *cup,* 7, 8; boire une bonne tasse *to swallow a lot of water,* 39

la **Tchécoslovaquie** *Czechoslova-*

kia, 31

te *(to, for) you,* 10; *yourself,* 13

la **technique** *technique,* 36

technique *technical,* 33

la **technologie** *technology,* 4

teint: le fond de teint *makeup foundation,* 29

teinté, -e *tinted,* 31

tel, telle, tels, telles *so, such,* 13; rien de tel *nothing like it,* 21

la **télé** *TV,* 2

un **télégramme** *telegram,* 26

un **téléobjectif** *telephoto lens,* 36

un **téléphérique** *cable car,* 40

le **téléphone** *phone,* 6; au téléphone *on the telephone,* 6; un coup de téléphone *phone call,* 6

téléphoner (à) *to call,* 5

téléphonique: une cabine téléphonique *phone booth,* 6

un **télescope** *telescope,* 11

un **télésiège** *chairlift,* 15

télévisé: le journal télévisé *TV news,* 24

une **télévision** *television,* 3; mettre la télévision *to turn on the TV,* 24

tellement *terribly,* 4; tellement *so, so much,* 38

la **température** *temperature,* 15; Quelle température fait-il? *What's the temperature?* 15

une **tempête** *storm,* 18

le **temps** *time,* 3; *weather,* 15; C'était le bon temps! *Those were the days!* 16; de temps en temps *from time to time,* 10; du temps de perdu *wasted time,* 34; en même temps *at the same time,* 13; Quel temps fait-il? *What's the weather like?* 15; tout le temps *always,* 30; un emploi du temps *a schedule,* 4

tenace *persistent,* 21

des **tenailles** (f.) *wire cutters,* 33

tendance à *chance of,* 39

tenir *to hold,* 33; tenir à *to be eager to,* 36; tenir au courant *to keep informed,* 30; se tenir bien *to hold on well,* 39

le **tennis** *tennis,* 2

la **tension** *blood pressure,* 35

une **tente** *tent,* 18

tenter *to try,* 21; *to tempt,* 25

terminé: une fois terminé *once finished,* 5

terminer *to end, to finish,* 33

terne *dull,* 24

une **terrasse** *terrace,* 12; *observation deck,* 19

terre: par terre *on the ground,* 18

une **terrine** *pâté,* 38

tes *your,* 7

la **tête** *head,* 22; avoir mal à la tête *to have a headache,* 35; j'ai la tête qui tourne *my head is spinning,* 35; en tête *in front, headed by,* 32

un **texte** *text,* 38

le **thé** *tea,* 7

théâtral, -e (m. pl.: **-aux**) *theatrical, theater,* 29

un **théâtre** *theater,* 29; un café-théâtre *dinner theater,* 38

un **thème** *translation into a foreign language,* 4

une **théorie** *theory,* 33

un **theromètre** *thermometer,* 15

le **tien,** la **tienne,** les **tiens,** les **tiennes** *yours,* 23

tiens *hey,* 7; Tiens-toi bien! *Hang on!* 21

un **timbre** *stamp,* 3

timbré, -e *stamped,* 40

timide *shy,* 4

la **timidité** *shyness,* 36

le **tir** *shooting gallery,* 21

tirer *to pull,* 37; *to shoot,* 39; se tirer (de) *to get oneself out of,* 17

un **Ti-shirt** *T-shirt,* 9

tisser *to weave,* 34

un **tissu** *fabric,* 29

un **titre** *title,* 9

un **toboggan** *toboggan,* 32

toi *you,* 1

toilette: faire sa toilette *to get washed,* 13; un gant de toilette *wash mitt,* 13; un objet de toilette *toilet article,* 13

un **toit** *roof,* 31; un toit ouvrant *sun roof,* 31

tolérant, -e *tolerant,* 30

une **tomate** *tomato,* 8

un **tombeau** *tomb,* 11

tomber *to fall,* 15; tomber dans les pommes *to faint,* 35; tomber en ruines *to fall apart,* 37; il est tombé plus d'un mètre de neige *more than a meter of snow fell,* 32; Ça tombe bien! *Terrific!* 5

ton *your,* 7

tondre *to mow,* 7

un **torrent** *torrent,* 36

tort: avoir tort *to be wrong,* 37

une **tortue** *turtle,* 17

tôt *early,* 13

touché, -e *affected,* 35

toucher *to touch,* 22

toujours *always,* 5; *just the same,* 25

un **tour** *ride,* 2; *turn,* 14; A (ton) tour! *(Your) turn!* 21; faire le tour du monde *to go around the world,* 24; faire un tour *to take a ride,* 2

une **tour** *tower,* 11

tourisme: faire du tourisme *to tour,* 37

un(e) **touriste** *tourist,* 20

touristique *touristic,* 26

tourner *to turn,* 10; *to spin,* 35;

j'ai la tête qui tourne *my head is spinning,* 35

un **tournevis** *screwdriver,* 33

tous *all,* 3; *all of them,* 5

tousser *to cough,* 35

tout, toute, tous, toutes *all, the whole,* 7; tout le monde *everbody,* 4; tout le temps *always,* 30; toute *all of,* 2; toute la journée *all day long,* 5; tous les ans *every year,* 7; tous les deux, toutes les deux *both of them,* 6; tous les jours *every day,* 4; à toute vitesse *at full speed,* 34; le tout *the whole things,* 20

tout *everything,* 8; *anything,* 15; tout va mal *everything's going wrong,* 9

tout *very,* 18; *completely,* 32; tout à l'heure *before,* 21; tout comme *just like,* 31; tout de même *nevertheless,* 34; tout de suite *right away,* 4; pas du tout *not at all,* 33

une **trace** *trace,* 39

un **tracteur** *tractor,* 16

traditionnel, -elle *traditional,* 24

une **tragédie** *tragedy, drama,* 29

un **train** *train,* 40

train: en train de *in the process of,* 3; la mise en train *the warm-up,* 22; se mettre en train *to warm up,* 22

un **traineau** *sleigh,* 32

traîner *to lie around,* 36

traire *to milk,* 16

un **traitement** *treatment,* 35

un **trajet** *trip,* 13; le trajet de retour *trip home,* 13

une **tranche** *slice,* 8

tranquille *quiet, calm,* 28; laisser tranquille *to leave alone,* 36

transparent, -e *transparent,* 17

le **transport** *transportation,* 27

transporté, -e *transported,* 27

transporter *to transport,* 27

le **travail** *work,* 4; un travail *job,* 26

travailler *to work,* 7

les **travaux manuels** (m.) *shop,* 4

travers: à travers *across,* 36

traverser *to cross,* 18

un **trèfle** *clover,* 36

très *very,* 1

tricoter *to knit,* 3

trier *to sort,* 26

triste *sad,* 38

un **trombone** *trombone,* 14

se **tromper** *to be mistaken,* 29

une **trompette** *trumpet,* 14

trop *too,* 2; trop (de) *too much, too many,* 8

un **trophée** *trophy,* 22

tropical, -e (m. pl.: **-aux**) *tropical,* 17

les **Tropiques** (m.) *tropics,* 17

un **trou** *hole,* 27; un trou de mémoire *memory lapse,* 29

une **troupe** *company,* 29

une **trousse** *a pencil case,* 4; une trousse de premiers soins *first-aid kit,* 27

trouver *to find, to think,* 2; se trouver *to be (located),* 13

un **truc** *thing,* 21

tu *you,* 2

un **tuba** *tuba,* 14; *snorkel,* 17

une **tunique** *tunic,* 29

la **Tunisie** *Tunisia,* 10

tunisien, -ienne *Tunisian,* 19

la **Turquie** *Turkey,* 19

un **type** *guy,* 21

typique *typical,* 34

U

un, une *a (an),* 1; un(e) à un(e) *one by one,* 33

uni, -e *united,* 40

un **univers** *universe,* 36

une **université** *university, college,* 28

une **urgence** *emergency,* 28

l' **U.R.S.S.** (f.) *U.S.S.R.,* 19

une **usine** *factory,* 7

utile *useful,* 27

utilisant: en utilisant *using,* 6

utiliser *to use,* 13

V

va: Ça va? *How's everything?* 6; Ça va. *(It is) okay.* 6; ça vous va? *is it all right with you?* 35; Le bleu lui va très bien. *She / He looks very good in blue.* 9; On y va! *Let's go!* 15; qu'est-ce qui ne va pas? *what's wrong?* 35; tout va mal *everything's going wrong,* 9

les **vacances** (f.) *vacation,* 14; en vacances *on vacation,* 31; une colonie de vacances *summer camp,* 26

une **vaccination** *vaccination,* 28

une **vache** *cow,* 16

une **vague** *wave,* 17

vaincre *to overcome,* 36

un **vainqueur** *winner,* 22

la **vaisselle** *dishes,* 13; faire la vaisselle *to do the dishes,* 13

valable *valid,* 29

un **vampire** *vampire,* 29

la **vanille** *vanilla (flavor),* 5

se **vanter** *to boast,* 30

vapeur: cuit à la vapeur *steamed,* 20

variable *variable,* 39

varié, -e *varied,* 8

une **variété** *variety,* 36; une émission de variétés *variety show,* 24

vaste *enormous,* 17
vaudrait: il vaudrait mieux *it would be better,* 28
vaut: ça vaut mieux que *it's better than,* 35; il vaut mieux *it's better to,* 14; la table vaut le voyage *the meal is worth the trip,* 40
un **veau** (pl.: **-x**) *calf,* 28; le ris de veau *sweetbread,* 38
un **véhicule** *vehicle,* 31
une **veille** *watch,* 18
une **veillée** *evening,* 37
un **vélo** *bicycle,* 3
le **vélo** *bike-riding,* 2; faire du vélo *to go bike-riding,* 2
un **vélomoteur** *moped,* 3
le **velours** *velvet,* 25
les **vendanges** (f.) *grape harvest,* 25
un(e) **vendeur (-euse)** *salesman, saleswoman,* 25
vendre *to sell,* 8
vendredi (m.) *Friday,* 4
venir *to come,* 14; aller et venir *to come and go,* 14; venir de *to have just,* 14
le **vent** *wind,* 15; il fait du vent *it's windy,* 15
un **ventilateur** *fan,* 34
le **ventre** *abdomen,* 22; à plat ventre *flat on one's face,* 36; avoir mal au ventre *to have a stomachache,* 35
vérifier *to check,* 9
véritable *true, genuine,* 36
la **vérité** *truth,* 38
un **verre** *glass,* 8; le papier de verre *sandpaper,* 33
vers *about,* 5; *toward,* 14
verser *to pour,* 8; verser des arrhes *to make a deposit,* 40
une **version** *translation from a foreign language,* 4
vert, -e *green,* 2
verticale: à la verticale *vertically,* 35, 39
le **vertige** *vertigo, dizziness,* 21; avoir le vertige *to be dizzy,* 21
une **veste** *jacket,* 25
un **vestiaire** *locker room,* 4
des **vêtements** (m.) *clothes,* 9
un(e) **vétérinaire** *veterinarian,* 28
la **viande** *meat,* 8
une **victoire** *victory,* 22
la **vie** *life,* 10, 21; une vie bien à elle *its very own life,* 10
viens *come on,* 4

vieux, vieil, vieille, vieux, vieilles *old,* 16; mon vieux, ma vieille *old friend,* 3
vif: sur le vif *in the wild,* 36
un **vigneron** *winegrower,* 25
un **Viking** *Viking,* 32
un **village** *village,* 1
une **ville** *city, town,* 1
le **vin** *wine,* 8; une bouteille de vin *a bottle of wine,* 8; la carte des vins *wine list,* 38
une **vinaigrette** *oil and vinegar,* 8
une **vingtaine** *about twenty,* 28
une **violette** *violet,* 36
un **violon** *violin,* 14
un **violoncelle** *cello,* 14
une **vipère** *poisonous snake,* 18
un **virage** *turn,* 31
virer *to veer, to swerve,* 21
une **vis** *screw,* 33
une **visite** *visit,* 11
visiter *to visit,* 11
un(e) **visiteur (-euse)** *visitor,* 32
visser *to screw,* 33
une **vitamine** *vitamin,* 28
vite *fast,* 15; le plus vite possible *as soon as possible,* 35
une **vitesse** *gear,* 31; la vitesse sprint, 22; *speed,* 34; à toute vitesse *at full speed,* 34; à une vitesse folle *at an incredible speed,* 32; changement de vitesse *manual transmission,* 31; la limitation de vitesse *speed limit,* 37
une **vitre** *window, glass,* 31
une **vitrine** *store window,* 13
vivant, -e *living,* 4
Vive . . . ! *Long live . . . !* 32
vivent: ils / elles vivent *they live,* 7
vivre *to live,* 28
voici *here is, here are,* 7
une **voie** *track,* 40
voilà *here is (are), there is (are),* 4; (le) voilà parti *there (he) go(es),* 32
une **voile** *sail,* 18; faire de la voile *to sail,* 18; une école de voile *sailing school,* 18
un **voilier** *sailboat,* 39
voir *to see,* 11
voisin, -e *neighbor,* 14
une **voiture** *car,* 5; une petite voiture *to toy car,* 3; une voiture de sport *sports car,* 31; en voiture! *All aboard!* 40; monter en

voiture *to get into a car,* 28
une **voiture-bar** *club car,* 40
une **voiture-buffet** *snack-bar car,* 40
voix: à voix *haute aloud,* 29
un **vol** *flight,* 19
la **volaille** *poultry,* 38
un **volant** *steering wheel,* 21
un **volcan** *volcano,* 17
le **volley-ball** *volleyball,* 2
un(e) **volontaire** *volunteer,* 27
voltige: le cheval de voltige *vaulting horse,* 22
le **volume** *volume,* 14
vos *your,* 4, 7
votre *your,* 7
le **vôtre,** la **vôtre,** les **vôtres** *yours,* 23
vouloir *to want,* 17; vouloir dire *to mean,* 26
vous *you,* 2, 5; *(to/for) you,* 10; *yourself,* 13
un **voyage** *trip,* 21; faire un voyage *to take a trip,* 21
voyager *to travel,* 28
vrai, -e *true,* 3, 4
vraiment *really,* 2
un **vue** *view,* 11; un point de vue *lookout,* 36

W

un **wagon** *car (of a train),* 40; un wagon-restaurant *dining car,* 40
des **W.-C.** (m.) *toilet, bathroom,* 10
un **week-end** *weekend,* 17
un **western** *western,* 5

X

un **xylophone** *xylophone,* 14

Y

y *there,* 11
un **yaourt** *yogurt,* 8
les **yeux** (m.) *eyes,* 7
la **Yougoslavie** *Yugoslavia,* 31

Z

un **zèbre** *zebra,* 34
zèle: faire du zèle *to overdo,* 34
un **zéro** *zero,* 15
le **Zodiaque** *Zodiac,* 21
Zut! *Darn!* 29

English-French Vocabulary

This vocabulary is the reverse of the French-English Vocabulary which appears just before it. In this vocabulary, the English equivalents of the French words and phrases used in **Nos Amis** and **Le Monde des Jeunes** have been listed, followed by the French.

The method of listing the French words and phrases in this vocabulary is exactly the same as that used in the French-English Vocabulary.

To be sure of using a French word correctly in context, refer to the unit in which it is introduced.

A

a (an) *un, une,* 1
abdomen *le ventre,* 22
able: to be able *pouvoir,* 17
aboard: All aboard! *En voiture!* 40
about *de,* 4; *vers,* 5; *environ,* 13; about a hundred *une centaine de,* 34; about twenty *une vingtaine,* 28
above all *surtout,* 26
abscess *un abcès,* 35
absolutely *absolument,* 38
accelerator *l'accélérateur* (m.), 31
accepted *admis, -e,* 28
accident *un accident,* 17
according to *d'après,* 15; *selon,* 31
account *un compte rendu,* 22
accountant *un(e) comptable,* 28; certified public accountant *un expert-comptable,* 28
acquaintance: to make the acquaintance of *faire la connaissance de,* 10
across *à travers,* 36
act *un acte,* 29
to **act** *agir,* 37; to act as *servir de,* 11
acting *l'art dramatique* (m.), 28
activity *une activité,* 29
actor *un acteur,* 28; actor's movements on the stage *un jeu de scène,* 29
added: to be added (to) *s'ajouter (à),* 37
addition: in addition to *en plus de,* 17
address *une adresse,* 10
addressee *un(e) destinataire,* 12
adequate *convenable,* 40
to **adjust** *régler,* 24; *ajuster,* 39
adjustment *une mise au point,* 29
administrative *administratif, -ive,* 24
to **admire** *admirer,* 12
to **admit** *avouer,* 30
adult *un(e) adulte,* 12
advance: in advance *à l'avance,* 29
advantage *favorisé, -e,* 26; to take advantage (of) *profiter (de),* 36
adventure *l'aventure* (f.), 17

ad(vertisement) *une annonce,* 26
advice *un conseil,* 20
to **advise** *conseiller,* 28
affected *touché, -e,* 35
afraid: to be afraid *avoir peur,* 21
Africa *l'Afrique* (f.), 24
after *après,* 5
after all *pourtant,* 37
afternoon *l'après-midi* (m.), 4
again *encore,* 25
against *contre,* 17
ago: a long time ago *il y a longtemps,* 11
to **agree** *être d'accord,* 40
agricultural *agricole,* 24
agriculture *l'agriculture* (f.), 37
ahead *d'avance,* 39
aikido *l'aïkido* (m.), 29
air *l'air* (m.), 37; in the air *en l'air,* 32
air conditioner *un climatiseur,* 37
air conditioning *l'air conditionné* (m.), 40
airline *une compagnie,* 19; airline pilot *un pilote de ligne,* 28
air mattress *un matelas pneumatique,* 39
airplane *avion,* 17, 19; model airplane *une maquette,* 3
airport *un aéroport,* 19
alarm clock *un réveil,* 13; to set an alarm *remonter un réveil,* 13
album *un album,* 7
alcoholic beverages *l'alcool* (m.), 40
Algeria *l'Algérie* (f.), 31
all *tout, toute, tous, toutes,* 3, 7
all: I don't have all . . . *je n'ai pas mon compte de . . . ,* 27
allergic *allergique,* 35
to **allow** *permettre,* 30
allowance *l'argent de poche* (m.), 23
all right: is it all right with (you)? *ça vous va?*
almost *presque,* 1; (he) almost *(il a) failli,* 31; You're almost there! *Tu y es presque!,* 22

alone *seul, -e,* 12
along *le long de,* 32; along the way *en chemin,* 36
alongside *au bord de,* 36
aloud *à voix haute,* 29
already *déjà,* 9
also *aussi,* l; *également,* 22
alteration *une retouche,* 25
although *bien que,* 34
always *toujours,* 5; *tout le temps,* 30
amateur *amateur,* 3
amazed: to be amazed *s'étonner,* 35
America *l'Amérique* (f.), 17
American *américain, -e,* 19; American style *à l'américaine,* 38
among *entre,* 11; *parmi,* 19; among other things *entre autres,* 29
amount *le montant,* 40
ancestor *un(e) ancêtre,* 34
anchor *une ancre,* 39; to drop anchor *jeter l'ancre,* 39
anchored *ancré, -e,* 39
and *et,* 1
anesthesia *l'anesthésie* (f.), 28
angina *une angine,* 28
angle *un angle,* 33
animal *un animal* (pl.: -aux), 16
ankle *la cheville,* 22
to **announce** *annoncer,* 18
announcement *une annonce,* 19
annual *annuel, -elle,* 22
another *autre,* 4
answer *une réponse,* 4
to **answer (someone)** *répondre (à),* 7
antelope *une antilope,* 34
antibiotic *un antibiotique,* 28
antique item *une antiquité,* 11
any *en,* 3; *du, de la, (pas) de,* 5; not . . . any *aucun, -e,* 19
anybody *n'importe qui,* 39; not . . . anybody *ne . . . personne,* 13
anything *quoi que ce soit,* 32; before anything *avant tout,* 15; not . . . anything *ne . . . rien,* 6, 13
anyway *enfin,* 11; *quand même,* 15; *de toute façon,* 19

apartment *un appartement*, 1; apartment building *un immeuble*, 10; garden apartments *une résidence*, 10

to **appear** *apparaître*, 29

appearance *la présentation*, 4

appendicitis *l'appendicite* (f.) 35

applause *les applaudissements* (m.), 38

apple *une pomme*, 8

appointment *un rendez-vous*, 35

to **appreciate** *apprécier*, 30

apprentice *un(e) apprenti(e)*, 33

apprenticeship *un apprentissage*, 33

approximately *à peu près*, 27

April *avril* (m.), 12

aquarium *un aquarium*, 12

aquatic *aquatique*, 39

Arabic (language) *l'arabe* (m.), 19

arcade: shopping arcade *une galerie marchande*, 23

area *une région*, 14

arm *un bras*, 15

armchair *un fauteuil*, 13

around *autour de*, 15

to **arrange** *arranger*, 27

arrival *une arrivée*, 11

to **arrive** *arriver*, 5

arriving *arrivant*, 19

arrow *une flèche*, 40

article: toilet article *un objet de toilette*, 13

artist *un artiste*, 20

artistic *artistique*, 24

arts and crafts *les activités manuelles* (f.), 29

as *comme*, l; *aussi ... que*, 22; as (to) *quant (à)*, 38; as far as *jusqu'à*, ll, as of *dès*, 28

ash blond *blond cendré*, 33

aside *de côté*, 37

to **ask** *demander*, 4; to ask (someone) *demander (à)*, 4; to ask questions *poser des questions*, 7

to **assign** *distribuer*, 28

assistant *un(e) assistant(e)*, 33

astrology *l'astrologie* (f.)., 21

at *à*, 4; *chez*, 5

athlete *un(e) athlète*, 22

athletic *sportif, -ive*, 22

athletics *l'athlétisme* (m.), 22

Atlantic Ocean *l'Atlantique* (m.), 32

atmosphere *une ambiance*, 29

to **attack** *attaquer*, 21

attempt *un essai*, 22

attend: to attend a class *suivre un cours*, 31

attention *l'attention* (f.), 25; to attract the attention of *attirer l'attention de*, 25

attitude *une posture*, 29

audience *le public*, 38

auditorium *une salle de conférences*, 4; *une salle de spectacle*, 29

August *août* (m.), 12

aunt *une tante*, 7

Austria *l'Autriche* (f.), 31

authorization *une autorisation*, 40

automatic *automatique*, 31

automobile *une automobile*, 37

autumn *l'automne* (m.), 15

avenue *une avenue*, 10

avocado *un avocat*, 38

to **avoid** *éviter*, 37

axe *une *hache*, 27

B

to **baby-sit** *garder des enfants*, 7

baccalaureate *le bac(calauréat)*, 28

back *le dos*, 22; *le fond*, 29; *le dossier*, 40

back *de retour*, 23

backpack *un sac à dos*, 18

to **back up** *reculer*, 29

bad *mauvais, -e*, 4; the weather is bad *il fait mauvais*, 15

badly *mal*, 3

ballet *la danse classique*, 28; *un ballet*, 38; ballet director *un maître de ballet*, 28

baggage *des bagages* (m.), 27

baker *un(e) boulanger (-ère)*, 8

bakery-pastry shop *une boulangerie-pâtisserie*, 8

balance *l'équilibre* (m.), 22; to keep one's balance *garder l'équilibre*, 22

balance beam *la poutre*, 22

balcony *un balcon*, 10

ball (baseball, tennis) *une balle*, 2; (football, soccer, etc.) *un ballon*, 2; to play ball *faire une partie de ballon*, 39

banana *une banane*, 8

bangs *une frange*, 33

banjo *un banjo*, 9, 14

bank *une banque*, 10; *un quai*, 11; (of a river) *une rive*, 27

barbecue *une rôtisserie*, 21

barefoot *pieds-nus*, 18

bargain *une affaire*, 25

to **bargain** *marchander*, 20

barn *une grange*, 16

barometer *un baromètre*, 39; the barometer indicates fair weather *le baromètre est au beau*, 39

barracuda *un baracuda*, 17

baseball *le base-ball*, 2; a baseball *une balle*, 2; baseball bat *une batte*, 2

basement *le sous-sol*, 9

basket *un panier*, 2

basketball *le basket-ball*, 2

bath *un bain*, 10

bathed *baigné, -e*, 17

bathing cap *un bonnet de bain*, 39

bathing suit *un maillot de bain*, 17

bathroom (for bathing only) *une salle de bains*, 10; (toilet) *des W.-C.*, 10

bay *une baie*, 17

to **be** *être*, 3; Be ... *Soyez ...* , 22

to **be in** *exercer*, 33

beach *une plage*, 3

beach umbrella *un parasol*, 39

beam *une poutre*, 37

bean *un haricot*, 8; green beans *des haricots verts*, 8

to **bear** *porter*, 36

beard *une barbe*, 29

to **beat** *battre*, 39

Beaujolais *le Beaujolais*, 8

beautiful *beau, bel, belle, beaux, belles*, 16

beauty *la beauté*, 39

because *parce que*, 2; *à cause de*, 40

to **become** *devenir*, 16

bed *un lit*, 35; in bed *au lit*, 35

bedroom *une chambre*, 10

bee *une abeille*, 36

beef *le bœuf*, 8; roast of beef *un rôti de bœuf*, 8

before *avant (de)*, 5; *tout à l'heure*, 21; *avant que*, 35

beginner *un(e) novice*, 15

beginning *novice*, 15; *le début*, 33; from the beginning to the end *d'un bout à l'autre*, 38

behind *derrière*, 10; *arrière*, 32; having stayed behind *resté(e) en arrière*, 32

Belgian *belge*, 19

Belgium *la Belgique*, 7; in Belgium *en Belgique*, 19

to **believe** *croire*, 12, 32

belongings *des affaires* (f.), 18

below *ci-dessous*, 25; (five) degrees below *moins (cinq)*, 15

belt *une ceinture*, 23

to **bend** *plier*, 22

to **benefit** *bénéficier*, 40

berth *une couchette*, 40

besides *d'ailleurs*, 14

best *le mieux*, 22; the best ... (in) *le, la, les meilleur(e)(s)... (de)*, 22

to **bet** *parier*, 19

better *mieux*, 2; *meilleur, -e*, 22; it's better than *ça vaut mieux que*, 35; it's better to *il vaut mieux*, 14; it would be better *il vaudrait mieux*, 28; nothing better *rien de meilleur*, 36

between *entre*, 7

beverage cart *un mini-bar roulant*, 40

bicycle *un vélo*, 3; *une bicyclette*, 4

big *grand, -e*, 1; *gros, grosse*, 21

bike: to go bike-riding *faire du vélo*, 2

bill (money) *un billet*, 5

binoculars *des jumelles* (f.), 39

birch tree *un bouleau*, 27

bird *un oiseau* (pl.: -x), 7; birdcalls *le chant des oiseaux*, 7

birth *une naissance*, 17

birthday *un anniversaire*, 23;

Happy Birthday! *Bon Anniversaire!* 23

to **bite** *se mordre,* 35

black *le noir,* 2; all black and blue *couvert(e) de bleus,* 21

blackberry *une mûre,* 16

blackboard *un tableau* (pl.: -x), 4

blacksmith *un forgeron,* 34

blanket *une couverture,* 37

blond *blond, -e,* 7

blood pressure *la tension,* 35

blouse *un chemisier,* 9

to **blow** *souffler,* 32; to blow up *gonfler,* 39

blue *le bleu,* 2

board *un tableau,* 19; *une planche,* 33

boarding student *un interne,* 34

boat *un bateau* (pl.: -x), 12; excursion boat *un bateau-mouche,* 11; to carry the boats overland *faire du portage,* 27

boating: to go boating *faire du bateau,* 17

body *le corps,* 22; (of a car) *une carrosserie,* 31

to **boil** *bouillir,* 27

bongo drum *un tam-tam,* 14

book *un livre,* 3; *un bouquin,* 34; a science fiction book *un livre de science-fiction,* 3; book and stationery store *une librairie-papeterie,* 23

bookkeeping *la comptabilité,* 28

books *les comptes* (m.), 28

bookshelf *des étagères* (f.), 33

booming *en pleine expansion,* 24

boot *une botte,* 9; ankle boot *un bottillon,* 39

booth *un stand,* 21

bored: to be bored *s'ennuyer,* 38

boring *ennuyeux -euse,* 2, 4

born: I was born *Je suis né(e),* 21

to **borrow (from)** *emprunter (à),* 23; how about borrowing *si on empruntait,* 23

boss *un(e) patron(ne),* 13

both (of them) *tous les deux, toutes les deux,* 6,

bottle *une bouteille,* 8; a bottle of wine *une bouteille de vin,* 8; bottle opener *un ouvre-bouteilles* (pl.: ouvre-bouteilles), 27

bottom: at the bottom *en bas,* 32

bouffant *bouffant, -e,* 33

bougainvillaea *un bougainvillier,* 20

boule: to play boule *jouer aux boules,* 20

boulevard *un boulevard,* 11

boutique *une boutique,* 25

bow *l'avant* (m.), 39

bowl *un bol,* 13

bowling alley *un bowling,* 5

box *une boîte,* 4; paintbox *une boîte de couleurs,* 4

boy *un garçon,* 1; a new boy, a new girl *un nouveau, une nouvelle,* 4

boyfriend *un petit ami,* 30

boy scout *un scout,* 27

bracelet *un bracelet,* 9; (costume jewelry) *un bracelet fantaisie,* 23

to **brake** *un frein,* 31; disc brakes *des freins à disques* (m.), 31; hand brake *le frein à main,* 31

brand *une marque,* 31

brass *le cuivre,* 20

bread *le pain,* 8; long French bread *une baguette,* 8

to **break** *se casser,* 15; (a record) *battre,* 22; *freiner,* 31; to break one's neck *se casser la figure,* 32

breakfast *le petit déjeuner,* 8

to **breathe** *respirer,* 28

bricklayer *un maçon,* 33

bridge *un pont,* 11

bright *brillant, -e,* 18; *clair, -e,* 24

brilliant *génial, -e* (m. pl.: géniaux), 38

to **bring** *apporter,* 5; *amener,* 27; to bring back *raccompagner,* 30; to bring in (money) *rapporter,* 14, 20; to bring together *réunir,* 22; to bring up to date on *mettre au courant de,* 37

brioche *une brioche,* 8

brochure *un prospectus,* 28

broken *cassé, -e,* 37

brooch *une broche,* 29

broom *un balai,* 29

brother *un frère,* 7

brown *marron* (f. & pl.: marron), 2, 7

to **browse** *flâner,* 20

brush *une brosse,* 13; hairbrush *une brosse à cheveux,* 13; toothbrush *une brosse à dents,* 13

to **brush** *se brosser,* 13

Brussels *Bruxelles,* 19

bubbly *pétillant, -e,* 24

buffalo *un buffle,* 34

to **build** *construire,* 30; to build up one's strength *prendre des forces,* 40

building *un bâtiment,* 10; apartment building *un immeuble,* 10

Bulgaria *la Bulgarie,* 31

bulletin board *un tableau d'affichage,* 26

bull's eye: right in the bull's eye *en plein dans le mille,* 21

bully *une brute,* 21

bump *une bosse,* 32

to **bump into** *rentrer dans,* 21

bumper car *une auto tamponneuse,* 21

buoy *une bouée,* 39

buried *enfoui, -e,* 32

to **burn** *brûler,* 27

bus *un autobus,* 13; *un car,* 13

bustling with activity *en pleine effervescence,* 25

busy *occupé, -e,* 6; *pressé, -e,* 6

but *mais*

butcher *un(e) boucher (-ère),* 8

butter *le beurre,* 8

buttercup *un bouton d'or,* 36

buttered *beurré, -e,* 13

button: playback button *un bouton d'écoute,* 14; record button *un bouton d'enregistrement,* 14

to **buy** *acheter,* 8

buzzing *un bourdonnement,* 34

by *par,* 7

C

café *un café,* 5

calf *un veau* (pl.: -x), 28

call *une communication,* 6; phone call *un coup de téléphone,* 6

to **call** *téléphoner (à),* 5; *appeler,* 6; to call back *rappeler,* 6, 13; to call upon (someone) to speak *donner la parole à,* 27

called *appelé, -e,* 10; to be called *s'appeler,* 13

calm *tranquille,* 28; calm to moderately choppy *belle à peu agitée,* 39

to **calm down** *rassurer,* 29; *se calmer,* 31

Camembert cheese *le camembert,* 5; Camembert sandwich *un sandwich au camembert,* 5

camera *un appareil(-photo)* (pl.: appareils-photo), 3

camp *un camp,* 18; summer camp *un camp de vacances,* 18

to **camp** *camper,* 27

camper *un(e) campeur (-euse),* 27

campground *un camping,* 27

camping *le camping,* 27; to go camping *faire du camping,* 27

can *une boîte,* 27; can opener *un ouvre-boîtes* (pl.: ouvre-boîtes), 27

to **can** *faire des conserves,* 37

can *pouvoir,* 17

Canada *le Canada,* 19; in Canada *au Canada,* 1

Canadian *canadien, -ienne,* 15

candidate *un(e) candidat(e),* 28

candle *une bougie,* 37

candy: cotton candy *une barbe à papa,* 21

canned food(s) *les conserves* (f.), 37

cannon *un canon,* 12

cannonball *un boulet de canon,* 39

canoe *un canot,* 27

capital *une capitale,* 1, 19

to **capsize** *chavirer,* 27

captain *un capitaine,* 2

to **capture** *capter,* 36

car *une voiture,* 5; *une bagnole,* 31; (of a train) *un wagon,* 40; to get into a car *monter en voiture,* 28; toy car *une petite voiture,* 3

card *une carte,* 29; greeting card

une carte, 23; playing card   une carte, 3; post card   une carte postale, 16

care: to take care of   s'occuper (de), 13; entretenir, 31; to take care of oneself   se soigner, 35

career   une carrière, 28

careful   prudent, -e, 31; to be careful   faire attention, 4

carefully   avec attention, 38

Caribbean Sea la mer des Caraïbes, 1

carnival   un carnaval, 32

carpenter   un menuisier, 33

carrot   une carotte, 8

carrousel   un carrousel, 36

to **carry**   porter, 26; to carry the boats overland   faire du portage, 27

carrying   portant

cart: beverage cart   un mini-bar roulant, 40

carte: à la carte   à la carte, 38

cartoon: animated cartoon   un dessin animé, 5

case: pencil case   une trousse, 4

cashier   un(e) caissier (-ière), 26

cassette   une cassette, 3; cassette player   un lecteur de cassette, 31

to **cast**   larguer, 39

castle   un château, 26

casual   sport, 25

cat   un chat, 7

to **catch**   attraper, 17

category   une catégorie, 22

cauldron   un chaudron, 27

to **cause**   causer, 37

cavity   une carie, 35

to **celebrate**   célébrer, 32; fêter, 37

cello   un violoncelle, 14

cement   le ciment, 37

center   un centre, 24; youth center   une maison des jeunes, 10

centered   centré, -e, 10; cadré, -e, 36

centime   une centime, 5

centimeter   un centimètre, 22

century   un siècle, 26

certain   certain, -e, 26

certainly   certainement, 3

certificate   un certificat, 33

certified: certified public accountant   un expert-comptable, 28

chain   une chaîne, 29

chair   une chaise, 33

chairlift   un télésiege, 15

chamois   un chamois, 36

champion   un(e) champion(ne), 21

championship   un championnat, 22

chance   une chance, 28; chance of   tendance à, 39

change   la monnaie, 26; un changement, 39

to **change**   changer, 9; to change one's clothes   se changer, 13

character   le caractère, 10; un personnage, 29

charade   une charade, 8

charge: additional   charge   un supplément, 40

charming   charmant, -e, 38

chasing   à la poursuite de, 34

check   une addition, 5

to **check**   vérifier, 9

checkered   à carreaux, 25

checkers   les dames (f.), 3

checkroom   la consigne, 40

cheese   le fromage, 8; Camembert cheese   le camembert, 5; goat cheese   le fromage de chèvre, 8

cheetah   un guépard, 34

chemical   chimique, 37

cherry   une cerise, 8

chess   les échecs (m.), 3

chest   la poitrine, 22

chicken   un poulet, 8

child   un enfant, 4, 7

childhood   l'enfance (f.), 16

chimes   un indicatif (musical), 19

chin   le menton, 22

chocolate (candy)   un chocolat, 23; chocolate (flavor)   le chocolat, 5; hot chocolate   le chocolat, 13; chocolate ice cream   une glace au chocolat, 5

choice   un choix

to **choose**   choisir, 5

chop   une côtelette, 8; pork chop   une côtelette de porc, 8

to **chop**   couper, 27

church   une église, 10

circle   un cercle, 34

circus   un cirque, 38

city   une ville, 1

to **clap**   applaudir, 14

clarification   un éclaircissement, 38

clarinet   une clarinette, 14

class   une classe, 4

classical   classique, 28

classmate   un(e) camarade, 4

classroom   une salle de classe, 4

clay   l'argile (f.), 29

clean   propre, 8

to **clean**   nettoyer, 26, 37; faire le ménage, 26

cleaning lady   une femme de ménage, 26

cleanup   un nettoyage, 37

clear   clair, -e, 18

to **clear**   débarrasser, 26; to clear away   déblayer, 37

cleared away   déblayé, -e, 32

clearly   clairement, 40

cleverness   l'ingéniosité (f.), 38

cliff   une falaise, 36

climate   un climat, 24

to **climb**   grimper, 24; escalader, 36

cloak   une cape, 29; long Arab cloak   un burnous, 20

to **close**   fermer, 13

closely   de près, 32

closet   un placard, 37

closing   la fermeture, 11; une formule finale, 12

clothes   des vêtements (m.), 9

cloud   un nuage, 39

clover   un trèfle, 36

clown   un bouffon, 32

club   un club, 25; club car   une voiture-bar, 40

clutch: to let up the clutch   embrayer, 31; to step on the clutch   débrayer, 31

coach   un car, 31

coastline   une côte, 17

coat   un manteau, 25; (of paint), une couche, 33

coconut tree   un cocotier, 17

coed   mixte, 29

coffee (flavor)   le café, 5; (drink)   le café, 8; coffee ice cream   une glace au café, 5; coffee ice cream with whipped cream   un café liégeois, 38; coffee with milk   le café au lait, 8

coin   une pièce (de monnaie), 3, 5

colander   un panier, 20

cold   froid, -e, 5; le froid, 32; un rhume, 35; it's cold (weather)   il fait froid, 15; to be cold   avoir froid, 15

to **collapse**   s'écrouler, 13; s'effondrer, 37

collect   collectionner, 3

collector   un(e) collectionneur (euse), 3

college   une université, 28

color   une couleur, 2

colored   coloré, -e, 34

coloring   colorant, -e, 33

colt   un poulain, 28

to **comb**   peigner, 24; coiffer, 33; to comb one's hair   se donner un coup de peigne, 13

to **come**   venir, 14; to come and go   aller et venir, 14; to come back   revenir, 27; to come down   redescendre, 37; to come forward   avancer, 29; to come home   rentrer, 2; come on   viens, 4; Come on!   Allez! 9

comedian   un(e) comédien (-ienne), 38

comedy   un film comique, 5; une comédie, 29

comfort: to give comfort   réconforter, 21

comfortable   confortable, 31; to be comfortable   être bien, 40

coming: coming from   en provenance de, 19; on coming out of   à la sortie de, 10

comment   une appréciation, 4

commercial   une pub(licité), 24

company   une troupe, 29

to **compare**   comparer, 22

compartment   un compartiment, 40

compass   un compas, 4; une boussole, 27

competition   la concurrence, 28

competitor   un(e) concurrent(e), 22

to **complete**   compléter, 15

completely *tout, complètement,* 32
complicated *compliqué, -e,* 23
composition *une rédaction,* 8; musical composition *une composition,* 14; written composition *une composition française,* 4
comprehensive *polyvalent, -e,* 22
compulsory *obligatoire,* 34
to **concentrate** *se concentrer,* 28
concert *un concert,* 14
conch *un lambi,* 17
condition *l'état (m.),* 31; *une condition,* 30; in good condition *en bon état,* 27; *en bonne forme,* 26
conditioner *une crème après shampooing,* 33
confetti *un confetti,* 32
confusing *déroutant, -e,* 38
connecting train *une correspondance,* 40
conscientiously *consciencieusement,* 35
consequently *par conséquent,* 10
conservation *la conservation,* 24
to **consume** *consommer,* 31
continually *continuellement,* 26
to **continue** *continuer,* 9
contrast *un contraste,* 29
controls: with dual controls *à double commande,* 31
to **convince** *convaincre,* 29
cook *un(e) cuisinier (-ière),* 33
to **cook** *faire cuire,* 20; *faire la cuisine,* 20
cooked *cuit, -e,* 20
cool: it's cool (weather) *il fait frais,* 15
coordinated *coordonné, -e,* 29
coordination *la coordination,* 29
copper *le cuivre,* 20
coral *le corail (pl.: -aux),* 17
coral (pink) *corail,* 40
corn *le maïs,* 16
cornflower *un bleuet,* 36
corn poppy *un coquelicot,* 36
correct *correct, -e,* 6
to **correct** *corriger,* 4
to **correspond** *correspondre,* 20
Corsica *la Corse,* 39
cosmetic *un produit de beauté,* 25
cost *le prix,* 6
to **cost** *coûter,* 8
costume *un costume,* 29
cotton *le coton,* 34
to **cough** *tousser,* 35
counselor *un(e) conseiller (-ère),* 28; camp counselor *un(e) moniteur (-trice),* 26
to **count** *compter,* 3
counter *un comptoir,* 19
country *un pays,* 19
countryman, countrywoman *un(e) paysan(ne),* 36
country(side) *la campagne,* 36
courageous *courageux, -euse,* 22
course *un cours,* 4

course: of course *certainement,* 3; *bien sûr,* 4; *bien entendu,* 28; of course we are *mais si,* 2
courtyard *une cour,* 4
couscous *le couscous,* 20
cousin *un(e) cousin(e),* 7
covered with *couvert(e) de,* 37
cow *une vache,* 16
cowshed *une étable,* 16
cozy *intime,* 40
crab *un crabe,* 17, 39
craft *un métier,* 20
craftsperson *un artisan,* 20; craftsperson in precious metals *un orfèvre,* 20
crayfish *une écrevisse,* 40
cream *la crème,* 27; cream-colored *crème,* 25; heavy soured cream *la crème fraîche,* 8
creature *une créature,* 39
crew *un équipage,* 27, 39
to **criticize** *critiquer,* 38
crocodile *un crocodile,* 24
croissant *un croissant,* 8
to **cross** *traverser,* 18
cross-country skiing *le ski de fond,* 32
crowd *le monde,* 32; *la foule,* 32
to **crowd** *se presser,* 32
cruel *cruel, -elle,* 39
to **cry** *pleurer,* 27
cube *un cube,* 33
cuckoo *un coucou,* 36
cucumber *un concombre,* 8
cue *une réplique,* 29
cufflink *un bouton de manchette (pl.: boutons de manchette),* 23
culottes *une jupe culotte,* 25
cultural *culturel, -elle,* 24
cunning *malin, maligne,* 39
cup *une tasse,* 7, 8; (trophy) *une coupe,* 10
cured *guéri, -e,* 28
curious *curieux, -euse,* 23
curling iron *un fer à friser,* 33
curly *frisé, -e,* 33
current *un courant,* 27
current *actuel, -elle,* 24
curtain *un rideau,* 29
customer *un(e) client(e),* 13
to **cut** *couper,* 33; *découper,* 33
cyclist *un(e) cycliste,* 31
Czechoslovakia *la Tchécoslovaquie,* 31

D

dad, daddy *papa,* 7
daffodil *une jonquille,* 36
dagger *un poignard,* 39
dairy outlet *une crémerie,* 8; dairy outlet salesperson *un(e) crémier -ière),* 8
daisy *une marguerite,* 36
to **damage** *abîmer,* 33
dance *une danse,* 9; *un bal,* 14

to **dance** *danser,* 9
dancer *un(e) danseur (-euse),* 28
danger *le danger,* 36
dangerous *dangereux, -euse,* 2, 4
dark *sombre,* 24; dark (haired) *brun, -e,* 7; to get dark *faire nuit,* 27
darling *chéri, -e,* 16
Darn! *Zut!,* 29
dash: 100-meter dash *un 100 (cent) m (mètres),* 22
to **dash** *foncer,* 32
date *la date,* 12; (appointment) *un rendez-vous,* 13
to **date from** *dater de,* 26
day *un jour,* 4; *une journée,* 5; all day long *toute la journée,* 5; every day *tous les jours,* 4; in the old days *jadis,* 16; *autrefois,* 17; (on) the following day *le lendemain,* 11; seven days a week *sept jours par semaine,* 26; that day *ce jour-là,* 7; Those were the days! *C'était le bon temps!* 16
day student *un externe,* 34
dazed *étourdi, -e,* 32
dead: to play dead *faire le mort,* 29
dear *cher, chère,* 12; *chéri, -e,* 16
December *décembre (m.),* 12
to **decide (to)** *décider (de),* 9; *se décider (à),* 40
deck: observation deck *une terrasse,* 19
décor *un décor,* 38
deep *profond,* 39
deeply *profond,* 39; *à fond,* 39
definitely *nettement,* 26
degree *un degré,* 15; it's (five) degrees *il fait (cinq),* 15; (five) degrees below *moins (cinq),* 15
delayed *retardé, -e,* 19
delicate *fragile,* 39
delicious *délicieux, -euse,* 8
delighted *ravi, -e,* 30
delivery *une livraison,* 26
demand: in demand *demandé, -e,* 29
to **demolish** *démolir,* 37
demonstration *une démonstration,* 36; to give a demonstration *faire une démonstration,* 36
Denmark *le Danemark,* 31
dentist *un(e) dentiste,* 7
dentistry *dentaire,* 28
department (of a store) *un rayon,* 25
departure *un départ,* 27
to **depend (on)** *dépendre (de),* 31; it depends *ça dépend,* 23
deposit *des arrhes (f.),* 40; to make a deposit *verser des arrhes,* 40
depths: in the depths of *au fin fond de,* 34
to **describe** *décrire,* 2
desert *un désert,* 24
to **deserve** *mériter,* 39
deserved *mérité, -e,* 22

desk un bureau, 33
dessert un dessert, 8
destroyed détruit, -e, 17
detail un détail, 31
detective policier, -ière, 5
to **determine** déterminer, 31; to be de-termined to être décidé(e) à, 37
to **devote** consacrer, 37
devoted consacré, -e, 28
diagnosis un diagnostic, 28
to **dial** composer, 6; to dial the num-ber faire le numéro, 6; to dial the number again refaire le numéro, 6
diary un journal (de bord), 8
different différent, -e, 4
difficulty une difficulté, 4; to have difficulty avoir mal à, 27
to **dig** creuser, 32; piocher, 37
dinar un dinar, 20
dining car un wagon-restaurant, 40
dining room une salle à manger, 10; une salle de restaurant, 26
dinner (supper) un dîner, 7, 8; Din-ner is served! A table!, 8; dinner theater un café théâtre, 38; to have dinner dîner, 8
diploma un diplôme, 26
to **direct** diriger, 22; contrôler, 27
direct-dialing direct, -e, 40
direction la direction, 33
directions des instructions (f.), 6
director un metteur en scène, 29; ballet director un maître de ballet, 28
directory: telephone directory un annuaire, 6
dirty: to get dirty se salir, 25
disappear: they disappeared elles ont disparu, 27
disappoint: she didn't disappoint elle n'a pas déçu, 22
disappointed déçu, -e, 39
disc brakes des freins à disques, 31
discothèque une discothèque, 38
to **discourage** décourager, 28
to **discover** découvrir, 17
discreetly discrètement, 26
discus le disque, 22
discussion une discussion, 20
disease une maladie, 35
to **disembark** débarquer, 27
dish un plat, 8
dishes la vaisselle, 13; to do the dishes faire la vaisselle, 13
dishwasher un(e) plongeur (-euse), 26
to **display** manifester, 32
disposal: at the disposal of à la dis-position de, 40
to **disrupt** chahuter, 29
distance la distance, 29
to **distribute** distribuer, 28
to **disturb** déranger, 39
to **dive** plonger, 17
diver un(e) plongeur (-euse), 39
to **divide (into)** diviser (en), 18

diving la plongée, 39
dizziness le vertige, 21
dizzy: to be dizzy avoir le vertige, 21
to **do** faire, 2; to do again répéter, 31; to do the dishes faire la vais-selle, 13; to do the haying faire les foins, 16; to do the same thing en faire autant, 23; to have someone do something faire faire quelque chose à quelqu'un, 26; That did it! Ça y est! 21
doctor un médecin, 7; un docteur (une doctoresse), 28
documentary un documentaire, 24
dog un chien, 7
dominoes les dominos (m.), 3
door une porte, 37
dormitory un dortoir, 34
double bass une contrebasse, 14
to **doubt** douter, 35
doughnut un beigne, 27
dove tail une queue d'aronde, 33
downright carrément, 28
dozen une douzaine, 8
dragon un dragon, 32
drama une tragédie, 29
drawing le dessin, 4
dream un rêve, 24; Sweet dreams! Fais de beaux rêves! 13
to **dream** rêver, 17
dreamy rêveur, -euse, 30
dress une robe, 9
to **dress** habiller, 13; to get dressed s'habiller, 13; to dress a wound faire un pansement, 28; to dress up se déguiser, 29
dressing un assaisonnement, 8; un pansement, 28
dressy habillé, -e, 25
drill (dentist's) la roulette, 35
drink une boisson, 5
to **drink** boire, 9
to **drip** dégoutter, 27
to **drive** conduire, 16, 31; to drive in enfoncer, 33
driver un(e) conducteur (-trice), 31
driver's license le permis de con-duire, 31
driving la conduite, 31; driving les-son une leçon de conduite, 31; driving school une auto-école, 31
to **drop:** to drop anchor jeter l'ancre, 39; to drop off déposer, 27
druggist un(e) pharmacien (-ienne), 28
drugstore la pharmacie, 10
drums une batterie, 14
dry sec, sèche, 27
dual: with dual controls à double commande, 31
duchess une duchesse, 32
duck un canard, 16; Ducks in Orange Sauce les Canards à l'Orange, 14
dull terne, 24

dumpling une quenelle, 38
dune une dune, 18
dungeon un donjon, 26
duration la durée, 28
during pendant, 6; au cours de, 10
dust la poussière, 37
Dutch (language) le néerlandais, 19

E

each chaque, 7, 26
each one chacun, -e, 7
eager: to be eager to tenir à, 36
ear une oreille, 22
early tôt, 13; en avance, 19; de bonne heure, 32
earphone un écouteur, 14
earring une boucle d'oreille (pl.: boucles d'oreilles), 23
easily facilement, 25
east l'est (m.), 17
easy facile, 26
easygoing décontracté, -e, 19
to **eat** manger, 5
eccentric excentrique, 25
economical économique, 24
economy l'economie (f.), 28
edged with bordé, -e de, 17
education l'enseignement (m.), 26
effort un effort, 22
egg un œuf, 8
Egypt l'Egypte (f.), 31
Egyptian égyptien, -ienne, 11
either . . . or, soit . . . soit, 40
elbow le coude, 22
elder un(e) ancien (-ienne), 34
eldest aîné, -e, 34
electric électrique, 14
electrician un électricien, 29
electronic électronique, 26
electronics l'électronique (f.), 3; electronics magazine une revue d'électronique, 3
elegant élégant, -e, 25
elephant un éléphant, 24
else: everybody else les autres, 4; or else ou bien, 38; what else quoi d'autre, 23; What else is there? Qu'est-ce qu'il y a d'autre? 14
embarrassment of riches l'em-barras du choix, 23
emergency une urgence, 28
emotion un sentiment, 38
enchanted enchanté, -e, 17
to **encourage** encourager, 22
end la fin, 8; at the end à la fin, 8; at the end of en fin de, 18; at the far end (of) au fond (de), 4; from the beginning to the end d'un bout à l'autre, 38
to **end** finir, 5; terminer, 33
to **end up** se retrouver, 29
energetic énergique, 22
energy l'énergie (f.), 24
engine un moteur, 31
engineer un ingénieur, 7; sound

engineer *un ingénieur du son*, 14
England *l'Angleterre* (f.), 19
English *anglais, -e*, 19
enjoy: Enjoy your meal! *Bon Appétit!* 8; **to enjoy food** *se régaler*, 38
enormous *vaste*, 17
enough *assez (de)*, 5; **That's enough for me!** *Ça me suffit!* 21
to **enter** *se présenter (à)*, 22; **to enter a name** *prendre une inscription*, 40
entertained: to be entertained *se distraire*, 24
enthusiastic *passionné, -e*, 10
entrance exam *un concours*, 28
entry: entry not allowed *accès interdit à*, 40
entryway *une entrée*, 10
envelope *une enveloppe*, 12
environment *l'environnement* (m.), 37; **in (their) natural environment** *en liberté*, 24
equipment *un équipement*, 15; *le matériel*, 27
to **erase** *effacer*, 4
eraser *une gomme*, 4
errand *une course*, 8
eruption *une éruption*, 17
especially *particulièrement*, 22
espresso *un express*, 38
essential: to be essential *s'imposer*, 40
estate *une propriété*, 37
ethnic *éthnique*, 24
even *même*, 26
evening *le soir*, 4; *une veillée*, 27; *la soirée*, 39
event *une épreuve*, 22
eventually *éventuellement*, 28
every *chaque*, 26
everybody *tout le monde*, 4; **everybody else** *les autres*, 4
everything *tout*, 8
everywhere *partout*, 9
exact *exact, -e*, 40; **to be more exact** *pour plus de précision*, 34
exactly *exactement*, 14
exam *un examen*, 28; **entrance exam** *un concours*, 28
to **examine** *examiner*, 27 35
except *sauf*, 4; *excepté*, 7
exceptional *extraordinaire*, 3
to **exchange** *échanger*, 19
exciting *excitant, -e*, 31; *passionnant, -e*, 38; **nothing very exciting** *rien de très excitant*, 36
excursion *une excursion*, 17; *une randonnée*, 40
excuse: with the excuse *sous prétexte*, 16
excuse me *excuse(z)-moi*, 6; *pardon*, 6
exercise *un exercice*, 4, 22; **floor exercises** *les exercices au sol* (m.), 22; **listening exercise** *un exercice de compréhension*, 4; **writing exercise** *un exercice écrit*, 4

exhausted *épuisé, -e*, 13
exhibition *une exposition*, 13
exit *une sortie*, 10; **on coming out of** *à la sortie*, 10
exotic *exotique*, 17
to **expect** **(to)** *s'attendre (à)*, 26; *compter*, 34
expensive *cher, chère*, 8
experience *une expérience*, 26
experienced *expérimenté, -e*, 39
to **explain** *expliquer*, 10
exploration *une exploration*, 12
to **explore** *explorer*, 17
express *direct, -e*, 40; **express train** *un train rapide*, 40
to **express** *exprimer*, 36
expression: to give free expression to *donner libre cours à*, 36
extensive view *une étendue*, 40
eye *un œil* (pl.: *yeux*), 6, 12, 22; **eye patch** *un bandeau*, 29
eyeglasses *les lunettes* (f.), 7
eyelash *un cil*, 29

F

fabric *un tissu*, 29; *une étoffe*, 34
facing *en face (de)*, 4
fact: in fact *en fait*, 16; *en effet*, 28; **the fact is** *en effet* 19; **as a matter of fact** *d'ailleurs*, 14
factory *une usine*, 7; **factory worker** *un(e) ouvrier (-ière)*, 7
to **fail** *être recalé à*, 28
to **faint** *tomber dans les pommes*, 35
fair *une kermesse*, 14; *une fête*, 21; **traveling fair** *une fête foraine*, 21
fairy tale *un conte de fées*, 21
fakir *un fakir*, 21
fall *l'automne* (m.), 15; *une chute*, 32; **in the fall** *en automne*, 15
to **fall** *tomber*, 15; **to fall apart** *tomber en ruines*, 37
false *faux, fausse*, 4, 29
familiar *familier, -ière*, 34
family *une famille*, 7
famous *célèbre*, 17, 24
fan *un ventilateur*, 34
fantastic *fantastique*, 17
far (from) *loin (de)*, 1; **far away** *au loin*, 32; *lointain, -e*, 24; **by far** *de loin*, 39
farm *une ferme*, 16
farmer *un(e) fermier (-ière)*, 7
fascinating *fascinant, -e*, 36
fashion *la mode*, 25
fashionable *à la mode*, 25
fast *rapide*, 9; *vite*, 15
to **fasten** *attacher*, 27
fate (destiny) *le sort*, 27
father *un père*, 7; **from father to son** *de père en fils*, 34
faucet *un robinet*, 37
fault *une faute*, 4; *un défaut*, 30
favorite *préféré, -e*, 14; *un(e) favori-*

(te), 22; *favori, -e*, 38
February *février* (m.), 12
to **feed** *donner à manger*, 16
to **feel** *sentir*, 27; *se sentir*, 28; *ressentir*, 38; **to feel at home** *ne pas se dépayser*, 38; **to feel good** *faire du bien*, 40; **to feel like** *avoir envie de*, 32
feeling *une impression*, 26; *un sentiment*, 38
feet: a few feet from *à deux pas de*, 3
felt-tip pen *un feutre*, 4
Ferris wheel *une grande roue*, 21
fertile *fertile*, 24
fertilizer *un engrais*, 24, 37
festival *une fête*, 32
festivities *les réjouissances* (f.), 32
fever *la fièvre*, 35; **to have a fever** *avoir de la fièvre*, 35
few: a few *quelques*, 14
field *un champ*, 16; **athletic field** *un stade*, 10
fig *une figue*, 16
to **fight** *se battre*, 26
to **figure out** *calculer*, 5
file *une lime*, 33
to **file** *limer*, 33
filling *un plombage*, 35
to **fill to fill in the answers** *remplir*, 25; **to fill out** *remplir*, 35
film *un film*, 5; **detective film** *un film policier*, 5
film club *un ciné-club*, 29
filmmaker *un cinéaste*, 28
finally *finalement*, 18; *enfin*, 26
to **find** *trouver*, 2; **to find again** *retrouver*, 27; **to find oneself** *se retrouver*, 29
fine *fin, -e*, 17
fine arts *les beaux-arts* (m.), 28
finger *un doigt*, 22
to **finish** *finir*, 5; *terminer*, 33; **once finished** *une fois terminé*, 5
Finland *la Finlande*, 31
fir (tree) *un sapin*, 36
fire: wood fire *un feu de bois*, 15; **to build a fire** *faire un feu*, 36
fireworks *un feu d'artifice*, 32
firm *une entreprise*, 28
first *en premier*, 31; *avant*, 35; **first of all** *d'abord*, 4
first-aid kit *une trousse de premiers soins*, 27
first name *prénom*, 30
fish *le poisson*, 8; **angel fish** *un poisson-ange*, 17; **clown fish** *un poisson-clown*, 17; **flying fish** *un poisson volant*, 17; **jelly fish** *une méduse*, 17
to **fish** *pêcher*, 17; **to go fishing** *aller à la pêche*, 17
fisherman *un pêcheur*, 17
fishing *la pêche*, 17
to **fit** *aller (à)*, 23; *emboîter*, 33; **fitting room** *une cabine d'essayage*, 25

to **fix** *réparer*, 3; to fix completely *retaper*, 31
fixed-price dinner *le menu*, 38
flabbergasted *bouche bée*, 34
flash *un flash*, 26
flashlight *une lampe de poche*, 27
flat *plat, -e*, 27; flat on one's face *à plat ventre*, 36
to **flee** *fuir*, 39
flight *un vol*, 19
to **flip** *sauter*, 24
flipper *une palme*, 17
float *un char*, 32
to **float** *flotter*, 39
to **flock (to)** *descendre en masse*, 39
flood light *un projecteur*, 29
floor *un étage*, 10; floor exercises *les exercices au sol* (m.), 22; the ground floor *le rez-de-chaussée*, 10
Florida *la Floride*, 17
florist *un(e) fleuriste*, 23
flower *une fleur*, 8; the Flower Market *le Marché aux Fleurs*, 8
flu *la grippe*, 35
to **flunk** *être recalé à*, 28
flute *une flûte*, 14
FM radio *une radio modulation de fréquence*, 31
fog *le brouillard*, 19
to **follow** *suivre*, 10
followed (by) *suivi, -e (de)*, 19
following *suivant, -e*, 36
fondue *une fondue*, 36
food *la nourriture*, 9
foot *un pied*, 22; on foot *à pied*, 13
football *le football américain*, 2
for *comme*, 2; *pour*, 3; *car*, 7; *à destination de*, 40
forbidden (to) *interdit, -e (de)*, 36
forecast *prévu, -e*, 39
foreign *étranger, -ère*, 21
forest *une forêt*, 17
to **forget** *oublier*, 8
forget-me-not *un myosotis*, 36
fork *une fourchette*, 8
form *une forme*, 6; *une feuille*, 35
formidable *redoutable*, 26
fortress *une forteresse*, 26
fortune *une fortune*, 12
fortune-teller *un fakir*, 21
forward *avant*, 2; *en avant*, 32
founder *un(e) fondateur (-trice)*, 32
frame *un cadre*, 33
franc *un franc*, 5; 1 F each *1 F la pièce*, 8
France *la France*, 1; in France *en France*, 1
frankfurter *une saucisse*, 36
frankly *franchement*, 38
free *libre*, 5; *gratuit, -e*, 26; to give free expression to *donner libre cours à*, 36; not free *payant, -e*, 40
to **freeze** *geler*, 32
French (language) *le français*, 4, 19
French *français, -e*, 19

French fries *des frites* (f.), 8
French person *un(e) Français(e)*, 19
Friday *vendredi* (m.), 4
friend *un(e) ami(e)*, 2; old friend *mon vieux, ma vieille*, 3
friendship *l'amitié* (f.), 30
from *de*, 1; *en provenance de*, 19; *à partir de*, 29
front *devant*, 10; *l'avant* (m.), 39; in front (of) *en face (de)*, 4; in front *en tête*, 32
frozen *surgelé, -e*, 37
fruit *un fruit*, 8
frying pan *une poêle*, 27
full *rempli, -e*, 13; *plein, -e*, 17; *chargé, -e*, 28
fullback *arrière*, 2
fully *à fond*, 39
fun *amusant, -e*, 2; to have fun *s'amuser*, 13
to **function** *marcher*, 9
funny *drôle*, 21; *humoristique*, 23
further on *plus loin*, 20
fuss: to make a fuss *faire toute une histoire*, 30
future *l'avenir* (m.), 21; *futur, -e*, 31
fuzzy *flou, -e*, 24

G

game *un match*, 2; *un jeu*, 3; card game *une partie de cartes*, 7
gang *une bande*, 9
gaping *bouche bée*, 34
garage *un garage*, 20
garbage *les ordures* (f.), 37; garbage dump *un dépotoir*, 37
garden *un jardin*, 11; garden apartments *une résidence*, 10; vegetable garden *un jardin potager*, 16
gas *l'essence* (f.), 31; gas pump attendant *un(e) pompiste*, 26
gate *une porte*, 19
to **gather** *se rassembler*, 39
gear *une vitesse*, 31
Gee! *Dis donc!* 25
general *général, -e* (m. pl.: *-aux*), 36
generalization *une généralization*, 4
generally *généralement*, 29
gentle *doux, douce*, 17
geography *la géographie*, 4
German *allemand, -e*, 19
German shepherd *un berger allemand*, 28
Germany *l'Allemagne* (f.), 19
gesture *un geste*, 29
get: to get along *s'entendre*, 30; to get along well *sympathiser*, 30; to get back to *reprendre*, 28; to get closer *s'approcher (de)*, 19; to get dressed *s'habiller*, 13; to get excited *s'énerver*, 31; to get into a car

monter en voiture, 28; to get oneself out of *se tirer (de)*, 17; to get to *se rendre*, 13; to get together *se réunir*, 18; to get up *se lever*, 13; *se soulever*, 29; to get up again *se relever*, 15; to get washed *faire sa toilette, se laver*, 13; to go get *aller chercher*, 16
ghost *un fantôme*, 29
gift *un cadeau* (pl.: *-x*), 23; *un don*, 28; to give a gift *faire un cadeau*, 23
gifted *doué, -e (pour)*, 4
giraffe *une girafe*, 34
girl *une fille*, 1; girl friend *une petite amie*, 30; girl scout *une guide*, 27
to **give** *donner*, 5; to give a gift *faire un cadeau*, 23; to give back *rendre*, 9; to give up *renoncer à*, 18; to give water to *donner à boire*, 16
glass *un verre*, 8
to **glitter** *scintiller*, 36
glove *un gant*, 15
glued *collé, -e*, 12
to **go** *aller*, 4; to go after *poursuivre*, 17; to go around the world *faire le tour du monde*, 24; to go back on *remonter*, 21; to go back up *remonter*, 12; to go bike-riding *faire du vélo*, 2; to go down *descendre*, 7; *baisser*, 26; to go down again *redescendre*, 19; to go forward *avancer*, 29; to go get *aller chercher*, 16; to go grocery shopping *faire les courses*, 8; to go into first (gear) *passer en première*, 31; to go off *éclater*, 32; to go out *sortir*, 5; to go shopping *faire des courses*, 11; to go through *parcourir*, 30; to go to bed *se coucher*, 13 to go to sleep *s'endormir*, 13; to go toward *se diriger*, 28; to go up *monter*, 10; *remonter*, 32; to go with *accompagner*, 25; everything's going wrong *tout va mal*, 9; Let's go! *Allons-y!* 5; *On y va!* 15; That always goes over. *Ça plaît toujours.* 14
goal *un but*, 2
goalkeeper *un(e) gardien (-ienne) de but*, 2
goggles *des lunettes* (f.), 15
going down *la descente*, 27
gold *l'or* (m.), 23; made of gold *en or*, 23
golden *en or*, 28; *doré, -e*, 29
good *bon, bonne*, 4; it looks good *ça fait bien*, 31; it's for your own good *c'est pour (votre) bien*, 28; to feel good *faire du bien*, 40
Goodbye. *Au Revoir.* 6
good-looking *pas mal* (f. & pl.: *pas mal*), 25
Good night! *Bonne nuit!* 13; *bonsoir*, 13
goods *une marchandise*, 26
graceful *gracieux, -euse*, 22
grade *une note*, 4; in the 11th

grade *en seconde,* 34; 9th grade *la quatrième,* 4

gradually *progressivement,* 33

gram *un gramme,* 8

grammar *la grammaire,* 4

grandfather *un grand-père,* 7

grandmother *une grand-mère,* 7

grandparents *des grand-parents,* (m.), 7

grape: grape harvest *les vendanges* (f.), 25; grapes *du raisin,* 8

grapefruit *un pamplemousse,* 8

grass *l'herbe* (f.), 16

grated *râpé, -e,* 8

gray *gris, -e,* 7

greasy *gras, grasse,* 33

great *chouette,* 37; It's really great! *C'est extra!* 21

Great Britain *la Grande Bretagne,* 31

green *le vert,* 2

green pepper *un poivron doux,* 20

greetings *des salutations* (f.), 40

to **grill** *griller,* 20

grocer *un(e) épicier (-ière),* 8

groceries *des provisions* (f.), 8

grocery: grocery store *une épicerie,* 8; *un magasin d'alimentation,* 26; to go grocery shopping *faire les courses,* 8

ground: ground floor *le rez-de-chaussée,* 10; on the ground foor *au rez-de-chaussée,* 10; on the ground *par terre,* 18

group *un ensemble,* 10; *un groupe,* 14

grouper *un mérou,* 39

to **grow** *cultiver,* 16; to grow back *repousser,* 35

grudge: holding a grudge *rancunier, -ière,* 21

Guadeloupe *la Guadeloupe,* 17

to **guess** *deviner,* 7

guest *un(e) invité(e),* 14

guide *un guide,* 10

to **guide** *guider,* 10

guitar *une guitare,* 9, 14

gum *la gencive,* 35

guy *un type,* 21

gym(nasium) *un gym(nase),* 4

gym(nastics) *la gym(nastique),* 4, 22

gypsy *un(e) bohémien (-ienne),* 29

H

hair *les cheveux* (m.), 13; hairbrush *une brosse à cheveux,* 13; haircut *une coupe,* 33; hairdo *une coiffure,* 33; hairdresser *un(e) coiffeur (-euse),* 33; hair dryer *un séchoir,* 33; hair set *une mise en plis,* 33

half *une moitié,* 27; half hour *une demi-heure,* 9; half past (the hour) *et demie,* 4; half way *à mi-chemin,* 27

halfback *demi,* 2

hall: entrance hall *un *hall,* 12; Hall of Mirrors *la Galerie des Glaces,* 30

hallway *un couloir,* 4

ham *le jambon,* 5

hammer *un marteau* (pl.: -x), 33

hand *une main,* 4; 22; in hand *en mains,* 19; to raise one's hand *lever la main,* 8

handbag *un sac,* 23

handkerchief *un mouchoir,* 23

to **hang** *suspendre,* 32; to hang around for more of the same *ne pas demander son reste,* 39; to hang up (the phone) *raccrocher,* 6; Hang on! *Tiens-toi bien!* 21

to **happen (to)** *arriver (à),* 15; *se passer,* 31; nothing happened *ça n'a rien donné,* 37

happily *bien,* 38

happiness *le bonheur,* 23

happy *heureux, -euse,* 30

hard *dur,* 26

hardly *à peine,* 16

harmonica *un harmonica,* 14

harvest *la moisson,* 16

to **harvest** *faire la moisson,* 16

hassock *un pouf,* 20

hat *un chapeau,* 29

to **hate** *avoir horreur (de),* 30

to **have** *avoir,* 3; to have a headache *avoir mal à la tête,* 35; to have a snowball fight *se battre à coups de boules de neige,* 32; to have a stomach ache *avoir mal au ventre,* 35; to have a toothache *avoir mal aux dents,* 35; to have difficulty (in) *avoir du mal à,* 27; to have just *venir de,* 14; to have s.o. do something *faire faire qqch. à qqn.,* 26

to **have to** *il faut,* 4; *falloir,* 26; *devoir,* 33; he / she has to *il / elle doit,* 13; I have to *je dois,* 5; they have to *ils / elles doivent,* 10

hawthorn *une aubépine,* 36

hay *le foin,* 16

to **hay** *faire les foins,* 16

hayloft *un grenier à foin,* 16

haze *la brume,* 39

hazelnut (flavor) *la noisette,* 5; (fruit) *une noisette,* 16; hazelnut ice cream *une glace à la noisette,* 5

he *il,* 2

head *la tête,* 22

headache: to have a headache *avoir mal à la tête,* 35

headed by *en tête,* 32

health *la santé,* 23

to **hear** *entendre,* 7

heart *un cœur,* 3

heat *la chaleur,* 34

to **heat up** *faire chauffer,* 37

heaven: to be in heaven *être aux anges,* 38

Hebrew (language) *l'hébreu* (m.), 19

height *la hauteur,* 33; of medium height *de taille moyenne,* 7

Hello! *Allô!, bonjour,* 6

help *l'aide* (f.), 16

Help! *Au secours!* 39

to **help** *aider (à),* 8; Somebody help me! *Maman!* 21; to help one another *s'entraider,* 30

hen *une poule,* 16

her *elle,* 1; *son, sa, ses,* 7; *la,* 10; (to, for) her *lui,* 8

here *ici,* 4; *voici,* 7; here is (are) *voilà,* 4; right here *juste ici,* 4

hers *le sien, la sienne, les siens, les siennes,* 23

herself *se,* 13

hesitation *une hésitation,* 23

Hi! *Salut!* 6

to **hide** *se cacher,* 36

hide and seek: to play hide and seek *jouer à cache-cache,* 21

high *haut,* 22; *élevé, -e,* 35

high jump *le saut en *hauteur,* 22

high school *un lycée,* 7, 26; high-school student *un(e) lycéen (-éenne),* 26, 28

hill *une colline,* 17

him *lui,* 1; *le,* 10; (to, for) him *lui,* 8

himself *se,* 13

hippopotamus *un hippopotame,* 24

his *sa, son, ses,* 7; *le sien, la sienne, les siens, les siennes,* 23

history *l'histoire* (f.), 4

hockey: ice hockey *le *hockey sur glace,* 2; hockey puck *une rondelle,* 2; hockey stick *une crosse,* 2

to **hold** *tenir,* 33; *retenir,* 40; to hold down *maintenir,* 28; to hold on *s'agripper,* 21; to hold on well *se tenir bien,* 39

hole *un trou,* 27

home: at home, at the home of *chez, à la maison,* 5

homework *un devoir,* 4

honest *franc, franche,* 30

hooked *crochu, -e,* 29

hope *l'espoir* (m.), 23

to **hope** *espérer,* 14; to hope to *compter,* 34; I certainly hope to *je compte bien,* 34

horizontal bar *la barre fixe,* 22

horoscope *un horoscope,* 21

hors d'œuvre *un *hors-d'œuvre* (pl.: hors-d'œuvre), 8

horse *un cheval* (pl.: -aux), 16; to ride a horse *monter un cheval,* 16; vaulting horse *le cheval de voltige,* 22

horseback-riding *le cheval,* 2; to go horseback riding *faire du cheval,* 2

hospitable *accueillant, -e,* 17

hospital *un hôpital* (pl.: -aux), 7

hostess *une hôtesse*, 19
hot *chaud, -e*, 15; hot coals *la braise*, 27; it's hot (weather) *il fait chaud*, 15
hotel *un hôtel*, 26
hour *une heure*, 4; an hour late *1 h de retard*, 19; rush hour *l'heure d'affluence*, 13
house *une maison*, 1; at their house *chez eux*, 5; fun house *une maison magique*, 21; house painter *un peintre en bâtiment*, 33
house *intérieur, -e*, 40
housework *le ménage*, 26; to do housework *faire le ménage*, 26
how *comment*; 1; *comme*, 25; how did it go *comment ça s'est passé*, 35; how much *ça fait combien*, 5; how much, how many *combien de*, 3; How's everything? *Ça va?* 6
however *néanmoins*, 36
huge *énorme*, 12
humid *humide*, 27
humming *un ronronnement*, 34
humorist: singing humorist *un chansonnier*, 38
humorous *humoristique*, 23
Hungary *la Hongrie*, 31
hungry: to be hungry *avoir faim*, 5; to make hungry *donner faim*, 36
hunter *un(e) chasseur (-euse)*, 39
hurdles *les *haies (f.)*, 22
Hurray! *Hourra!* 27
hurry: in a hurry *pressé , -e*, 6
to **hurry** *se dépêcher*, 13
to **hurt** *avoir mal (à)*, 15; *se faire mal (à)*, 15; *faire mal*, 35
hut *une case*, 34
hypocritical *hypocrite*, 30

I

I *je*, 2
ice *la glace*, 32; ice breaker *un brise-glace (pl.: brise-glace)*, 32
ice cream *une glace*, 5
to **ice-skate** *faire du patin à glace*, 32
icy *glacial, -e*, 32
idea *une idée*, 19
identification card *une carte d'identité*, 40
to **identify** *identifier*, 7
idiotic *débile*, 38
idiots: What are you, some kind of idiots! *Espèces de crétins!* 21
if *si*, 5
to **illustrate** *illustrer*, 17
illustrator *un(e) dessinateur (-trice)*, 7
imaginary *imaginaire*, 34
to **imagine** *imaginer*, 19
impatiently *avec impatience*, 7
important *important, -e*, 28
impossible *impossible*, 6
impression *une impression*, 26
impressive *inpressionnant, -e*, 18

in *à*, 1; *dans*, 1; *en*, 4; in case, if *au cas où*, 25
inattentive *distrait, -e*, 4
inch *un pouce*, 22
incidentally *au fait*, 29
to **increase** *augmenter*, 33
incredible *incroyable*, 37
independent *indépendant, -e*, 30
to **indicate** *indiquer*, 33
indicated *indiqué, -e*, 7
indispensable *indispensable*, 28
indisputably *indiscutablement*, 22
individual *individuel, -elle*, 27
indoor *couvert, -e*, 40
industrial *industriel, -elle*, 24
industry *une industrie*, 10
infinite *infini, -e*, 36
infirmary *une infirmerie*, 15
influence *l'influence (f.)*, 30
to **inform** *informer*, 40
information *des renseignements (m.)*, 19; to get information *se renseigner*, 30
informed *au courant*, 30; to keep informed *tenir au courant*, 30
inhabitant *un habitant*, 10
injection *une piqûre*, 35; to give an injection *faire une piqûre*, 35
ink *l'encre (f.)*, 39
inn *une auberge*, 37
insect *un insecte*, 36; insect repellent *un insecticide*, 27
inside *dedans*, 21
inspiration *l'inspiration (f.)*, 23
installation *une installation*, 27
instance: for instance *par exemple*, 3
instead *plutôt*, 16
instructor *un(e) moniteur (-trice)*, 15
instrument *un instrument*, 14
intelligent *intelligent, -e*, 4
to **interest** *intéresser*, 25; if you are interested *si ça vous intéresse*, 25; to be in one's best interest to *avoir intérêt à*, 33; to take an interest in *s'intéresser à*, 37
interesting *intéressant, -e*, 26
interior *intérieur, -e*, 40
intermediate *intermédiaire*, 15
intermission *un entracte*, 38
internship *un stage*, 34
interpretor *un(e) interprète*, 28
intersection *un croisement*, 10
intimate *intime*, 40
intrigued *intrigué, -e*, 36
to **introduce (to)** *présenter (à)*, 10
to **invite** *inviter*, 7
to **invoke** *invoquer*, 34
iron *le fer*, 34; iron wire *un fil de fer*, 33
is: isn't it? *n'est-ce pas?* 1; isn't it *hein*, 38
island *une île*, 1
isolation *l'isolement (m.)*, 39
isothermic *isothermique*, 39

Israel *Israël (m.)*, 19
Israeli *israélien, -ienne*, 19
issued *délivré, -e*, 40
it *il, elle*, 8; *le, la*, 10
Italian *italien, -ienne*, 19
Italy *l'Italie (f.)*, 19
its *son, sa, ses*, 7
itself *se*, 13
Ivory Coast *la Côte d'Ivoire*, 34; person from the Ivory Coast *un(e) ivoirien (-ienne)*, 34

J

jack-of-all trades *un(e) bricoleur (-euse)*, 33
jacket *un blouson*, 9; *une veste*, 25
jam *la confiture*, 8
Jamaica *la Jamaïque*, 17
January *janvier (m.)*, 12
jar *un pot*, 8; jar of mustard *un pot de moutarde*, 8
jaunt: to take a jaunt *faire une promenade*, 11
javelin *le javelot*, 22
jazz *le jazz*, 14
jeans *un jean*, 9
jeweler *un(e) bijoutier (-ière)*, 33
jewelry: a piece of jewelry *un bijou (pl.: -x)*, 9; jewelry shop *une bijouterie*, 23
job *un job*, 26; *un travail*, 26; *situation*, 28
to **join:** they join *ils se joignent à*, 32
Jordan *la Jordanie*, 31
journalism *le journalisme*, 28
journalist *un(e) journaliste*, 7
joy *la joie*, 23
joyous *joyeux, -euse*, 23
judgement *le jugement*, 30
judo *le judo*, 2; to practice judo *faire du judo*, 2
juice *un jus*, 5; fruit juice *un jus de fruit*, 5; grapefruit juice *un jus de pamplemousse*, 5
juicy *juteux, -euse*, 8
July *juillet (m.)*, 7, 12
jump *un saut*, 22; high jump *le saut en hauteur*, 22; long jump *le saut en longueur*, 22
to **jump** *sauter*, 22
jumper *une robe-chasuble*, 25
June *juin (m.)*, 12
jungle *la brousse*, 33
junior *cadet, -ette*, 22
just *juste*, 16; just like *tout comme*, 31

K

kapok tree *un fromager*, 34
karate *le karaté*, 29
keep *un donjon*, 26

to **keep** *garder*, 9; to keep from *empêcher (de)*, 20; to keep informed *tenir au courant*, 30; to keep one's balance *garder l'équilibre*, 22; to keep score *marquer les points*, 3
kettle *une bouilloire*, 27
key ring *un porte-clés (pl.: porte-clés)*, 23
kid *un(e) gosse*, 35
killer: it's a real killer! *Quel pied!* 38
killing: my (shoulders) are killing me *j'ai (les épaules) en compote*, 40
kilogram *un kilo*, 8
kilometer *un kilomètre*, 17
kind *un genre*, 14
king *un roi*, 30; Sun King *le Roi-Soleil*, 30
kiss *un baiser*, 23
to **kiss** *embrasser*, 12
kitchen *une cuisine*, 4
knee *un genou (pl.: -x)*, 15
knife *un couteau (pl.: -x)*, 8; knife-rest *un porte-couteau (pl.: porte-couteaux)*, 8
to **knit** *tricoter*, 3
to **knock** *frapper*, 29
knot *un nœud*, 39
knotted *noué, -e*, 18; knotted rope *une corde à nœuds*, 22
to **know** (to be acquainted with) *connaître*, 10; (to know how to) *savoir*, 16; to know each other *se connaître*, 19; do you know? *savez-vous?* 12, 16
knowledge *la connaissance*, 26

L

laboratory *un laboratoire*, 4
lack *manquer*, 13
lady *une dame*, 19
ladybug *une coccinelle*, 36
lake *un lac*, 18
lamb *l'agneau (m.)*, 8; *le mouton*, 20; lamb chop *une côte d'agneau*, 38; leg of lamb *un gigot d'agneau*, 8
lamp *une lampe*, 33
to **land** *atterrir*, 19; *débarquer*, 27
landing *un palier*, 10; *un débarquement*, 17
landmark *un monument*, 11
landscape *un paysage*, 24
lane *un allée*, 10
language *une langue*, 4; modern language *une langue vivante*, 4
large *grand, -e*, 1
last *dernier, -ière*, 22; last night *hier soir*, 9; at last *finalement*, 18; *enfin*, 26
to **last** *durer*, 7
late *tard*, 26; *en retard*, 30
Latin (language) *le latin*, 4
to **laugh** *rire*, 27
laughter: to roar with laughter *rire*

aux éclats, 34
Laurentian Mountains *les Laurentides*, 15
law *le droit*, 28
lawn *une pelouse*, 7
lawyer *un(e) avocat(e)*, 7
lazy *paresseux, -euse*, 4; to get lazy *perdre courage*, 13
to **lead** *mener*, 34; to lead back *ramener*, 16; he leads *il conduit*, 28
leader *un chef*, 18
leading man, leading lady *un(e) jeune premier (-ière)*, 29
to **lean (on)** *s'appuyer (sur)*, 15
leap *un bond*, 13
to **learn** *apprendre à*, 19; *s'instruire*, 24
least: at least *au moins*, 13; the least... (in) *le/la/les moins... (de)*, 22
leather *le cuir*, 20; leather-goods store *une maroquinerie*, 23
to **leave** *laisser, partir*, 5; *quitter*, 6; *lever l'ancre*, 39; *libérer*, 40
left *gauche*, 22; on (to) the left *à gauche*, 8, 10
left: if there is any left *s'il y en a encore*, 9
leg *une jambe*, 15; leg of lamb *un gigot d'agneau*, 8
leisure-time activities *les loisirs (m.)*, 38
lemon soda *la limonade*, 5
to **lend (to)** *prêter (à)*, 23
length *la longueur*, 33
to **lengthen** *rallonger*, 25
lens *un objectif*, 36
less *moins*, 4; less... than *moins que*, 22; less than *inférieur, -e*, 33
lesson *une leçon*, 31
to **let** *laisser*, 16; to let up the clutch *embrayer*, 31
letter *une lettre*, 12
liar *menteur, -euse*, 10
liberal arts *les lettres (f.)*, 28
library *une bibliothèque*, 4
Libya *la Libye*, 31
to **lie around** *traîner*, 36
life *la vie*, 10, 21
lifeguard *un maître-nageur*, 26
life jacket *un gilet de sauvetage*, 27
to **lift up** *relever*, 34
light *une lumière*, 37; flood light *un projecteur*, 29; the lights are turned off *les lumières s'éteignent*, 34
light *léger, -ère*, 8, 32; *claire, -e*, 36
light: to have light *s'éclairer*, 27; to light up *allumer*, 27
lighthouse *un phare*, 39
lighting effects *jeu de lumière*, 29
lightning *un éclair*, 16
like *comme*, 1; just like *tout comme*, 31
to **like** *aimer;* 2; to like very much *adorer*, 15
liking *la sympathie*, 36
lily of the valley *le muguet*, 36

limp *mou, molle*, 21
line (phone connection) *une ligne*, 6; *une queue*, 15; *une amarre*, 39; at the other end of the line *à l'autre bout du fil*, 16; just a line . . . *juste un petit mot . . .*, 16; to stand in line *faire la queue*, 15
lion *un lion*, 24
lipstick *le rouge à lèvres*, 29
list *une liste*, 9, 27
to **listen** *écouter*, 3; to listen with a stethoscope *ausculter*, 28; 35; Listen! *Dis donc!* 6
listing of films *un programme*, 5
lit *éclairé, -e*, 29
liter *un litre*, 8
litter *une litière*, 16
little *petit, -e*, l; a little (of) *un peu (de)*, 4, 8
to **live** *habiter*, 1, 2; *vivre*, 28; they live *ils / elles vivent*, 7; Where do you live? *Où habites-tu?* 1
living *vivant, -e*, 4; living room *une salle de séjour*, 10
to **load** *charger*, 40
lobster: spiny lobster *une langouste*, 17
local *local, -e, (m. pl.: -aux)*, 35
located *situé, -e*, 24; to be located *se trouver*, 13
location *un endroit*, 27
locker *un casier consigne automatique*, 40; locker room *un vestiaire*, 4
lock of hair *une mèche*, 33
lodging *un logement*, 28
log (diary) *un journal de bord*, 18
London *Londres*, 19
long *long, longue*, 9; long jump *le saut en longueur*, 22
to **look:** to look (at) *regarder*, 2; to look for *chercher*, 9; to look forward to *avoir *hâte (de)*, 12; to look (good) *avoir l'air (bien)*, 8; to look like *ressembler (à)*, 7; to look over *examiner*, 27; to look up *chercher*, 6; to look upon as *considérer*, 34; look out (for) *attention (à)*, 32
lookout *un point de vue*, 36
loose *décontracté, -e*, 19
to **lose** *perdre*, 3, 9
lot: a lot (of) *un tas (de)*, 9; *plein de*, 27; a lot of people *un monde fou*, 32
lottery *la loterie*, 21
loud *fort*, 14
loudspeaker *un *haut-parleur (pl.: *haut-parleurs)*, 14
love *l'amour (m.)*, 5; Love. Amitiés. 12; in love (with) *amoureux, -euse (de)*, 29; to send one's love *faire la bise*, 37
low *bas*, 14
to **lower** *baisser*, 14, 22
lower than *inférieur, -e*, 33
luck *la chance*, 21; no luck *pas de*

chance, 6; to try one's luck   *tenter sa chance*, 21
luckily   *heureusement*, 15
lucky: to be lucky   *avoir de la chance*, 26
luggage   *des bagages* (m.), 27
lulled   *bercé, -e*, 34
lump: lump in one's throat   *un pincement au cœur*, 36
lunch   *un déjeuner*, 7, 8; Lunch is served!   *A table!* 8; to have lunch   *déjeuner*, 4
lunchroom   *un réfectoire*, 4
to **lunge**   *s'élancer*, 27; *se lancer, glisser*, 32

M

machine   *une machine*, 21; *un appareil*, 26
made (by)   *fait, -e (par)*, 7
madman, madwoman   *un fou, une folle*, 38
magazine   *une revue*, 3; an electronics magazine   *une revue d'électronique*, 3
magician   *un(e) illusionniste*, 14
magnificent   *magnifique*, 17
mail   *le courrier*, 26
main   *principal, -e* (m. pl.: **-aux**), 8, 26
main street   *la grand-rue*, 16
make   *une marque*, 31
to **make**   *faire*, 4; *fabriquer*, 29; *se faire*; 32; to make a deposit   *verser des arrhes*, 40; to make a reservation   *réservez une place*, 40; to make money   *gagner*, 7; to make noise   *chahuter*, 29; to make sure   *s'assurer*, 13; to make the acquaintance of   *faire la connaissance de*, 10; to make up one's mind (to)   *se décider (à)*, 40; to make up the rooms   *faire les chambres*, 26; to make use of   *se servir (de)*, 14; to be made up of   *se composer de*, 24
makeup   *le fond de teint*, 29; *le maquillage*, 29; to put on makeup   *se maquiller*, 13
man   *un homme*, 6
to **manage**   *se débrouiller*, 28; *s'arranger*, 37
manageable   *souple*, 24
maneuver   *une manœuvre*, 31
to **maneuver**   *manœuvrer*, 27
manioc   *le manioc*, 34
manner   *une façon*, 19; in the same manner   *de la même façon*, 29
manual   *manuel, -elle*, 33
manufacturing   *la fabrication*, 24
many   *beaucoup (de)*, 8; *bien des*, 23; *nombreux, -euse*, 33; *plusieurs*, 40
many-colored   *multicolore*, 17
map   *un plan*, 10; *une carte*, 15
marble   *une bille*, 9

March   *mars* (m.), 12
to **mark down**   *marquer*, 3
market   *un marché*, 8; Arab market   *un souk*, 20; the Flower Market   *le Marché aux Fleurs*, 8
marks: On your marks, get set, go!   *A vos marques, prêts, partez!* 22
marry: to get married   *se marier*, 21
Martinique   *la Martinique*, 1; in Martinique   *à la Martinique*, 1; person from Martinique   *un(e) Martiniquais(e)*, 17
mascara   *le mascara*, 29
mask   *un masque*, 17
masked   *masqué, -e*, 34
massif   *un massif*, 40
match   *une allumette*, 27
material   *une étoffe*, 34
math   *le maths* (m.), 4; mathematics   *les mathématiques* (m.), 17
matter: as a matter of fact   *d'ailleurs*, 14; to be a matter (of)   *être question (de)*, 27; What's the matter with you . . . ?   *Qu'est-ce que vous avez . . . ?* 22
mattress: air mattress   *un matelas pneumatique*, 39
maximum   *le maximum*, 39
May   *mai* (m.), 12
maybe   *peut-être (que)*, 3, 24
me   *moi*, 1; (to, for) me   *me*, 10
meadow   *un pré*, 16
meal   *un repas*, 7, 8; meal plan   *la pension*, 40
to **mean**   *vouloir dire*, 26
means   *un moyen*, 36
measles   *la rougeole*, 35
to **measure**   *mesurer*, 22
measurement   *une dimension*, 33
measuring stick   *un mètre*, 33
meat   *la viande*, 8; meat and vegetable plate   *un plat garni*, 40
mechanic   *un mécanicien*, 31
medicine   *un médicament*, 35
medina   *une médina*, 20
medium   *à point*, 38; of medium height   *de taille moyenne*, 7
to **meet**   *rencontrer*, 4; to meet (again)   *retrouver*, 30
meeting   *un rendez-vous*, 13; *une réunion*, 27; meeting place   *un lieu de rencontres*, 29
melodrama   *un mélo(drame)*, 38
melon   *un melon*, 8
to **melt**   *fondre*, 36
member   *un membre*, 14; *un(e) adhérent(e)*, 40; member of youth hostel association   *ajiste*, 40
membership card   *une carte d'adhérent*, 40
memory lapse   *un trou de mémoire*, 29
menu   *un menu*, 27
merchant   *un(e) commerçant(e)*, 7; *un(e) marchand(e)*, 25
merrily   *joyeusement*, 32
metal   *un métal* (pl.: **-aux**), 33

meter   *un mètre*, 12; 1 meter long   *l m de longueur*, 33; 100-meter dash   *le 100 m*, 22
microphone   *un micro(phone)*, 14
middle   *le milieu*, 27; middle distance run   *le demi-fond*, 22
midnight   *minuit*, 4
mild   *doux, douce*, 24
mile   *un mile*, 17; How many miles does it get to a gallon?   *Ça consomme combien de litres aux 100?* 31
mileage: It gets good mileage.   *Ça ne consomme pas beaucoup d'essence.* 31
milk   *le lait*, 5
to **milk**   *traire*, 16
mill   *un moulin*, 37
millionaire   *un(e) millionnaire*, 37
mine   *le mien, la mienne, les miens, les miennes*, 23
mineral water   *l'eau minérale* (f.), 5
mini-bus   *un mini-bus*, 31
minimum   *minimum*, 33
minute   *une minute*, 5
minute   *miniscule*, 36
mirror   *une glace*, 25
Miss   *mademoiselle* (Mlle), 4
to **miss**   *rater*, 19; *manquer*, 34; he misses his family   *sa famille lui manque*, 34
mistake   *une faute*, 4; (wrong number)   *une erreur*, 6; spelling mistake   *une faute d'orthographe*, 4
mistaken: to be mistaken   *se tromper*, 29
mitt: wash mitt   *un gant de toilette*, 13
model   *une maquette*, 3; *un modèle*, 13; model airplane   *une maquette d'avion*, 3
moderate   *modéré, -e*, 40; *modique*, 40
modern   *moderne*, 10
modesty   *la modestie*, 30
mom   *maman*, 7
moment   *un moment*, 31; the moment of truth   *la minute de vérité*, 38
Monday   *lundi* (m.), 4; on Mondays   *le lundi*, 4
money   *l'argent* (m.), 5; money order   *un mandat*, 34
monkey   *un singe*, 24
month   *un mois*, 7; the months of the year   *les mois de l'année*, 12
monument   *un monument*, 11
moped   *un vélomoteur*, 3; *une mobylette*, 26
moray eel   *une murène*, 17
more   *plus*, 22; more . . . than   *plus . . . que*, 22; more (than)   *plus (de)*, 26; more and more   *de plus en plus*, 39; no . . . more   *ne . . . plus*, 5
morel (mushroom)   *une morille*, 40
morning   *le matin*, 4; *une matinée*, 13

Moroccan *marocain, -e,* 19
Morocco *le Maroc,* 19
mosquito *un moustique,* 27; mosquito net *une moustiquaire,* 34
most: at the most *au plus,* 25; most (of) *la plupart (de),* 37; the most . . . (in) *le / la / les plus . . . (de),* 22
mother *une mère,* 7; *maman,* 7
motorboat *un bateau à moteur,* 39
motorcycle *une moto,* 15
motorcyclist *un(e) motocycliste,* 31
mountain *une montagne,* 15
mountainous area *un massif,* 40
mousse: chocolate mousse *une mousse au chocolat,* 8
mouth *la bouche,* 22
to **move** *bouger,* 36; to move about *se déplacer,* 28; to move on *enchaîner,* 36
movement *un mouvement,* 29
movie *un film,* 5; movies *le cinéma,* 5
moving *émouvant, -e,* 38
to **mow** *tondre,* 7
Mr. *monsieur (M.),* 4
Mrs. *madame (Mme),* 4
much *beaucoup (de),* 2; as much as *autant que,* 26; not much *pas... grand-chose,* 26; so much *tant,* 16
mumps *les oreillons (m.),* 35
museum *un musée,* 11
mushroom *un champignon,* 8
music *la musique,* 4, 9; folk music *la musique folk,* 14; pop music *la musique pop,* 14; music hall *un music-hall,* 38
musical *musicale, -e (m. pl.: -aux),* 38
musician *un(e) musicien (-ienne),* 14
must *il faut (que),* 4; *falloir,* 26; *devoir,* 33
mustard *la moutarde,* 8
mutual *commun, -e,* 13
my *mon, ma, mes,* 7
myself *me,* 13

N

nail *un clou,* 33
name *un nom,* 1, 4; What is your name? *Comment t'appelles-tu?* 1
nap: afternoon nap *une sieste,* 34; to take an afternoon nap *faire la sieste,* 34
nape *la nuque,* 33
napkin *une serviette,* 8; napkin ring *un rond de serviette,* 8
national *national, -e (m.pl.-aux),* 24
nationality *une nationalité,* 19
natural *naturel, -elle,* 24
naturally *bien entendu,* 28
nature *la nature,* 24
nauseous: to feel nauseous *avoir mal au cœur,* 35
near *près (de),* 1
neat *en place,* 13

necessary *nécessaire,* 34
neck *le cou,* 22
necklace *un collier,* 9
necktie *une cravate,* 13
to **need:** (I) need *il (me) faut,* 25; to need (to) *avoir besoin (de),* 25
negotiation *une négociation,* 30
neighbor *voisin, -e,* 14
neither . . . nor . . . *(ne . . .) ni . . . ni . . . ,* 5, 7
nerve *un nerf,* 35
nervous *nerveux, -euse,* 31
net *un filet,* 2; landing net *une épuisette,* 17
Netherlands *les Pays-Bas (m.),* 31
neutral *le point mort,* 31
never *(ne . . .) jamais,* 7
nevertheless *tout de même,* 34
new *nouveau, nouvel, nouvelle, nouveaux, nouvelles,* 16; *original, -e (m. pl.: -aux),* 23; *neuf, neuve,* 31; new collection *les nouveautés (f.),* 25
news *des nouvelles (f.),* 12; TV news *le journal télévisé,* 24
newspaper *un journal (pl.: -aux),* 5
next *prochain, -e,* 22
next to *à côté (de),* 4
nice *sympathique,* 10; *bien,* (f. & pl.: *bien),* 25; it's nice (weather) *il fait bon,* 15; so nice *d'une telle gentillesse,* 13; the weather is nice *il fait beau,* 13, 15
niceness *la gentillesse,* 13
night *la nuit,* 18; Good night! *Bonne nuit!* 13; *bonsoir,* 13; last night *hier soir,* 9
no *non,* 1; *aucun, -e,* 19, 36; no more *ne . . . plus,* 5, 7
noble *noble,* 29
nobody *(ne . . .) personne,* 13; *personne (ne) . . . ,* 13
noise *le bruit,* 29
noisily *bruyamment,* 32
none *aucun, -e... ne,* 36
noodles *des pâtes (f.),* 8
noon *midi,* 4
nordic *nordique,* 32
normal *normal, -e (m. pl.: -aux),* 35
north *le nord,* 17; north (of) *au nord (de),* 15
Norway *la Norvège,* 31
nose *le nez,* 22
not *pas,* 2; *ne... pas,* 3; not... any *ne aucun, -e,* 36; not... anybody *ne... personne,* 13; not... anymore *ne... plus,* 5, 7; not... anything *ne... rien,* 6, 7, 13; not at all *pas du tout,* 25; not free *payant, -e,* 40; not much *pas... grand-chose,* 26
notary *un notaire,* 30
notebook *un cahier,* 4; small notebook *un calepin,* 40
noted: to be noted *à noter,* 22
nothing *(ne . . .) rien,* 6, 7, 13; *rien (ne) . . . 13;* nothing better *rien de meilleur,* 36; nothing like it *rien de*

tel, 21; nothing very exciting *rien de très excitant,* 31
notice *une annonce,* 26
noticed *remarqué, -e,* 28
novel *un roman,* 13
November *novembre (m.),* 12
now *maintenant,* 4; *en ce moment,* 9
numb: to have a numb jaw *avoir la bouche en bois,* 35
number *un nombre,* 1; *un numéro,* 4; (musical) *un morceau (pl.: -x),* 14; What number do you want? *Quel numéro demandez-vous?* 6; wrong number *une erreur,* 6
nurse *un(e) infirmier (-ière),* 7

O

oats *l'avoine (f.),* 17
object *un objet,* 29
obliged *obligé, -e,* 28
to **observe** *observer,* 36
to **obtain** *obtenir,* 26
obviously *évidemment,* 25
occupation *une occupation,* 7
occupied *occupé, -e,* 6
o'clock: it's (one) o'clock *il est (une heure) (1 h),* 4
October *octobre (m.),* 12
octopus *une pieuvre,* 17, 39
of *de,* 1
of course *bien entendu,* 28
offer: we offer *nous offrons,* 29; who offers *qui offre,* 26
offered *offert, -e,* 12
office *un bureau (pl.: -x),* 4; administration office *un bureau de l'administration,* 4; office worker *un(e) employé(e) de bureau,* 7
official *officiel, -ielle,* 24
often *souvent,* 3
oil and vinegar *une vinaigrette,* 8
oil *gras, grasse,* 33
okay *d'accord,* 5; Everything's okay. *Ça va.* 6
old *vieux, vieil, vieille, vieux, vieilles,* 16; old friend *mon vieux, ma vieille,* 3; old-timer *un(e) ancien (-ienne),* 37; to be . . . years old *avoir . . . ans,* 1
omelet *une omelette,* 8
on *sur,* 1; *à,* 10; (his / her) part *de (son) côté,* 25; on (it) *dessus,* 25; on the dot *pile,* 26; on the occasion of *à l'occasion de,* 34
once *une fois,* 11
one (people, they, we) *on,* 2; the one(s) *celui (-là), celle (-là), celles (-là), ceux (-là),* 14
one *un, une,* 1; one by one *un(e) à un(e),* 33; one-way ticket *un (billet) aller,* 40

oneself se, 13
only seulement, 3
open ouvert, -e, 13
to open ouvrir, 25; open wide
ouvrez bien, 35
opera un opéra, 38
to operate opérer, 28
operation une opération, 28
opinion un avis, 40; in (your) opinion à (votre) avis, 40
opponent un(e) adversaire, 39
opportunity une occasion, 12
opposite opposé, -e, 33; ci-contre,
36
or ou, 1; or else ou bien, 38
orange (fruit) une orange, 8
orange orange, 2
order l'ordre, 9; une commande,
38; in order en ordre, 9; en règle,
40; order of the cars la composition, 40
to order commander, 5
organ un orgue, 14
organization une organisation, 27
to organize organiser, 25
orientation l'orientation, 28
original original, -e (m. pl.: aux), 23
orphan un(e) orphelin(e), 38
other autre, 4; in other words
autrement dit, 32
otherwise sinon, 29
our notre, 7; nos, 7
ours le nôtre, la nôtre, les nôtres,
18, 23
ourselves, nous, 13
outcome un résultat, 22
outdoors en plein air, 40
outfit un ensemble, 25
outing une sortie, 5; une randonnée, 40
outside en plein air, 13
oval ovale, 2
over au-dessus (de), 20
to overcome vaincre, 36
to overdo faire du zèle, 34
to overflow (with) regorger (de), 38
to overlook donner sur, 39
to overtake dépasser, 39
own: one's own propre, 15; their
own room une pièce à eux, 9; its
very own life une vie bien à elle, 10

P

paddle un aviron, 27
page une page, 4
paid payé, -e, 28
pail un seau, 37
paint la peinture, 33
paintbrush un pinceau, 33
painter un peintre, 24; housepainter un peintre en bâtiment, 33
painting un tableau (pl.: -x), 24; la
peinture, 29

pal un copain, 9
palace un palais, 12
panic: Don't panic! Pas de panique! 21
panther une panthère, 24
pantomime une pantomime, 38
pants un pantalon, 9
papier-mâché le papier mâché, 29
parade un défilé, 32
paragraph un paragraphe, 16
parallel bars les barres parallèles,
22
parents les parents (m.), 7
park un parc, 10
to park se garer, 31
parrot un perroquet, 29
part une partie, 22; un
rôle, 29; une raie, 33; to be part (of)
faire partie (de), 10
partner un(e) partenaire, 29
party une surprise-partie, 9
pass une passe, 27
to pass passer, 8; être reçu à, 28; to
pass by passer, 10; to pass through
franchir, 27
passageway un chenal, 32
passenger un(e) passager (-ère), 19
passing un passage, 18
passion une passion, 36; to have a
passion se passioner, 34
passport picture une photo d'identité, 29
pasteboard le carton-pâte, 32
pastime un passe-temps (pl.: passe-
temps), 3
pastry un gâteau (pl.: -x), 8; bakery-
pastry shop une boulangerie-pâtisserie, 8
pâté le pâté, 5; une terrine, 38
path une allée, 21; un sentier, 36
patience la patience, 26
patient un(e) malade, 28
to pay payer, 5; rapporter, 14; It
doesn't pay enough! Ça ne rapporte
pas! 20
peace (and quiet) le calme, 36
peach une pêche, 8
pear une poire, 8
pearl une perle, 17
pebble un caillou (pl.: -x), 27
pedestrian un piéton, 31
to peel éplucher, 20; (to pull the skin
away) peler, 20
pen: ballpoint pen un stylo à bille,
4; felt-tip pen un feutre, 4
pencil un crayon, 4
penicillin la pénicilline, 35
peninsula une presqu'île, 17
pen pal un(e) correspondant(e), 19
pensive rêveur, -euse, 30
people les gens, 7; a lot of people un monde fou, 32; young people les jeunes, 3; (one, they,
we) on, 2
pepper le poivre, 8; green pepper un poivron doux, 20

per par, 32
perched perché, -e, 18
perfect parfait, -e, 15
perfection la perfection, 28; to perfection à la perfection, 29
performance une performance, 22;
une représentation, 29
perfume le parfum, 23; perfume
shop une parfumerie, 23
periwinkle une pervenche, 36
permanent une permanente, 33
permission la permission, 24
persistent tenace, 21
personal personnel, -elle, 22
pesticide un pesticide, 37
pharmacist un(e) pharmacien
(-ienne), 28
Phew! Ouf! 27
phone le téléphone, 6; on the phone
au téléphone, 6; phone book un
annuaire, 6; phone booth une cabine téléphonique, 6; phone call un
coup de téléphone, 6
photograph une photo, 3
to photograph photographier, 36
photographer un(e) photographe, 3
photography la photographie, 36
physical physique, 26
pianist un(e) pianiste, 14
piano un piano, 7, 14
to pick cueillir, 16, 36; to pick up ramasser, 37; to pick up the receiver
décrocher, 6
pickup: with a good pickup nerveux, -euse, 31
picnic un pique-nique, 18; it's no
picnic ça n'est pas de tout repos,
26; to have a picnic pique-niquer,
20; faire un pique-nique, 36
picture une photo, 3; une image,
24; the picture flips l'image saute,
24; to take a picture faire une
photo, 36; to take pictures faire de
la photo, 3
picturesque pittoresque, 17
pie une tarte, 8
piece un morceau (pl.: -x), 14; une
bande, 33; piece of furniture un
meuble, 29
pier un quai, 39
pig cochon, 16
pigeon un pigeon, 13
pigeon-toed les pieds en dedans, 29
to pile up entasser, 37
pilot une pilote, 28; airline pilot
un pilote de ligne, 28
pinching un pincement, 36
pineapple un ananas, 8
pine tree un pin, 18
Ping-Pong le ping-pong, 2
pirate un corsaire, 17; un pirate, 29
Pisces les Poissons, 21
pistachio (flavor) la pistache, 5; pistachio ice cream une glace à la pistache, 5
pistol un pistolet, 29

to **pitch a tent**   *monter une tente,* 27
pity   *la pitié,* 30
place   *un lieu,* 12, 17; *un endroit,* 27;* in place   *en place,* 13; in place of   *à la place (de),* 16; to take place *avoir lieu,* 9
place setting   *un couvert,* 8
plain   *une plaine,* 17
plan   *un projet,* 34
to **plant**   *planter,* 16
plaque   *une plaque,* 31
plaster cast   *le plâtre,* 35
plastic   *le plastique,* 32
plate   *une assiette,* 8; *une plaque,* 33
platform   *une estrade,* 14; *un quai,* 40
platter   *un plateau (pl.: -x),* 20
play   *une pièce,* 29
to **play**   (a sport) *jouer à,* 2; (a game) *jouer à,* 3; (an instrument) *jouer de,* 14; to play ball *faire une partie de ballon,* 39; to play dead   *faire le mort,* 29; to play hide and seek   *jouer à cache-cache,* 21; to be playing   *se jouer,* 38
playback button   *un bouton d'écoute,* 14
playhouse (auditorium)   *une salle de spectacle,* 29
pleasant   *agréable,* 29
please   *s'il te (vous) plaît,* 4
to **please**   *faire plaisir à,* 11; *plaire (à),* 23
pleased   *content, -e,* 18; to be pleased (to)   *avoir le plaisir (de),* 14; *avoir l'honneur de,* 14
plenty: to have plenty to do   *avoir du pain sur la planche,* 37
pliers: pair of pliers   *une pince,* 33
to **plug in**   *brancher,* 14
plumber   *un plombier,* 33
plural   *le pluriel,* 6
plywood   *le contre-plaqué,* 33
pocketknife   *un canif,* 27
poetry   *la poésie,* 38
point   *un point,* 3
pointed   *pointu, -e,* 29
to **point out**   *signaler,* 26
Poland   *la Pologne,* 31
politician   *un homme politique,* 37
politics   *la politique,* 30
poll   *une enquête,* 25, 30
to **pollute**   *polluer,* 37
pollution   *la pollution,* 37
polo shirt   *un polo,* 9
pond   *un étang,* 10
poor   *mauvais, -e,* 4
population   *la population,* 24
pork   *le porc,* 8; pork butcher *un(e) charcutier (-ière),* 8; pork chop   *une côtelette de porc,* 8; potted pork   *les rillettes,* 5
port   *un port,* 1
portfolio   *un porte-documents (pl.: porte-documents),* 23

Portugal   *le Portugal,* 19
Portuguese (language)   *le portugais,* 19
position   *un poste,* 28
possession: to take possession of   *se rendre maître,* 26
possible   *possible,* 25
to **post**   *afficher,* 9
post card   *une carte postale,* 16
poster   *une affiche,* 3
post office   *une poste,* 10
pot   *un pot,* 8; *une marmite,* 20
potato   *une pomme de terre,* 8; *une patate,* 27; potato chips   *les chips (f.),* 9
potter   *un potier,* 20
pottery: piece of pottery   *une poterie,* 20
poultry   *la volaille,* 38
pound   *une livre,* 8
to **pound**   *piler,* 34
to **pour**   *verser,* 8
power steering   *la direction assistée,* 31
practical   *pratique,* 24
practically   *pratiquement,* 26
to **practice**   *exercer,* 33
precisely   *précisément,* 32
precision   *la précision,* 34
to **predict**   *prédire,* 21
to **prefer**   *aimer mieux,* 2; *préférer,* 14
preparations   *des préparatifs (m.),* 23
to **prepare**   *préparer,* 6
to **prescribe**   *prescrire,* 35
prescription   *une ordonnance,* 35; to write a prescription   *faire une ordonnance,* 35
present   *le présent,* 34
to **present**   *présenter,* 14
to **press**   *appuyer,* 14; *se presser,* 32
pretty   *joli, -e,* 10; *beau, bel, belle, beaux, belles,* 16
price   *le prix,* 6
prince   *un prince,* 12
princess   *une princesse,* 12
print   *une photo sur papier,* 36
prize   *un prix,* 36
problem   *un problème,* 6, 24; *un ennui,* 38
procedure   *une opération,* 33
process: in the process of . . .   *en train de . . . ,* 3
product   *un produit,* 33
profession   *une profession,* 7
program   *un programme,* 14; *une émission,* 24
project   *un projet,* 17
to **project**   *projeter,* 36
projector   *un projecteur,* 36
to **promise**   *promettre,* 31
prompter   *un souffleur,* 29
prop   *un accessoire,* 29
propped up   *appuyé, -e,* 22
to **protect**   *abriter,* 16
proud of   *fier, fière de,* 30

Provence: from   Provence *provençal, -e,* 8
provided that   *pourvu que,* 34
province   *une province,* 32
public high school   *un lycée d'état,* 34
to **pull**   *arracher,* 33; *tirer,* 37; *entraîner,* 39; to pull down   *démolir,* 37; to pull away the skin   *peler,* 20
pullover   *un pull,* 9
pump   *une pompe,* 18
pupil   *un(e) élève,* 4
puppet   *une marionnette,* 29
purchase   *un achat,* 20
purse: change purse   *un porte-monnaie (pl.: porte-monnaie),* 23
pursuit   *la recherche,* 36
to **push**   *pousser,* 27; to push off *s'élancer,* 15
put: to put away   *ranger,* 33; to put in the clutch   *débrayer,* 31; to put on   *mettre,* 9; to put on a play *monter une pièce,* 29; to put oneself   *se placer,* 28; to put one's mind at ease   *se rassurer,* 35
putting (the canoes) in the water   *la mise à l'eau,* 27

Q

qualified   *qualifié, -e,* 28
quality   *une qualité,* 30
quantity   *une quantité,* 26
to **quarrel**   *se disputer,* 34
quarter   *un quart,* 4; ¼ liter   *un quart,* 5; quarter past (the hour)   *et quart,* 4; quarter to / of (the hour) *moins le quart,* 4
quarters   *un local,* 27
Quebec (Province)   *le Québec,* 15
question   *une question,* 4; *une colle,* 19; to ask questions   *poser des questions,* 7
quickly   *rapidement,* 22
quiet   *tranquille,* 28; *calme,* 29; to be quiet   *se taire,* 29
quite a bit of   *pas mal de,* 26
quiz   *une interro(gation) écrite,* 34
to **quiz**   *poser des colles,* 19

R

rabbit   *un lapin,* 16
race   *la course,* 22
to **race**   *faire la course,* 39
racket   *une raquette,* 2
radiator   *un radiateur,* 37
radio   *une radio,* 3; C.B. radio   *un radio-téléphone,* 28; FM radio   *une radio modulation de fréquence,* 31
raffle   *la loterie,* 21
railroad   *un chemin de fer,* 37, 40
railroad station   *une gare,* 10
to **rain**   *pleuvoir,* 15; it's raining   *il pleut,* 15

English-French Vocabulary   **309**

raincoat *un imperméable*, 25

to **raise** *lever*, 8; to raise one's hand *lever la main*, 4

rapids *un rapide*, 27

rare *saignant, -e*, 38

rate *un tarif*, 40; at a special rate *à tarif réduit*, 40

rather *assez*, 4; *plutôt*, 16

razor *un rasoir*, 23

to **read** *lire*, 3; *consulter*, 6; he reads *il lit*, 3; read *lisez*, 4; they read *ils lisent*, 7

ready *prêt, -e*, 5; all ready *fin prêt*, 39; to get ready *préparer*, 6; *se préparer*, 15

real *réel, -elle*, 34

to **realize** *se rendre compte*, 28; *réaliser*, 31

really *vraiment*, 2; *drôlement*, 27

to **rear** *élever*, 7, 8

reason *une raison*, 28

to **reassure** *rassurer* 28

to **rebuild** *reconstruire*, 37; to rebuild the inside and outside *retaper*, 31

receipt *un reçu*, 23

to **receive** *recevoir*, 12, 34

receiver *un combiné*, 6

recitation *la récitation*, 4

to **recognize** *reconnaître*, 16; to recognize each other *se reconnaître*, 19

to **recommend** *recommander*, 26

record *disque*, 3; *un record*, 22; record button *un bouton d'enregistrement*, 14; record card *une fiche de progression*, 22; record-player *un électrophone*, 9

to **record** *enregistrer*, 7, 14

recording *un enregistrement*, 14

recycling *le recyclage*, 37

red *rouge*, 2; red (headed) *roux, rousse*, 7

to **redo** *refaire*, 29

reduced *réduit, -e*, 40

reef *un récif*, 17

refrigerator *un frigidaire*, 37

to **refund** *rembourser*, 38

Regards! *Meilleurs souvenirs!* 12

region *une région*, 26

to **register** *s'inscrire*, 29

registered *immatriculé, -e*, 31

registration *une inscription*, 40

regularly *régulièrement*, 22

rehearsal *une répétition*, 14

to **rehearse** *répéter*, 14

to **relax** *se détendre*, 13

relaxing *reposant, -e*, 37

to **release** *desserrer*, 31

to **remember** *se souvenir de*, 16

to **remove** *déblayer*, 37

removed *déblayé, -e*, 32

to **renew** *renouveler*, 40

to **rent** *louer*, 15

to **reorganize** *réorganiser*, 28

to **repeat** *redoubler*, 28

to **replace** *remplacer*, 14; replacing *en remplaçant*, 10

report card *un bulletin trimestriel*, 4

reporter *un(e) reporter*, 28

to **represent** *représenter*, 32

republic *une république*, 24

to **resell** *revendre*, 31

resemblance *une ressemblance*, 7

reservations: make your reservations for coach or sleeping car *réservez votre place, assise ou couchée*, 40

to **reserve** *réserver*, 40

residential *résidentiel, -ielle*, 10

resort *une station*, 15

to **respect** *respecter*, 31

responsible: person responsible for *un(e) responsable*, 27

responsibility *la responsabilité*, 29

rest *le repos*, 26

to **rest** *se reposer*, 13

restaurant *un restaurant*, 26; restaurant dining car *un wagon-restaurant*, 40

resting *posé, -e*, 39

to **restore** *restaurer*, 37

result *le bilan*, 39; it's the result of *c'est l'effet de*, 35

to **retain** *retenir*, 40

retired: to be retired *être à la retraite*, 7

return *le retour*, 36

to **return** *retourner*, 11; *revenir*, 27

reversible *réversible*, 25

review *une révision*, 6; *une critique*, 38

to **review** *réviser, revoir*, 29

to **rewind** *rembobiner*, 14

rewrite *(vous) récrivez*, 6

rhinoceros *un rhinocéros*, 34

rib steak *une entrecôte*, 38

riches: embarrassment of riches *l'embarras du choix*, 23

riddle *une devinette*, 11

ride *un tour*, 2; *un manège*, 21; to take a ride *faire un tour*, 2

to **ride (a horse)** *monter*, 16

ridiculous *ridicule*, 25

right *droit, -e*, 22; *bon, bonne*, 28; is it all right with you? *ça vous va?* 35; on (to) the right *à droite*, 8; 10; right away *tout de suite*, 4; *immédiatement*, 13; right here *juste ici*, 4; right in the bull's-eye *en plein dans le mille*, 21; to be right *avoir raison*, 23

right of way *la priorité*, 31

ring *une bague*, 9

to **ring** *sonner*, 6

rings *les anneaux (m.)*, 22

rink: skating rink *une patinoire*, 5

to **rinse out** *se rincer*, 35

ripe *mûr, -e*, 8

to **risk** *risquer*, 29

ritual *rituel, -elle*, 34

river *une rivière*, 27

road *une route*, 31

roasted *rôti, -e*, 27

roast of beef *un rôti de bœuf*, 8

rock *un rocher*, 17; *une pierre*, 39

rock music *le rock*, 14

role *un rôle*, 28

roll of film *une pellicule*, 36

roller *un rouleau*, 33

roller coaster *un grand huit*, 21

roof *un toit*, 31

room *une salle*, 4; *une pièce*, 10; *un logement*, 28; *la place*, 29; room with three meals a day *la pension complète*, 40; enough room *assez de place*, 5; to make up the rooms *faire les chambres*, 26; to save some room *se réserver*, 38

rope *la corde lisse*, 22; knotted rope *la corde à nœuds*, 22

rouge *le fard à joues*, 29

Roumania *la Roumanie*, 31

round *rond, -e*, 2

round-trip ticket *un (billet) aller retour*, 40

route *le chemin*, 10; *un circuit*, 17

row *un rang*, 28

rubber *le caoutchouc*, 28

rug *un tapis*, 20

rugby *le rugby*, 2

rug-maker *un(e) tapissier (-ière)*, 20

ruins: with ruins rising above *dominé(e) par les ruines*, 39

ruler *une règle*, 4

rules *un règlement*, 40

to **run** *courir*, 22; *couler*, 37; to run along *longer*, 27; to run over *écraser*, 31

running *la course*, 22

to **rush** *foncer*, 21

Russia (U.S.S.R.) *la Russie (l'U.R.S.S.)*, 19

Russian *russe*, 19

S

sacred *sacré, -e*, 34

sad *triste*, 38

sail *une voile*, 18

to **sail** *faire de la voile*, 18

sailboat *un voilier*, 39

sailing school *une école de voile*, 18

sailor *un marin*, 39

salad *une salade*, 8

salami *un saucisson*, 5

salary *un salaire*, 26

salesman, saleswoman *un(e) marchand(e)*, 8; *un(e) vendeur (-euse)*, 25

salt *le sel*, 8

salutation *une formule de début*, 12

same *même*, 10; it's all the same (to them) *ça (leur) est égal*, 28; just the same *toujours*, 25

sand *le sable*, 17

sandal *une sandale*, 9

sandpaper *le papier de verre*, 33

sandwich un sandwich, 5
satisfied satisfait, -e, 28
Saturday samedi (m.), 4
sauce une sauce, 38
saucer une soucoupe, 12
savannah une savane, 24
to **save** économiser, 8; faire des économies, 23
savings bank la Caisse d'Epargne, 26
saw une scie, 33
to **saw** scier, 33
saxaphone un saxo(phone), 14
to **say (to)** dire (à), 19; Say! Tiens! 7; they say (that) il paraît (que), 5
scaredy-cat un(e) froussard(e), 21
scarf un foulard, 23
to **scatter** se disperser, 27
scene la scène, 29
schedule un emploi du temps, 4; un programme, 32
scholarship une bourse, 28
school une école, 4; (of fish) un banc, 39; elementary school une école primaire, 17; high school un lycée, 7; sailing school une école de voile, 18; secondary school un CES, 4; school trophy un trophée scolaire, 22
schoolbag un cartable, 4
schoolboy, schoolgirl un(e) écolier (-ière), 32
schoolyard une cour, 4
school year une année scolaire, 4
schooner une goélette, 39
science les sciences (f.), 4; science fiction la science-fiction, 3
scientific scientifique, 24
scissors: pair of scissors des ciseaux (m.), 33
score: to keep score marquer les points, 3
to **scratch** érafler, 31
screen un écran, 36
screw une vis, 33
to **screw** visser, 33
screwdriver un tournevis, 33
sculpture une sculpture, 13
sea une mer, 1; Caribbean Sea la mer des Caraïbes, 1
sea horse un hippocampe, 17
seasick: to be seasick avoir le mal de mer, 21
season une saison, 14, 15
to **season** assaisonner, 20
seat une place, 29; un siège, 34
sea urchin un oursin, 17
seaweed une algue, 39
secluded isolé, -e, 40
second une seconde, 22
secondary secondaire, 22
second-hand d'occasion, 31
secretary un(e) secrétaire, 40
section une section, 28; une division, 32
to **see** voir, 11; to see (oneself)

again se revoir, 34
to **seem** sembler, 18; avoir l'air, 21; it seems (that) . . . il paraît (que)..., 5
self, selves même(s), 27
self-service un libre-service, 40
to **sell** vendre, 8
seminar un séminaire, 40
semolina la semoule, 20
to **send** envoyer, 16, 34; to send one's love faire la bise, 37
sender un(e) expéditeur (-trice), 12
Senegal le Sénégal, 19
Senegalese sénégalais, -e, 19
senior year une classe terminale, 28
sensational sensationnel, -elle, 38
sense of humor un sense de l'humour; 30
sensitive sensible, 30
sentence une phrase, 5
September septembre (m.), 12
serial un feuilleton, 24
series une série, 24
serious sérieux, -euse, 4; grave, 35
to **serve** servir, 8
served with garni, -e, 38
service un service, 33; at your service à votre service, 33
service station une station-service, 26
set un décor, 29
to **set** (sun) se coucher, 27; to set an alarm remonter un réveil, 13; to set straight mettre au point, 32; to set the table mettre la table, 8; mettre le couvert, 26; to set up installer, 14
setting un décor, 38
to **settle (in, down)** s'installer, 18
several plusieurs, 29
shade l'ombre (f.), 17; in the shade à l'ombre, 17; window shade un store, 37
to **shake off** semer, 21
shampoo le shampooing, 3
to **shampoo** faire un shampooing, 35
shape une forme, 12
to **share** partager, 13
shark un requin, 17
sharp net, nette, 36
she elle, 2
shed un abri, 4; un *hangar, 16
sheep un mouton, 16
sheet un drap, 26; sheet of paper une feuille, 35
shell un coquillage, 3
to **shift** passer, 31
shiny brillant, -e, 24
ship une barque, 32; un navire, 32
shirt une chemise, 9
shoe une chaussure, 9
shoemaker un cordonnier, 20
to **shoot** mitrailler, 36; tirer, 39
shooting gallery le tir, 21
shop les travaux manuels (m.), 4
shop: bakery-pastry shop une boulangerie-pâtisserie, 8; butcher shop une boucherie, 8; flower

shop chez un fleuriste,. 23; jewelry shop une bijouterie, 23; meat shop specializing in pork products and prepared dishes une charcuterie, 8; perfume shop une parfumerie, 23
to **shop** faire des courses, 11; faire des achats, 20
shopping: shopping arcade une galerie marchande, 23; shopping street une rue commerçante, 10
shore une rive, 27; at the shore au bord de la mer, 17
short petit, -e, 7; court, -e, 25
to **shorten** raccourcir, 25
shot le poids, 22
shoulder l'épaule (f.),22
to **shout** crier, 32
show un spectacle, 28; une revue, 38
to **show** montrer, 7
shower une douche, 40
shrimp une crevette, 39
shy timide, 4
shyness la timidité, 36
sick malade, 35
sickness une maladie, 35
side un bord, 33; on my mother's side du côté de ma mère, 7; on the boys' side du côté garçons, 22
sign une signe, 21; un panneau, 40
signal: to give the signal to start donner le départ, 22
silk la soie, 23; made of silk en soie, 23
silly bête, 38
silver l'argent (m.), 20
simple simple, 3
simply simplement, 23
since depuis, 10; puisque, 26; dès, 28
sincerely: Sincerely yours, Recevez, (Monsieur), mes sincères salutations, 40
to **sing** chanter, 9
singer un(e) chanteur (-euse), 14
singing humorist un chansonnier, 38
to **sink** couler, 39
sister une sœur, 7
to **sit down** s'asseoir, 35
site un site, 17; (restoration) site un chantier, 37
size la taille, 22; une pointure, 25
sketch un croquis, 33
ski un ski, 15; ski area une station de ski, 15; ski boot une chaussure de ski, 15; ski cap un bonnet, 15; ski instructor un(e) moniteur (-trice), 15; ski jacket un anorak, 15; ski pants un pantalon de ski, 15; ski pole un bâton, 15; ski resort une station de ski, 15; ski trail une piste, 15
to **ski** skier, 15
skier un(e) skieur (-euse), 15
skiing le ski, 15; cross-country skiing le ski de fond, 32
skin la peau, 39
skirt une jupe, 9

sky *le ciel,* 32

sledding: to go sledding *faire de la luge,* 32

to **sleep** *dormir,* 18; **to sleep like a log** *dormir à poings fermés,* 18

sleeping bag *un sac de couchage,* 18

sleigh *un traîneau,* 32

slice *une tranche,* 8; **slice of bread (with butter and / or jam on it)** *une tartine,* 13

slide *une glissoire,* 32; *une diapo(sitive),* 36

to **slide** *glisser,* 32; **to go sliding** *faire des glissades,* 32

slightly *légèrement,* 31

to **slip away** *s'esquiver,* 26

to **slip on** *enfiler,* 39

slope *une pente,* 15

slow *lent, -e,* 9

slowly *lentement,* 22; *doucement,* 29

small *petit, -e,* 1

to **smell** *sentir,* 18

to **smile** *faire un sourire,* 36; **she smiled at me** *elle m'a souri,* 11

smock *une blouse,* 28

smoke *la fumée,* 27

to **smoke** *fumer,* 40

snack-bar *une voiture-buffet,* 40

snake: poisonous snake *une vipère,* 18

snob *un(e) bêcheur (-euse),* 30

snorkel *un tuba,* 17

snow *la neige,* 15; **more than a meter of snow fell** *il est tombé plus d'un mètre de neige,* 32

to **snow** *neiger,* 15; **it's snowing** *il neige,* 15

snowball *une boule de neige,* 32; **to have a snowball fight** *se battre à coups de boules de neige,* 32

snowman *un bonhomme de neige,* 32; **to build a snowman** *faire un bonhomme de neige,* 32

snowmobile: to ride a snowmobile *faire de la motoneige,* 32

snowplow *un chasse-neige (pl.: chasse-neige),* 32

snow-shoeing: to go snow-shoeing *faire de la raquette,* 32

so *donc,* 10; **so, such** *tel, telle,* 13; *si,* 32; *alors,* 35; *tellement,* 38

soap *le savon,* 13

soccer *le football,* 2

social worker *une assistante sociale,* 17

sock *une chaussette,* 25

soft *bas,* 14; *doux, douce,* 24

soldier *un soldat,* 29

solution *une solution,* 8

some *du, de la, des* 5; *quelques,* 14; *certain, -e,* 26; **some . . . others** *certains . . . d'autres,* 26

someone *quelqu'un,* 9

somersault *un saut périlleux,* 22

something *quelque chose,* 9; **some-thing else** *autre chose,* 29

sometime *quelquefois,* 7; *parfois,* 26

somewhere *quelque part,* 37

son *un fils,* 34

song *un chant,* 7; *une chanson,* 9

soon *bientôt,* 16; **as soon as** *dès que,* 26; **as soon as possible** *le plus vite possible,* 35

sooner: no sooner said than done *aussitôt dit, aussitôt fait,* 39

sore: to have a sore throat *avoir mal à la gorge,* 35

sorry *désolé, -e,* 30

sort *un genre,* 14

to **sort** *trier,* 26

sound *le son,* 14; *la sono(risation),* 14

sound effects *le bruitage,* 29

sound engineer *un ingénieur du son,* 14

soup *la soupe,* 8

south *le sud,* 17

space *la place,* 29

Spain *l'Espagne (f.),* 19

Spanish *espagnol, -e,* 19

sparkling *pétillant, -e,* 24

to **specify** *préciser,* 40

spectator *un(e) spectateur (-trice),* 29

speech *un discours,* 28

speed *la vitesse,* 34; **speed limit** *la limitation de vitesse,* 37; **an incredi-ble speed** *à une vitesse folle,* 32; **at full speed** *à tout vitesse,* 34

speedboat *un hors-bord,* 39

spelling *l'orthographe (f.),* 4; **spell-ing mistake** *une faute d'orthogra-phe,* 4

to **spend** **(time)** *passer,* 3, 7; **(money)** *dépenser,* 8

to **spin** *filer,* 34; **My head is spin-ning** *j'ai la tête qui tourne,* 35

spine *un piquant,* 17

spirit *l'esprit (m.),* 34

spit *une broche,* 27

spite: in spite of *malgré,* 10

splendid *splendide,* 17

spoon *une cuillère,* 8

sports *les sports,* 2; **to take part in sports** *faire du sport,* 34

sports car *une voiture de sport,* 31

sportsperson *un(e) sportif (-ive),* 22

to **spot** *repérer,* 39

to **spread out** *étaler,* 18

spring *le printemps,* 15; **in the spring** *au printemps,* 15

sprint *la vitesse,* 22

square *une place,* 11

stable *stable,* 28

staff *le personnel,* 26

stage *la scène,* 29; **stage effect** *le jeu de scène,* 29; **stage manager** *un régisseur,* 29; **on stage** *en scène,* 29

staging *une mise en scène,* 38

stairs, stairway *un escalier,* 22

to **stall** *caler,* 31

stall bars *les espaliers (m.),* 22

stamp *un timbre,* 3

to **stamp** *tamponner,* 35

stamped *timbré, -e,* 40

stand *un stand,* 27

standing up *debout,* 13

to **stand in line** *faire la queue,* 15

star *une étoile,* 17

starfish *une étoile de mer,* 39

start *le commencement,* 38; **start of the school year** *la rentrée des classes,* 25

to **start** *commencer,* 4; *débuter,* 22; *se mettre à,* 27; *démarrer,* 31; **to start (a car)** *faire un démarrage,* 31; **to start again** *recommencer,* 22; **to start back** *reprendre (le chemin),* 13; **to start out again** *se remettre en route,* 36; **to start walking** *se mettre en marche,* 36

starting point *un point de départ,* 17, 27

starving: to be starving *mourir de faim,* 40

static *des grésillements (m.),* 6

station: railroad station *une gare,* 10

station wagon *un break,* 31

statue *une statue,* 30

stay *le séjour,* 40

to **stay** *rester,* 5; *séjourner,* 40

steak *un bifteck,* 8

steamed *cuit(e) à la vapeur,* 20

steep *raide,* 32

to **steer** *contrôler,* 27; *piloter,* 39

steering wheel *un volant,* 21

to **step on the gas** *accélérer,* 31

stereo *une chaîne stéréo,* 26

stiff *ferme,* 38

still *encore,* 7

stock *un stock,* 26

stomachache: to have a stomachache *avoir mal au ventre,* 35

stone *un caillou (pl.: -x),* 27; *une pierre,* 37

stool *un tabouret,* 33

stop *un arrêt,* 40; *une station,* 40

to **stop** *s'arrêter,* 13; *arrêter,* 14

store *un magasin,* 13; **book and sta-tionery store** *une librairie-papeterie,* 23; **clothing store** *un magasin de vêtements,* 23; **grocery store** *une épicerie,* 8; **leather-goods store** *une maroquinerie,* 23

storm *une tempête,* 18

story *une histoire,* 5

to **straighten** *raidir,* 33; **straighten up** *ranger,* 9

strange *bizarre,* 29; *insolite,* 36; **it looks strange** *ça fait bizarre,* 29

straw *la paille,* 16

strawberry (flavor) *la fraise,* 5

streamer *un serpentin,* 32

street *une rue,* 10; **main street** *une grand-rue,* 10; **shopping street** *une rue commerçante,* 10 strength *la force*, 40; to build up one's strength *prendre des forces*, 40

to **strengthen** *consolider*, 37

stretched out *allongé, -e*, 40

stroller *un(e) promeneur (-euse)*, 36

strong *fort, -e*, 19

to **struggle** *lutter*, 27

student (elementary and secondary school) *un(e) élève*, 4; (university) *un(e) étudiant(e)*, 32; boarding student *un interne*, 34; day student *un externe*, 34

studies *les études* (f.), 26

to **study** *étudier*, 4

study hall *l'étude* (f.), 34

stuffing: with Savoy-style stuffing *avec façon savoyard*, 40

stunned *étourdi, -e*, 32

style *un style*, 33; in style *à la mode*, 25

subject *une matière*, 4; *un sujet*, 26

suburb *une banlieue*, 10

subway *le métro*, 13; to take the subway *prendre le métro*, 13

to **succeed (in)** *arriver (à)*, 6; *réussir (à)*, 27

success *le succès*, 29

such *tel, telle*, 13; such a thing *une chose pareille*, 12

suddenly *brusquement*, 32

sugar *le sucre*, 35; sugar cane *la canne à sucre*, 17; sugar loaf *un pain de sucre*, 32

to **suggest** *proposer*, 7

suggestion *une suggestion*, 33

suit (man's) *un costume*, 25

to **suit** *aller à*, 9; *convenir*, 29; that would suit me better *ça m'arrangerait mieux*, 35

summer *l'été* (m.), 14, 15; in the summer *en été*, 15; summer camp *un camp de vacances*, 18; *une colonie de vacances*, 26

sun *le soleil*, 30, 39; sun bath *un bain de soleil*, 39; Sun King *le Roi Soleil*, 30; sun roof *un toit ouvrant*, 31

to **sunbathe** *se bronzer*, 17; *bronzer*, 24; *prendre un bain de soleil*, 39

sunburn *un coup de soleil*, 39; to get a sunburn *attraper un coup de soleil*, 39

Sunday *dimanche* (m.), 4

sunny *ensoleillé, -e*, 39; it's sunny *il y a du soleil*, 15

suntan lotion *une crème solaire*, 39

super (fantastic) *super*, 38

superb *superbe*, 38

supermarket *un supermarché*, 26

supervision *la direction*, 33

supper *le dîner*, 8

supplies *des provisions* (f.), 27

to **support** *soutenir*, 37

to **suppose** *supposer*, 33

sure *sûr, -e*, 3, 4

surprise *une surprise*, 22

to **surprise** *surprendre*, 39

surprising *étonnant, -e*, 37

to **surround** *entourer*, 10

surrounded by *entouré, -e de*, 17

surroundings *les environs* (m.), 25

to **swallow a lot of water** *boire une bonne tasse*, 39

sweat *la sueur*, 37

Sweden *la Suède*, 31

to **sweep** *balayer*, 9

sweetbread *le ris de veau*, 38

sweets *des sucreries* (f.), 35

to **swerve** *virer*, 21

to **swim** *faire de la natation*, 2; *nager*, 17; to go swimming *se baigner*, 17

swimmer *un(e) nageur (-euse)*, 39

swimming *la natation*, 2

swimming pool *une piscine*, 5

swing: to be going full swing *battre son plein*, 9; Stop making the car swing! *Arrête de faire tanguer la nacelle!* 21

Swiss *suisse*, 33

Swiss cheese *le gruyère*, 5; Swiss cheese sandwich *un sandwich au gruyère*, 5

Switzerland *la Suisse*, 30

symbol *un symbole*, 31

Syria *la Syrie*, 31

syrup *le sirop*, 5

T

table *une table*, 8; to set the table *mettre la table*, 8

tail *une queue*, 39

to **tail** (to be at one's heels) *talonner*, 21

tailor *un tailleur*, 20

to **take** *prendre*, 8; (people, animals) *emmener*, 10; *passer*, 28; to take a class *suivre un cours*, 31; to take a half hour *mettre une demi-heure*, 13; to take a jaunt *faire une promenade*, 11; to take a picture *faire une photo*, 36; to take a ride *faire un tour*, 2; to take a running start *prendre son élan*, 22; to take a trip *faire un voyage*, 21; to take along *emporter*, 27; to take back *rentrer*, 11; *reprendre*, 27; to take care of *s'occuper (de)*, 13; *profiter de*, 36; to take charge (of) *se charger (de)*, 16; to take down *descendre*, 9; to take off *retirer*, 14; to take off (airplane) *décoller*, 19; to take off again *repartir*, 28; to take on *se lancer*, 33; to take out *sortir*, 5; to take pains with *soigner*, 4; to take part (in) *participer (à)*, 22; to take pictures *faire de la photo*, 3; to take place *avoir lieu*, 9; *se passer*, 31; to take the subway *prendre le métro*, 13; to take up *monter*, 11

tale: fairy tale *un conte de fées*, 21

talent *un don*, 28; *un talent*, 28

talented in *doué, -e (pour)*, 4

to **talk** *parler*, 2; *bavarder*, 4; to talk over *discuter*, 3

tall *grand, -e*, 7

to **tan** *bronzer*, 24

tape *une bande*, 14; tape recorder *un magnéto(phone)*, 14

target-shooting *le tir*, 21; to go target-shooting *faire un carton*, 21

tart *une tarte*, 8

taste *le goût*, 25

to **taste** *goûter*, 38

tea *le thé*, 7

to **teach** *enseigner*, 7

teacher *un professeur*, 4

team *une équipe*, 2; *un équipage*, 27, 39

teammate *un(e) équipier (-ière)*, 27

to **tease** *taquiner*, 15

teaspoon *une petite cuillère*, 8

technical *technique*, 33

technique *la technique*, 36

technology *la technologie*, 4

telegram *un télégramme*, 26

telephone *un appareil*, 6

to **telephone** *passer un coup de fil*, 31

telephoto lens *un téléobjectif*, 36

telescope *un télescope*, 11

television *la télévision*, 3; television set *une télévision* 3; *un poste (de télévision)*, 24; to watch television *regarder la télévision*, 3

to **tell** *raconter*, 12; *dire*, 19; to tell how one's doing *donner de ses nouvelles*, 16

temperature *la température*, 15; What's the temperature? *Quelle température fait-il?* 15

to **tempt** *tenter*, 25

ten: about ten *une dizaine*, 9

to **tend** *cultiver*, 16

tennis *le tennis*, 2

tent *une tente*, 18

tenth *un dixième*, 22

terms *les conditions* (f.), 40; in terms of *en fonction de*, 28

terrace *une terrasse*, 12

terribly *tellement*, 4

terrific *formidable*, 10; Terrific! *Ça tombe bien!* 5

test *un essai*, 14; (paper) *une copie*, 34

text *un texte*, 38

thank you, thanks *merci*, 4; thanks to *grâce à*, 36

that *ce, cette*, 1; *ça*, 2; *ces*, 3; *que*, 4; that one *celui (-là), celle (-là)*, 14

thawing *la fonte*, 36

the *le, la*, 1; *les*, 3

theater *un théâtre*, 29; dinner theater *un café-théâtre*, 38

theatrical *théatral, -e* (m. pl. **-aux**), 29

their *leur*, 3, 7; *leurs*, 6, 7; theirs *le leur, la leur, les leurs*, 23

them *eux, elles,* 7; *les,* 10; (to, for) them *leur,* 8
themselves *se,* 3; *puis,* 6; *ensuite,* 8
then *alors,* 3; *puis,* 6; *ensuite,* 8
theoretically *en principe,* 26; *normalement,* 40
theory *une théorie,* 33
there *y,* 11; *par là,* 17; *là,* 20; there (he) goes *(le) voilà parti,* 32; there is (are) *il y a* 4; there is no point (in) *ça n'est pas la peine (de),* 30 there is still (a half hour) *il reste (une demi-heure),* 38; over there *là-bas,* 4
therefore *ainsi,* 28
thermometer *un thermomètre,* 15
these *ces,* 3; *celles-là,* 14; *ceux-là,* 14
they *ils, elles,* 2; *on,* 2
thick *gros, grosse,* 33
thickness *l'épaisseur* (f.), 33
thigh *la cuisse,* 22
thin *maigre,* 29
thing *une chose,* 9; *un truc,* 21
to think *trouver,* 2; *réfléchir,* 29; *croire,* 32; to think (of) *penser (à),* 34
thirsty: to be thirsty *avoir soif,* 5
this *ce, cet, cette,* 1
this one *celui (-là), celle (-là),* 14
those *ces,* 3; *celles (-là),* 14; *ceux (-là),* 14
thoughts: best thoughts *meilleures pensées,* 12
thousand *un millier,* 25
to threaten *menacer,* 37
throat *la gorge,* 35; to have a sore throat *avoir mal à la gorge,* 35
throw *un lancer,* 22
to throw *jeter,* 17; *lancer,* 22; to throw away *jeter,* 37; to throw back *rejeter,* 39
thunderstorm *un orage,* 39
Thursday *jeudi* (m.), 4
thus *ainsi,* 28
ticket *un billet,* 12
tied (score) *ex aequo,* 22
tights *un collant,* 25
time *le temps,* 3; *la fois,* 11; *un moment,* 31; a long time ago *il y a longtemps,* 11; at the right time *au bon moment,* 28; at the same time *en même temps,* 13; *à la fois,* 17; at the time of *lors de,* 22; from time to time *de temps en temps,* 10; on time *à l'heure,* 10; timed to the second *réglé(e) à la minute,* 26; wasted time *du temps de perdu,* 34; What time is it? *Quelle heure est-il?* 4
to time *chronométrer,* 22
timetable *un horaire,* 40
to tinker *bricoler,* 3
tinted *teinté, -e,* 31
tip *un pourboire,* 5; *une extrémité,* 17; tip included *service compris,* 5

tired *fatigué, -e,* 9; to be tired of *en avoir assez,* 33
tiring *fatigant, -e,* 26
title *un titre,* 9
to *à,* 1; *chez,* 5; *à destination de,* 40
toboggan *un toboggan,* 32
today *aujourd'hui,* 5; today's special *le plat du jour,* 38
together *ensemble,* 7; together with *en compagnie de,* 34; to bring together *réunir,* 22; to get together *se réunir,* 18; to put together *assembler,* 33
toilet *des W.-C.,* 10; toilet article *un objet de toilette,* 13
tolerant *tolérant, -e,* 30
toll *un péage,* 40
tomato *une tomate,* 8
tomb *un tombeau,* 11
tomorrow *demain,* 11
tongue *la langue,* 35
tonsillitis *une angine,* 35
tonsils *les amygdales* (f.), 35
too *aussi,* 1; *trop,* 2; too bad *tant pis,* 9; *dommage,* 18; too much, too many *trop (de),* 8
tool *un outil,* 33
tooth *une dent,* 13; toothbrush *une brosse à dents,* 13; toothpaste *le dentrifice,* 13; to have a toothache *avoir mal aux dents,* 35
top (summit) *le sommet,* 36; on top of *en *haut de,* 11; *au-dessus (de),* 20; up on top *là -haut,* 32
to toss a coin *jouer à pile ou face,* 10
to touch *toucher,* 22
touching *émouvant, -e,* 38; It's extremely touching! *C'est d'un émouvant!* 38
to tour *faire du tourisme,* 37
tourist *un(e) touriste,* 20
touristic *touristique,* 26
to tow *remorquer,* 27
toward *vers,* 14
towards *envers,* 30
towel *une serviette,* 26
tower *une tour,* 11; the Eiffel Tower *la Tour Eiffel,* 11
town *une ville,* 1; town hall *une mairie,* 10
toy car *une petite voiture,* 3
trace *une trace,* 39
track *une voie,* 40
tractor *un tracteur,* 16
trade *un métier,* 20
traditional *traditionnel, -elle,* 24; in the traditional way *à la façon traditionnelle,* 24
traffic *la circulation,* 31; traffic laws *le code de la route,* 31; with a lot of traffic *à grande circulation,* 31
tragedy *une tragédie,* 29
train *un train,* 40
to train *s'entraîner,* 22
training *l'entraînement* (m.), 22
translation (from a foreign

language) *une version,* 4; (into a foreign language) *un thème,* 4
transmission *une boîte de vitesse,* 31
transparent *transparent, -e,* 17
to transport *transporter,* 27
transportation *le transport,* 27
transported *transporté, -e,* 27
to travel *voyager,* 28
to treat *soigner,* 35
treatment *un traitement,* 35
tree *un arbre,* 10
tremendous *fou, folle,* 38
trip *un trajet,* 13; *une expédition,* 27; trip home *un trajet de retour,* 13; boat trip *une sortie en mer,* 17; to make a trip *faire une expédition,* 27
trombone *un trombone,* 14
trophy *une coupe,* 10
tropical *tropical, -e (m. pl. -aux),* 17
tropics *les Tropiques* (m.), 17
trouble *une difficulté,* 3; to have trouble *avoir des pépins,* 31
truck *un camion,* 31
true *vrai, -e,* 3; true, genuine *véritable,* 36
trumpet *une trompette,* 14
to trust *avoir confiance en,* 30
truth *la vérité,* 38
to try (to) *essayer (de),* 7; to try one's luck *tenter sa chance,* 21
T-shirt *un Ti-shirt,* 9
tuba *un tuba,* 14
Tuesday *mardi* (m.), 4
to tumble over *culbuter,* 39
tune *un air,* 14
tuneup *une révision,* 31
tunic *une tunique,* 29
Tunisia *la Tunisie,* 19
Tunisian *tunisien, -ienne,* 19
Turkey *la Turquie,* 19
turn *un tour,* 14; at a turn in *au détour de,* 21; it's your turn (to) *c'est à toi (de),* 3; to be one's turn to speak *avoir la parole,* 27; (Your) turn! *A (ton) tour!* 21
to turn *tourner,* 10; to turn off *éteindre,* 24, 37; to turn on *mettre,* 24; *allumer,* 24; he / she turns out the light *il / elle éteint,* 13
turtle *une tortue,* 17
TV *la télé,* 2
type: (he / she) is not (my) type *ce n'est pas (mon) genre,* 30
typical *typique,* 34

U

uncle *un oncle,* 7
to uncover *dévoiler,* 21
under *sous,* 11
underlined *souligné, -e,* 7
underneath *en dessous,* 35
to understand *comprendre,* 19

underwater *sous-marin, -e,* 12; underwater fishing *la chasse sous-marine,* 39
to **undress** *se déshabiller,* 13
unfortunately *malheureusement,* 11
unit *un chapitre,* 1
united *uni, -e,* 40
United States *les Etats-Unis* (m.), 1, 19
universe *un univers,* 36
university *une université,* 28
unless *à moins que,* 34
unnecessary *inutile,* 37
to **unplug** *débrancher,* 14
unspoiled *intact, -e* 39
until *jusqu'à ,* 11; until then *d'ici là,* 40
unusual *insolite,* 36
uphill *en côte,* 31
up on top *là-haut,* 32
up to date *au courant,* 30; to bring up to date on *mettre au courant de,* 37
urge: he suddenly feels the urge *l'envie le prend,* 34
us *nous,* 5; (to, for) us *nous,* 10
use: to make use of *exploiter,* 28
to **use** *utiliser,* 13; *consommer,* 31; using *en utilisant,* 6
used *d'occasion,* 31; to be used for *servir à,* 26; used to *habitué(e) à,* 30
useful *utile,* 27
U.S.S.R. *l'U.R.S.S.* (f.), 19
usually *en général,* 7; *d'habitude,* 27

V

to **vacate** *libérer,* 40
vacation *les vacances* (f.), 14; on vacation *en vacances,* 31
vaccination *une vaccination,* 28
to **vacuum** *passer l'aspirateur,* 26
vacuum cleaner *un aspirateur,* 26
valid *valable,* 29
vampire *un vampire,* 29
vanilla (flavor) *la vanille,* 5; vanilla ice cream *une glace à la vanille,* 5
variable *variable,* 39
varied *varié, -e,* 8
variety *une variété,* 36; variety show *une émission de variétés,* 24
vaulting horse *le cheval de voltige,* 22
veal cutlet *une escalope,* 40
to **veer** *virer,* 21
vegetable *un légume,* 8; vegetable garden *un jardin potager,* 16
vehicle *un véhicule,* 31
velvet *le velours,* 25
verge: on the verge of *sur le point de,* 39

vertically *verticalement,* 35; à la verticale, 39
vertigo *le vertigo,* 21
very *très,* 1; *tout,* 18; *bien,* 27
vest *un gilet,* 25
victory *une victoire,* 22
view *une vue,* 11; extensive view *une étendue,* 40
Viking *un Viking,* 32
village *un village,* 1
violet *une violette,* 36
violin *un violon,* 14
visit *une visite,* 11
to **visit** *visiter,* 11
visited *fréquenté, -e,* 39; it is visited by *il reçoit,* 26
visitor *un(e) visiteur (-euse),* 32
vitamin *une vitamine,* 28
volcano *un volcan,* 17
volleyball *le volley-ball,* 2
volume *le volume,* 14
volunteer *un(e) volontaire,* 27

W

wage *un salaire,* 33
waist *la taille,* 22
wait *l'attente* (f.), 40
to **wait for** *attendre,* 7; Wait a minute! *Attendez!* 5; to wait on *s'occuper de,* 13; *servir,* 26
waiter *un garçon,* 5; waiter, waitress *un(e) serveur (-euse),* 26
wake *le sillage,* 17
to **wake up** *se réveiller,* 13
walk *une promenade,* 7; *la marche,* 36
to **walk** *se promener,* 13; *marcher,* 19; to start walking *se mettre en marche,* 36
walkway *une allée,* 21
wall *un mur,* 16
wallet *un portefeuille,* 20
walnut tree *un noyer,* 16
to **want** *avoir envie de,* 5; *désirer,* 5; *vouloir,* 17; *rechercher,* 31
war *une guerre,* 26
warmth *la chaleur,* 32
warm-up *la mise en train,* 22
to **warm up** *se réchauffer,* 15; *se mettre en train,* 22
to **wash** *laver,* 13; *se laver,* 13; to get washed *faire sa toilette, se laver,* 13
wash mitt *un gant de toilette,* 13
waste *les déchets* (m.), 37
to **waste** *gaspiller,* 37; wasted time *du temps de perdu,* 34
wasting *le gaspillage,* 37
watch *une veille,* 18; *une montre,* 23
to **watch** *regarder,* 2; to watch out for *guetter,* 36; to watch television *regarder la télévision,* 3; Watch out! *Attention!* 14; watchtower *un sémaphore,* 18; water *l'eau* (f.), 5;

mineral water *l'eau minérale,* 5; to give water to *donner à boire à,* 16; water skiing *le ski nautique,* 39
wave *une vague,* 17
way (route) *le chemin,* 10; (manner) *une façon,* 19; *un moyen,* 36; his / her own way *de son côté,* 8; in one way *dans un sens,* 28
we *nous,* 2; *on,* 2
weak *mou, molle,* 21; *faible,* 22
wealthy *riche,* 21
to **wear** *porter,* 7; *mettre,* 9
weather *le temps,* 15; weather report *la météo,* 15; *un bulletin météorologique,* 39; the weather is bad *il fait mauvais,* 15; the weather is nice *il fait beau,* 13; What's the weather like? *Quel temps fait-il?* 15
wedding *un mariage,* 15
Wednesday *mercredi* (m.), 4
week *une semaine,* 7
weekend *un week-end,* 17
to **weigh anchor** *lever l'ancre,* 39
weight belt *une ceinture de plomb,* 39
weighted down (with) *encombré, -e (de),* 40
Welcome! *Soyez les bienvenus!* 17
well *bien,* 3; *eh bien,* 25; well-done *bien cuit, -e,* 38; well-to-do *aisé, -e,* 34; as well as *ainsi que,* 26
west *l'ouest* (m.), 17
western (film) *un western,* 5
western *occidental, -e* (m. pl. -aux), 24
West Indies *les Antilles* (f.), 17
wet *mouillé, -e,* 27
what *comment,* 1; *ce que,* 2; *quoi,* 2; *qu'est-ce que,* 2, 20; *quel, quelle, quels, quelles,* 14; *qu'est-ce qui,* 20; what else *quoi d'autre,* 23; what is needed *le nécessaire,* 37
whatever *quel que soit,* 29
wheat *le blé,* 16
wheel: small wheel *une roulette,* 29
wheelbarrow *une brouette,* 37
when *quand,* 5
where *où,* 1; it's where *c'est là que,* 23
which *que,* 4; *quel, quelle, quels, quelles,* 14; which one(s) *lequel, laquelle, lesquels, lesquelles,* 14
while *pendant que,* 35
whispering *un chuchotement,* 34
whistle *un sifflet,* 32
white *blanc, blanche,* 2
who *qui,* 1; *qui est-ce qui,* 3, 20
whole *un ensemble,* 38; the whole *tout, toute, tous, toutes,* 7; the whole thing *le tout,* 20
whom *qui,* 3; *qui est-ce que,* 20
whooping cough *la coqueluche,* 35
why *pourquoi,* 2
wide-angle lens *un objectif grand angle,* 36

width *la largeur,* 33
wife *une femme,* 16
wig *une perruque,* 29
wild *sauvage,* 17; in the wild *sur le vif,* 36; It's too wild! *C'est dément!* 21
to **win** *gagner,* 3; *remporter,* 22
wind *le vent,* 15
window *une fenêtre,* 24; window, glass *une vitre,* 31; *un guichet,* 40; store window *une vitrine,* 13
windy: it's windy *il fait du vent,* 15
wine *le vin,* 8; a bottle of wine *une bouteille de vin,* 8; wine list *la carte des vins,* 38
winegrower *un vigneron,* 25
wing *une aile,* 37
winged *ailé, -e,* 32
winner *un vainqueur,* 22
winter *l'hiver* (m.), 15; in the winter *en hiver,* 15
wire *un fil,* 33
wire cutters *des tenailles* (f.), 33
wish *un souhait,* 23
witch *une sorcière,* 29
with *avec,* 2; *à,* 31; with the help of *à l'aide de,* 33
withdrawn *renfermé, -e,* 30
without *sans,* 13; without buying *sans avoir acheté,* 13
to **withstand** *résister (à),* 32
Wolof *le ouolof,* 19
wood *le bois,* 27; wood fire *un feu de bois,* 15
woods *un bois,* 16, 17

word *un mot,* 4; in other words *autrement dit,* 32
work *le travail,* 4
to **work** *travailler,* 7; (to function) *marcher,* 9; to work harder *se fatiguer,* 28
workbench *un établi,* 33
worker: factory worker *un(e) ouvrier (-ière),* 7; office worker *un(e) employé(e) de bureau,* 7
workshop *un atelier,* 29
world *le monde,* 17; to go around the world *faire le tour du monde,* 21
to **worry** *préoccuper,* 37; *s'en faire,* 38
worth: the meal is worth the trip *la table vaut le voyage,* 40
to **write** *écrire,* 12; *rédiger,* 26; to write a prescription *faire une ordonnance,* 35; to write down *noter,* 18; in writing *par correspondance,* 19
writer *un écrivain,* 37
writing paper *du papier à lettres,* 23
wrong: wrong number *une erreur,* 6; everything's going wrong *tout va mal,* 9; What's wrong? *Qu'est-ce qui ne va pas?* 35; to be wrong *avoir tort,* 37

X

X-ray *une radio,* 28
xylophone *un xylophone,* 14

Y

yeah *ouais,* 25
year *un an,* 1; *une année,* 4; every year *tous les ans,* 7; school year *l'année scolaire,* 4; to be . . . years old *avoir . . . ans,* 1
yellow *le jaune,* 2
yes *oui,* 1; *se,* 2, 3
yesterday *hier,* 9
yet: not yet *ne . . . pas encore,* 9
yogurt *un yaourt,* 8
you *toi,* 1; *tu,* 2; *vous,* 2, 5; (to, for) you *te, vous,* 10
young *jeune,* 16; young people *les jeunes,* 3
your *ton, ta, tes,* 7; *votre, vos,* 4, 7
yours *le tien, la tienne, les tiens, les tiennes,* 23; *le vôtre, la vôtre, les vôtres,* 23
yourself *te, vous,* 13; yourselves *vous,* 13
youth: youth center *une maison des jeunes,* 10; youth hostel *une auberge de jeunesse,* 40; youth leader *un(e) animateur (-trice),* 27

Z

zebra *un zèbre,* 34
zero *un zéro,* 15; *néant,* 39; it's zero degrees *il fait zéro,* 15
zip code *un code postal,* 12
Zodiac *le Zodiaque,* 21

Grammar Index

(I); **me, te, nous, vous,** 103f (I); re-view, 134 (II); *see* Grammar Summary
distrait, -e: adjectives like, 41 (I); re-view, 68f (II); *see* Grammar Summary
double object pronouns: *see* pronoun pairs
doué, -e: adjectives like, 41 (I); review, 68f (II); *see* Grammar Summary
du, de la: indicating quantity, 50 (I)

écrire, verbs like: present, 123 (I); passé composé, 123 (I); imparfait, 169f (I); future, 218f (I); conditional, 239 (I); present subjunctive, 57 (II); past per-fect, 106 (II); future perfect, 205 (II); past subjunctive, 218 (II); past condi-tional, 247 (II); *see* Grammar Sum-mary
elision: explained, 17f (I); with subject pronoun, 17f (I); with articles, 18, 23f, 50 (I); with **de,** 27 (I); with **ne,** 27 (I); with **est-ce que,** 48 (I); with direct-ob-ject pronouns **le, la,** 101 (I); with in-direct-object pronouns **me, te,** 104 (I); with reflexive pronouns, 131 (I)
en: position and uses, 93f (I); used with names of countries, 196 (I); review, 134f (II); in pronoun pairs, 140f (II)
envoyer: 150 (II); *see* Grammar Sum-mary
essayer: 197 (II); *see* Grammar Sum-mary
est-ce que: used in question formation, 48 (I); review, 9 (II)
éteindre: 200 (II); future perfect, 205 (II); past subjunctive, 218f (II); past condi-tional, 247 (II); *see* Grammar Sum-mary
être: present, 25 (I); passé composé, 91 (I); as auxiliary in passé composé, 112f (I); imparfait, 170 (I); future, 219 (I); conditional, 239 (I); present sub-junctive, 60 (II); past perfect, 106 (II); future perfect, 205 (II); past subjunc-tive, 218 (II); past conditional, 247 (II); *see* Grammar Summary

faire: present, 13 (I); passé composé, 91 (I); imparfait, 169f (I); future, 219 (I); conditional, 239 (I); present subjunc-tive, 60 (II); past perfect, 106 (II); fu-ture perfect, 205 (II); past subjunctive, 218 (II); past conditional, 247 (II); *see* Grammar Summary
faire faire: 30 (II)
falloir: 22 (II); *see* Grammar Summary
feminine: gender, 6f (I)
future: formation of, verbs like **jouer, choisir, sortir, attendre,** 218f (I); *for irregular future forms, see individual listings;* after **quand,** 219 (I); review of formation and uses, 252 (I), 37f (II)
future perfect: formation and use of, 205 (II)
future time: expressed by present tense, 54 (I); expressed by **aller** + infinitive,

54 (I); review, 125 (I), 37f (II); *see* fu-ture

gender: explained, 6f (I); markers, 7 (I)

il y a (...que) construction: 154 (II)
imparfait: of verbs like **jouer, choisir, sortir, attendre,** 169f (I); *for other verbs, see individual listings;* vs. passé composé, 181 (I); review of passé composé vs. imparfait, 190 (I), 26 (II); review, 24 (II)
imperative: *see* commands
independent pronouns: **moi, toi, lui, elle,** 2 (I); forms and uses, 73 (I); review, 134 (II); *see* Grammar Sum-mary
indirect object: explained, 84 (I)
indirect-object pronouns: **lui, leur,** 83f (I); **me, te, nous, vous,** 103f (I); re-view, 134 (II); *see* Grammar Summary
indirect style: 174 (II)
infinitive: explained, 15 (I); following **aller,** 54 (I); of reflexive verbs, 131 (I); following **venir de,** 144 (I); following verbs, 211f (I); after prepositions, 221 (I); past infinitive, 221 (I); following adjectives, 85 (II); vs. subjunctive, 90 (II)
interrogative adjectives: **quel, quelle, quels, quelles,** 146 (I); review, 9 (II)
interrogative pronouns: **lequel, laquelle, lesquels, lesquelles,** 148 (I); contrac-tions with **à** and **de,** 158 (I); **qui est-ce qui, qu'est-ce qui, qui est-ce que, qu'est-ce que,** 206f (I); **qui, quoi** after prepositions, 206f (I); review, 9 (II)
inversion: 11 (II)

jeter, verbs like: 196 (II); future perfect, 205 (II); past subjunctive, 218f (II); past conditional, 247 (II); *see* Gram-mar Summary
jouer, verbs like: present, 15f (I); passé composé, 89 (I); imparfait, 169f (I); fu-ture, 218f (I); conditional, 239 (I); present subjunctive, 57 (II); past per-fect, 106 (II); future perfect, 205 (II); past subjunctive, 218 (II); past condi-tional, 247 (II); *see* Grammar Sum-mary

là: used with demonstrative pronouns, 149 (I)
languages: names of, 199 (I)
le, la, les: *see* articles
lequel, laquelle, lesquels, lesquelles: 148 (I); contractions with **à** and **de,** 158 (I)
liaison: explained, 17f (I); with subject pronouns, 17f (I); with articles, 18, 23f (I); with **aux, des,** 36 (I); with adjec-tives preceding nouns, 66, 164 (I); with possessive articles, 67 (I); with **en,** 94 (I); with direct-object pronoun **les,** 101 (I); with direct-object pro-

nouns **nous, vous,** 104 (I); with in-direct-object pronouns **nous, vous,** 104 (I); form of **être** and past par-ticiple, 113 (I); with **y,** 116 (I); with reflexive pronouns, 131 (I); in inver-sion, 11 (II)

manger, verbs like: present, 56 (I); im-parfait, 170 (I); *see* Grammar Sum-mary
markers: gender, 7 (I); plural, 23f (I)
masculine: gender, 6f (I)
mettre: present, 90 (I); passé composé, 91 (I); imparfait, 169f (I); future, 218f (I); conditional, 239 (I); present sub-junctive, 57 (II); past perfect, 106 (II); future perfect, 205 (II); past subjunc-tive, 218 (II); past conditional, 247 (II); *see* Grammar Summary

names of countries: 196 (I); review, 110 (II)
nationality: nouns of, 199 (I); adjectives of, 199 (I)
ne: *see* negation (I)
neiger: present, 153 (I); imparfait, 170 (I)
negation: **ne... pas (de),** 26f (I); con-struction without verb, 27 (I); of verb followed by infinitive, 27 (I); **ne... jamais, ne... ni... ni, ne... plus, ne ... rien,** 70 (I); of passé composé, 89 (I); **ne... personne,** 136 (I); **personne ... ne,** 136 (I); **ne... rien,** 136 (I); **rien... ne,** 136 (I); in reflexive con-struction, 187 (I); **ne... aucun (e),** 189 (II); review of negative construc-tions, 183 (II)
nettoyer, verbs like: 197 (II); future per-fect, 205 (II); past subjunctive, 218f (II); past conditional, 247 (II); *see* Grammar Summary
nouns: gender classes of, 6f (I); ending in **-al,** 24 (I); plural, 24 (I)
nouveau, nouvel, nouvelle: 164 (I); re-view, 68f (II)
numbers: ordinal, 99 (I)

ordinal numbers: formation, 99 (I)

passé composé: with **avoir,** 89 (I); in negative constructions, 89 (I); object pronouns with, 106f (I); with **être,** 112f (I); with either **être** or **avoir,** 113 (I); review, 125 (I), 19f (II); in reflexive constructions, 156 (I); vs. imparfait, 181 (I); review of passé composé vs. imparfait, 190 (I), 26 (II)
past conditional: formation and use of, 247 (II)
past participle: of verbs like **jouer, choi-sir, servir, attendre,** 89 (I); *for other verbs, see individual listings;* agree-ment with preceding direct-object pronoun, 106f (I); agreement with subject, 112f (I); agreement with pre-ceding direct object, 146 (I); agree-